Statistiques

Σ : somme.

x_i : valeur de la variable.

n_i : effectif de la valeur x_i.

N : effectif total ; $N = \Sigma n_i$.

f_i : fréquence de la valeur x_i ; $f_i = \dfrac{n_i}{N}$.

Moyenne : $\quad \bar{x} = \dfrac{\Sigma n_i \times x_i}{N} = \sum f_i \times x$

Variance : $\quad V = \dfrac{\Sigma n_i \times (x_i - \bar{x})}{N} \quad - \bar{x}^2$.

Écart-type : $\quad \sigma = \sqrt{V}$

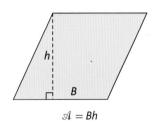

Lorsque la série est rangée par ordre croissant, la médiane *Me* partage la série en

Probabilités

● Ω : l'univers, l'ensemble des issues possibles ;
$\Omega = \{e_1 ; e_2 ; \dots ; e_n\}$, associé à la loi de probabilité p.

● A événement : A sous-ensemble de Ω ;
$p(A) = \displaystyle\sum_{e_i \text{ réalisant A}} p_i$, où $p_i = p(\{e_i\})$.

Dans le cas de l'équiprobabilité, $p(A) = \dfrac{\text{nombre d'éléments de A}}{\text{nombre d'éléments de } \Omega}$.

● A et B étant deux événements, $p(A \cap B) + p(A \cup B) = p(A) + p(B)$ et $p(A) + p(\bar{A}) = 1$.

Géométrie

● **Triangle**

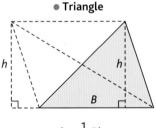

$$\mathcal{A} = \frac{1}{2} Bh$$

● **Parallélogramme**

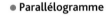

$$\mathcal{A} = Bh$$

● **Trapèze**

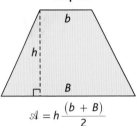

$$\mathcal{A} = h\frac{(b + B)}{2}$$

● **Disque**

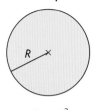

$$\mathcal{A} = \pi R^2$$

● Coordonnées du milieu de $[AB]$: $\left(\dfrac{x_A + x_B}{2} ; \dfrac{y_A + y_B}{2} \right)$.

● Dans un repère orthonormé : $AB = \sqrt{(x_B - x_A)^2 + (y_B - y_A)^2}$.

● Coordonnées du vecteur $\overrightarrow{AB}$: $\begin{pmatrix} x_B - x_A \\ y_B - y_A \end{pmatrix}$.

● Pour $\vec{u} \begin{pmatrix} a \\ b \end{pmatrix}$ et $\vec{u'} \begin{pmatrix} a' \\ b' \end{pmatrix}$: $\vec{u} + \vec{u'} \begin{pmatrix} a + a' \\ b + b' \end{pmatrix}$ et $k\vec{u} \begin{pmatrix} ka \\ kb \end{pmatrix}$.

Déclic mathématiques

2de

JEAN-PAUL BELTRAMONE

VINCENT BRUN
JEAN LABROSSE
CLAUDINE MERDY
LYDIA MISSET
PHILIPPE ROUSSEAU
OLIVIER SIDOKPOHOU
CLAUDE TALAMONI
ALAIN TRUCHAN

EDUCATION

Sommaire général

Logos

algo permet de repérer les exercices permettant d'appliquer des notions d'algorithmique.

Logique indique les exercices faisant directement appel à des connaissances de logique.

et signalent les exercices s'appuyant sur l'outil informatique ou la calculatrice.

indique un complément sur le site élève.

Pour utiliser le manuel en autonomie

Prolongements sur le site élève :
www.decliclycees2.hachette-education.com

● Des exercices de révision pour « Partir d'un bon pied » :
des rappels de cours du collège, des tests et des exercices
avec leurs corrigés dans les « Techniques de base ».

● Les activités TICE pour « Découvrir » de nouvelles
notions sont corrigées en vidéo de façon à pouvoir
maîtriser l'utilisation du logiciel ou de la calculatrice.

● Des exercices interactifs du type QCM et Vrai – faux
pour « Faire le point ».

● Des exercices interactifs pour appliquer le cours.

Présentation du manuel

Double page d'ouverture du chapitre

Des exercices de révision pour partir d'un bon pied. Ils sont corrigés à la fin du manuel.

Des compléments sur le site élève pour revoir et acquérir les bases avant de commencer le chapitre.

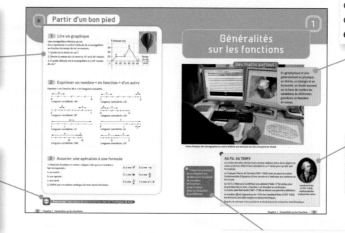

Des exemples d'applications concrètes de la notion mathématique étudiée dans le chapitre.

Un point historique pour montrer l'évolution de la notion mathématique étudiée au fil du temps.

Les principaux objectifs du chapitre.

Double page « Découvrir »

Des activités pour découvrir et introduire les notions nouvelles du cours.

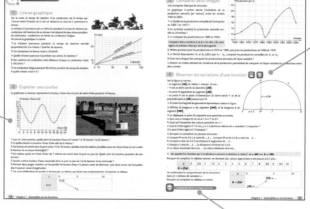

Une activité logiciel ou calculatrice à vidéo-projeter ou à conduire en salle informatique.

Les activités TICE sont corrigées en vidéo sur le site élève pour apprendre ou approfondir l'utilisation du logiciel.

Double page « Cours – Savoir faire »

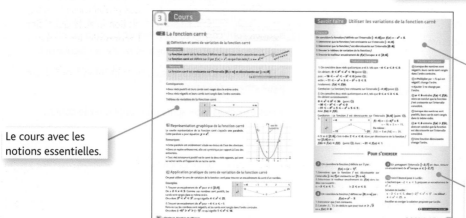

Le cours avec les notions essentielles.

Un exercice résolu et des points méthodes.

Des exercices de base pour appliquer la méthode immédiatement.

Rubriques d'acquisition de méthodes, de soutien pour l'élève et d'accompagnement vers l'autonomie

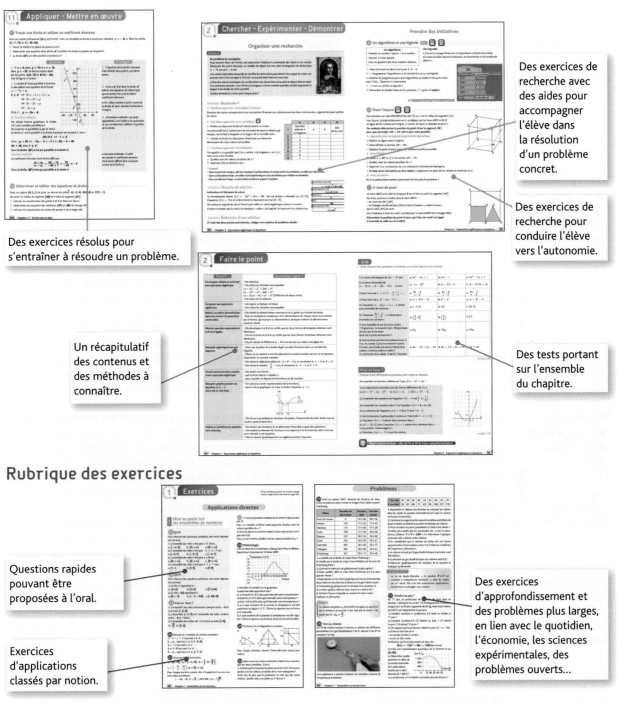

Des exercices de recherche avec des aides pour accompagner l'élève dans la résolution d'un problème concret.

Des exercices de recherche pour conduire l'élève vers l'autonomie.

Des exercices résolus pour s'entraîner à résoudre un problème.

Un récapitulatif des contenus et des méthodes à connaître.

Des tests portant sur l'ensemble du chapitre.

Rubrique des exercices

Questions rapides pouvant être proposées à l'oral.

Exercices d'applications classés par notion.

Des exercices d'approfondissement et des problèmes plus larges, en lien avec le quotidien, l'économie, les sciences expérimentales, des problèmes ouverts...

- Les exercices corrigés à la fin du manuel sont signalés par une puce orange **12**.
- Exercices d'algorithmique **algo**, de logique **Logique**, nécessitant l'utilisation d'un logiciel 💻 ou de la calculatrice 🖩.
- Des blocs « Info » pour préciser ou étendre les connaissances mathématiques.
- Des blocs « Note » comme intermèdes historiques, ou en lien avec les arts et les sciences expérimentales, positionnant les mathématiques dans un contexte plus général.

Programme

1 Fonctions

Contenus	Capacités attendues	Commentaires	Chapitre
Fonctions Image, antécédent, courbe représentative.	• Traduire le lien entre deux quantités par une formule. Pour une fonction définie par une courbe, un tableau de données ou une formule : • identifier la variable et, éventuellement, l'ensemble de définition ; • déterminer l'image d'un nombre ; • rechercher des antécédents d'un nombre.	Les fonctions abordées sont généralement des fonctions numériques d'une variable réelle pour lesquelles l'ensemble de définition est donné. Quelques exemples de fonctions définies sur un ensemble fini ou sur $\mathbb{N}$, voire de fonctions de deux variables (aire en fonction des dimensions) sont à donner.	1
Étude qualitative de fonctions Fonction croissante, fonction décroissante ; maximum, minimum d'une fonction sur un intervalle.	• Décrire, avec un vocabulaire adapté ou un tableau de variations, le comportement d'une fonction définie par une courbe. • Dessiner une représentation graphique compatible avec un tableau de variations. Lorsque le sens de variation est donné, par une phrase ou un tableau de variations : • comparer les images de deux nombres d'un intervalle ; • déterminer tous les nombres dont l'image est supérieure (ou inférieure) à une image donnée.	Les élèves doivent distinguer les courbes pour lesquelles l'information sur les variations est exhaustive, de celles obtenues sur un écran graphique. Les définitions formelles d'une fonction croissante, d'une fonction décroissante, sont progressivement dégagées. Leur maîtrise est un objectif de fin d'année. ♦ Même si les logiciels traceurs de courbes permettent d'obtenir rapidement la représentation graphique d'une fonction définie par une formule algébrique, il est intéressant, notamment pour les fonctions définies par morceaux, de faire écrire aux élèves un algorithme de tracé de courbe.	1
Expressions algébriques Transformations d'expressions algébriques en vue d'une résolution problème.	• Associer à un problème une expression algébrique. • Identifier la forme la plus adéquate (développée, factorisée) d'une expression en vue de la résolution du problème donné. • Développer, factoriser des expressions polynomiales simples ; transformer des expressions rationnelles simples.	Les activités de calcul nécessitent une certaine maîtrise technique et doivent être l'occasion de raisonner. Les élèves apprennent à développer des stratégies s'appuyant sur l'observation de courbes, l'anticipation et l'intelligence du calcul. Le cas échéant, cela s'accompagne d'une mobilisation éclairée et pertinente des logiciels de calcul formel.	2
Équations Résolution graphique et algébrique d'équations.	• Mettre un problème en équation. • Résoudre une équation se ramenant au premier degré. • Encadrer une racine d'une équation grâce à un algorithme de dichotomie.	Pour un même problème, combiner résolution graphique et contrôle algébrique. Utiliser, en particulier, les représentations graphiques données sur écran par une calculatrice, un logiciel.	2
Fonctions de référence Fonctions linéaires et fonctions affines. Variations de la fonction carré, de la fonction inverse.	• Donner le sens de variation d'une fonction affine. • Donner le tableau de signes de $ax + b$ pour des valeurs numériques données de a et b. • Connaître les variations des fonctions carré et inverse. • Représenter graphiquement les fonctions carré et inverse.	On fait le lien entre le signe de $ax + b$, le sens de variation de la fonction et sa courbe représentative. Exemples de non-linéarité. en particulier, faire remarquer que les fonctions carré et inverse ne sont pas linéaires.	3
Études de fonctions Fonctions polynômes de degré 2. Fonctions homographiques.	• Connaître les variations des fonctions polynômes de degré 2 (monotonie, extremum) et la propriété de symétrie de leurs courbes. • Identifier l'ensemble de définition d'une fonction homographique.	Les résultats concernant les variations des fonctions polynômes de degré 2 (monotonie, extremum) et la propriété de symétrie de leurs courbes sont donnés en classe et connus des élèves, mais peuvent être partiellement ou totalement admis. Savoir mettre sous forme canonique un polynôme de degré 2 n'est pas un attendu du programme. Hormis le cas de la fonction inverse, la connaissance générale des variations d'une fonction homographique et sa mise sous forme réduite ne sont pas des attendus du programme.	4

Inéquations	• Modéliser un problème par une inéquation.	Pour un même problème, il s'agit de :	5
Résolution graphique et algébrique d'inéquations.	• Résoudre graphiquement des inéquations de la forme : $f(x) < k$; $f(x) < g(x)$.	• combiner les apports de l'utilisation d'un graphique et d'une résolution algébrique,	
	• Résoudre une inéquation à partir de l'étude du signe d'une expression produit ou quotient de facteurs du premier degré.	• mettre en relief les limites de l'information donnée par une représentation graphique.	
	• Résoudre algébriquement les inéquations nécessaires à la résolution d'un problème.	Les fonctions utilisables sont les fonctions polynômes de degré 2 ou homographiques.	
Trigonométrie	• On fait le lien avec les valeurs des sinus et cosinus des angles de 0°, 30°, 45°, 60°, 90°.	On fait le lien avec la trigonométrie du triangle rectangle vue au collège.	6
« Enroulement de la droite numérique » sur le cercle trigonométrique et définition du sinus et du cosinus d'un nombre réel.		La notion de radian n'est pas exigible.	

2 Géométrie

Contenus	Capacités attendues	Commentaires	Chapitre
Coordonnées d'un point du plan Abscisse et ordonnée d'un point dans le plan rapporté à un repère orthonormé. Distance de deux points du plan. Milieu d'un segment.	• Repérer un point donné du plan, placer un point connaissant ses coordonnées. • Calculer la distance de deux points connaissant leurs coordonnées. • Calculer les coordonnées du milieu d'un segment.	Un repère orthonormé du plan est défini par trois points (O, I, J) formant un triangle rectangle isocèle de sommet O. À l'occasion de certains travaux, on pourra utiliser des repères non orthonormés.	9
Configurations du plan Triangles, quadrilatères, cercles.	Pour résoudre des problèmes : • Utiliser les propriétés des triangles, des quadrilatères des cercles. • Utiliser les propriétés des symétries axiale ou centrale.	Les activités des élèves prennent appui sur les propriétés étudiées au collège et peuvent s'enrichir des apports de la géométrie repérée. ♦ Le cadre de la géométrie repérée offre la possibilité de traduire numériquement des propriétés géométriques et permet de résoudre certains problèmes par la mise en œuvre d'algorithmes simples.	9
Droites Droite comme courbe représentative d'une fonction affine. Équations de droites. Droites parallèles, sécantes.	• Tracer une droite dans le plan repéré. • Interpréter graphiquement le coefficient directeur d'une droite. • Caractériser analytiquement une droite. • Établir que trois points sont alignés, non alignés. • Reconnaître que deux droites sont parallèles, sécantes. • Déterminer les coordonnées du point d'intersection de deux droites sécantes.	On démontre que toute droite a une équation soit de la forme $y = mx + p$, soit de la forme $x = c$. On fait la liaison avec la colinéarité des vecteurs. C'est l'occasion de résoudre des systèmes d'équations linéaires.	11
Vecteurs Définition de la translation qui transforme un point A du plan en point B. Vecteur $\overrightarrow{AB}$ associé. Égalité de deux vecteurs : $\vec{u} = \overrightarrow{AB} = \overrightarrow{CD}$. Coordonnées d'un vecteur dans un repère. Somme de deux vecteurs. Produit d'un vecteur par un nombre réel. Relation de Chasles.	• Savoir que $\overrightarrow{AB} = \overrightarrow{CD}$ équivaut à $ABDC$ est un parallélogramme, éventuellement aplati. • Connaître les coordonnées $(x_B - x_A, y_B - y_A)$ du vecteur $\overrightarrow{AB}$. • Calculer les coordonnées de la somme de deux vecteurs dans un repère. • Utiliser la notation $\lambda \vec{u}$. • Établir la colinéarité de deux vecteurs. • Construire géométriquement la somme de deux vecteurs. • Caractériser alignement et parallélisme par la colinéarité de vecteurs.	À tout point C du plan, on associe, par la translation qui transforme A en B, l'unique point D tel que $[AD]$ et $[BC]$ ont même milieu. La somme des deux vecteurs $\vec{u}$ et $\vec{v}$ est le vecteur associé à la translation résultant de l'enchaînement des translations de vecteur $\vec{u}$ et de vecteur $\vec{v}$. Pour le vecteur $\vec{u}$ de coordonnées (a, b) dans un repère, le vecteur $\lambda \vec{u}$ est le vecteur de coordonnées $(\lambda a, \lambda b)$ dans le même repère. Le vecteur $\lambda \vec{u}$ ainsi défini est indépendant du repère.	12

Contenus	Capacités attendues	Commentaires	Chapitre
Géométrie dans l'espace Les solides usuels étudiés au collège : parallélépipède rectangle, pyramides, cône et cylindre de révolution, sphère. Droites et plans, positions relatives. Droites et plans parallèles.	• Manipuler, construire, représenter en perspective des solides.	C'est l'occasion d'effectuer des calculs de longueur, d'aire et de volumes. On entraîne les élèves à l'utilisation autonome d'un logiciel de géométrie dans l'espace.	10

3 Statistiques et probabilités

Contenus	Capacités attendues	Commentaires	Chapitre
Statistique descriptive, analyse de données Caractéristiques de position et de dispersion • médiane, quartiles ; • moyenne.	• Utiliser un logiciel (par exemple, un tableur) ou une calculatrice pour étudier une série statistique. • Passer des effectifs aux fréquences, calculer les caractéristiques d'une série définie par effectifs ou fréquences. • Calculer des effectifs cumulés, des fréquences cumulées. • Représenter une série statistique graphiquement (nuage de points, histogramme, courbe des fréquences cumulées).	L'objectif est de faire réfléchir les élèves sur des données réelles, riches et variées (issues, par exemple, d'un fichier mis à disposition par l'INSEE), synthétiser l'information et proposer des représentations pertinentes.	7
Échantillonnage Notion d'échantillon. Intervalle de fluctuation d'une fréquence au seuil de 95 %* pour la proportion d'un caractère dans une population. Réalisation d'une simulation.	• Concevoir, mettre en œuvre et exploiter des simulations de situations concrètes à l'aide du tableur. • Exploiter et faire une analyse critique d'un résultat d'échantillonnage.	Un échantillon de taille n est constitué des résultats de n répétitions indépendantes de la même expérience. À l'occasion de la mise en place d'une simulation, on peut : • utiliser les fonctions logiques d'un tableur ou d'une calculatrice, • mettre en place des instructions conditionnelles dans un algorithme. L'objectif est d'amener les élèves à un questionnement lors des activités suivantes : • l'estimation d'une proportion inconnue à partir d'un échantillon ; • la prise de décision à partir d'un échantillon.	7

* L'intervalle de fluctuation au seuil de 95 %, relatif aux échantillons de taille n, est l'intervalle centré autour de p, proportion du caractère dans la population, où se situe, avec une probabilité égale à 0,95, la fréquence observée dans un échantillon de taille n. Cet intervalle peut être obtenu, de façon approchée, par simulation.

Le professeur peut indiquer aux élèves le résultat suivant, utilisable dans la pratique pour des échantillons de taille $n \geqslant 25$ et des proportions p du caractère comprises entre 0,2 et 0,8 : si f désigne la fréquence du caractère dans l'échantillon, f appartient à l'intervalle $\left[p - \dfrac{1}{\sqrt{n}}, p + \dfrac{1}{\sqrt{n}}\right]$ avec une probabilité d'au moins 0,95. Le professeur peut faire percevoir expérimentalement la validité de cette propriété mais **elle n'est pas exigible**.

Contenus	Capacités attendues	Commentaires	Chapitre
Probabilité sur un ensemble fini Probabilité d'un événement. Réunion et intersection de deux événements, formule : $p(A \cup B) + p(A \cap B)$ $= p(A) + p(B)$.	• Déterminer la probabilité d'événements dans des situations d'équiprobabilité. • Utiliser des modèles définis à partir de fréquences observées. • Connaître et exploiter cette formule.	La probabilité d'un événement est définie comme la somme des probabilités des événements élémentaires qui le constituent. Pour les calculs de probabilités, on utilise des arbres, des diagrammes ou des tableaux.	8

Algorithmique (objectifs pour le lycée)

La démarche algorithmique est, depuis les origines, une composante essentielle de l'activité mathématique. Au collège, les élèves ont rencontré des algorithmes (algorithmes opératoires, algorithme des différences, algorithme d'Euclide, algorithmes de construction en géométrie). Ce qui est proposé dans le programme est une formalisation en langage naturel propre à donner lieu à traduction sur une calculatrice ou à l'aide d'un logiciel. Il s'agit de familiariser les élèves avec les grands principes d'organisation d'un algorithme : gestion des entrées-sorties, affectation d'une valeur et mise en forme d'un calcul, en opérant essentiellement sur des nombres entiers.

Dans le cadre de cette activité algorithmique, les élèves sont entraînés :
– à décrire certains algorithmes en langage naturel ou dans un langage symbolique ;
– à en réaliser quelques-uns à l'aide d'un tableur ou d'un petit programme réalisé sur une calculatrice ou avec un logiciel adapté ;
– à interpréter des algorithmes plus complexes.
Aucun langage, aucun logiciel n'est imposé.

L'algorithmique a une place naturelle dans tous les champs des mathématiques et les problèmes posés doivent être en relation avec les autres parties du programme (fonctions, géométrie, statistiques et probabilité, logique) mais aussi avec les autres disciplines ou la vie courante.

À l'occasion de l'écriture d'algorithmes et de petits programmes, il convient de donner aux élèves de bonnes habitudes de rigueur et de les entraîner aux pratiques systématiques de vérification et de contrôle.

Contenus
Instructions élémentaires (affectation, calcul, entrée, sortie). Les élèves, dans le cadre d'une résolution de problèmes, doivent être capables : • d'écrire une formule permettant un calcul ; • d'écrire un programme calculant et donnant la valeur d'une fonction ; ainsi que les instructions d'entrées et sorties nécessaires au traitement.
Boucle et itérateur, instruction conditionnelle Les élèves, dans le cadre d'une résolution de problèmes, doivent être capables : • de programmer un calcul itératif, le nombre d'itérations étant donné ; • de programmer une instruction conditionnelle, un calcul itératif, avec une fin de boucle conditionnelle.

Notations et raisonnement mathématiques (objectifs pour le lycée)

Cette rubrique, consacrée à l'apprentissage des notations mathématiques et à la logique, ne doit pas faire l'objet de séances de cours spécifiques mais doit être répartie sur toute l'année scolaire.

Contenus
Notations mathématiques Les élèves doivent connaître les notions d'élément d'un ensemble, de sous-ensemble, d'appartenance et d'inclusion, de réunion, d'intersection et de complémentaire et savoir utiliser les symboles de base correspondant : $\in$, $\subset$, $\cup$, $\cap$ ainsi que la notation des ensembles de nombres et des intervalles. Pour le complémentaire d'un ensemble A, on utilise la notation des probabilités $\overline{A}$.
Pour ce qui concerne le raisonnement logique, les élèves sont entraînés, sur des exemples : • à utiliser correctement les connecteurs logiques « et », « ou » et à distinguer leur sens des sens courants de « et », « ou » dans le langage usuel ; • à utiliser à bon escient les quantificateurs universel, existentiel (les symboles $\forall$, $\exists$ ne sont pas exigibles) et à repérer les quantifications implicites dans certaines propositions et, particulièrement, dans les propositions conditionnelles ; • à distinguer, dans le cas d'une proposition conditionnelle, la proposition directe, sa réciproque, sa contraposée et sa négation ; • à utiliser à bon escient les expressions « condition nécessaire », « condition suffisante » ; • à formuler la négation d'une proposition ; • à utiliser un contre-exemple pour infirmer une proposition universelle ; • à reconnaître et à utiliser des types de raisonnement spécifiques : raisonnement par disjonction des cas, recours à la contraposée, raisonnement par l'absurde.

Partir d'un bon pied

1 Lire un graphique

Une montgolfière effectue un vol.
On a représenté ci-contre l'altitude de la montgolfière en fonction du temps de vol en minutes.

1. Quelle est la durée du vol ?

2. Décrire la nature du vol entre la 10e et la 30e minute.

3. À quelle altitude est la montgolfière à la 40e minute de vol ?

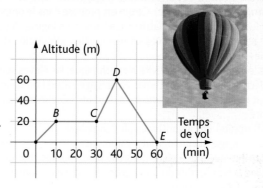

2 Exprimer un nombre « en fonction » d'un autre

Exprimer « en fonction de x » les longueurs suivantes.

Longueur considérée : AB

Longueur considérée : CD

Longueur considérée : EF

Longueur considérée : GH

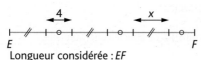

Longueur considérée : IJ

Longueur considérée : KL

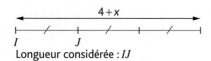

Longueur considérée : MN

Longueur considérée : OP

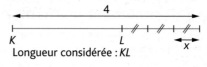

3 Associer une opération à une formule

1. Parmi les fonctions ci-contre, indiquer celle qui à un nombre x fait correspondre :

a. sa moitié ;

b. son opposé ;

c. son carré.

2. Définir par une phrase analogue les trois autres fonctions.

A. $x \longmapsto x^2$ B. $x \longmapsto -x$

C. $x \longmapsto 3x$ D. $x \longmapsto \dfrac{x}{2}$

E. $x \longmapsto \dfrac{1}{x}$ F. $x \longmapsto x - 2$

 Pour réviser : des rappels de cours et des tests dans les **Techniques de base**

Généralités sur les fonctions

Des maths partout !

Poste d'analyse des sismographes au centre d'alerte aux tsunamis du CEA à Bruyères-le-Chatel.

En géophysique et plus généralement en physique, en chimie, en biologie et en économie, on étudie souvent sur la base de courbes les **variations** de différentes grandeurs en **fonction** du temps.

L'objectif principal de ce chapitre est de découvrir la notion de variation de fonction et de l'utiliser dans la résolution de problèmes.

AU FIL DU TEMPS

La notion intuitive de fonction comme relation entre deux objets est assez ancienne. Mais il faut attendre le XVIIᵉ siècle pour qu'elle soit formalisée.

Le Français **Pierre de Fermat** (1601-1665) met en place la notion fondamentale d'équation d'une courbe et s'intéresse aux extrema de fonctions.

En 1673, l'Allemand **Gottfried von Leibnitz** (1646-1716) utilise pour la première fois le mot « fonction » et introduit le vocabulaire.
Le Suisse **Jean Bernoulli** (1667-1748) en donne une première définition.

La notation $f(x)$ n'apparait qu'en 1734 chez **Leonhard Euler** (1707-1783). Les fonctions sont alors toujours à valeurs numériques.

Depuis, le concept s'est précisé et a révolutionné la recherche mathématique.

Leonhard Euler (1707-1783), mathématicien et physicien suisse

1 Lire un graphique

Sur la route, le temps de réaction d'un conducteur est le temps qui s'écoule entre l'instant où il voit un obstacle et celui où il commence à freiner.

La distance D parcourue par un véhicule pendant le temps de réaction du conducteur est fonction de sa vitesse V et dépend de deux états possibles du conducteur : conducteur en forme ou conducteur fatigué.

On donne le graphique ci-contre.

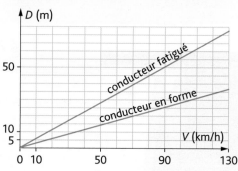

1. La distance parcourue pendant le temps de réaction est-elle proportionnelle à la vitesse ? Justifier la réponse.

2. Un conducteur en forme roule à 50 km/h.

a. Quelle distance parcourt-il pendant son temps de réaction ?

b. Par combien est multipliée cette distance lorsque ce conducteur roule à 100 km/h ?

3. Un conducteur fatigué parcourt 50 mètres pendant son temps de réaction. À quelle vitesse roule-t-il ?

2 Exploiter une courbe

Le graphique ci-dessous représente la hauteur d'eau dans le port de Saint-Malo pendant 24 heures.

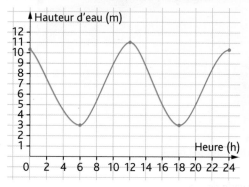

1. Lors de cette journée, quelle était la hauteur d'eau à 6 heures ? à 12 heures ? à 22 heures ?

2. À quelles heures la hauteur d'eau était-elle de 6 mètres ?

3. Un bateau est entré dans le port entre 14 et 16 heures. Quelles sont les valeurs possibles pour son tirant d'eau (c'est-à-dire la hauteur de sa coque immergée) ?

4. Un bateau ayant un tirant d'eau de 7 mètres est entré dans le port ce jour-là. Quels sont les horaires possibles de son arrivée ?

5. Quelle a été la hauteur d'eau maximale dans le port ce jour-là ? et la hauteur d'eau minimale ?

6. Préciser deux plages horaires sur lesquelles la hauteur d'eau n'a jamais cessé de diminuer, puis deux autres sur lesquelles elle n'a jamais cessé d'augmenter.

7. On veut schématiser la courbe ci-dessus par un tableau qui décrit son comportement. Compléter ce tableau.

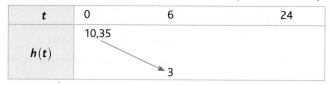

t	0	6	24
$h(t)$	10,35 ↘ 3		

3 ▶ Comparer deux images

Une entreprise fabrique du chocolat.

Le graphique ci-contre donne l'évolution de sa production annuelle (en tonnes) entre les années 1960 et 2005.

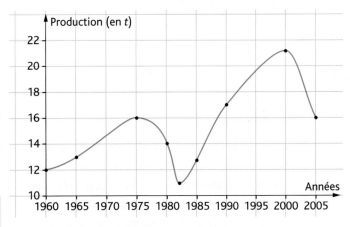

1. a. Quelle est la production annuelle de l'entreprise en 1965 ? en 1975 ?

b. En quelle(s) année(s) la production annuelle est-elle de 20 tonnes ?

2. a. Comparer les productions en 1985 et 1990.

> Comparer deux nombres A et B, c'est dire s'ils sont égaux ou préciser celui qui est le plus grand.

b. Même question pour les productions en 1975 et 1980, puis pour les productions en 1960 et 1970.

3. a. Choisir deux années A_1 et A_2 telles que $A_1 < A_2$, comparer les productions annuelles en A_1 et A_2.

b. Peut-on à chaque fois comparer les productions annuelles de façon certaine ?

c. Donner un critère utilisant les variations de la production permettant de comparer de façon certaine les productions entre deux années.

4 ▶ Observer les variations d'une fonction

Sur la figure ci-contre :
– le segment $[AB]$, de milieu I, mesure 10 cm ;
– $\mathscr{C}$ est un demi-cercle de diamètre $[AB]$;
– le point M appartient au segment $[AB]$;
– le point N est le point d'intersection du demi-cercle $\mathscr{C}$ et de la perpendiculaire à (AB) passant par M.

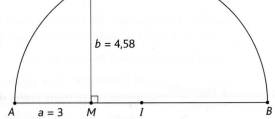

1. À l'aide d'un **logiciel de géométrie dynamique**, réaliser la figure.

2. Afficher la longueur a du segment $[AM]$, et la longueur b du segment $[MN]$.

3. En déplaçant le point M, répondre aux questions suivantes.

a. Que vaut a lorsque M est en A ? en I ? en B ?

b. Quel est l'ensemble des valeurs possibles de a ?

c. b peut-il être égal à 3 ? Si oui, y a-t-il plusieurs valeurs de a associées ? Lesquelles ?

d. b peut-il être égal à 6 ? Pourquoi ?

4. Recopier et compléter les phrases suivantes :

a. Lorsque M va de A à I, a varie de ... à ...   Lorsque M va de A à B, a varie de ... à ...

b. Lorsque a varie de 0 à 5, la distance b augmente de ... à ...

c. Lorsque a varie de ... à ..., la distance b diminue de 5 à 0.

d. La valeur maximale de b est ... ; la valeur minimale de b est ...

5. On appelle f la fonction qui à la distance a associe la distance b. Ainsi $f : a = AM \longmapsto b = MN$.

Recopier et compléter le tableau suivant, en donnant des valeurs approchées si nécessaire à 0,1 près :

a	0	0,5	1	1,5	2	3	4	5	6	7	8	8,5	9	9,5	10
$b = f(a)$															

On schématise le comportement de la fonction f dans un « tableau de variation ».
Recopier et compléter le tableau ci-contre.

a	0	5	10
$b = f(a)$	$f(0) = ...$	$f(5) = ...$	

 L'activité TICE corrigée animée

1 Mise au point sur les ensembles de nombres

a. Les réels

L'ensemble de tous les nombres connus en classe de Seconde est appelé **ensemble des réels**. Il se note $\mathbb{R}$.

Chaque nombre réel correspond à un unique point sur une droite graduée. Réciproquement, à chaque point d'une droite graduée correspond un unique réel, appelé *abscisse* de ce point.

Pour écrire qu'un nombre x appartient à $\mathbb{R}$, on note : $x \in \mathbb{R}$.

Par exemple : $100 \in \mathbb{R}$; $-54{,}25 \in \mathbb{R}$; $\pi \in \mathbb{R}$.

b. Les entiers

1. L'ensemble des nombres entiers positifs ou nuls, appelés **entiers naturels**, se note $\mathbb{N}$.

Ainsi $\mathbb{N} = \{0\,;1\,;2\,;...\}$. Par exemple : $17 \in \mathbb{N}$ et $-12 \notin \mathbb{N}$.

2. L'ensemble des nombres entiers, appelés **entiers relatifs**, se note $\mathbb{Z}$.

Ainsi $\mathbb{Z} = \{...\,;-2\,;-1\,;0\,;1\,;2...\}$. Par exemple : $-124 \in \mathbb{Z}$ et $3{,}4 \notin \mathbb{Z}$.

c. Les intervalles

Sur une droite graduée, les intervalles sont les parties de $\mathbb{R}$ qui correspondent à un segment, à une demi-droite, ou à la droite toute entière. Ce sont les parties « d'un seul tenant », ou encore « sans trou ».

Soient a et b deux réels tels que $a < b$.

L'intervalle noté ...	... est l'ensemble des réels x tels que ...	Il est représenté sur une droite graduée par **un segment** :
$[a\,;b]$	$a \leqslant x \leqslant b$	a —•———•→ b
$]a\,;b[$	$a < x < b$	a ⌐———⌐→ b
$[a\,;b[$	$a \leqslant x < b$	a —•———⌐→ b
$]a\,;b]$	$a < x \leqslant b$	a ⌐———•→ b

L'intervalle noté ...	... est l'ensemble des réels x tels que ...	Il est représenté sur une droite graduée par **une demi-droite** :
$[a\,;+\infty[$	$a \leqslant x$	———•→ a
$]a\,;+\infty[$	$a < x$	———⌐→ a
$]-\infty\,;b]$	$x \leqslant b$	←•——— b
$]-\infty\,;b[$	$x < b$	←⌐——— b

d. Intersection et réunion

Soient I et J deux ensembles.

L'intersection de I et J, notée $I \cap J$, est l'ensemble des éléments appartenant à la fois à I **et** à J,

La réunion de I et J, notée $I \cup J$, est l'ensemble des éléments appartenant à I **ou** à J.

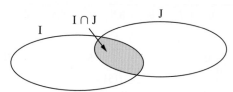
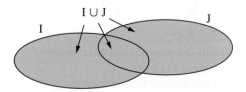

Exemple : Pour désigner l'ensemble des réels x vérifiant : $x \leqslant 3$ ou $x > 4$, on écrira : $]-\infty\,;3] \cup]4\,;+\infty[$.

Cet ensemble n'est pas un intervalle, car il n'est pas « d'un seul tenant ».

Décrire un ensemble en utilisant la notation sous forme d'intervalle

Énoncé

On considère les courbes ci-contre, en précisant dans les bulles des conventions graphiques :

Pour chaque courbe, identifier l'ensemble des abscisses de ses points.

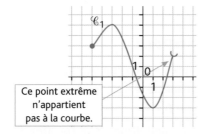

La courbe est illimitée vers la gauche.

Ce point extrême n'appartient pas à la courbe.

Solution rédigée

Pour chaque courbe, on lit l'ensemble des abscisses sur l'axe horizontal.

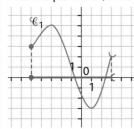

L'ensemble des abscisses est $[-5\,;3[$.

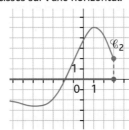

L'ensemble des abscisses est $]-\infty\,;3]$.

Conventions graphiques

>— Le point noté par une « encoche » à l'extrémité n'appartient pas à la courbe.

•— Le point noté par un point de la couleur de la courbe à l'extrémité appartient à la courbe.

•— Le point noté par un point noir est connu avec précision.

Points méthode

❶ On colorie sur l'axe horizontal l'ensemble des abscisses de tous les points de la courbe.

❷ On traduit sous la forme d'un intervalle ou d'une réunion d'intervalles l'ensemble colorié.
À chaque borne, on met un crochet ouvert ou fermé en se référant aux conventions graphiques sur l'appartenance ou non d'un point à une courbe.

POUR S'EXERCER

1 Recopier le tableau suivant et cocher la (ou les) case(s) quand le nombre de la colonne de gauche appartient à l'intervalle proposé :

	$]-2\,;3]$	$\left]-\infty\,;\dfrac{10}{3}\right]$	$[-4\,;5[$	$]-1\,;+\infty[$
5				
$-2,1$				
$2\sqrt{3}$				
π				
$\dfrac{-3}{11}$				

2 Dans chaque cas, traduire sous forme d'une appartenance à un intervalle ou à une réunion d'intervalles :

a. $-4 \leqslant x < 10$;

b. $x > -2$ et $x \leqslant 5$;

c. $x \geqslant 1$ ou $x < -3$;　d. $x > 0$;

e. $x \leqslant 8$ et $x < -2$.

3 Dans chaque cas, traduire sous forme d'un intervalle ou d'une réunion d'intervalles l'ensemble des réels :

a. supérieurs ou égaux à -3 **et** strictement inférieurs à 7 ;

b. strictement supérieurs à 2 **ou** inférieurs ou égaux à -4 ;

c. compris entre 2 et 7, 2 inclus et 7 exclu ;

d. inférieurs ou égaux à 8 **et** strictement négatifs ;

e. inférieurs ou égaux à 5 **et** strictement supérieurs à 2.

4 Résoudre dans $\mathbb{R}$ les inéquations suivantes et noter l'ensemble solution sous la forme d'un intervalle :

a. $x + 3 \leqslant 2x - 1$;

b. $5x + 9 < 3x + 4$;

c. $3x - 5 > 8x + 3$;

d. $7x \geqslant x - 8$.

▶ Voir exercices 17 à 26

1. COURS

2 Notion de fonction

Soit un ensemble de nombres D de $\mathbb{R}$.

> **Définition** On définit une fonction f sur D lorsqu'à chaque réel x de D, on associe un **unique** réel y.
>
> On note $f : x \longmapsto y$ ou $y = f(x)$.
>
> D est appelé **ensemble de définition de la fonction f** ; x est la variable.
>
> $f(x)$ est **l'image de x par f**.
>
> Quand on sait que $y = f(x)$, on dit que x est un **antécédent** de y par f.

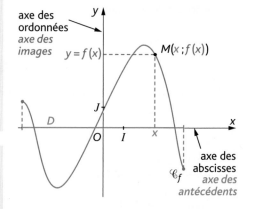

> **Définition** Soit un repère du plan.
>
> On appelle courbe représentative $\mathscr{C}_f$ de la fonction f, l'ensemble des points M de coordonnées $(x \; ; \; y)$ où $\begin{cases} x \in D \\ y = f(x) \end{cases}$.

Remarques

1. Chaque réel x de D a une et une seule image.
2. Chaque réel y peut avoir plusieurs antécédents, ou ne pas avoir d'antécédent.
3. Une fonction f définie sur D peut être donnée de trois façons.

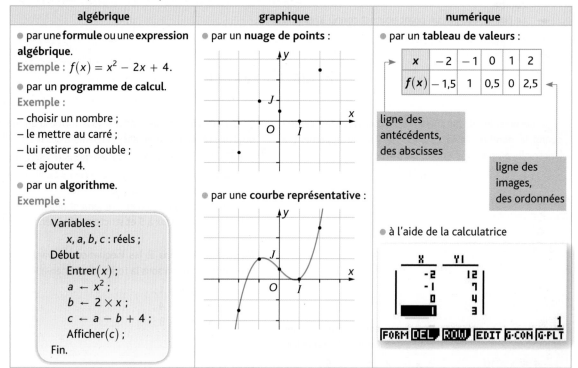

algébrique	graphique	numérique
• par une **formule** ou une **expression algébrique**. Exemple : $f(x) = x^2 - 2x + 4$. • par un **programme de calcul**. Exemple : – choisir un nombre ; – le mettre au carré ; – lui retirer son double ; – et ajouter 4. • par un **algorithme**. Exemple :	• par un **nuage de points** : • par une **courbe représentative** :	• par un **tableau de valeurs** : • à l'aide de la calculatrice

Variables :
    x, a, b, c : réels ;
Début
    Entrer(x) ;
    $a \leftarrow x^2$;
    $b \leftarrow 2 \times x$;
    $c \leftarrow a - b + 4$;
    Afficher(c) ;
Fin.

x	-2	-1	0	1	2
$f(x)$	$-1,5$	1	$0,5$	0	$2,5$

ligne des antécédents, des abscisses

ligne des images, des ordonnées

Un nuage de points ou un tableau de valeurs ne peut décrire complètement une fonction que si l'ensemble de définition est fini.

Énoncé

Soit la fonction f définie sur $\mathbb{R}$ par $f(x) = 2x^2 - 3x + 1$.

Soit la fonction g définie par le tableau de valeurs :

x	-3	-2	$\dfrac{1}{2}$	1	4
$g(x)$	4	$\dfrac{1}{2}$	0	-4	3

Soit la fonction h définie par la courbe représentative ci-contre :

Déterminer les images de -2, $\dfrac{1}{2}$ et 4 par chacune des fonctions f, g et h.

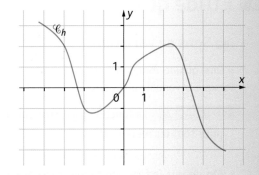

Solution rédigée

● Images par f (point ❶) :

$f(-2) = 2(-2)^2 - 3 \times (-2) + 1 = 2 \times 4 + 6 + 1 = \mathbf{15}$;

$f\left(\dfrac{1}{2}\right) = 2\left(\dfrac{1}{2}\right)^2 - 3 \times \dfrac{1}{2} + 1 = 2 \times \dfrac{1}{4} - \dfrac{3}{2} + 1 = \dfrac{2}{4} - \dfrac{3}{2} + 1$

$\qquad = \dfrac{1}{2} - \dfrac{3}{2} + 1 = \mathbf{0}$;

$f(4) = 2 \times 4^2 - 3 \times 4 + 1 = 2 \times 16 - 12 + 1 = \mathbf{21}$.

● Images par g (point ❷) :

x	-3	-2	$\dfrac{1}{2}$	1	4
$g(x)$	4	$\dfrac{1}{2}$	0	-4	3

← ligne des images

$g(-2) = \dfrac{1}{2}$;

$g\left(\dfrac{1}{2}\right) = 0$;

$g(4) = 3$.

● Images par h (point ❸) :

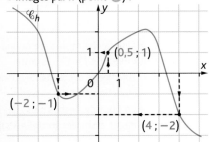

$h(-2) = -1$;

$h\left(\dfrac{1}{2}\right) = 1$;

$h(4) = -2$.

Points méthode

❶ *Quand la fonction est définie de façon algébrique :*
pour calculer $f(-2)$ on remplace x par -2 dans l'expression algébrique, et on calcule en respectant les priorités de calcul (on peut vérifier à l'aide de la calculatrice).
De même pour $f\left(\dfrac{1}{2}\right)$ et $f(4)$.

❷ *Quand la fonction est définie par un tableau de valeurs :*
on repère dans la ligne des x les valeurs -2, $\dfrac{1}{2}$ et 4, et on lit les valeurs associées dans la ligne des images.

❸ *Quand la fonction est définie de façon graphique :* on place les points de la courbe qui ont pour abscisses respectives -2, $\dfrac{1}{2}$ et 4, et on lit les ordonnées de ces points.

POUR S'EXERCER

5 Soit f la fonction définie sur $[-2\,;4]$ par la courbe représentative ci-contre :

1. Préciser les images par f des réels : -2, -1, 0, 1 et 2.

2. Quels sont les réels qui ont -1 comme image par f ?

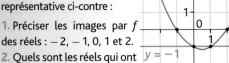

6 Soit g la fonction définie sur $\mathbb{R}$ par :

$$g(x) = 1 - 2x^2.$$

1. Déterminer les images par g des réels :

$$-4,\ \dfrac{3}{4},\ \sqrt{2} \text{ et } 5.$$

2. Déterminer les antécédents des réels 0 et -26 par g.

▶ **Voir exercices 27 à 31**

1. Cours

3 Étude qualitative d'une fonction

a. Sens de variation

● Dire qu'une fonction f est **croissante sur un intervalle I** signifie que lorsque la variable augmente dans l'intervalle I, l'image augmente.

> **Définition**   La fonction f est **croissante sur l'intervalle I** lorsque, pour tous les réels x_1 et x_2 de I :
> $$\text{si } x_1 \leqslant x_2, \text{ alors } f(x_1) \leqslant f(x_2).$$
> On dit que la fonction f **conserve l'ordre** : les réels de l'intervalle I et leurs images par f sont rangés dans le même ordre.

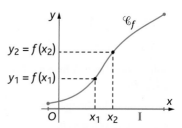

La courbe représentative de f « **monte** » de la gauche vers la droite.

● Dire qu'une fonction f est **décroissante sur un intervalle I** signifie que lorsque la variable augmente dans l'intervalle I, l'image diminue.

> **Définition**   La fonction f est **décroissante sur l'intervalle I** lorsque, pour tous les réels x_1 et x_2 de I :
> $$\text{si } x_1 \leqslant x_2, \text{ alors } f(x_1) \geqslant f(x_2).$$
> On dit que la fonction f **change l'ordre** : les réels de l'intervalle I et leurs images par f sont rangés dans un ordre contraire.

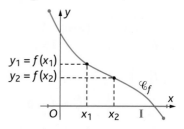

La courbe représentative de f « **descend** » de la gauche vers la droite.

● On résume le sens de variation d'une fonction par un **tableau de variation**.

Exemple

f est définie sur $[-3\,;4]$ par sa courbe représentative :

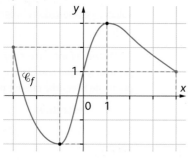

Le tableau de variation de f est :

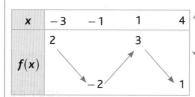

> Ensemble de définition et réels où la fonction f change de sens de variation (*abscisses, rangées dans l'ordre*).

> • Une flèche montante quand la fonction f est croissante.
> • Une flèche descendante quand la fonction f est décroissante.
> • En bout de flèches : les images associées (*ordonnées*).

b. Extrema

> **Définition**
> 1. Le **maximum d'une fonction** f sur un intervalle I est, s'il existe, la plus grande valeur possible des images, atteinte pour un réel a de I.
> Ainsi, pour tout réel x de I, on a : $f(x) \leqslant f(a)$.
> 2. Le **minimum d'une fonction** f sur un intervalle I est, s'il existe, la plus petite valeur possible des images, atteinte pour un réel b de I.
> Ainsi, pour tout réel x de I, on a : $f(x) \geqslant f(b)$.

Sur l'exemple précédent, le maximum de f est 3, il est atteint en 1 ; le minimum de f est -2, il est atteint en -1.

Savoir faire · Construire et utiliser un tableau de variation

Énoncé

Soit f la fonction définie sur $\mathbb{R}$ par la courbe représentative ci-contre :

1. Dresser le tableau de variation de la fonction f.

2. Quel est le maximum de la fonction f ?

3. Lorsque c'est possible, comparer :

a. $f(-3)$ **et** $f(2)$;   **b.** $f(0)$ **et** $f(1)$;   **c.** $f(10)$ **et** $f(15)$;

d. $f(-10)$ **et** $f(10)$;   **e.** $f(-10)$ **et** $f(-8)$.

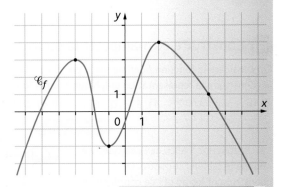

Solution rédigée

1. (point ❶) Le tableau de variation de la fonction f est :

x	$-\infty$		-3		-1		2		$+\infty$
$f(x)$			3				4		

(avec valeur -2 au minimum)

2. Le maximum de f sur $\mathbb{R}$ est 4 (c'est la plus grande ordonnée possible des points de la courbe).

3. **a.** (point ❷) $f(-3) = 3$ et $f(2) = 4$. Donc $f(-3) < f(2)$.

b. (point ❸) La fonction f est croissante sur l'intervalle $[-1\,;2]$, qui contient 0 et 1.
Comme $0 < 1$, on a : $f(0) \leqslant f(1)$.
On peut visualiser le résultat dans le tableau de variation de f :

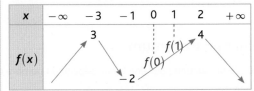

Le point de coordonnées $(0\,;f(0))$ est placé « plus bas » que le point de coordonnées $(1\,;f(1))$.
Donc $f(0) \leqslant f(1)$.

c. (point ❸) f est décroissante sur l'intervalle $[2\,;+\infty[$, qui contient 10 et 15.
Comme $10 < 15$, on a $f(10) \geqslant f(15)$.

d. On ne connaît pas les valeurs de $f(-10)$ et $f(10)$, et f change de sens de variation sur l'intervalle $[-10\,;10]$. On ne peut donc pas comparer $f(-10)$ et $f(10)$.

e. (point ❸) f est croissante sur l'intervalle $]-\infty\,;-3]$, qui contient -10 et -8.
Comme $-10 < -8$, on a : $f(-10) \leqslant f(-8)$.

Points méthode

❶ **Construire un tableau de variation à partir d'une courbe :**
• On repère les abscisses des points de la courbe où celle-ci change de sens de variation. On les place dans la 1re ligne, dans l'ordre croissant.
• À la verticale dans la 2e ligne, on place les ordonnées de ces points, en mettant entre chaque, selon le cas, une flèche montante ou descendante.
Comparer deux images de deux réels :
❷ soit on connaît leurs valeurs ;
❸ soit on utilise les variations de f sur un intervalle contenant ces deux réels et sur lequel f est soit croissante, soit décroissante (conservation ou changement de l'ordre).

POUR S'EXERCER

7 Soit f la fonction définie sur $[-2\,;4]$ par la courbe représentative ci-contre :

Dresser le tableau de variation de la fonction f.

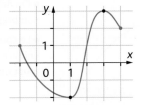

8 Construire le tableau de variation de la fonction f sachant que :
• f est définie sur $[-3\,;5]$;
• f est croissante sur $[-3\,;1]$ et décroissante sur $[1\,;5]$;
• l'image de 1 est 5 et celle de 5 est 1 ;
• le minimum de f est -1.
Tracer une courbe possible pour cette fonction.

9 Soit g une fonction définie sur $[-2\,;4]$ dont on donne le tableau de variation ci-dessous.

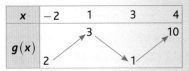

1. Quel est le maximum de g sur $[-2\,;4]$?
Quel est le minimum de g sur $[-2\,;4]$?
2. Ranger dans l'ordre croissant les nombres suivants :
$g(0)$; $g(3)$; $g(0,5)$; 0 ; $g(-1)$; -1 ; 3 ; 4 ; $g(4)$.

◄► Voir exercices 58 à 64

10 Construire et manipuler la courbe représentative d'une fonction

On considère la fonction f définie sur $\mathbb{R}$ par $f(x) = x^2 + x - 6$.

1. Construire la représentation graphique $\mathscr{C}$ de la fonction f (on se limitera à l'intervalle $[-4\,;3]$ pour le tracé).

2. Les points $A(-2\,;-4)$, $B(2\,;0)$, $C(1,7\,;-1,4)$, $D(15\,;234)$ sont-ils des points de $\mathscr{C}$?

Solution

1. La fonction TABLE de la calculatrice donne le tableau ci-contre. En construisant les points de coordonnées $(X\,;Y1)$, on obtient la partie de $\mathscr{C}$ sur l'intervalle $[-4\,;3]$.

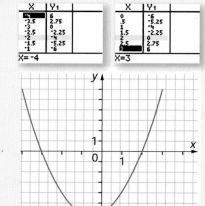

2. • On retrouve les coordonnées des points A et B dans le tableau de valeurs.

• $f(1,7) = 1,7^2 + 1,7 - 6 = -1,41$; donc le point C n'appartient pas à $\mathscr{C}$.

• Pour le point D, on n'a aucun contrôle graphique ; $f(15) = 234$, donc D est un point de $\mathscr{C}$.

Stratégies

1. Pour construire la courbe représentative de f sur $[-4\,;3]$:

• on tabule f avec le pas 0,5 sur la calculatrice ;

• puis on place les points correspondants sur le graphique et on les relie avec soin.

2. Le point de coordonnées $(a\,;b)$ appartient à la courbe $\mathscr{C}$ représentant f si, et seulement si, les réels a et b vérifient l'équation de $\mathscr{C}$; c'est-à-dire lorsqu'on a $f(a) = b$.

11 Exprimer en fonction d'une variable et déterminer un extremum

Une usine produit chaque mois entre 100 et 200 tonnes de lessive. Le coût de production pour une tonne dépend du nombre de tonnes produites :
– pour 100 tonnes produites, le coût de production par tonne est de 10 k€ (1 k€ = 1 000 €)
– pour chaque tonne produite au-delà de 100, le coût de production par tonne diminue de 0,05 k€.

Ainsi, pour 120 tonnes produites, le coût de production par tonne est, en k€, de : $10 - 20 \times 0,05 = 9$.

1. Exprimer le coût total de production en fonction du nombre x de tonnes produites.

2. Le gérant souhaite connaître la valeur maximale du coût total de production, et la quantité produite conduisant à ce maximum. Déterminer graphiquement ces quantités.

Solution

1. Soit x le nombre de tonnes produites par l'usine. x est un réel de l'intervalle $[100\,;200]$.

• Lorsqu'on fabrique x tonnes, le coût unitaire est :
$$10 - (x - 100) \times 0,05,$$
soit : $15 - 0,05x$ k€.

• Le coût total s'élève alors en k€ à : $C(x) = x \times (15 - 0,05x)$; donc la fonction C est définie sur $[100\,;200]$ par :
$$C(x) = 15x - 0,05x^2.$$

2. On représente ci-dessus le coût total en fonction du nombre de tonnes produites (on indique sur le graphique ce que représente chaque axe). On peut constater graphiquement que **ce coût est maximal pour une production de 150 tonnes**. Le coût total, en k€, est : $C(150) = 15 \times 150 - 0,05 \times 150^2 = 1\,125$.

Stratégies

1. • On repère une variable possible.

• On détermine sur quel ensemble de nombres varie la variable x.

• Le coût total est le produit du prix unitaire par le nombre de tonnes produites.

2. On trace la courbe représentative du coût total sur $[100\,;200]$, et on détermine graphiquement la quantité à fabriquer pour laquelle le coût total est maximal.

12 Construire un tableau de variation à partir de la représentation graphique d'une fonction

On considère la fonction f définie sur $[0\,;4]$ par la courbe représentative ci-contre :

1. Construire le tableau de variation de la fonction f sur $[0\,;4]$.

2. Répondre par **vrai** ou par **faux** aux affirmations suivantes :

a. f est croissante sur $[0\,;4]$;

b. $f(\pi) \geqslant -3$.

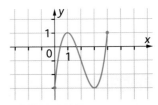

Solution

1.

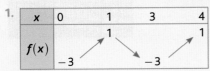

2. a. Faux.

b. Vrai, car $f(3) = -3$, f est croissante sur $[3\,;4]$ et π appartient à $[3\,;4]$; donc :

$$f(3) \leqslant f(\pi).$$

Stratégies

- On repère les intervalles où la courbe « monte » et ceux où elle « descend ».

- Attention ! Ce n'est pas parce que $f(a) \leqslant f(b)$ que la fonction f est croissante sur $[a\,;b]$.

13 Utiliser un tableau de variation pour comparer des images

On considère la fonction f définie sur $[-4\,;3]$ et dont le tableau de variation est donné ci-dessous :

Ranger par ordre croissant, lorsque c'est possible, les images :

a. $f(-1)$ et $f(0{,}5)$;

b. $f(-1)$ et $f(3)$;

c. $f(-2)$ et $f(\sqrt{2})$;

d. $f\left(\dfrac{7}{6}\right)$ et $f\left(\dfrac{8}{7}\right)$.

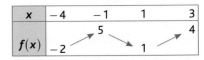

Solution

a. -1 et $0{,}5$ sont deux réels de l'intervalle $[-1\,;1]$ sur lequel la fonction f est décroissante.

Comme $-1 < 0{,}5$, alors $f(-1) \geqslant f(0{,}5)$.

Dans le tableau, on voit que le point $(-1\,;f(-1))$ est placé « plus haut » que le point $(0{,}5\,;f(0{,}5))$.

x	−4		−1	0,5	1	3
f(x)	−2		5	f(0,5)	1	4

b. Sur l'intervalle $[-1\,;3]$, f n'est pas monotone, mais 5 étant le maximum de f obtenu pour $x = -1$, on a $f(3) \leqslant f(-1)$.

c. On n'a aucun moyen de comparaison pour les réels $f(-2)$ et $f(\sqrt{2})$, car sur $[-2\,;\sqrt{2}]$ f n'est pas toujours croissante

x	−4	−2	−1	1	√2	3
f(x)	−2	f(−2)	5	1	f(√2)	4

ou toujours décroissante. Dans le tableau, on ne sait pas parmi les points $(-2\,;f(-2))$ et $(\sqrt{2}\,;f(\sqrt{2}))$ lequel est placé « le plus haut ».

d. $\dfrac{7}{6} = \dfrac{49}{42}$ et $\dfrac{8}{7} = \dfrac{48}{42}$, donc $1 \leqslant \dfrac{8}{7} < \dfrac{7}{6} \leqslant 3$.

x	−4	−1	1	8/7	7/6	3
f(x)	−2	5	1	f(8/7)	f(7/6)	4

Comme f est croissante sur l'intervalle $[1\,;3]$, on a donc $f\left(\dfrac{8}{7}\right) \leqslant f\left(\dfrac{7}{6}\right)$.

Dans le tableau, on voit que le point $\left(\dfrac{8}{7}\,;f\left(\dfrac{8}{7}\right)\right)$ est placé « moins haut » que le point $\left(\dfrac{7}{6}\,;f\left(\dfrac{7}{6}\right)\right)$.

Stratégies

- Si les réels a et b appartiennent à un intervalle I où les variations de f sont connues, on peut comparer $f(a)$ et $f(b)$.

En effet :

− si $a < b$ et si f est croissante sur I, alors : $f(a) \leqslant f(b)$;

− si $a < b$ et si f décroissante sur I, alors : $f(a) \geqslant f(b)$.

- On s'aide du tableau pour « visualiser » les résultats.

1. Chercher - Expérimenter - Démontrer

Organiser une recherche

Énoncé

Un fermier dispose de 160 m de clôture et désire délimiter un enclos rectangulaire dont l'aire sera maximale.

Quelles seront les dimensions de l'enclos ?

Recherche à l'aide d'un tableur

1. Si l'enclos a 15 m de largeur, quelle est sa longueur ? et son aire ?

2. a. Mettre en place la feuille de calcul suivante. On mettra des formules dans les cellules B2 et C2.

b. Quelles sont les valeurs possibles pour la largeur ?

c. En utilisant le tableur, conjecturer les dimensions de l'enclos qui fournissent une aire maximale.

	A	B	C
1	Largeur	Longueur	Aire du champ
2	1		
3	2		
4	3		
5	4		
6	5		
7	6		
8	7		
9	8		
10	9		
11	10		

Ébauche d'une solution

● Formaliser le problème et confirmer la conjecture.

1. On appelle x la largeur de l'enclos en m.

a. Quelles sont les valeurs possibles de x ?

b. Exprimer la longueur du champ et son aire $f(x)$ en fonction de x.

2. Représenter graphiquement la fonction f sur la calculatrice.

Peut-on confirmer la conjecture précédente ?

● Utiliser un logiciel de calcul formel pour aider à la démonstration.

La formalisation donne $f(x) = x \times (80 - x)$.

L'étude précédente suggère qu'il faut montrer que pour tout réel x de $[0\,;80]$, $f(x) \leqslant 1\,600$, et que l'égalité $f(x) = 1\,600$ est réalisée pour $x = 40$.

La différence $f(x) - 1\,600$ semble donc « intéressante ».

On utilise un logiciel de calcul formel pour aider au calcul algébrique, comme ci-contre.

1. Quels résultats, obtenus à l'aide du logiciel, permettent de montrer que :
– pour tout réel x de $[0\,;80]$, $f(x) \leqslant 1\,600$?
– $f(40) = 1\,600$?

2. Justifier ces résultats.

Rédaction d'une solution

À l'aide des deux parties précédentes, rédiger une solution du problème étudié.

Prendre des initiatives

⑭ Installation d'une canalisation

On souhaite installer des canalisations d'eau provenant d'un point M, situé dans une rivière, et atteignant les points A et B.
La situation est schématisée par le graphique ci-contre avec $AI = 5$ km, $BK = 7$ km et $IK = 18$ km.
On cherche à placer le point M de façon à obtenir une longueur de canalisation minimale, c'est-à-dire de façon à rendre la somme $MA + MB$ la plus petite possible.

1. Conjectures

a. À l'aide d'un logiciel de géométrie dynamique, réaliser la figure. On note : $a = IM$; $b = MA$ et $c = MB$.

b. En déplaçant le point M, conjecturer la valeur minimale de la somme $MA + MB$, et la valeur de a qui la réalise.

2. Confirmation des conjectures

a. Exprimer la longueur $MA + MB$ en fonction de a. On note cette valeur $f(a)$.

b. À l'aide de la calculatrice ou d'un tableur, conjecturer la valeur du minimum de f sur $[0 ; 18]$, et en quel réel il est atteint.

3. Démonstration

En construisant le symétrique orthogonal de A par rapport à la droite (IK) et en utilisant le théorème de Thalès, déterminer la position exacte du point M pour laquelle la somme $MA + MB$ est minimale.

⑮ Conjecture

On considère un cube $ABCDEFGH$ de côté 10.
M est un point de $[AE]$ et N un point de $[FG]$ tel que $AM = FN$.
On souhaite étudier les variations de la distance MN lorsque M décrit le segment $[AE]$.
On pose $AM = FN = x$ et on note $f(x)$ la longueur MN.

1. Approche avec Geospace

a. Construire un cube $ABCDEFGH$ de côté 10 cm.

b. Placer les points M et N (après avoir créé une variable numérique x, utiliser « placer un point sur une demi-droite »).

c. Créer l'affichage de la longueur MN et celui de la variable x.
Conjecturer le sens de variation de f.

2. Calculs exacts

a. Quelles sont les valeurs possibles de x ?

b. Calculer $f(0)$, $f(10)$.

c. On admet que le minimum de f est atteint pour $x = 5$. Calculer la valeur exacte de ce minimum.

⑯ Étude d'un volume

Un architecte doit construire un réservoir d'eau pour alimenter un bâtiment. Pour répondre à une contrainte esthétique, il présente un réservoir de la forme d'un pavé droit à base carrée, intégré dans une pyramide à base carrée de 10 m de côté et de 12 m de hauteur, cette pyramide étant tronquée au sommet.
On souhaite déterminer la hauteur du réservoir de volume maximal.

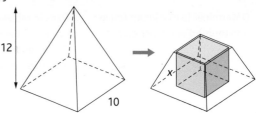

1. On note x la hauteur du pavé droit. Ainsi $x \in [0 ; 12]$.
Exprimer le volume du pavé droit $f(x)$ en fonction de x.

2. À l'aide de la calculatrice, conjecturer le tableau de variation de f et en déduire la hauteur du réservoir qui donne le volume maximum.

Savoir...	Comment faire ?
Reconnaître un intervalle de $\mathbb{R}$.	Un intervalle de $\mathbb{R}$ est une partie « d'un seul tenant » ou « sans trou » dans $\mathbb{R}$. Il correspond, sur une droite graduée, à un segment, une demi-droite, ou la droite tout entière.
Déterminer l'ensemble de définition d'une fonction définie par sa courbe représentative.	On détermine sur le graphique l'ensemble des abscisses de tous les points de la courbe représentative. Puis on le décrit sous la forme d'un intervalle ou d'une réunion d'intervalles, en faisant attention aux bornes (crochet ouvert ou fermé).
Déterminer l'image $f(a)$ d'un réel a, par une fonction f, appartenant à son ensemble de définition.	Quand la fonction f est : • définie par son expression algébrique $f(x)$: on remplace x par la valeur a dans l'expression et on calcule. • définie par sa courbe représentative $\mathscr{C}$: on place sur $\mathscr{C}$ le point d'abscisse a, et on « lit » son ordonnée. • définie par un tableau de valeurs : on repère dans la ligne des x la valeur a, puis on « lit » la valeur $f(a)$ associée. **Rappel** : a n'admet qu'une seule image par f.
Déterminer les antécédents d'un réel b par une fonction f.	Quand la fonction f est : • définie par son expression algébrique $f(x)$: on résout l'équation $f(x) = b$. • définie par sa courbe représentative $\mathscr{C}$: on place sur $\mathscr{C}$ tous les points éventuels d'ordonnée b, et on « lit » leurs abscisses. • définie par un tableau de valeurs : on repère dans la ligne des $f(x)$ (ou des y) toutes les cases où se trouve la valeur b, puis on lit les valeurs x éventuelles associées. **Rappel** : b peut avoir plusieurs antécédents par f, ou ne pas en avoir du tout.
Construire la courbe représentative d'une fonction f.	On utilise une table de valeurs (obtenue par exemple avec la calculatrice) pour placer des points particuliers de la courbe. Puis, en respectant les variations de la fonction f si elles sont connues, on les relie : – à la règle si f est affine ; – à la main sinon, en s'aidant du graphique de la calculatrice.
Construire le tableau de variation d'une fonction numérique f donnée par sa courbe représentative $\mathscr{C}$.	On repère les abscisses des points de $\mathscr{C}$ où il y a changement de sens de variation, et on les place en ordre croissant dans la 1re ligne du tableau. Puis, on place à la verticale dans la 2nde ligne les ordonnées de ces points, en mettant entre chaque, selon le cas, une flèche montante ou descendante.
Comparer deux images par une fonction f.	• Soit on connaît les valeurs des images, et on les compare directement. • Soit on utilise les variations de f sur un intervalle sur lequel elle est soit croissante, soit décroissante. On peut s'aider du tableau de variation pour visualiser laquelle des deux images est la plus grande.
Déterminer le maximum (ou le minimum) d'une fonction f.	• Dans le tableau de variation : on lit la plus grande (ou la plus petite) valeur possible dans la 2nde ligne, celle des images $f(x)$. • Sur la courbe représentative de f : on lit l'ordonnée la plus grande (ou la plus petite) possible des points de la courbe.

QCM

Pour chaque question, déterminer la (ou les) bonne(s) réponse(s).

A On considère la fonction f définie par la courbe représentative ci-contre, formée de segments de droites :

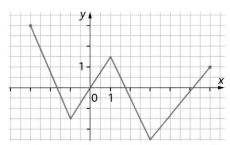

1. La fonction f est définie :	**a.** sur $[-1,5\,;1,5]$	**b.** sur $[-3\,;6]$	**c.** pour $x \geqslant 3$	**d.** pour x tel que $-3 \leqslant x \leqslant 6$
2. L'image de 1 par f :	**a.** est égale à 1,5	**b.** est égale à $f(1,5)$	**c.** est égale à $f(1)$	**d.** est égale à 6
3. Les antécédents de -1 par f :	**a.** sont négatifs	**b.** sont au nombre de 3	**c.** sont au nombre de 4	**d.** sont les réels a tels que $f(a) = -1$
4. La fonction f est :	**a.** croissante sur $[-1\,;6]$	**b.** décroissante sur $[1\,;3]$	**c.** décroissante sur $[-3\,;3]$	**d.** croissante sur $[3\,;6]$
5. La fonction f admet :	**a.** 1,5 pour maximum sur $[-3\,;6]$	**b.** 3 pour maximum sur $[-3\,;6]$	**c.** un minimum atteint en -1	**d.** un minimum atteint en 3

Corrigé p. 330

B Soit g la fonction définie sur $\mathbb{R}$ par $g(x) = 2(x-1)^2 + 3$, de courbe représentative $\mathscr{C}$.

1. L'image de -2 par g est :	**a.** -15	**b.** 5	**c.** 21	**d.** 39
2. Quels points appartiennent à la courbe $\mathscr{C}$?	**a.** $(-3\,;35)$	**b.** $(1\,;5)$	**c.** $(2\,;5)$	**d.** $(1+\sqrt{2}\,;7)$
3. Un antécédent de 11 par g est :	**a.** -3	**b.** -1	**c.** 3	**d.** 5

Corrigé p. 330

Vrai ou faux ?

Préciser si les affirmations suivantes sont vraies ou fausses.

C On donne ci-dessous le tableau de variation d'une fonction f.

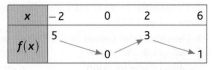

1. L'ensemble de définition de f est l'intervalle $[-2\,;6]$.	**2.** Le maximum de f est 5.	**3.** L'image de 5 par f est -2.
4. Le minimum de f est atteint en -2.	**5.** $f(2,34) < f(2,35)$.	**6.** f est croissante sur $[0\,;3]$.

Corrigé p. 330

D Sur la figure ci-contre, ABC est un triangle rectangle en A tel que $AB = 10$ et $AC = 5$. M est un point mobile sur le segment $[AC]$ et on désigne par x la longueur CM. La parallèle à (AB) passant par M coupe le côté $[BC]$ en P et la parallèle à (AC) passant par P coupe $[AB]$ en Q.

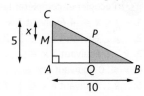

1. x peut prendre toutes les valeurs de $[0\,;10]$.	**2.** Pour $x = 1$, $MP = \dfrac{1}{2}$.	**3.** $MP = 2x$.
4. L'aire du rectangle $QAMP$ est égale à $2x^2 - 10x$.	**5.** L'aire de la partie colorée est égale à $25 - 10x + 2x^2$.	

Corrigé p. 330

 Pour s'auto-évaluer : des QCM et Vrai-Faux complémentaires

1. Exercices

▶ Les exercices portant un numéro orange sont corrigés à la fin du manuel, page 330.

Applications directes

1 Mise au point sur les ensembles de nombres

17 QCM

Pour chacune des questions suivantes, une seule réponse est correcte.

1. L'ensemble des réels x tels que $x \geqslant 3$ est :
a. $]-\infty\,;3]$ **b.** $]3\,;+\infty[$ **c.** $[3\,;+\infty[$

2. L'ensemble des réels x tels que $-2 \leqslant x < 7$ est :
a. $[-2\,;7]$ **b.** $]-2\,;7]$ **c.** $[-2\,;7[$

3. L'ensemble des réels x tels que $x > 0$ est :
a. $[0\,;+\infty[$ **b.** $]0\,;+\infty[$ **c.** $]0\,;+\infty]$

4. L'ensemble des réels x tels que $5 \geqslant x > 1$ est :
a. $[5\,;1[$ **b.** $]1\,;5]$ **c.** $[1\,;5[$

18 QCM

Pour chacune des questions suivantes, une seule réponse est correcte.

1. Le réel π appartient à :
a. $\{3\,;4\}$ **b.** $[3\,;4]$ **c.** $[1\,;3,14]$

2. Le réel $-0,6$ appartient à :
a. $[0\,;-1]$ **b.** $]-1\,;-0,6[$ **c.** $[-0,6\,;0]$

19 Vrai ou faux ?

1. L'ensemble des réels strictement compris entre -2 et 3 se note $]-2\,;3]$.
2. L'ensemble $\{-4\,;1\}$ est l'ensemble des réels compris entre -4 et 1 inclus.
3. L'ensemble des entiers de 1 à 5 inclus se note $[1\,;5]$.
4. $\dfrac{12}{7} \in \,]1\,;2[$.

20 Recopier et compléter les phrases suivantes :
1. $-3 < x \leqslant 4$ équivaut à $x \in \ldots$
2. $\ldots x \ldots$ équivaut à $x \in [-2\,;3[$.
3. $x > 5$ équivaut à $x \in \ldots$
4. $x \leqslant 0$ équivaut à $x \in \ldots$
5. $\ldots x \ldots$ équivaut à $x \in \,]-7\,;1[$.

21 Voici une liste d'intervalles :
$$I_1 = [2\,;10[\;;\; I_2 = \,]-\infty\,;2[\;;\; I_3 = \,\left]-3\,;\dfrac{12}{5}\right] \;;$$
$$I_4 = \left[-\dfrac{14}{3}\,;\dfrac{35}{11}\right] \;;\; I_5 = [3\,;+\infty[.$$
Pour chaque nombre suivant, dire s'il appartient ou non aux intervalles précédents :
$$1\;;\; -4\;;\; -2\;;\; \pi\;;\; \sqrt{2}\;;\; 1,999\,999\;;\; 2,4\;;\; \dfrac{-30}{7}.$$

22 1. Trouver plusieurs nombres dont l'entier le plus proche est 10.
Soit x un nombre vérifiant cette propriété. Quelles sont les valeurs possibles de x ?
2. Trouver plusieurs nombres dont la valeur approchée à 0,01 près est 4,35.
Soit y un tel nombre. Quelles sont les valeurs possibles de y ?

23 Météorologie

Voici le relevé de la température à Bourg-Saint-Maurice (Rhône-Alpes) durant la journée du 10 février 2009 :

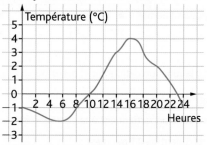

1. Identifier la variable sur le graphique.
À quel intervalle appartient-elle ?
2. a. Entre 0 h et 10 h, dans quel intervalle varie la température ?
b. Entre 8 h et 14 h, dans quel intervalle varie la température ?
c. Entre 14 h et 20 h, dans quel intervalle varie la température ?
3. a. À quel moment de la journée la température est-elle supérieure ou égale à 3 °C ? Écrire la réponse sous la forme d'un intervalle.
b. À quel moment de la journée la température est-elle négative ? Écrire la réponse sous la forme d'une réunion d'intervalles.

24 On donne les configurations suivantes :

a.   **b.**   **c.**

Pour chaque situation, donner l'intervalle dans lequel peut varier x.

25 Julien a eu trois notes ce trimestre. Mais il ne se souvient que des deux premières : 8 et 9.
1. Sachant que la moyenne de Julien est entre 10 et 10,5 exclus, quelles sont les valeurs possibles de la note manquante ?
2. On sait de plus que le professeur ne met que des notes entières. Quelle note a eu Julien au 3e devoir ?

26 On donne les courbes $\mathscr{C}_1$ à $\mathscr{C}_6$ suivantes :

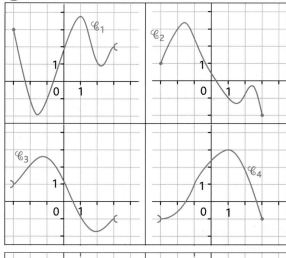

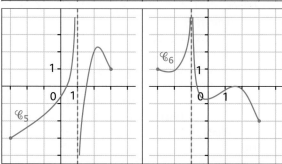

Pour chaque courbe, on note l'ensemble dans lequel se trouve la variable. On propose :

$E_a = \left]-3\,;3\right[$; $E_b = \left]-3\,;3\right]$; $E_c = \left[-3\,;1\right[\,\cup\,\left]1\,;3\right]$;
$E_d = \left[-3\,;3\right[$; $E_e = \left[-3\,;3\right]$; $E_f = \left[-3\,;-1\right[\,\cup\,\left]-1\,;3\right]$.
Donner pour chaque courbe l'ensemble qui lui correspond.

Pour info

Lorsqu'une variable ne peut pas prendre une valeur particulière a, on dit que a est une **valeur interdite**.

2 Notion de fonction

27 Vrai ou faux ?

Soit f une fonction dont on donne la courbe représentative $\mathscr{C}$ ci-contre.

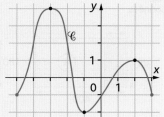

1. f est définie sur l'intervalle $[-2\,;4]$.
2. L'image de -1 par la fonction f est 0.
3. $f(-3) = 4$.
4. 0 admet exactement 4 antécédents par la fonction f.
5. L'antécédent de 2 par la fonction f est 1.
6. La courbe $\mathscr{C}$ passe par le point $(-2\,;2)$.

28 QCM

Pour chacune des questions suivantes, une seule réponse est correcte.

La courbe ci-contre représente la fonction f.
1. L'image de 1 par f est :
a. 1 et -2 **b.** 2
c. 0   **d.** $f(2)$
2. Le nombre d'antécédents de 0 par f est :
a. 1   **b.** 2
c. 3   **d.** 4
3. Les antécédents de 2 par f sont :
a. 4   **b.** 2   **c.** $-2\,;1$ **d.** $-2\,;1\,;3$

29 Vrai ou faux ?

Soit f la fonction définie par le tableau de valeurs suivant :

x	-5	-3	$-0,5$	1	3	4	10
$f(x)$	10	1	0	2	0	-3	-3

1. L'image de -3 par f est 4.
2. L'antécédent de 1 par f est -3.
3. Le point de coordonnées $(10\,;-5)$ appartient à la courbe représentative de f.
4. -3 admet pour images 4 et 10 par f.

30 [algo] QCM

Déterminer **toutes** les bonnes réponses.
On donne le programme de calcul suivant et l'algorithme correspondant :

Programme de calcul
• Choisir un nombre.
• Mettre le nombre au carré.
• Calculer le double du nombre.
• Soustraire les deux résultats.
• Et ajouter 2.

```
Variables :
    x, a, b, c : réels ;
Début
    Entrer(x) ;
    a ← x² ;
    b ← 2 × x ;
    c ← a − b + 2 ;
    Afficher(c) ;
Fin.
```

1. Une expression algébrique de la fonction f définie sur $\mathbb{R}$ par cet algorithme est :
a. $f(x) = x^2 - 2x + 2$
b. $f(x) = (x-1)^2 + 1$
c. $f(x) = x^2 + 2$
2. L'image de 2 par f est :
a. 0   **b.** 2   **c.** 10
3. L'image de -1 par f est :
a. -1 **b.** -3 **c.** 5
4. Les antécédents de 10 par f sont :
a. 4   **b.** -2 **c.** 0
5. Les antécédents de 17 par f sont :
a. 5   **b.** 2   **c.** -3

31 QCM

Pour chacune des questions suivantes, une seule réponse est correcte.

Soit f la fonction définie sur $\mathbb{R}$ par $f(x) = x^2 - 2x + 1$.

1. L'image de 0 par f est :

a. -1 **b.** 1   **c.** 0

2. La valeur de $f(-1)$ est :

a. 2   **b.** -2 **c.** 4

3. L'antécédent de 0 par f est :

a. 1   **b.** 0   **c.** -1

4. 4 admet comme antécédent par f :

a. uniquement 3   **b.** 3 et -1 **c.** 5 et -3

Exprimer en fonction de

32 **algo** QCM

Donner **toutes** les bonnes réponses.

On donne l'algorithme ci-contre :

1. Le nombre obtenu avec l'entrée -2 est :

a. 0   **b.** -4 **c.** 12

2. Le nombre obtenu avec l'entrée 1 est :

a. 5   **b.** 2   **c.** 13

3. Si on veut obtenir 0, on peut entrer :

a. 0   **b.** -2 **c.** -4

4. Si on veut obtenir -4, on peut entrer :

a. 0   **b.** 2   **c.** -2

5. Une expression algébrique de la fonction f définie sur $\mathbb{R}$ par cet algorithme est :

a. $f(x) = x^2 - 2$

b. $f(x) = (x + 2)^2 - 4$

c. $f(x) = x^2 + 4x$

```
Variables :
    x, a, b : réels ;
Début
    Entrer(x) ;
    a ← x + 2 ;
    b ← a² − 4 ;
    Afficher(b) ;
Fin.
```

33 **algo** Choix d'un algorithme

Un consommateur a la possibilité de choisir entre deux formules de location d'un studio pour ses vacances :

– formule A : location fixe de 250 € + 10 € de charges par jour ;

– formule B : location fixe de 300 € + 5 € de charges par jour.

1. Quelle est la formule la plus avantageuse pour une location d'une semaine ? de 12 jours ?

2. Pour chaque formule, exprimer le montant à régler en fonction du nombre N de jours de location.

3. D'une façon plus générale, le consommateur souhaite connaître la formule la plus avantageuse en fonction du nombre de jours de location.

On lui propose les algorithmes suivants.

Quel(s) est(sont) le(s) algorithme(s) correct(s) ?

a.
```
Variables :
    N, A, B : entiers ;
Début
    Entrer(N) ;
    A ← 250 + 10 × N ;
    B ← 300 + 5 × N ;
    Si A < B alors Afficher("B") ;
        sinon Si A = B alors Afficher("A ou B") ;
                    sinon Afficher("A") ;
                FinSi ;
        FinSi ;
Fin.
```

b.
```
Variables :
    N, A, B : entiers ;
Début
    Entrer(N) ;
    A ← 250 + 10 × N ;
    B ← 300 + 5 × N ;
    Si A < B alors Afficher("A") ;
        sinon Si A = B alors Afficher("A ou B") ;
                    sinon Afficher("B") ;
                FinSi ;
        FinSi ;
Fin.
```

c.
```
Variables :
    N, D : entiers ;
Début
    Entrer(N) ;
    D ← 5 × N − 50 ;
    Si D > 0 alors Afficher("B") ;
                sinon Si D = 0 alors Afficher("A ou B") ;
                        sinon Afficher("A") ;
                    FinSi ;
        FinSi ;
Fin.
```

34 Exprimer l'aire des surfaces jaunes en fonction des données.

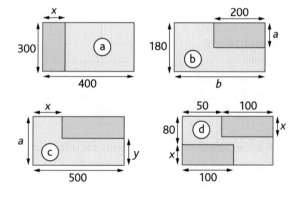

35 Un rectangle de dimensions L et ℓ a un périmètre de 50 cm.

1. Quelle relation peut-on écrire entre L et ℓ ?

2. Peut-on avoir $L = 30$ cm ?

Dans quel intervalle se trouvent obligatoirement L et ℓ ?

3. Exprimer L en fonction de ℓ, puis ℓ en fonction de L.

4. Le rectangle peut-il être carré ? Quelles sont alors ses dimensions ?

36 Une boîte, sans couvercle, de base rectangulaire et de hauteur h, est en carton.

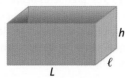

1. Exprimer l'aire S de la boîte en fonction de ses dimensions L, ℓ et h.*

2. Si $L = 10$ cm et $\ell = 4$ cm, exprimer S en fonction de h.

3. Si $L = 10$ cm et $h = 5$ cm, exprimer S en fonction de ℓ.

4. Si $S = 180$ cm² et $L = 10$ cm, exprimer h en fonction de ℓ.

* Conseil

Ajouter les aires des rectangles formant la boîte (attention, il n'y a pas de couvercle sur le dessus).

37 Un récipient est formé d'un cube de 10 cm d'arête et d'un pavé droit de base carrée (côté 5 cm) et de hauteur 10 cm.

On le remplit de liquide. On appelle x la hauteur de liquide dans le récipient, en cm.

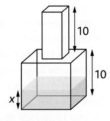

1. Dans quel intervalle x peut-il prendre ses valeurs ?

2. Calculer le volume de liquide lorsque x vaut :

a. 5 cm ;   **b.** 10 cm ;   **c.** 15 cm ;   **d.** 20 cm.

3. Exprimer le volume de liquide, en cm³, en fonction de x.

4. On souhaite remplir le récipient à la moitié de sa contenance maximale. Déterminer quelle sera la hauteur de liquide dans le récipient, en expliquant la démarche.

Courbe représentative

38 *Voir la fiche Savoir faire, page 19.*

Soit f la fonction définie par sa courbe représentative $\mathscr{C}$ donnée ci-dessous :

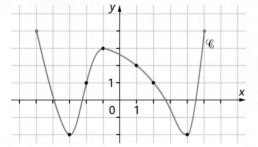

1. Lire l'ensemble de définition de f.

2. Donner les images par la fonction f de -5, -2 et 2.

3. Donner les antécédents par la fonction f de 4, -2 et 1. On lira des valeurs approchées si nécessaire.

39 *Voir la fiche Savoir faire, page 19.*

On donne ci-dessous la représentation graphique $\mathscr{C}$ d'une fonction f définie sur $[-4,5 \,; 6]$:

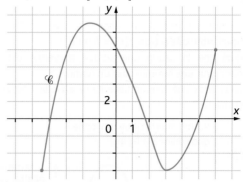

1. Quelle est l'image de 0 par f ?

2. Donner, s'il y en a, le(s) antécédent(s) par f des nombres suivants : 0 ; 8 ; 12 ; 9.

On lira des valeurs approchées si nécessaire.

3. Déterminer si les points suivants appartiennent à la courbe $\mathscr{C}$, ou si on ne peut pas savoir : $M(0 \,; 2)$ et $P(3 \,; -3)$.

40 Soit f la fonction définie par sa courbe représentative $\mathscr{C}$:

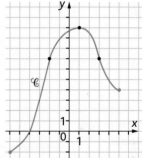

1. Lire l'ensemble de définition de f.

2. Lire les antécédents par f de 10 ; 7 ; 0 et -2.

3. Lire les images par f de 1 ; -6 et 5.

4. Peut-on affirmer que tous les réels de l'intervalle $[4 \,; 10[$ ont tous deux antécédents par la fonction f ?

41 Soit f la fonction définie sur $\mathbb{R}$ par sa courbe représentative $\mathscr{C}$ donnée ci-contre :

1. Répondre par **vrai** ou **faux** ou « on ne sait pas »

a. Le point $(4 \,; 2)$ appartient à la courbe $\mathscr{C}$.

b. Le point $(-1 \,; 1)$ appartient à la courbe $\mathscr{C}$.

c. Le point $(0,5 \,; 0,5)$ appartient à la courbe $\mathscr{C}$.

d. L'image de 4 par f est -2.

e. Les antécédents de 2 par f sont $-1,5$ et 1,5.

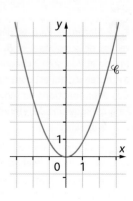

2. Sachant que la fonction f est définie par $f(x) = x^2$, reprendre la question **1.** en justifiant par un calcul.

42 Besoins énergétiques

On représente les besoins énergétiques d'une femme et d'un homme sédentaires en fonction de leur âge.

Ces deux courbes définissent deux fonctions numériques f (pour les femmes) et h (pour les hommes) sur $[0\,;26]$.

1. Sur quel intervalle a-t-on $f(t) = h(t)$?

2. À quel âge la ration énergétique moyenne est-elle maximum pour une femme, pour un homme ?

3. À quels âges une femme sédentaire a-t-elle besoin de 10 000 kJ/jour ?

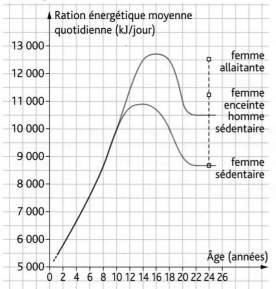

1. L'un des deux personnages se déplace à pied, l'autre à bicyclette. Les identifier.

2. Préciser les lieux de départ de Paul et de Martin et le nombre de kilomètres parcourus par chacun d'eux au bout de 6 heures.

3. Au bout de combien de temps environ Paul dépasse-t-il Martin ?

4. On considère que la vitesse de Paul est constante pendant les trois premières heures de son trajet. Quelle est-elle ?*

En faisant la même hypothèse (vitesse uniforme), déterminer les vitesses avec lesquelles il progresse pendant la quatrième heure, puis pendant les deux dernières heures de son trajet.

* Conseil

Lorsque la vitesse v (en km/h) est constante, la distance parcourue d (en km) et la durée du parcours t (en h) sont proportionnelles et reliées par la relation : $d = v \times t$.

43
On donne ci-contre la courbe représentative de l'une des fonctions suivantes.

De quelle fonction cette courbe est-elle représentative ? Justifier sans utiliser la calculatrice.

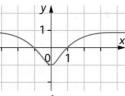

a. $f(x) = x^2 - 1$;   **b.** $g(x) = \dfrac{x-1}{x+1}$;

c. $h(x) = \dfrac{x^2 - 1}{x^2 + 1}$;   **d.** $k(x) = 1 - x^2$.

44
Martin et Paul se déplacent sur une route rectiligne reliant deux points A et B. La distance de A à B est 20 km. Martin et Paul sont à chaque instant repérés par leur distance à A notée d_A, qui est donc une fonction du temps.

Ces deux fonctions du temps sont représentées ci-dessous. Le graphique sert de référence pour répondre aux questions.

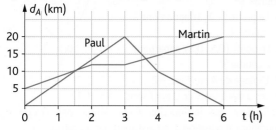

45 Tension aux bornes d'un alternateur de bicyclette

L'enregistrement ci-contre représente la tension u en Volts aux bornes d'un alternateur de bicyclette, en fonction du temps t.

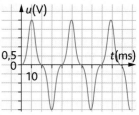

1. Donner $u(10)$, $u(30)$, $u(80)$.

2. Donner la période de u.

3. Calculer $u(105)$.

> **Pour info**
>
> Soit T un réel strictement positif. La fonction f définie sur $\mathbb{R}$ est dite **périodique de période T** si pour tout réel x de $\mathbb{R}$, $f(x + T) = f(x)$.

46 Vers la physique

On branche un voltmètre aux bornes d'un GBF et on relève la tension aux bornes toutes les 10 secondes. On obtient le tableau ci-dessous et, en reportant les points sur un graphique, la courbe $\mathscr{C}$ représentative de la fonction $V = f(t)$. (t en secondes et V en Volts).

$t(s)$	0	10	20	30	40
$U(V)$	0	2,5	4,3	4,2	2,4

$t(s)$	50	60	70	80	90
$U(V)$	0	$-2,5$	$-4,4$	$-4,3$	$-2,6$

$t(s)$	100	110	120	130	140
$U(V)$	0	2,5	4,3	4,2	2,6

$t(s)$	150	160	170	180	190
$U(V)$	0	$-2,4$	$-4,3$	$-4,4$	$-2,8$

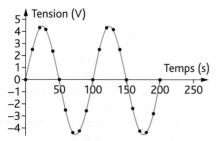

1. Donner $f(50)$ et $f(70)$.

2. Quelle est la tension maximum ? La tension minimum ?

3. On remarque que toutes les 100 secondes, le phénomène se reproduit (aux erreurs expérimentales près). On dit que f est de période 100.

Calculer $f(300)$, $f(170)$.

Calculs d'images et d'antécédents

47 *Voir la fiche Savoir faire, page 19.*

Soit une fonction f dont on donne le tableau de valeurs suivant :

x	-5	-2	0	1	6	10
$f(x)$	20	-1	-5	-4	31	95

1. Lire les images par f de -5, de 0 et de 6. Donner $f(-2)$.

2. Quel est l'antécédent de -5 par f ?

3. Cette fonction f n'est sûrement pas définie par $f(x) = \dfrac{1}{x+2}$. Pourquoi ?

4. La fonction f peut-elle être définie par la fonction :
$$x \longmapsto x^2 - 5 \ ?$$

5. Pour chaque affirmation suivante, dire si elle est vraie ou fausse ou si on ne peut pas savoir :

a. -4 a pour image 1.

b. $f(-2) = -1$.

c. Le point de coordonnées $(10 ; 95)$ est un point de la courbe représentative de f.

48 *Voir la fiche Savoir faire, page 19.*

Soit f la fonction définie par $f(x) = \dfrac{2}{x} - x^2$.

1. Expliquer pourquoi la fonction f est définie pour tous les réels sauf 0.

2. Déterminer les images par f des réels :
$1 ; 2 ; -2 ; \sqrt{2} ; \dfrac{1}{2} ; \dfrac{-4}{3}$.

> **Pour info**
>
> L'ensemble des réels sauf une valeur a se note $\mathbb{R}\backslash\{a\}$.
> On peut aussi le noter $]-\infty ; a[\cup]a ; +\infty[$.
> Ainsi, l'ensemble de tous les réels non nuls est noté $\mathbb{R}\backslash\{0\}$ ou $]-\infty ; 0[\cup]0 ; +\infty[$.
> Cet ensemble est aussi noté $\mathbb{R}^*$.

49 *Voir la fiche Savoir faire, page 19.*

Soit f la fonction définie sur $\mathbb{R}$ par $f(x) = -x^2 + 3$.

1. Calculer, sans calculatrice, $f(1)$, $f(-2)$ et $f(\sqrt{2})$.

2. Déterminer les antécédents par f de 2 ; -1 et 4.

50 Soient f et g les fonctions définies sur $\mathbb{R}$ par :
$$f(x) = -x^2 + 2x + 1 \text{ et } g(x) = -x + 1.$$
On note $\mathscr{C}_f$ et $\mathscr{C}_g$ les courbes représentatives respectives de f et de g dans un repère.

1. Déterminer les images par f et par g des nombres suivants : $-1 ; \sqrt{3} ; 5$ et $\dfrac{1}{5}$.

2. Pour chaque affirmation suivante, dire si elle est vraie ou fausse :

a. La courbe $\mathscr{C}_f$ passe par le point $(-2 ; -7)$.

b. L'image de 0 par g est 1.

c. $\sqrt{2} - 1$ est un antécédent de 0 par f.

d. Les courbes $\mathscr{C}_f$ et $\mathscr{C}_g$ se coupent aux points d'abscisses 0 et 3.

51 **algo** **Des algorithmes en langage naturel**

On donne les programmes de calcul suivants :

A	B
• Choisir un nombre.	• Choisir un nombre.
• Le mettre au carré.	• En prendre l'inverse quand il existe.
• Ajouter 3.	
• Multiplier par 2.	• Soustraire 3.
• Afficher le résultat.	• Afficher le résultat.

1. Pour chaque programme, déterminer, lorsque c'est possible, les images de : $2 ; -1 ; 0 ; \dfrac{1}{3} ; \dfrac{-4}{5}$.

2. Chaque programme définit une fonction.

Pour chacun, donner une expression algébrique de celle-ci, en précisant l'ensemble de définition.

3. Pour chaque fonction, déterminer les antécédents éventuels de 0 et de 4.

52 **Vers la physique-chimie**

Les Français utilisent le degré Celsius (°C) comme unité de mesure de température, alors que les Américains utilisent le degré Fahrenheit (°F).

La température en degré Celsius T_C et la température en degré Fahrenheit T_F sont reliées par la relation :
$$T_F = 1{,}8\,T_C + 32.$$

1. Que dirait un américain en visite à Paris, où le thermomètre affiche 20 °C ?

2. Que dirait un Français en visite à New York, où le thermomètre affiche 77 °F ?

3. Recopier et compléter le tableau de valeurs suivant :

T_C (°C)	0	100		40	20		37	
T_F (°F)			50			10		0	-5

4. Deux Canadiens constatent un jour que leurs deux thermomètres, gradués l'un en degré Celsius et l'autre en degré Fahrenheit, affichent la même valeur.

Quelle est la température ?

Construction de courbes représentatives

53 Soit f la fonction définie sur $\mathbb{R}$ par :
$$f(x) = -x^2 + 3x + 2.$$
1. À l'aide de la calculatrice, construire le tableau de valeurs de f sur l'intervalle $[-3 ; 5]$ avec un pas de 0,5.
2. Dans un repère adapté, placer les points obtenus grâce au tableau précédent.
3. On souhaite construire la courbe représentative de f. Peut-on relier les points précédents à l'aide d'une règle ? Justifier.
4. En s'aidant de la calculatrice, construire la courbe représentative de f dans le repère précédent.

54 Commande d'un hypermarché
Un hypermarché achète un lot de dattes. Le prix est composé d'un prix fixe et d'un prix variable.
Entre 0 et 500 kg (500 exclu), le lot coûte 2 000 € auquel s'ajoute le prix variable de 10 € par kg.
À partir de 500 kg achetés (500 inclus), le prix fixe reste le même et le coût variable passe à 8 € par kg.
1. Calculer le prix total pour une masse de dattes de 200 kg, de 500 kg et de 600 kg.*
2. Exprimer la fonction prix total P en fonction de la masse de dattes.
3. Représenter graphiquement la fonction P sur l'intervalle $[0 ; 1000]$ en choisissant une échelle adaptée.
4. En s'aidant du graphique, déterminer la (les) masse(s) de dattes que l'hypermarché doit acheter pour que le prix soit égal à :
a. 5 000 € ;　　**b.** 6 000 € ;　　**c.** 6 500 €.
Vérifier les réponses à l'aide d'un calcul.
5. Écrire les résultats obtenus aux questions 1. et 4. en utilisant le vocabulaire des fonctions.

* Conseil

Le prix total est la somme du prix fixe et du prix variable. Ici le prix variable est proportionnel à la masse de dattes.

> **Pour info**
> Une **fenêtre adaptée** est une fenêtre qui permet de rendre compte de la courbe en entier.
> Il faut choisir $(X_{min}, X_{max}, Y_{min}, Y_{max})$ avec pertinence.

55 Vers la physique
Un joueur de basket tire vers le panier. Le ballon a une trajectoire telle que sa hauteur h en fonction de la distance horizontale x parcourue (x et h sont en mètres) est donnée par :

$$h = -\frac{x^2}{10} + x + 2.$$

Par exemple, lorsque le ballon a parcouru horizontalement 1 m, sa hauteur est de 2,9 m. On note A la position de départ du ballon.
1. À quelle hauteur se situe le point A ?
2. Construire la trajectoire du ballon et vérifier que lorsqu'il touche le sol, il a parcouru horizontalement une distance a comprise entre 11 m et 12 m.
3. En utilisant le menu TABLE de la calculatrice, déterminer un encadrement de a d'amplitude 0,1 m.

56 **algo** Fonction définie par morceaux
On considère l'algorithme suivant :

```
Variables :
    x, y : réels ;
Début
    Entrer(x)
    Si x < 0 alors y ← x² ;
            sinon y ← 2x ;
    FinSi ;
    Afficher(y) ;
Fin.
```

1. Faire fonctionner cet algorithme pour $x = -2$; $x = 0$; $x = 1$.
2. Cet algorithme définit une fonction f.
a. Donner l'ensemble de définition de f.
b. Exprimer $f(x)$ en fonction de x.
c. Représenter graphiquement la fonction f.

57 **algo** Fonction définie par morceaux
On considère la fonction f définie sur $[2 ; 4]$ par :
$$f(x) = \begin{cases} x + 1 & \text{si } x \in [2 ; 1] \\ -x^2 + 1 & \text{si } x \in]1 ; 4] \end{cases}.$$
1. Construire un algorithme qui permette de calculer $f(x)$ en fonction de x.
2. Construire un tableau de valeurs avec le pas 0,5.
3. Construire la courbe représentative de f sur $[-2 ; 4]$.

3 Étude qualitative

58 QCM
Soit la courbe représentative d'une fonction f :

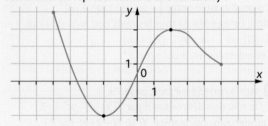

Quel est le tableau de variation de la fonction f ?

a.

x	4	-2	3	1
$f(x)$	-5	-2	2	5

b.

x	-5	-2	3	5
$f(x)$	4	-2	2	1

c.

x	4	-2	2	5
$f(x)$	-5	-2	3	1

d.

x	-5	-2	2	5
$f(x)$	4	-2	3	1

59 QCM

Soit le tableau de variation d'une fonction f :

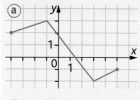

x	-4	-1	3	5
$f(x)$	2	3	-2	1

Quelle est la seule représentation graphique possible pour la fonction f ?

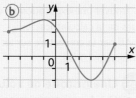

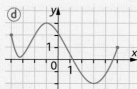

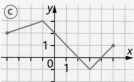

60 QCM

Soit f une fonction définie sur $[-5\,;4]$ qui admet le tableau de variation ci-dessous :

x	-5	-2	1	4
$f(x)$	3	4	-5	-2

Donner la (ou les) bonne(s) réponse(s) :

a. $f(1) = -5$ **b.** $f(-5) < f(1)$ **c.** $f(-2) > f(0)$
d. $f(0) = 5$ **e.** $f(-4) > f(2)$

À partir de courbes représentatives

61 *Voir la fiche Savoir faire, page 21.*

Soit f la fonction définie par sa courbe représentative ci-dessous :

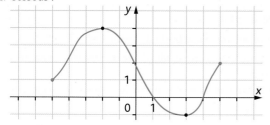

1. Dresser le tableau de variation de f.
2. Quel est le maximum de f ? En quelle(s) valeur(s) est-il atteint ?
3. Peut-on affirmer que pour tout x de $[-5\,;5]$, $f(x) \geqslant -1$? Justifier.

62 *Voir la fiche Savoir faire, page 21.*

Reprendre l'exercice précédent avec la courbe représentative ci-dessous :

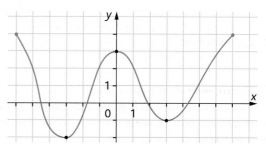

63 On donne les courbes représentatives $\mathscr{C}_1$, $\mathscr{C}_2$, $\mathscr{C}_3$, $\mathscr{C}_4$ et quatre tableaux de variation.

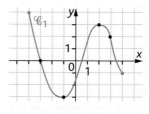

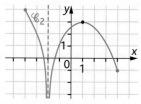

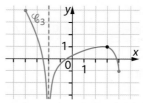

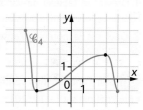

a.

x	-4	-2	1	4
$f_1(x)$	4		3	-1

b.

x	-4	-2	3	4
$f_2(x)$	4		1	-1

c.

x	-4	-1	2	4
$f_3(x)$	4	-3	3	-1

d.

x	-4	-3	3	4
$f_4(x)$	4	-1	2	-1

Associer à chaque courbe représentative le tableau de variation qui correspond à la fonction représentée.

> **Pour info**
>
> Lorsqu'une valeur est interdite pour une fonction, on place sous elle une double barre verticale dans le tableau de variation de la fonction.

64 La fonction f est définie sur l'intervalle $[-3\,;5]$. Sa courbe représentative $\mathscr{C}$ est tracée ci-dessous.

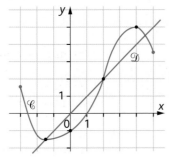

1. Dresser le tableau de variation de f.
2. Quel est le maximum de f sur l'intervalle $[-3\,;5]$?
3. Quel est le minimum de f sur l'intervalle $[0\,;5]$?
4. En vous aidant du tracé de la droite $\mathscr{D}$ d'équation $y = x$ avec la précision permise par le graphique, déterminer les valeurs de x inférieures à leurs images.

Tracés de courbes représentatives

65 Soit f une fonction telle que :
• f est définie sur $[-6\,;4]$;
• l'image de -6 par f est 1 ; $f(4) = 5$;
• f est croissante sur $[-6\,;-2]$ et sur $[1\,;4]$; f est décroissante sur $[-2\,;1]$;
• le maximum de f est 6 ; le minimum de f est -1.
1. Dresser le tableau de variation de f, puis construire une courbe représentative possible de f.
2. Quel est le nombre d'antécédents par f de 0 ? de 2 ? de -2 ? Expliquer.

66 Soit f une fonction vérifiant :
• f est définie sur $[-10\,;10]$;
• f est croissante sur $[-2\,;1]$ et sur $[5\,;10]$; f est décroissante sur $[-10\,;-2]$ et sur $[1\,;5]$;
• les antécédents par f de 0 sont -2 ; 2 et 10 ;
• le minimum de f est -2 ; le maximum de f est 5 ;
• $f(1) = 4$;
• la courbe coupe l'axe des ordonnées au point d'ordonnée 2.
1. Construire une courbe représentative possible de f.
2. Dresser le tableau de variation de f.
3. Peut-on affirmer que f est positive sur $[-10\,;2]$? Justifier.

67 Soit f la fonction définie sur $[-1\,;4{,}5]$ par :
$$f(x) = (x-2)^2 - 3.$$
1. Recopier et compléter le tableau suivant à l'aide de la calculatrice :

x	-1	$-0{,}5$	0	1	2	3	4	4,5
$f(x)$								

2. Représenter graphiquement la fonction f, en traçant en bleu la partie de la courbe où la fonction f est décroissante et en vert la partie de la courbe où la fonction f est croissante.
3. Conjecturer la valeur du minimum de f et en quelle valeur il est atteint.

68 On donne la fonction définie sur $[0\,;2]$ par :
$$f(x) = x^3 - 3{,}04x^2 + 3{,}05x - 1{,}03.$$
1. À l'aide de la calculatrice, construire le tableau de valeurs de f avec le pas 0,1.
2. Après avoir réglé de façon pertinente la fenêtre graphique de la calculatrice, faire apparaître la courbe représentative de la fonction f ; la recopier sur la feuille.
3. Par lecture graphique, conjecturer les variations de la fonction f sur $[0\,;2]$.
4. Calculer à la machine $f(1)$ et $f(1{,}01)$. Est-ce cohérent avec la conjecture émise sur les variations de la fonction f ?
5. Trouver une explication en utilisant les possibilités graphiques de la calculatrice.
6. Affiner la conjecture sur les variations de la fonction f sur l'intervalle $[0\,;2]$.

69 **Une histoire de volumes**
On donne les solides suivants :

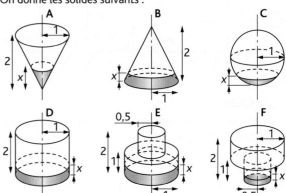

On remplit d'eau ces solides. x est la hauteur de liquide dans chaque récipient. Pour chaque solide, on s'intéresse à la fonction qui à x associe le volume d'eau dans le solide. Un grapheur a permis de tracer les courbes représentatives ci-contre. Associer chaque courbe à un solide. Expliquer la démarche.

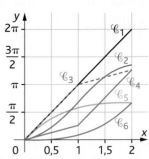

> **Pour info**
> • Le volume d'une boule de rayon R est $\dfrac{4}{3}\pi R^3$.
> • Le volume d'un cylindre d'aire de base B et de hauteur h est $B \times h$.
> • Le volume d'un cône d'aire de base B et de hauteur h est $\dfrac{1}{3}B \times h$.

Variations, encadrement et comparaison

70 *Voir la fiche Savoir faire, page 21.*
La fonction f est définie sur $[-5\,;6]$ par la représentation graphique donnée ci-dessous :

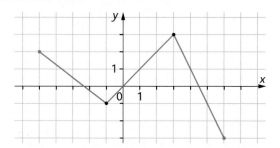

1. À quel intervalle appartient $f(x)$ quand x varie entre -5 et -1 ?
2. À quel intervalle appartient $f(x)$ quand x varie dans l'intervalle $[3\,;6]$?
3. À quel intervalle appartient $f(x)$ quand x varie dans l'intervalle $[0\,;6]$?

71 *Voir la fiche Savoir faire, page 21.*
Une fonction f définie sur $[-5\,;7]$ admet le tableau de variation ci-dessous :

x	-5		-3		1		2		7
$f(x)$	1	↗	4	↘	-2	↗	0	↘	-4

1. Sur quel intervalle varie $f(x)$ si x varie de 1 à 2 ?
2. Sur quel intervalle varie $f(x)$ si x varie de -3 à 1 ?
3. Peut-on comparer les nombres suivants ? Justifier.
a. $f(-4)$ et $f(-4,5)$;
b. $f(3)$ et $f(5)$;
c. $f(1,5)$ et $f\left(\dfrac{\sqrt{2}}{2}\right)$.
4. Combien le réel 3 a-t-il d'antécédents par f ?

72 Soit le tableau de variation d'une fonction f définie sur $[-1;3]$:

x	-1		0		1		3
$f(x)$	0	↗	3	↘	-5	↗	1

1. Lire $f(1)$, $f(-1)$, $f(0)$ et $f(3)$.
2. Quel est le maximum de f sur $[-1\,;3]$?
Pour quelle valeur de x ce maximum est-il atteint ?
3. Quel est le minimum de f sur $[-1\,;3]$?
Pour quelle valeur de x ce minimum est-il atteint ?
4. Pour $x \in [0\,;1]$, encadrer $f(x)$.
5. Donner un encadrement de $f(x)$ sur $[-1\,;3]$.
6. Encadrer les nombres suivants : $f(-0,5)$; $f(0,8)$ et $f(2,1)$.

73 📖 **Recherche du tableau de variation à l'aide du tableur**
Soit f la fonction définie sur $[-3\,;4]$ par :
$$f(x) = 2x^2 + x - 3.$$
1. On souhaite pouvoir compléter de façon automatique le tableau de valeurs de la fonction f sur l'intervalle $[-3\,;4]$, avec un pas de 1. Élaborer une démarche.
2. Reprendre la question **1.** avec un pas de $0,5$.
3. Cette fois-ci, le pas n'est pas fixé et peut prendre n'importe quelle valeur positive. Expliquer comment on peut procéder pour compléter le tableau de valeurs de f sur $[-3\,;4]$ avec un pas p.
4. a. Mettre en place la feuille de calcul suivante :

	A	B	C	D	E
1	valeur de a	-3		x	f(x)
2	valeur de p	1			
3					
4					

Compléter les colonnes D et E de façon à obtenir le tableau de valeurs de f sur un intervalle $[a\,;b]$ avec un pas p, où les valeurs de a et p sont entrées et modifiables dans les cellules B1 et B2.
(La valeur de b est fonction de a, de p et du numéro de la ligne jusqu'à laquelle on recopie les cellules D3 et E2 vers le bas.)
b. Conjecturer le tableau de variation de f.
c. Modifier le pas dans la cellule B2 pour vérifier le résultat de la question **b.** et éventuellement le corriger.

74 📖 🖩 **Recherche d'un maximum à l'aide du tableur**
Soit f la fonction définie sur $[-1;4]$ par :
$$f(x) = 4x^2 - x^3.$$
1. a. Tracer la courbe représentative de f sur la calculatrice.
b. Vérifier graphiquement que f admet un maximum M sur l'intervalle $[-1;4]$.
On admet dans la suite que M est atteint en un unique réel x_0 de l'intervalle $[-1;4]$.
c. Donner un encadrement de x_0 entre deux entiers consécutifs.
2. On souhaite obtenir une valeur approchée de x_0 à 10^{-2} près et une valeur approchée de M.
a. Mettre en place la feuille de calcul suivante :

	A	B	C	D	E
1	valeur min de x	-1		x	f(x)
2	valeur de p	1			
3					
4					

Compléter les colonnes D et E de façon à obtenir un tableau de valeurs de f de pas p, où les valeurs du début du tableau et du pas p sont entrées et modifiables dans les cellules B1 et B2.
b. Obtenir un encadrement de x_0 à 10^{-2} près. Expliquer la démarche.
c. Donner une valeur approchée du maximum M.
Peut-on affirmer que le résultat obtenu est une valeur approchée de M à 10^{-2} près ? Expliquer.

Problèmes

75 Voici un extrait SNCF donnant les horaires de deux trains circulant en sens inverse sur la ligne Paris-Saint-Lazare/Cherbourg.

Villes	Nombre de kilomètres	Horaire aller	Horaire retour
Paris-St-Lazare	0	15 h 45	19 h 16
Lisieux	157	17 h 25	17 h 42
Mézidon	174	17 h 40	17 h 29
Caen	199	17 h 59	16 h 58
Bayeux	227	18 h 16	16 h 42
Lison	253	18 h 29	16 h 27
Carentan	267	18 h 40	16 h 17
Valognes	287	18 h 56	16 h 01
Cherbourg	301	19 h 11	15 h 46

1. a. Quelle est la durée du trajet Paris-Cherbourg ?
b. Quelle est la durée du trajet Lison-Mézidon par le train de Cherbourg-Paris ?
2. Quel est le train qui est globalement le plus rapide ?
3. Entre quelles villes le train Paris-Cherbourg a-t-il la plus grande vitesse ?
4. Représenter sur le même graphique les heures d'arrivée des deux trains en fonction de la distance à la gare Saint-Lazare.
5. Interpréter graphiquement le résultat de la question **3.**
6. a. Entre quelles villes les deux trains se croisent-ils ?
b. Estimer l'heure à laquelle se croisent les deux trains. Expliquer la démarche.

> **Rappel**
>
> La vitesse moyenne v_m (en km/h) est égale au quotient de la distance parcourue d (en km) par la durée t du trajet (en h) : $v_m = \dfrac{d}{t}$.

76 Vers la chimie

Un TP de chimie consiste à mettre en relation les différents paramètres d'un gaz (température T en K, volume V en m^3 et pression P en Pa).

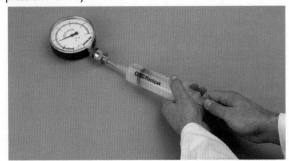

Une expérience a permis d'obtenir les résultats suivants (à température ambiante) :

V (en mL)	50	46	42	38	34	30	26	22	20
P (en kPa)	58	63	68	75	83	95	108	127	139

1. Reproduire le tableau des données en mettant les valeurs dans les unités du système international (m^3 pour le volume et Pa pour la pression).
2. Construire le nuage de points associé au tableau précédent, de façon à mettre en relation la pression en fonction du volume.
3. Peut-on relier les points précédents à l'aide d'une droite ?
4. Kathy, plus rapide que ses camarades, dit : « avec la calculatrice, j'obtiens : $P \times V = 2,84.$ » A-t-elle raison ? Expliquer comment elle a obtenu cette relation.
5. En considérant que la relation de Kathy est une bonne approximation d'une relation entre P et V dans les conditions de l'expérience, déterminer :
a. le volume occupé par le gaz étudié lorsque la pression vaut 150 000 Pa ;
b. la pression du gaz étudié lorsque son volume vaut 0,5 L.
6. Retrouver graphiquement les résultats de la question **5.** Expliquer la démarche.

> **Le saviez-vous ?**
>
> La loi de Boyle-Mariotte, « le produit $P \times V$ est constant à température constante », date du milieu du XVIIe siècle. Elle a de très nombreuses applications, notamment en plongée sous-marine.

77 Vendre ou pas ?

Au 1er juin, un producteur de pommes de terre peut en récolter 1 200 kg et les vendre 1 € le kilogramme. S'il attend, chaque jour sa récolte augmente de 60 kg, mais le prix baisse de 0,02 € par kilogramme et par jour.
1. Combien touchera le producteur s'il vend sa récolte le 1er juin ?
2. Combien touchera-t-il s'il attend un jour ? s'il attend 5 jours ? s'il attend 10 jours ?
3. On suppose que le producteur attend n jours ($0 < n < 50$).
a. Écrire en fonction de n :
– le nombre de kilos à vendre ;
– le prix du kilo vendu.
b. Montrer que la recette totale est alors de :
$$R(n) = -1{,}2n^2 + 36n + 1200 \text{ (en euros).}$$
4. Voici une représentation graphique de la fonction R sur $[0 ; 50]$:
a. Déterminer graphiquement la valeur de la recette maximale.
b. À quelle date la recette sera-t-elle à nouveau de 1 200 € ?
c. Le producteur a-t-il intérêt à attendre plus de 30 jours ?

78 Course automobile

Le circuit d'une course automobile peut être modélisé par le schéma ci-dessous :

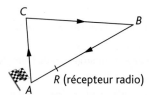

Le départ et l'arrivée se trouvent en A ; les voitures se déplacent dans le sens ACB.

Les voitures sont équipées d'émetteur radio pour être en contact permanent avec leurs équipes, qui se trouvent au point R.

On donne : $AC = 5$, $CB = 7$, $AB = 9$ et $AR = 2,5$ (l'unité de mesure de longueur est le kilomètre).

On s'intéresse à la distance voiture-récepteur radio.

1. À l'aide d'un logiciel de géométrie dynamique

a. Construire le triangle ABC, et placer un point M se déplaçant sur le triangle ACB (pour modéliser la position d'une voiture).

b. On note x la longueur du trajet effectué par M (à partir de A) et $f(x)$ la longueur MR.

Conjecturer les variations de la fonction f.

2. Par des considérations géométriques, confirmer les conjectures précédentes.

79 ABC est un triangle rectangle en A.

On donne :
$AB = 4$ et $AC = 8$.

M est un point du segment

$[AB]$; les points N et P appartiennent respectivement aux segments $[BC]$ et $[AC]$ de façon que $AMNP$ soit un rectangle.

1. Dans cette question, on pose $AM = 1$.

Faire la figure et calculer l'aire du rectangle $AMNP$.

Dans la suite, le point M est un point quelconque du segment $[AB]$. On pose $AM = x$.

2. Démontrer que $MN = 2(4 - x)$.*

3. Démontrer que l'aire $f(x)$ du rectangle $AMNP$ est donnée par $f(x) = 8x - 2x^2$.

4. Déterminer, en utilisant la calculatrice, des valeurs de x pour lesquelles $f(x) = 6$.

5. Déterminer, en utilisant la calculatrice, la position du point M pour que l'aire du rectangle $AMNP$ soit maximale. Quelle est la valeur de ce maximum ?

* Conseil

Utiliser le théorème de Thalès.

80 On dispose d'un carré de métal de 10 cm de côté.

Pour fabriquer une boîte sans couvercle, on enlève à chaque coin un carré de côté x (cm) et on relève les bords par pliage. La boîte obtenue est un pavé droit.

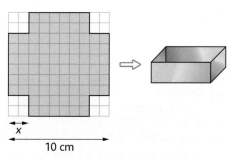

On souhaite déterminer les dimensions de la boîte de volume maximal.

1. Calculer le volume de la boîte obtenue si $x = 2$.*

2. Quelles sont les valeurs possibles pour la variable x ?

3. On note V la fonction qui à x associe le volume de la boite exprimé en cm^3.

Démontrer que :

$$V(x) = 100x - 40x^2 + 4x^3.$$

4. Retrouver le résultat de la question **1.** à l'aide de la fonction V.

5. Calculer $V(3)$.

6. Calculer l'image de $\dfrac{5}{3}$ par V (donner la valeur exacte, puis une valeur approchée arrondie à 10^{-2}).

7. a. À l'aide de la calculatrice, représenter sur la feuille la courbe représentative de V.

b. Déterminer graphiquement pour quelle(s) valeur(s) de x la boîte est de volume maximal. Quel est ce volume maximal ?

* Conseil

Le volume V d'un pavé droit est égal au produit de sa longueur L, de sa largeur ℓ et de sa hauteur h (en cm) : V = L × ℓ × h.

81 $ABCD$ est un trapèze rectangle en A dont on ne connaît pas les dimensions.

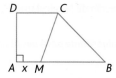

Pour un point M du segment $[AB]$, on note $f(x)$ l'aire du trapèze $AMCD$ et $g(x)$ l'aire du triangle MBC.

On donne les représentations graphiques des fonctions f et g ci-dessous.

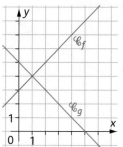

Quelles sont les dimensions du trapèze ?

82 **algo** 🖥 **Raisonner à l'aide d'un algorithme**

Soit f la fonction définie sur $[-3 ; 3]$ par :
$$f(x) = 3x^2 - 2x + 1.$$

1. On donne l'algorithme suivant :

```
Variables :
    m, x, y : réels ;
Début
    m ← 3 × (−3)² − 2 × (−3) + 1 ;
    Pour x allant de −2 à 3 faire
        y ← 3 × x² − 2 × x + 1 ;
        Si y < m alors m ← y ; FinSi ;
    FinPour ;
    Afficher(m) ;
Fin.
```

À quel problème répond cet algorithme ?* Expliquer.
Quel est le résultat affiché ?

2. Peut-on affirmer que f admet 1 comme minimum sur l'intervalle $[-3 ; 3]$? Expliquer.

3. Modifier l'algorithme de la question 1. de façon à afficher le minimum de f sur les entiers de l'intervalle $[-3 ; 3]$ et une valeur en laquelle il est atteint.

4. On admet ici que f admet un minimum m sur l'intervalle $[-3 ; 3]$, qui est atteint en une unique valeur x_0.
On souhaite obtenir une valeur approchée de x_0 à 10^{-1} près et une valeur approchée de m.

a. Modifier l'algorithme de la question 3. de façon à résoudre le problème.

b. Programmer à l'aide d'une calculatrice ou d'un logiciel, et répondre au problème posé.

c. Donner une valeur approchée du minimum m de f.
Peut-on affirmer que le résultat obtenu est une valeur approchée de m à 10^{-1} près ? Expliquer.

d. Vérifier les résultats précédents en traçant la courbe représentative de f sur l'écran de la calculatrice.

* Conseil

Faire fonctionner l'algorithme pas à pas pour le comprendre.

83 🖥 🖩 **Un quadrilatère tournant**

On considère un rectangle $ABCD$, tel que $AB = 5$ et $BC = 3$. On place les points M, N, P, Q respectivement sur les segments $[AB]$, $[BC]$, $[CD]$ et $[DA]$, de telle sorte que les longueurs AM, BN, CP et DQ soient égales.

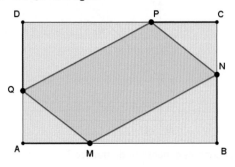

Il s'agit de déterminer la position du point M sur le segment $[AB]$ telle que l'aire du quadrilatère $MNPQ$ inscrit dans le rectangle $ABCD$ soit minimale.

1. a. À l'aide d'un logiciel de géométrie dynamique, construire la figure ci-dessus. *

b. Afficher les valeurs de la distance AM et de l'aire du quadrilatère $MNPQ$.

c. Conjecturer la valeur minimum m de l'aire de $MNPQ$ et la valeur de AM correspondante.

2. Si on pose $AM = BN = CP = DQ = x$, l'aire du quadrilatère $MNPQ$ est une fonction f de x.

a. Quelles sont les valeurs possibles pour la variable x ?

b. Montrer que $f(x) = 2x^2 - 8x + 15$.

c. À l'aide de la calculatrice ou d'un tableur, conforter la conjecture de la question 1.

d. Pour aller plus loin : un logiciel de calcul formel permet d'obtenir le résultat suivant :

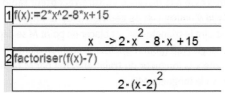

Justifier le résultat obtenu par le logiciel, puis démontrer la conjecture émise.

* Conseil

Une fois le rectangle ABCD construit, créer un point M sur le segment $[AB]$. Pour créer les points N, P et Q, utiliser les cercles respectivement de centres B, C et D, et de rayon AM.

84 On considère un cercle de centre O et de rayon 10 cm. Les diamètres $[KL]$ et $[IJ]$ sont perpendiculaires. H est un point de $[OK]$ et $[AB]$ est une corde perpendiculaire en H à $[OK]$. On pose $OH = x$.

1. Quelles sont les valeurs prises par x ?

2. Construire la figure en prenant $x = 2$ et calculer l'aire du triangle AOB.

3. Même question en prenant $x = 5$.

4. D'une façon générale, montrer que l'aire du triangle AOB s'exprime en fonction de x par :
$$f(x) = x\sqrt{100 - x^2}.$$

5. Tabuler à la calculatrice la fonction f sur l'intervalle $[0 ; 10]$ avec un pas de 1 et construire sa courbe représentative sur la feuille.

6. Où faut-il placer le point H pour que l'aire du triangle OAB soit maximale ? (Proposer une solution graphique.)

7. Soit M le projeté orthogonal de B sur la droite (AO).
Exprimer l'aire du triangle AOB d'une autre façon.
En déduire la valeur exacte de x qui rend cette aire maximale.

85 Sur la figure ci-contre, le triangle *ABC* est rectangle et isocèle en *A*.
On donne *BC* = 9.
Soit *I* le milieu de $[BC]$.
Le point *M* appartient au segment $[BI]$.

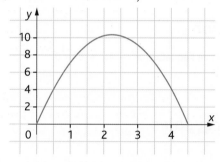

Le quadrilatère *MNPQ* est un rectangle où *N* est un point du segment $[AB]$, *P* un point du segment $[AC]$ et *Q* un point du segment $[BC]$.

1. a. Démontrer que *MN* = *BM*.
b. Prouver que *BM* = *QC*.
2. On pose *BM* = *x*.
a. Pourquoi le réel *x* est-il un élément de $[0 ; 4,5]$?
b. Exprimer les dimensions *MQ* et *MN* en fonction de *x*.
c. Démontrer que l'aire du rectangle *MNPQ*, notée $f(x)$, s'écrit : $f(x) = 9x - 2x^2$.
3. Calculer la valeur exacte de $f\left(\dfrac{9}{4}\right)$.
4. Sur le graphique ci-dessous, on a tracé la représentation graphique de la fonction *f*, notée $\mathscr{C}_f$.

a. Par lecture graphique, quel semble être le tableau de variation de *f* ?
b. Développer $\dfrac{81}{8} - 2\left(x - \dfrac{9}{4}\right)^2$.

En déduire la valeur exacte de *x* pour laquelle l'aire du rectangle *MNPQ* est maximale et la valeur de ce maximum.

86 Défi !

ABC est un triangle rectangle en *B*, tel que *AB* = 3 et *BC* = 4.
Les points *D*, *E* et *F* appartiennent respectivement aux segments $[AB]$, $[AC]$ et $[BC]$.
BDEF est un rectangle.
Où faut-il placer le point *E* pour que la longueur *DF* soit minimale ?

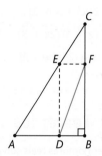

87 Question ouverte

Parmi les rectangles de périmètre 100 cm, quelles sont les dimensions du rectangle d'aire maximale ?

1 Différencier produit et somme

Les expressions ci-dessous sont écrites sous la forme de produit de plusieurs facteurs, ou bien de somme de plusieurs termes.
Préciser les expressions écrites sous la forme d'une somme.

Note

La différence $X - Y$ peut être considérée comme la somme $X + (-Y)$.

- $A = 2(2x - 1)$;
- $C = 2x^2 + 4 + 2(x + 1)$;
- $E = 2(x^2 + x + 3)$;
- $G = (x + 1)(2x + 3) - (x + 1)^2$;
- $I = (x + 3)(3x - 1)$;

- $B = 2x(x + 2) - 2(x^2 + 1)$;
- $D = (x + 1)(x + 2)$;
- $F = (2x + 1)^2 - (x - 2)^2$
- $H = 3(x + 2)^2$;
- $J = 3x^2 + 12x + 12$.

2 Tester les solutions d'une équation

Parmi les nombres réels suivants, indiquer lesquels sont solution de l'équation $x^2 - 4x + 3 = 0$.

a. 1 ;   b. 1,5 ;   c. 0 ;   d. 3 ;   e. -2.

3 Reconnaître les identités remarquables

QCM Une ou plusieurs réponses sont exactes.

1. Parmi les expressions suivantes, lesquelles correspondent à des identités remarquables ?	a. $b^2 + 25$	b. $b^2 - 25$	c. $b^2 - 10b - 25$
	d. $b^2 - 10b + 25$	e. $25b^2 - 10b + 1$	f. $4b^2 + 4b + 4$
2. Parmi les expressions suivantes, lesquelles sont égales à $(x + 1)^2$?	a. $x^2 + 1$	b. $2x + 1 + x^2$	c. $(x + 1)(x - 1)$
	d. $x^2 + 2$	e. $(x + 1)(x + 1)$	f. $x^2 + x + 1$

4 Exploiter une courbe

QCM Une ou plusieurs réponses sont exactes.
La courbe ci-contre est la courbe représentative d'une fonction f définie sur l'intervalle $[-3 ; 3]$.

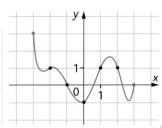

1. L'image de 3 par f est :	a. -3	b. 0	c. 2
2. Un des antécédents de 1 par f est :	a. -2	b. 1	c. 2
3. Le nombre d'antécédents de 0 par f est :	a. 2	b. 3	c. 4
4. Soit k un réel strictement inférieur à -1. Le nombre d'antécédents de k par f est :	a. 2	b. 1	c. 0

 Pour réviser : des rappels de cours et des tests dans les **Techniques de base**

Expressions algébriques et équations

Des maths partout !

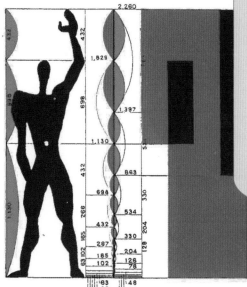

Le Corbusier, Le Modulor (échelle de mesure).

Depuis l'Antiquité, les artistes ont cherché les proportions idéales d'un bâtiment, d'une peinture, et même du corps humain !

Le mathématicien grec Euclide en a le premier donné une traduction mathématique. En voici une version moderne :

« Lorsqu'on ôte au rectangle considéré, un carré construit sur sa largeur, on obtient un nouveau rectangle, plus petit, semblable au rectangle d'origine. »

Dans ce texte, le mot semblable signifie : « qui a les mêmes proportions, un rapport identique entre longueur et largeur ».

Le rapport entre la longueur et la largeur de ce rectangle « idéal » est appelé le nombre d'or ($\varphi \approx 1,618$).

On le retrouve dans des œuvres des peintres et des architectes de la Renaissance italienne comme Léonard de Vinci (1452-1519), mais aussi dans les constructions de l'architecte Le Corbusier (1887-1965).

Léonard de Vinci,
Annonciation, vers 1472.

AU FIL DU TEMPS

Vers 1800-1500 av. J.-C., les **Babyloniens** savaient déjà résoudre des équations du 1er degré et du 2nd degré par des procédés algorithmiques. Les **Grecs**, vers le ve siècle avant J.-C., les résolvaient de façon géométrique.

Vers 820-830, **Al-Khwarizmi** fut le premier à décrire une méthode générale algorithmique de résolution d'équations du 2nd degré. Les solutions négatives resteront néanmoins inconnues jusqu'à la fin du xvie siècle.

Les équations de degré 3 furent résolues par les italiens **Niccolo Tartaglia** (1499-1557) et **Jérôme Cardan** (1501-1576), et celles de degré 4 par l'élève de ce dernier, **Ludovico Ferrari** (1522-1565).

L'histoire des formules de résolution s'arrête là, car le mathématicien français **Evariste Galois** (1811-1832) montra qu'il était impossible de trouver des formules de résolution pour les équations de degré supérieur ou égal à 5.

L'objectif principal de ce chapitre est d'utiliser le calcul algébrique et les équations dans la résolution de problèmes.

1 Des expressions algébriques pour y voir plus clair

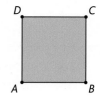

ABCD est un carré.

Que penser des affirmations suivantes ? Justifier de la manière la plus convaincante possible.

1. Pour doubler l'aire du carré, il suffit de doubler la longueur du côté.

2. Si l'on augmente le côté de 3 cm, l'aire sera augmentée de 9 cm².

3. Si l'on réduit le côté *AB* de 1 cm et qu'on allonge le côté *BC* de 1 cm, l'aire du rectangle ainsi obtenu sera égale à celle du carré de départ.

4. Si l'on réduit le côté *AB* de 1 cm et qu'on allonge le côté *BC* de 1 cm, l'aire du rectangle ainsi obtenu aura diminué de 1 cm² par rapport à l'aire du carré initial.

2 Algorithmes et équations

Voici deux algorithmes de calcul :

Programme de calcul A	Programme de calcul B
• Prendre un nombre réel.	• Prendre un nombre réel.
• Retrancher 6.	• L'élever au carré.
• Élever au carré.	• Retrancher 12 fois le nombre initial.
	• Ajouter 36.

1. Tester ces programmes de calcul, conjecturer, démontrer !

2. Quel(s) nombre(s) faut-il prendre au départ pour obtenir 9 ?

▶ Voir Outils pour l'algorithmique, page 316

3 Justifier un minimum à l'aide d'une expression algébrique

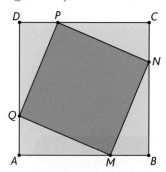

ABCD est un carré de côté 4.

M, *N*, *P*, *Q* sont des points placés sur les côtés du carré tels que $AM = BN = CP = DQ$. On s'intéresse à l'aire du quadrilatère *MNPQ*.

1. On pose $AM = x$.
Déterminer, en fonction de *x*, l'expression de l'aire du triangle rectangle *AMQ*.
En déduire l'aire $A(x)$ du quadrilatère *MNPQ* en fonction de *x*.

2. Par des essais avec un logiciel de géométrie, on conjecture que l'aire de *MNPQ* est minimale pour $AM = 2$.

a. Réaliser une figure pour $AM = 2$. Calculer $A(2)$.

b. Factoriser, à l'aide d'une identité remarquable, l'expression $A(x) - 8$.

c. Démontrer la conjecture énoncée précédemment.

4 Conjecturer à l'aide d'un ordinateur. Vérifier à l'aide d'une équation

ABCD est un carré de côté 9, *M* est un point du segment $[AB]$.

On construit un carré vert et un carré rose comme indiqué sur la figure ci-contre.

Partie A

À l'aide d'un logiciel de géométrie, déterminer de la manière la plus précise possible la position du point *M* telle que :

a. l'aire du carré vert soit égale à 9 ;

b. l'aire du carré rose soit égale à 30 ;

c. l'aire du carré rose soit égale à 4 fois l'aire du carré vert ;

d. l'aire du carré rose soit égale à son périmètre ;

e. la somme des aires des carrés rose et vert soit égale au deux tiers de l'aire du carré *ABCD*.

Partie B

On pose $x = AM$.

On résout ci-contre une série d'équations **avec un logiciel de calcul formel**.

1. Trouver celles qui permettent de répondre à des questions de la **partie A**.

2. Déterminer ainsi si les solutions obtenues dans la **partie A** sont exactes ou approchées.

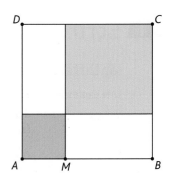

1 resoudre(x^2-4x=0)
$$\boxed{0 \quad 4}$$
2 resoudre(x^2-18x+72=0)
$$\boxed{6 \quad 12}$$
3 resoudre(x^2=4*(9-x)^2)
$$\boxed{6 \quad 18}$$
4 resoudre(x^2-9x+27/2=0)
$$\boxed{\frac{(1)}{2}\cdot(9-3\cdot\sqrt{3}) \quad \frac{(1)}{2}\cdot(9+3\cdot\sqrt{3})}$$
5 resoudre(x^2=30)
$$\boxed{-\sqrt{30} \quad \sqrt{30}}$$

5 Équations équivalentes `Logique`

On considère les équations suivantes dans $\mathbb{R}$:

① $2x - 5 = 0$;   ② $3(2x - 5) = 0$;   ③ $x(2x - 5) = 0$.

1. Déterminer l'ensemble des solutions de chacune de ces trois équations.

2. On considère les équations ① et ③.
0 est-il solution des deux équations ?

On dit que les équations ① et ③ ne sont pas équivalentes.

Plus précisément : si un nombre *a* est solution de ①, il est aussi solution de ③, mais si un nombre *b* est solution de ③, il n'est pas nécessairement solution de ①.

> On dit que deux équations sont équivalentes lorsqu'elles ont le même ensemble de solutions.
>
> On écrit par exemple : $5(x^2 - 1) = 0 \Leftrightarrow x^2 - 1 = 0$.
>
> Le symbole $\Leftrightarrow$ se lit : « **équivaut à** » ou bien « **si, et seulement si** ».

3. Les équations ① et ② sont-elles équivalentes ?

4. Dans la liste suivante, déterminer les équations équivalentes à l'équation ① :

a. $2x = 5$;   **b.** $3x = 5 + x$;   **c.** $(2x - 5)^2 = 0$;

d. $4x^2 = 25$;   **e.** $x^2 = \frac{5}{2}x$;   **f.** $-\frac{1}{5}x + \frac{1}{2} = 0$.

5. Établir une liste d'opérations que l'on peut effectuer sur les deux membres d'une équation et qui permettent d'obtenir une nouvelle équation équivalente.

 L'activité TICE corrigée animée

1 Écrire et transformer une expression

a. Différentes formes d'une expression algébrique

Une expression algébrique peut se présenter sous l'une des deux formes suivantes.

Forme développée (somme de termes)	Forme factorisée (produit ou quotient de facteurs)
$f(x) = x^2 - 2x - 3$	$f(x) = (x + 1)(x - 3)$
Pour tout réel $x \neq -\dfrac{3}{2}$: $g(x) = 4 + \dfrac{-3}{2x + 3}$	Pour tout réel $x \neq -\dfrac{3}{2}$: $g(x) = \dfrac{8x + 9}{2x + 3}$

Suivant le problème à résoudre, on peut utiliser l'une ou l'autre de ces formes, la mieux adaptée.

b. Écriture d'une expression sous forme développée

On dispose principalement de deux outils pour développer une expression algébrique :

● **Distribuer**

Exemple : $(2x + 1)(-x + 3) - 2(5x + 7) = -2x^2 + 6x - x + 3 - 10x - 14 = -2x^2 - 5x - 11$.

● **Utiliser les identités remarquables**

$$(a + b)^2 = a^2 + 2 \times a \times b + b^2 \; ; \qquad (a - b)^2 = a^2 - 2 \times a \times b + b^2 \; ; \qquad (a + b)(a - b) = a^2 - b^2.$$

Exemples : • $(2x + 3)^2 = 4x^2 + 12x + 9$; • $(3x - 4)^2 = 9x^2 - 24x + 16$; • $(2x - 1)(2x + 1) = 4x^2 - 1$.

c. Écriture d'une expression sous forme factorisée

On dispose principalement de trois outils pour factoriser une expression algébrique :

● **Repérer un facteur commun**

Exemple : $(-x + 2)(3x + 1) - 2(-x + 2)(x + 4) = (-x + 2)[(3x + 1) - 2(x + 4)]$
$$= (-x + 2)(3x + 1 - 2x - 8)$$
$$= (-x + 2)(x - 7).$$

● **Utiliser les identités remarquables**

Exemple : $9x^2 - 16 = (3x)^2 - 4^2 = (3x + 4)(3x - 4)$.

● **Utiliser un dénominateur commun pour factoriser une expression rationnelle**

Exemple : $\dfrac{2}{-x + 3} - \dfrac{3}{2x + 1} = \dfrac{2(2x + 1)}{(-x + 3)(2x + 1)} - \dfrac{3(-x + 3)}{(2x + 1)(-x + 3)}$
$$= \dfrac{4x + 2 + 3x - 9}{(-x + 3)(2x + 1)}$$
$$= \dfrac{7x - 7}{(-x + 3)(2x + 1)}.$$

Énoncé

1. a. Soit f **la fonction définie sur** $\mathbb{R}$ **par :** $f(x) = (2x + 3)^2 - 24x$.
Un logiciel de calcul formel permet d'obtenir les résultats ci-contre.
Justifier les résultats obtenus par le logiciel.

b. Soit h **la fonction définie sur** $\mathbb{R}$ **par :**
$h(x) = (x + 4)(2x + 3) + (2x + 8)(x + 5)$.
Factoriser $h(x)$.

2. Parmi les expressions données ou transformées au 1., **choisir la plus adaptée pour :**

a. calculer $f(0)$;   **b. calculer** $h\left(-\dfrac{13}{4}\right)$.

```
1 f(x):=(2*x+3)^2-24*x
                    x  -> (2·x+3)² - 24·x
2 developper(f(x))
                    4·x² + 12·x + 9 - 24·x
3 simplifier(developper(f(x)))
                    4·x² + (-12)·x + 9
4 factoriser(f(x))
                    (2·x-3)²
```

Solution rédigée

1. a. On sait développer $f(x)$ en utilisant les identités remarquables ; on obtient :
$(2x + 3)^2 = (2x)^2 + 2 \times (2x) \times 3 + 3^2 = 4x^2 + 12x + 9$;
donc : $f(x) = 4x^2 + 12x + 9 - 24x = 4x^2 - 12x + 9$.
On a : $4x^2 - 12x + 9 = (2x)^2 - 2 \times 2x \times 3 + 3^2$.
On reconnaît l'expression $a^2 - 2ab + b^2$ avec $a = 2x$ et $b = 3$ (point ❶).
On en déduit : $4x^2 - 12x + 9 = (2x - 3)^2$.

b. (point ❶) Comme $2x + 8 = 2(x + 4)$, on repère un facteur commun :
$h(x) = (x + 4)(2x + 3) + 2(x + 4)(x + 5)$.
$h(x) = (x + 4)[(2x + 3) + 2(x + 5)] = (x + 4)(2x + 3 + 2x + 10)$.
Donc $h(x) = (x + 4)(4x + 13)$.

2. Une forme est « adaptée » lorsqu'elle permet des calculs « rapides ».

a. La forme initiale de $f(x)$ convient : $f(0) = (2 \times 0 + 3)^2 - 24 \times 0 = 3^2 = 9$.

b. La forme initiale de $h(x)$ conduit à beaucoup de calculs : il faut remplacer x par $-\dfrac{13}{4}$ dans quatre termes.
La forme factorisée de $h(x)$ permet un calcul rapide :
$h\left(\dfrac{-13}{4}\right) = \left(\dfrac{-13}{4} + 4\right) \times \left(4 \times \dfrac{-13}{4} + 13\right) = \dfrac{3}{4} \times 0 = 0$.

Point méthode

❶ **Pour factoriser une expression :**
– commencer par chercher un facteur commun (éventuellement caché) ;
– s'il n'y en a pas, essayer de reconnaître une identité remarquable. Dans ce cas-là, bien repérer les valeurs de a et de b.

POUR S'EXERCER

1 Montrer que les expressions $A(x)$ et $B(x)$ sont égales dans chacun des cas suivants :

a. $A(x) = (x + 1)(x + 3) + 1$ et $B(x) = (x + 2)^2$;
b. $A(x) = (x + 1)(2x - 3)$
et $B(x) = (x + 1)(x - 2) + (x + 1)(x - 1)$;
c. $A(x) = x^2 - 25$
et $B(x) = (x + 5)(2x + 1) - (x + 5)(x + 6)$.

2 **1. Parmi les expressions suivantes, déterminer celles qui sont égales. Justifier.**

$A(x) = (2x + 1)^2$; $B(x) = 2x^2 + 4x + 1$;
$C(x) = 4x^2 - 4x + 1$; $D(x) = (2x + 2)(x + 1) - 1$;
$E(x) = (2x - 1)^2$; $F(x) = 4x^2 + 4x + 1$

2. Choisir alors la forme adaptée pour :

a. calculer $F\left(-\dfrac{1}{2}\right)$;   **b.** calculer $B(-1)$;
c. résoudre l'équation $C(x) = 0$.

3 On donne les expressions suivantes :

$A(x) = \dfrac{x - 2}{x - 1}$; $B(x) = 1 - \dfrac{1}{x - 1}$;

$C(x) = \dfrac{3 - 2x}{x - 1}$; $D(x) = -2 + \dfrac{1}{x - 1}$.

1. Quelles sont les expressions qui sont égales ?
2. Calculer rapidement $D\left(\dfrac{3}{2}\right)$.

▶ **Voir exercices 12 à 26**

2 Résoudre une équation de la forme $f(x) = k$

Définition **Résoudre une équation dans un ensemble de nombres réels I,** c'est trouver tous les éléments de I pour lesquels l'égalité est vraie.

Exemples : 2 n'est pas solution de l'équation $x^2 - 4x + 3 = 0$, car $2^2 - 4 \times 2 + 3 = -1 \neq 0$.

3 est solution dans $\mathbb{R}$ de l'équation $x^2 - 4x + 3 = 0$, car $3^2 - 4 \times 3 + 3 = 0$.

a. Résolution graphique

Résoudre graphiquement l'équation $f(x) = k$, où k est un réel fixé, c'est trouver les abscisses de **tous** les points de la courbe représentative de f qui ont une ordonnée égale à k.

Sur le graphique ci-contre, l'ensemble des solutions de l'équation $f(x) = k$ est $\{x_1 ; x_2\}$.

Remarque : si la droite d'équation $y = k$ ne coupe pas la courbe $\mathscr{C}_f$, l'équation $f(x) = k$ n'a pas de solution. On dit que l'ensemble des solutions est vide, et on écrit $S = \varnothing$.

Il suffit de trouver les antécédents de k par f.

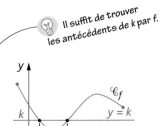

b. Résolution algébrique

● **D'une équation du premier degré**

Méthode pratique : isoler l'inconnue dans un membre de l'égalité.

Pour cela, on ajoute, on soustrait, on multiplie ou on divise par un même nombre chaque membre de l'égalité.

Exemple : résoudre dans $\mathbb{R}$: $3x + 3 = 5x - 7$.

$3x + 3 = 5x - 7 \Leftrightarrow 3x - 5x + 3 - \mathbf{3} = 5x - 5x - 7 - \mathbf{3} \Leftrightarrow -2x = -10 \Leftrightarrow \dfrac{-2}{-2}x = \dfrac{-10}{-2} = 5$.

On conclut $S = \{5\}$.

● **Des équations se ramenant à des équations du premier degré**

Méthode pratique : se ramener si possible, en factorisant, à une résolution d'équations du premier degré en utilisant l'une des propriétés suivantes.

Propriétés

1. Produit nul : $A \times B = 0$ est équivalent à $A = 0$ ou $B = 0$.
2. Quotient nul : $\dfrac{A}{B} = 0$ est équivalent à $A = 0$ et $B \neq 0$.
3. $\dfrac{A}{B} = \dfrac{C}{D}$ si, et seulement si, $A \times D = B \times C$ et $B \neq 0$ et $D \neq 0$.

Applications de ces propriétés :

① **Se ramener à une équation du type $A \times B = 0$:**
– on ramène l'un des deux membres à 0 ;
– puis on factorise l'autre membre.

$(2x + 1)(x + 3) = (2x + 1)(-2x + 2)$
$\Leftrightarrow (2x + 1)(x + 3) - (2x + 1)(-2x + 2) = 0$
$\Leftrightarrow (2x + 1) \times (x + 3 + 2x - 2) = 0$
$\Leftrightarrow (2x + 1) \times (3x + 1) = 0$
$\Leftrightarrow 2x + 1 = 0$ ou $3x + 1 = 0$
$\Leftrightarrow x = \dfrac{-1}{2}$ ou $x = \dfrac{-1}{3}$.

L'ensemble des solutions de l'équation, dans $\mathbb{R}$, est :
$$S = \left\{ \dfrac{-1}{2} ; \dfrac{-1}{3} \right\}.$$

② **Se ramener à une équation du type $\dfrac{A}{B} = 0$ ou $\dfrac{A}{B} = \dfrac{C}{D}$.**

$\dfrac{2x + 1}{x - 2} = 3 \Leftrightarrow \dfrac{2x + 1}{x - 2} = \dfrac{3}{1}$

$\Leftrightarrow \begin{cases} (2x + 1) \times 1 = 3 \times (x - 2) \\ x - 2 \neq 0 \end{cases}$

$\Leftrightarrow \begin{cases} 2x + 1 = 3x - 6 \\ x \neq 2 \end{cases}$

$\Leftrightarrow \begin{cases} x = 7 \\ x \neq 2 \end{cases}.$

L'ensemble des solutions de l'équation, dans $\mathbb{R} \backslash \{2\}$, est $S = \{7\}$.

Résoudre algébriquement ou graphiquement une équation

Énoncé

On considère la fonction f définie sur $\mathbb{R}$ par : $f(x) = (x + 1)^2 - 9$.

1. Résoudre algébriquement les équations :

a. $f(x) = -5$;   **b.** $f(x) = -10$.

2. Résoudre graphiquement les équations précédentes et comparer les résultats obtenus.

Solution rédigée

1. a. $f(x) = -5 \Leftrightarrow (x + 1)^2 - 9 = -5 \Leftrightarrow (x + 1)^2 - 4 = 0$ (point ❶)
$\Leftrightarrow (x + 1)^2 - 2^2 = 0 \Leftrightarrow ((x + 1) - 2)((x + 1) + 2) = 0$
$\Leftrightarrow (x - 1)(x + 3) = 0$ (point ❷)
$\Leftrightarrow x - 1 = 0$ ou $x + 3 = 0$ (point ❸) $\Leftrightarrow x = 1$ ou $x = -3$.

Donc $S = \{1 ; -3\}$.

b. $f(x) = -10 \Leftrightarrow (x + 1)^2 - 9 = -10$
$\Leftrightarrow (x + 1)^2 + 1 = 0$ (point ❶)

On ne reconnaît pas une forme qu'on sait factoriser.

En effet $(x + 1)^2 + 1 = 0 \Leftrightarrow (x + 1)^2 = -1$.

Or un carré est positif ou nul. Il ne peut pas être égal à -1.

L'équation n'a donc pas de solution.

On conclut : $S = \varnothing$.

2. (point ❹) On commence par représenter graphiquement la fonction f en s'aidant du menu TABLE de la calculatrice, par exemple sur l'intervalle $[-5 ; 5]$.

a. On lit les abscisses des points C et D.
On conclut $S = \{-3 ; 1\}$.

b. La droite d'équation $y = -10$ ne coupe pas la courbe représentative de f.
L'équation n'admet donc pas de solution.
On conclut $S = \varnothing$.

Les résultats obtenus sont cohérents avec ceux obtenus à la question précédente.

Points méthode

Pour résoudre algébriquement une équation du type $f(x) = k$:

❶ on ramène l'un des membres de l'égalité à 0 ;

❷ on factorise l'autre membre si c'est possible ;

❸ on utilise la règle du produit nul.

❹ **Pour résoudre graphiquement une équation du type $f(x) = k$,**
– on trace la courbe représentative de f ;
– sur le même graphique, on trace la droite d'équation $y = k$;
– puis on lit les abscisses des points d'intersection de cette droite avec la courbe représentant f.

POUR S'EXERCER

4 🖩 Résoudre dans $\mathbb{R}$ les équations suivantes, puis vérifier à l'aide de la calculatrice :

a. $5x + 3 = 2x - 4$;   **b.** $(5x + 4)(3x - 6) = 0$;
c. $(x + 1)(x - 3) + (x + 1)(2x + 4) = 0$;
d. $x^2 = 4$;   **e.** $(x + 3)^2 = 49$.

5 Soit f la fonction définie sur l'intervalle $[-3 ; 4]$ par la courbe représentative ci-contre.

1. Résoudre graphiquement les équations suivantes :

a. $f(x) = 3$;   **b.** $f(x) = 2$;
c. $f(x) = 0$;   **d.** $f(x) = -1$.

2. a. Donner un réel k pour lequel l'équation $f(x) = k$ admet deux solutions.

b. Donner un réel k pour lequel l'équation $f(x) = k$ n'admet pas de solution.

c. Existe-t-il un réel k pour lequel l'équation $f(x) = k$ admet trois solutions ?

d. Déterminer selon la valeur de k le nombre de solutions de l'équation $f(x) = k$.

6 Résoudre dans $\mathbb{R}$ les équations :

a. $2(x + 3) = x + \dfrac{1}{2}$;   **b.** $\dfrac{2}{x + 1} = 3$;

c. $\dfrac{3}{x + 2} = \dfrac{1}{x - 1}$;   **d.** $\dfrac{4}{2 - x} = \dfrac{x + 2}{2 - x}$.

▶ Voir exercices 35 à 56

7 Choisir une forme adaptée

On définit la fonction f sur $\mathbb{R}$ par :

$$f(x) = (x - 2)(2x + 3) - (x - 2)(x + 4).$$

1. a. Développer, réduire et ordonner l'expression de $f(x)$.

b. Factoriser l'expression de $f(x)$.

c. Montrer que pour tout réel x :

$$f(x) = \left(x - \frac{3}{2}\right)^2 - \frac{1}{4}.$$

2. Choisir l'expression la mieux adaptée pour répondre aux questions suivantes :

a. déterminer la valeur exacte de $f(0)$, $f\left(\dfrac{3}{2}\right)$ et $f(2)$;

b. résoudre l'équation $f(x) = 0$, puis l'équation $f(x) = 2$;

c. déterminer le minimum de la fonction f sur $\mathbb{R}$.

Solution

1. a. On utilise les **règles de développement** :

$$\begin{aligned}
f(x) &= (x - 2)(2x + 3) - (x - 2)(x + 4) \\
&= 2x^2 + 3x - 4x - 6 - (x^2 + 4x - 2x - 8) \\
&= 2x^2 + 3x - 4x - 6 - x^2 - 4x + 2x + 8 \\
&= x^2 - 3x + 2.
\end{aligned}$$

b. On repère un **facteur commun** : $(x - 2)$.

$$\begin{aligned}
f(x) &= (x - 2)(2x + 3) - (x - 2)(x + 4) \\
&= (x - 2)\left[(2x + 3) - (x + 4)\right] \\
&= (x - 2)(2x + 3 - x - 4) \\
&= (x - 2)(x - 1).
\end{aligned}$$

c. On **développe** le second membre :

$$\left(x - \frac{3}{2}\right)^2 - \frac{1}{4} = \left(x^2 - 3x + \frac{9}{4}\right) - \frac{1}{4} = x^2 - 3x + 2 = f(x).$$

2. a. $f(0) = 0^2 - 3 \times 0 + 2 = 2.$

$$f\left(\frac{3}{2}\right) = \left(\frac{3}{2} - \frac{3}{2}\right)^2 - \frac{1}{4} = 0^2 - \frac{1}{4} = -\frac{1}{4}.$$

$$f(2) = (2 - 2)(2 - 1) = 0 \times 1 = 0.$$

b. $f(x) = 0 \Leftrightarrow (x - 2)(x - 1) = 0 \Leftrightarrow x = 1$ ou $x = 2$.

$$f(x) = 2 \Leftrightarrow x^2 - 3x + 2 = 2 \Leftrightarrow x^2 - 3x = 0$$
$$\Leftrightarrow x(x - 3) = 0 \Leftrightarrow x = 0 \text{ ou } x = 3.$$

c. On sait que $f(x) = \left(x - \dfrac{3}{2}\right)^2 - \dfrac{1}{4}$ pour tout réel x.

Or, tout carré est positif, donc $\left(x - \dfrac{3}{2}\right)^2 \geqslant 0$.

Donc $\left(x - \dfrac{3}{2}\right)^2 - \dfrac{1}{4} \geqslant -\dfrac{1}{4}$, c'est-à-dire pour tout réel x, $f(x) \geqslant -\dfrac{1}{4}$.

Mais on sait d'après le **2. a.** que $f\left(\dfrac{3}{2}\right) = -\dfrac{1}{4}$.

Donc le minimum de f est $-\dfrac{1}{4}$, atteint en $\dfrac{3}{2}$.

Stratégies

1. a. Il vaut mieux ne pas gérer en même temps le développement du deuxième produit et le **signe** « – » qui le précède ; on utilise donc des **parenthèses** que l'on supprime à l'étape suivante.

b. Penser à aérer les calculs.

c. Il faut parfaitement connaître les identités remarquables

2. a. On choisit la forme qui permet des calculs rapides, c'est-à-dire qui crée **le plus de zéros dans les calculs** ; cela demande un peu « d'anticipation ».

b. Pour résoudre une équation, deux outils essentiels :
– la **factorisation** ;
– la **règle du produit nul**.

c. On doit vérifier que $-\dfrac{1}{4}$ est inférieur à toutes les images et que c'est lui-même une image.

⑧ Analyser, mettre en équation et résoudre un problème

Dans un récipient de forme cylindrique, de rayon 4 cm, on verse de l'eau jusqu'à une hauteur de 3,75 cm.

On veut alors placer une bille dans le récipient de façon à ce que le liquide la recouvre exactement.

Le problème consiste à déterminer le rayon de la bille.

Solution

Analyse de la situation :

La clé de la situation : le volume d'eau V reste constant, que la bille soit présente ou absente.

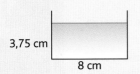

3,75 cm

8 cm

R

8 cm

À partir du premier schéma, on calcule le volume d'eau :
$$V = \pi \times 4^2 \times 3{,}75.$$

Le second schéma permet aussi d'exprimer le volume d'eau V par différence : volume du « nouveau » cylindre moins volume de la bille :
$$V = \pi \times 4^2 \times 2R - \frac{4}{3}\pi \times R^3.$$

Mise en équation :

Le volume d'eau étant inchangé, on écrit l'égalité des deux expressions obtenues ci-dessus :
$$\pi \times 4^2 \times 2R - \frac{4}{3}\pi \times R^3 = \pi \times 4^2 \times 3{,}75.$$

Simplification :

$$\pi \times 4^2 \times 2R - \frac{4}{3}\pi \times R^3 = \pi \times 4^2 \times 3{,}75$$

$\times \dfrac{3}{4\pi}$

$$\Leftrightarrow 3 \times 4 \times 2R - R^3 = 3 \times 4 \times 3{,}75$$
$$\Leftrightarrow R^3 - 24R + 45 = 0.$$

Recherche à l'aide de la calculatrice :

Pour des raisons physiques, le rayon de la bille ne peut pas dépasser 4 cm (c'est le rayon du cylindre).

On réalise un tableau de valeurs et une courbe de la fonction :
$$Y1 = X^3 - 24X + 45.$$

X	Y1
2.4	1.224
2.5	.625
2.6	.176
2.7	-.117
2.8	-.248
2.9	-.211
3	0

X=3

On s'aperçoit avec surprise qu'il y a deux solutions dans $[0\,;4]$!

On vérifie que $R = 3$ est bien solution :
$$3^3 - 24 \times 3 + 45 = 27 - 72 + 45 = 0.$$

On obtient une deuxième valeur possible pour R, comprise entre 2,6 et 2,7.

Solution du problème :

Il y a deux valeurs possibles pour le rayon (en cm) de la bille, pour lesquelles la bille est immergée dans l'eau, en affleurant la surface. Ces deux valeurs sont 3 et a, avec $2{,}6 < a < 2{,}7$.

Stratégies

● On nomme l'inconnue, ici le rayon de la bille, par la lettre R.

● Pour mieux **visualiser** les choses, on fait un schéma pour chaque situation, en faisant apparaître la bille et son rayon R.

● Sur le second schéma, la hauteur de l'eau est $2R$, et le volume V de l'eau n'a pas changé.

● On a recours si nécessaire au mémento, page 328 :

– volume d'un cylindre de hauteur h et de rayon R : $\pi R^2 h$;

– volume d'une boule de rayon R : $\frac{4}{3}\pi R^3$.

● La résolution d'une équation dont la factorisation n'est ni évidente, ni donnée, peut être obtenue au moyen de la calculatrice.

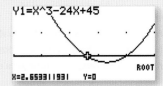

La touche G-Solve (Casio) ou 2nd CALC zero (Texas) permet de préciser la solution différente de 3.

Organiser une recherche

Énoncé

Un problème de conception

Pour honorer Pierre de Fermat, une association MathJeun's commande des cartes à une société fabriquant des cartes fantaisies. Le modèle de départ est une carte rectangulaire de dimensions $a = 15$ cm et $b = 6$ cm.

● Le service fabrication demande de modifier les dimensions pour obtenir deux types de cartes : un premier dont l'aire est égale à 154 cm², un second dont l'aire est maximale.

● Pour des raisons techniques, les modifications des dimensions de la carte de départ doivent obéir à la contrainte suivante : si on diminue la longueur a d'une certaine quantité, on doit augmenter la largeur b du double de cette quantité.

Quelles dimensions choisir pour chaque carte ?

Recherche *

1. Première approche : avec papier et crayon

Dessiner des cartes correspondant aux contraintes. Proposer des solutions pour les deux commandes ; argumenter pour justifier les choix.

2. Deuxième approche : avec un tableur 🖥

a. Mettre en place une feuille de calcul comme ci-contre.

Les cellules B2 et C2 contiennent des formules de façon à obtenir, par recopie vers le bas, la longueur et la largeur de la nouvelle carte.

b. Utiliser la feuille de calcul pour déterminer au mieux les dimensions des deux cartes demandées.

	A	B	C	D
1	Quantité enlevée à la longueur	a	b	Aire de la carte
2	1			
3	2			
4	3			
5	4			
6	5			
7	6			
8	7			

3. Troisième approche : formalisation

On appelle x la quantité que l'on a retirée à la longueur a, et $f(x)$ l'aire de la carte étudiée.

a. Quelles sont les valeurs possibles de x ?

b. Exprimer $f(x)$ en fonction de x.

* Conseil

● *Dans un premier temps, afin de visualiser le phénomène et comprendre le problème, on effectue des tracés.*

● *Dans un deuxième temps, on utilise l'outil informatique ou la calculatrice pour vérifier ses intuitions.*

● *Dans un dernier temps, on formalise en faisant appel à l'algèbre.*

Ébauche de solution

Indications et éléments de calcul

La formalisation donne $f(x) = -2x^2 + 24x + 90$. On est amené à résoudre sur $[0\,;15]$ l'équation $f(x) = 154$ et à déterminer le maximum de f sur $[0\,;15]$.

On utilise un logiciel de calcul formel pour aider au calcul algébrique, comme ci-contre.

Il reste à montrer par le calcul les résultats « utiles » du logiciel, et à prouver les conjectures.

```
1 f(x):=-2*x^2+24*x+90
          x  -> (-2)·x² +24·x+90
2 factoriser(f(x)-154)
          - 2·(x-8)·(x-4)
3 fMax(f(x))
          6
4 f(6)
          162
5 factoriser(f(x)-162)
          - 2·(x-6)²
```

Rédaction d'une solution

À l'aide des deux parties précédentes, rédiger une solution du problème étudié.

Prendre des initiatives

9 Un algorithme et une légende

Un algorithme :
- Prendre un nombre. Ajouter 1 à ce nombre.
- Ajouter 1 à son opposé.
- Faire le quotient des deux nombres obtenus.

Une légende :

« *Si tu as le courage d'exécuter cet algorithme mille fois le nombre d'années écoulées depuis ta naissance, tu retomberas sur le nombre de départ* ».

1. Faire à la main le calcul exact pour 5 et −2.

2. **a.** Programmer l'algorithme sur la calculatrice ou sur un logiciel.

b. Modifier le programme pour que l'algorithme se répète 2 fois, puis 3 fois, puis 4 fois... Observer et commenter.

3. **a.** Peut-on vérifier la légende ?

b. Démontrer le résultat observé à la question **2. b.** grâce à l'algèbre.

▶ Voir Outils pour l'algorithme, page 316

10 Dans l'espace

On considère un cube *ABCDEFGH* de côté 10 cm. *I* est le milieu du segment [*CG*].

Une fourmi, placée initialement en *A*, se déplace sur les faces *ABFE* et *BCGF* en ligne droite comme sur la figure ci-contre, de façon à rejoindre le point *I*.

On souhaite déterminer la position du point *M* sur le segment [*BF*] pour que son trajet *AM + MI* soit le plus court possible.

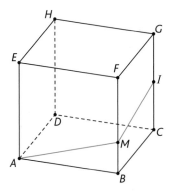

1. Approche avec un logiciel de géométrie dynamique

a. Réaliser la figure avec le logiciel.

b. Faire afficher la somme *AM + MI*.

c. Déplacer le point *M* pour trouver la meilleure position possible.

2. Avec l'algèbre

On pose $x = BM$ et $f(x)$ la somme $AM + MI$.

a. Quelles sont les valeurs possibles de *x* ?

b. Exprimer $f(x)$ en fonction de *x* en utilisant le théorème de Pythagore.

c. À l'aide de la calculatrice ou d'un tableur, conjecturer en quel réel est atteint le minimum de *f*.

3. Avec un patron

Et si un patron bien construit permettait de résoudre le problème ?

11 À vous de jouer

Le carré *ABCD* a un côté de longueur 8 cm. *M* est un point du segment [*AB*].

On trace comme ci-contre dans le carré *ABCD* :
– un carré de côté [*AM*] ;
– un triangle isocèle de base [*MB*] et dont la hauteur a même mesure que le côté [*AP*] du carré.

On s'intéresse à l'aire du motif constitué par le carré *AMNP* et le triangle *MBQ*.

Déterminer la position du point *M* pour que l'aire du motif soit égale à la moitié de celle du carré *ABCD*.

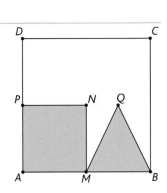

Savoir...	Comment faire ?
Développer, réduire et ordonner une expression algébrique.	• On distribue. • On utilise les identités remarquables : $(a + b)^2 = a^2 + 2ab + b^2$; $(a - b)^2 = a^2 - 2ab + b^2$; $(a + b)(a - b) = a^2 - b^2$ (Différence de deux carrés) • On réduit et on ordonne.
Factoriser une expression algébrique.	• On repère un facteur commun. • On utilise les identités remarquables.
Réduire au même dénominateur dans une somme d'expressions rationnelles.	• On choisit le dénominateur commun et on le garde sous forme factorisée. • Puis on multiplie le numérateur et le dénominateur de chaque terme de la somme par le facteur qui manque au dénominateur, de façon à obtenir le dénominateur commun choisi.
Montrer que deux expressions A et B sont égales.	• On développe A et B et on vérifie que les deux formes développées obtenues sont identiques. • Ou on factorise A et B et on vérifie que les deux formes factorisées obtenues sont identiques. • Ou on calcule la différence $A - B$ et on montre que celle-ci est égale à 0.
Résoudre algébriquement une équation.	• Pour une équation du premier degré, on isole l'inconnue dans un membre de l'égalité. • Sinon, on se ramène à une équation dont le second membre est nul, et on factorise l'expression du premier membre. • On utilise la règle du produit nul : $A \times B = 0$ si, et seulement si, $A = 0$ ou $B = 0$. • On utilise le résultat : $\dfrac{A}{B} = 0$ si, et seulement si, $A = 0$ et $B \neq 0$.
Choisir une forme bien adaptée d'une expression algébrique.	• On choisit une forme : – qui rend les calculs « rapides » ; – pour laquelle on dispose de théorèmes ou de résultats.
Résoudre graphiquement une équation $f(x) = k$ (où k est un réel fixé).	• On utilise la courbe représentative de la fonction f. • Sur le même graphique, on trace la droite d'équation $y = k$. • On lit sur le graphique les abscisses des points d'intersection de cette droite avec la courbe représentative de f.
Mettre un problème en équation et le résoudre.	• On choisit une inconnue et on détermine l'ensemble auquel elle appartient. • On traduit les données de l'énoncé en les exprimant en fonction de cette inconnue et on aboutit à une équation. • Puis on résout (graphiquement ou algébriquement) l'équation.

QCM

Pour chacune des questions suivantes, une seule réponse est correcte.

1. La forme développée de $(2x - 1)^2$ est :	**a.** $2x^2 - 4x + 1$	**b.** $4x^2 - 1$	**c.** $4x^2 - 4x + 1$
2. La forme factorisée de $(x - 2)(x + 1) - (2x - 1)(x - 2)$ est :	**a.** $-(x - 2)^2$	**b.** $(x - 2)(-x)$	**c.** $(x - 2)(3x + 2)$
3. Pour tout réel $x \neq 2 : 3 - \dfrac{x + 1}{x - 2} = \ldots$	**a.** $\dfrac{2x - 5}{x - 2}$	**b.** $\dfrac{2x - 6}{x - 2}$	**c.** $\dfrac{2x - 7}{x - 2}$
4. Pour tout réel x, $x^2 + 2x - 3 = \ldots$	**a.** $(x + 1)(x - 3)$	**b.** $x^2 - 3$	**c.** $(x + 1)^2 - 4$
5. L'équation $(x - 2)(x + 1) = -2$ admet pour ensemble de solutions :	**a.** $\{-1 ; 2\}$	**b.** $\{0\}$	**c.** $\{0 ; 1\}$
6. L'équation $\dfrac{2x - 3}{x - 2} = 0$ admet pour ensemble des solutions :	**a.** $\left\{\dfrac{3}{2} ; 2\right\}$	**b.** $\left\{\dfrac{3}{2}\right\}$	**c.** $\{1\}$
7. Une bouteille et son bouchon pèsent 110 grammes. La bouteille pèse 100 grammes de plus que le bouchon. Quel est le poids du bouchon ?	**a.** 5 g	**b.** 10 g	**c.** 15 g
8. *Sami et Kevin ont donné la même somme. À l'un, on a rendu 1,2 euros et donné 4 cahiers. À l'autre, on a rendu 3,5 euros et donné deux cahiers. Combien coûte un cahier ?* Si x est le prix d'un cahier, il vérifie l'équation :	**a.** $4x - 1,2 = 2x - 3,5$	**b.** $4x + 1,2 = 2x + 3,5$	**c.** $2x = 4,7$

Corrigé p. 332

Vrai ou faux ?

Préciser si les affirmations suivantes sont vraies ou fausses.

On considère la fonction f définie sur $\mathbb{R}$ par $f(x) = 3x^2 + 6x$.

1. Les expressions suivantes sont des formes différentes de $f(x)$:
a. $(2x + 1)^2 - (x - 1)^2$; **b.** $3x(x + 2)$; **c.** $3[(x + 1)^2 - 1]$.

2. L'ensemble des solutions de l'équation $f(x) = 0$ est $\left\{-2 ; \dfrac{1}{3}\right\}$.

3. L'ensemble des solutions dans $\mathbb{R}$ de l'équation $f(x) = 6x$ est $\{0\}$.

4. Les solutions de l'équation $f(x) = 9$ dans $\mathbb{R}$ sont 1 et -3.

5. Soit la fonction f représentée ci-contre sur l'intervalle $I = [-3 ; 2]$:
a. l'équation $f(x) = 5$ admet deux solutions dans I ;
b. si $k \in]0 ; 5[$ alors l'équation $f(x) = k$ admet deux solutions dans I : l'une positive, l'autre négative ;
c. l'équation $f(x) = -5$ n'a pas de solution.

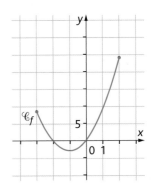

Corrigé p. 332

 Pour s'auto-évaluer : des QCM et Vrai-Faux complémentaires

2! Exercices

► Les exercices portant un numéro orange sont corrigés à la fin du manuel, page 330.

Applications directes

1 Écrire et transformer une expression

« O mathématiques sévères, je ne vous ai pas oubliées, depuis que vos vivantes leçons, plus douces que le miel, filtrèrent dans mon cœur, comme une onde rafraîchissante. »
(Lautréamont, *les chants de Maldoror*, II,10.)

Le poète nous rappelle combien les mathématiques peuvent être source de grande joie, à condition de savoir se plier à une certaine rigueur.

Et cette tablette « brouillon » d'un élève babylonien nous ramène à l'éternelle nécessité de devoir s'exercer pour acquérir l'indispensable maîtrise de la technique.

12 **QCM** Donner **toutes** les bonnes réponses.

1. L'expression $(x + 2)(x - 5)$ est égale à :

a. $x^2 + 3x - 10$ **b.** $x^2 - 3x - 10$

c. $x^2 - 10$

2. L'expression $x^2 - 8x + 7$ est égale à :

a. $(x - 7)(x - 1)$ **b.** $x(x - 8)$

c. $(x - 4)^2 - 9$

3. L'expression $2(x + 1)(x - 3)$ est égale à :

a. $(2x + 2)(2x - 6)$ **b.** $(2x + 2)(x - 3)$

c. $(x + 1)(2x - 6)$

4. L'expression $\dfrac{1}{x} + 2$ est égale à :

a. $\dfrac{3}{x}$ **b.** $\dfrac{1}{x} + \dfrac{2}{x}$ **c.** $\dfrac{1 + 2x}{x}$

13 **Vrai ou faux ?**

1. L'expression $(x + 1)^2$ est l'expression développée de $x^2 + 2x + 1$.

2. Pour tout réel x :

$(x + 1)(2x + 4) + 2(x + 1)(x - 1) = (x + 1)(4x - 2)$

3. Pour tout réel $x \neq -1$ et $x \neq 0$: $\dfrac{2x + 1}{x + 1} = \dfrac{2x}{x}$.

4. Pour tout réel $x \neq 1$: $\dfrac{2}{x - 1} + 4 = \dfrac{4x - 2}{x - 1}$.

14 **QCM** Donner la bonne réponse.

1. L'expression $(x - 3)^2$ est égale à :

a. $x^2 + 9$ **b.** $x^2 - 6x + 9$ **c.** $x^2 - 3x + 9$

2. L'expression $(2x + 4)^2$ est égale à :

a. $2x^2 + 16x + 4$

b. $4x^2 + 16x + 16$

c. $4x^2 + 32x + 16$

3. L'expression $9x^2 - 49$ est égale à :

a. $(3x - 7)^2$

b. $(9x - 7)(9x + 7)$

c. $(3x - 7)(3x + 7)$

4. L'expression $4x^2 - 12x + 9$ est égale à :

a. $(4x - 9)^2$ **b.** $(4x - 3)^2$ **c.** $(2x - 3)^2$

15 **1.** Déterminer parmi les expressions suivantes, celles qui sont développées et celles qui sont factorisées.

$A(x) = x^2 + 3x$; $B(x) = (x - 1)^2$;

$C(x) = x^2 + 2x + 1$; $D(x) = x^2 - 2x + 1$;

$E(x) = x^2 - 3x$; $F(x) = x(x + 3)$;

$G(x) = (x + 1)^2$; $H(x) = x(x - 3)$.

2. Rémi annonce : « *les expressions vont deux par deux* ». Expliquer.

16 Développer et réduire les expressions suivantes :

$A(x) = (2x + 1)(x - 3) - 4x + 1$;

$B(x) = (4x - 5)^2$;

$C(x) = 2(x - 1)(x + 3)$.

17 Développer et réduire les expressions suivantes :

$D(x) = (-2x + 1)(x + 3) - 2(x - 5)$;

$E(x) = 3(4x + 3)(x + 1) + (x + 1)^2$;

$F(x) = (3x - 1)(2x + 5) - 3(x + 1)(x - 2)$.

18 Développer et réduire les expressions suivantes :

$G(x) = (3x - 2)^2 - 3(x + 2)(4x - 3)$;

$H(x) = \left(\dfrac{x}{3} - \dfrac{3}{2}\right)\left(2x + \dfrac{1}{3}\right)$;

$I(x) = (x + 5)(x - 5) + 3(x + 1)^2$.

19 Pour chacune des expressions suivantes, repérer le facteur commun, puis factoriser :

$A(x) = (2x + 3)(x - 7) + (2x + 3)(-4x + 5)$;

$B(x) = (x - 1)(2x + 4) - (x - 1)(x + 5) + 2(x - 1)$;

$C(x) = (3x + 1)^2 + (3x + 1)(2x - 4)$;

$D(x) = (5x + 3)(4x - 2) + 2(5x + 3)(-x + 3)$;

$E(x) = (x + 3)^2 - 3(x + 3)(-2x + 4)$.

20 On donne les expressions suivantes :

$F(x) = 4x^2 - 4x + 1$; $G(x) = 9x^2 - 169$;

$H(x) = 16x + 4x^2 + 16$; $I(x) = (2x + 1)^2 - 4$;

$J(x) = 9(x + 1)^2 - 16$.

Pour chaque expression, déterminer quelle est l'identité remarquable impliquée, en précisant les valeurs de a et de b, puis la factoriser.

21 Factoriser les expressions suivantes :

$K(x) = (2x + 1)(3x - 2) - 3(2x + 1)(-x + 1)$;

$L(x) = 2(4x + 5)(3x + 7) + (3x + 7)(2x - 5)$;

$M(x) = (2x + 3)^2 - (x + 1)^2$;

$N(x) = 16(x - 1)^2 - (2x - 5)^2$.

22 Factoriser les expressions suivantes :

$O(x) = (4x + 3)^2 - 2(4x + 3)(x + 2)$;

$P(x) = 4x^2 + 4x + 1 + (2x + 1)(x - 2)$;

$Q(x) = 49 - (x + 2)^2$;

$R(x) = x^2 - 25 + 2(x - 5)(x + 3)$.

23 Factoriser les expressions suivantes :

$S(x) = (x + 2)^2 - (2x + 4)(x + 3) + x^2 + 4x + 4$;

$T(x) = x^2 - x + x(x + 1)^2$.

Le mathématicien indien Ramanujan (1887-1920) était un calculateur prodigieux. Il était capable de visualiser des résultats que des mathématiciens renommés mirent parfois plusieurs années à retrouver par le calcul.

Expressions rationnelles

Conseil pour les exercices 24 à 26 : ne pas hésiter à rajouter des parenthèses.

24 Réduire au même dénominateur les expressions suivantes après avoir indiqué les valeurs interdites :

$A(x) = 2 + \dfrac{3}{x - 1}$; $B(x) = 4 - \dfrac{1}{x + 3}$;

$C(x) = 3 - \dfrac{2}{2x + 1}$.

25 Réduire au même dénominateur les expressions suivantes après avoir indiqué les valeurs interdites :

$D(x) = \dfrac{2}{x + 1} + \dfrac{3}{2x - 1}$; $E(x) = \dfrac{4}{2x + 3} - \dfrac{2}{3x + 5}$;

$F(x) = \dfrac{-1}{4x + 7} - \dfrac{2}{3 - x}$.

26 Réduire au même dénominateur les expressions suivantes :

$G(x) = \dfrac{3x}{x - 1} - \dfrac{3x + 1}{x}$; $H(x) = \dfrac{x + 2}{x - 1} - \dfrac{x - 1}{x + 2}$.

Applications

27 La machine infernale

Les symboles ci-dessous désignent des « machines » élémentaires :

à additionner	à multiplier	à élever au carré
$a, b \to a + b$	$a, b \to a \times b$	$a \to a^2$

On donne les deux « machines » suivantes :

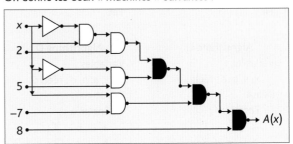

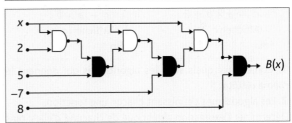

Calculer $A(x)$ et $B(x)$, puis comparer $A(x)$ et $B(x)$.

28 Mais où est l'algèbre ?

1. a. Comparer si possible à l'aide de la calculatrice :

$\dfrac{1}{0,9}$ et $1,1$; $\dfrac{1}{0,99}$ et $1,01$; $\dfrac{1}{0,999\,999\,99}$

et $1,000\,000\,01$.

b. Réduire au même dénominateur $\dfrac{1}{1 - a}$ et $1 + a$.

c. Quel est le rapport entre **a.** et **b.** ?

2. Trouver une méthode pour comparer :

$$\dfrac{1\,234\,567\,891}{1\,234\,567\,892} \quad \text{et} \quad \dfrac{1\,234\,567\,892}{1\,234\,567\,893}.$$

Pour info

Comparer deux nombres, c'est dire s'ils sont égaux ou dire celui qui est le plus grand.

29 On donne les algorithmes ci-dessous :

Algorithme A
Variables :
    x, a, b, c : réels ;
Début
    Entrer(x) ;
    $a \leftarrow x^2$;
    $b \leftarrow (-6) \times x$;
    $c \leftarrow a + b + 8$;
    Afficher(c) ;
Fin.

Algorithme B
Variables :
    x, a, b, c : réels ;
Début
    Entrer(x) ;
    $a \leftarrow x - 3$;
    $b \leftarrow a^2$;
    $c \leftarrow b - 1$;
    Afficher(c) ;
Fin.

Algorithme C
Variables :
    x, a, b, c : réels ;
Début
    Entrer(x) ;
    $a \leftarrow x - 1$;
    $b \leftarrow x - 5$;
    $c \leftarrow a \times b + 2$;
    Afficher(c) ;
Fin.

Algorithme D
Variables :
    x, a, b, c : réels ;
Début
    Entrer(x) ;
    $a \leftarrow x - 4$;
    $b \leftarrow x - 2$;
    $c \leftarrow a \times b$;
    Afficher(c) ;
Fin.

1. Conjecturer quels sont les algorithmes qui donnent le même résultat.*

2. Les algorithmes définissent chacun une fonction.
Déterminer l'expression algébrique de chacune d'elles, puis démontrer les conjectures émises à la question précédente.

* Conseil
Tester plusieurs entrées différentes, à la main ou en programmant la calculatrice.

Choix d'une expression algébrique

30 Soit la fonction f définie sur $\mathbb{R}$ par :
$$f(x) = 2(x - 1)^2 - 8.$$
Un logiciel de calcul formel permet d'obtenir les résultats ci-dessous.

1 $f(x):=2*(x-1)^2-8$	
	$x \rightarrow 2 \cdot (x-1)^2 - 8$
2 factoriser($f(x)$)	
	$2 \cdot (x-3) \cdot (x+1)$
3 developper($f(x)$)	
	$2 \cdot x^2 - 4 \cdot x - 6$
4 factoriser($f(x)-10$)	
	$2 \cdot (x-4) \cdot (x+2)$
5 developper($f(x)-10$)	
	$2 \cdot x^2 - 4 \cdot x - 16$

Voici une liste de questions autour de f :
Q_1 : « calculer l'image de 0 par f » ;
Q_2 : « calculer $f(\sqrt{3})$ » ;
Q_3 : « résoudre $f(x) = 0$ » ;

Q_4 : « déterminer les antécédents de 10 par f » ;
Q_5 : « calculer $f(1)$ » ;
Q_6 : « montrer que f admet -8 comme minimum » ;
Q_7 : « résoudre $f(x) = -6$ ».
Pour chaque question, donner la forme qui paraît la plus adaptée à la résolution de celle-ci. Expliquer.

> **Pour info**
>
> Une forme est dite « **adaptée** » :
> – quand avec cette forme les calculs sont rapides ;
> – quand on dispose de résultats ou de théorèmes sur cette forme permettant de conclure.

31 Soit la fonction f définie sur $\mathbb{R}$ par :
$$f(x) = (2x + 1)(x - 3) + (2x + 1)(3x + 2).$$
1. Développer $f(x)$.
2. Factoriser $f(x)$.
3. En utilisant l'expression la plus adaptée de $f(x)$, répondre aux questions suivantes :
a. calculer $f(0)$, $f\left(\dfrac{-1}{2}\right)$ et $f(\sqrt{2})$;
b. résoudre $f(x) = 0$;
c. résoudre $f(x) = 8x^2$.

32 On dispose de trois expressions algébriques :
① $(x - 3)^2 - (2 - 5x)(x - 3)$;
② $6x^2 - 23x + 15$;
③ $(x - 3)(6x - 5)$.
1. Prouver que ces trois expressions définissent la même fonction numérique f.
2. Déterminer les images par f de $\dfrac{5}{2}$, $-\sqrt{2}$, $\dfrac{5}{6}$ et 0.
3. Utiliser l'expression adéquate de $f(x)$ pour :
a. déterminer les antécédents de 15 par f ;
b. résoudre l'équation $f(x) = 0$.

33 Soit la fonction f définie sur $\mathbb{R}$ par :
$$f(x) = (3x + 1)^2 - 49.$$
1. Développer $f(x)$.
2. Factoriser $f(x)$.
3. En utilisant l'expression la plus adaptée de $f(x)$, répondre aux questions suivantes :
a. calculer les images par f de : 0, $\dfrac{-1}{3}$, 2 et $\sqrt{5}$;
b. résoudre $f(x) = 0$;
c. résoudre $f(x) = 9x^2$;
d. montrer que -49 est le minimum de f.

34 Soit f la fonction définie sur $\mathbb{R}$ par :
$$f(x) = -x^2 + 8x + 20.$$
En s'aidant d'un logiciel de calcul formel, répondre aux questions suivantes (on montrera les résultats utiles obtenus par le logiciel).
1. Résoudre $f(x) = 0$.
2. Résoudre $f(x) = 36$.
3. Montrer que 36 est le maximum de f.

2 Résoudre l'équation $f(x) = k$

35 QCM

Donner **toutes** les bonnes réponses.
Soit f la fonction définie sur $[-4\,;4]$ par sa courbe représentative ci-dessous.

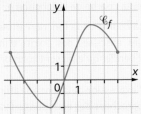

1. Le nombre de solutions de l'équation $f(x) = 1$ est :

a. 0 **b.** 1 **c.** 2

2. Le nombre de solutions de l'équation $f(x) = 4$ est :

a. 0 **b.** 1 **c.** 2

3. Le nombre de solutions de l'équation $f(x) = -3$ est :

a. 0 **b.** 1 **c.** 2

4. L'équation $f(x) = 0$ admet comme solutions :

a. -3 **b.** 0 **c.** 2

36 Vrai ou faux ?

Soit f la fonction définie sur $[-3\,;5]$ par sa courbe représentative ci-dessous.

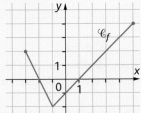

1. L'ensemble des solutions de l'équation $f(x) = 0$ est $[-2\,;1]$.
2. L'ensemble des solutions de l'équation $f(x) = 2$ est $\{-3\,;3\}$.
3. L'équation $f(x) = -3$ admet une unique solution.
4. L'équation $f(x) = 1$ admet exactement deux solutions : $-2,5$ et 2.

37 QCM Donner **toutes** les bonnes réponses.

1. Soit l'équation (E_1) : $x^2 - 4x + 2 = 0$.
Parmi les nombres suivants, quels sont ceux qui sont solution de (E_1) ?

$$2\,; \quad -4\,; \quad \frac{4}{3}\,; \quad \sqrt{2}\,; \quad 0,58\,; \quad 2 + \sqrt{2}.$$

2. Soit l'équation (E_2) : $x^3 - 4x^2 - 3x + 12 = 0$.
Parmi les nombres suivants, quels sont ceux qui sont solution de (E_2) ?

$$4\,; \quad -2\,; \quad \sqrt{3}\,; \quad -\sqrt{3}\,; \quad \frac{1}{2}\,; \quad 3.$$

38 Vrai ou faux ?

1. L'équation $2x - 3 = 4$ a pour unique solution $\dfrac{7}{2}$.
2. L'équation $(x - 2)(x + 1) = 0$ équivaut à :
$$x - 2 = 0 \quad \text{ou} \quad x + 1 = 0.$$
3. L'équation $(x + 3)(x - 4) = 2$ équivaut à :
$$x + 3 = 0 \quad \text{ou} \quad x - 4 = 0.$$
4. L'équation $2x(x + 3) = 0$ admet comme solutions -2 et -3.
5. L'équation $\dfrac{x - 3}{x + 2} = 0$ admet comme solutions 3 et -2.

39 QCM Donner la bonne réponse.

1. Les solutions de l'équation $(2x + 8)(x - 3) = 0$ sont :

a. -10 et 3 **b.** 4 et 3 **c.** -4 et 3

2. L'ensemble des solutions de l'équation $(x - 1)^2 = 16$ est :

a. $\{5\}$ **b.** $\{5\,;-3\}$ **c.** $\{17\,;-15\}$

3. L'ensemble des solutions de l'équation $\dfrac{1}{x} = 3$ est :

a. $\{-3\}$ **b.** $\left\{\dfrac{-1}{3}\right\}$ **c.** $\left\{\dfrac{1}{3}\right\}$

4. L'ensemble-solution de l'équation $\dfrac{3x + 4}{x - 3} = 0$ est :

a. $\left\{3\,;\dfrac{-4}{3}\right\}$ **b.** $\left\{3\,;\dfrac{4}{3}\right\}$ **c.** $\left\{\dfrac{-4}{3}\right\}$

Résoudre graphiquement

Pour les exercices 40 à 43, se reporter à la fiche Savoir-faire, page 49.

40 Soit la fonction f définie sur $[-4\,;5]$ par sa courbe représentative ci-contre.
Résoudre graphiquement les équations suivantes :

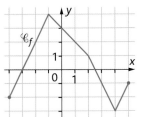

a. $f(x) = 2$; **b.** $f(x) = 0$;
c. $f(x) = -1$; **d.** $f(x) = -3$.

41 La courbe ci-dessous représente une fonction numérique f telle que $f(0,3) = 0$.

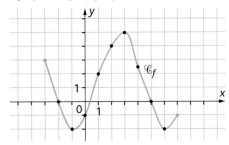

1. Déterminer l'ensemble de définition de f et son ensemble de valeurs.
2. Résoudre graphiquement l'équation $f(x) = 0$.
3. Déterminer les valeurs de k pour que l'équation $f(x) = k$ ait exactement trois solutions.

42 Soit la fonction f définie sur $[-4\,;4]$ par sa courbe représentative ci-dessous.

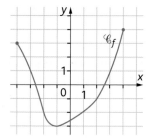

1. Résoudre graphiquement les équations suivantes :
a. $f(x) = 1$; **b.** $f(x) = -2$;
c. $f(x) = 4$; **d.** $f(x) = 5$.
2. Discuter suivant les valeurs de k le nombre de solutions de l'équation $f(x) = k$.

43 Soit f la fonction définie sur $\mathbb{R}$ par sa courbe représentative ci-dessous :

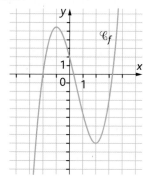

1. Résoudre graphiquement les équations :
a. $f(x) = 0$;
b. $f(x) = -2$;
c. $f(x) = 6$.
2. a. Résoudre graphiquement l'équation $f(x) = -8$.
b. On sait que l'expression algébrique de $f(x)$ est :
$$f(x) = x^3 - \frac{3}{2}x^2 - 6x + 2.$$
Les solutions obtenues par lecture graphique à la question précédente sont-elles exactes ?

44 Soit f une fonction définie sur $[-3\,;4]$ telle que :
• f est croissante sur $[-3\,;1]$ et décroissante sur $[1\,;4]$;
• l'équation $f(x) = 1$ admet comme solutions : 0 et 2 ;
• la courbe représentative de f coupe l'axe des abscisses en -1 et 3 ;
• le maximum de f est 4, atteint en 1 ;
• l'image de -3 par f est -2 ; $f(4) = -1$.
Construire une courbe représentative possible de la fonction f.

45 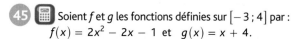 Soient f et g les fonctions définies sur $[-3\,;4]$ par :
$$f(x) = 2x^2 - 2x - 1 \quad \text{et} \quad g(x) = x + 4.$$
1. En s'aidant de la calculatrice, représenter graphiquement les fonctions f et g sur l'intervalle $[-3\,;4]$.

2. Résoudre graphiquement les équations :
a. $f(x) = 3$; **b.** $g(x) = 2$;
c. $f(x) = -2$; **d.** $f(x) = g(x)$.
3. Vérifier les résultats précédents par des calculs.

46 Une machine à résoudre les équations ?
Répondre aux questions suivantes en utilisant un grapheur.*

1. a. Représenter la courbe de la fonction $h : x \longmapsto \dfrac{1}{x}$.
b. Représenter la courbe de la fonction affine $f : x \longmapsto x$.
c. Déterminer les abscisses des points d'intersection des deux courbes, et vérifier qu'elles sont solutions de l'équation $x^2 - 1 = 0$.
2. En modifiant l'expression de la fonction affine f, déterminer des solutions approchées des équations suivantes :*
a. $x^2 - 3x - 1 = 0$;
b. $2x^2 - x - 1 = 0$;
c. $x^2 - 2x + 4 = 0$.

* Conseil
On commencera par vérifier que 0 n'est pas solution de l'équation proposée, puis on écrira par exemple pour a. :
$$x^2 - 3x - 1 = 0 \Leftrightarrow x - 3 = \frac{1}{x}.$$

Tableaux de variation

47 Soit f une fonction dont on donne le tableau de variation suivant :

x	-3	-1	2	5
$f(x)$	$2 \searrow$	$-3 \nearrow$	$-1 \searrow$	-2

1. Quel est l'ensemble de définition de la fonction f ?
2. Donner le nombre de solutions de chacune des équations suivantes :
a. $f(x) = 0$; **b.** $f(x) = -1$; **c.** $f(x) = -2$.
3. a. Donner un réel k pour lequel l'équation $f(x) = k$ admet une unique solution.
b. Donner un réel k pour lequel l'équation $f(x) = k$ n'admet pas de solution.

48 Soit f une fonction dont on donne le tableau de variation suivant :

x	-6	-1	3	10
$f(x)$	$-2 \nearrow$	$3 \searrow$	$-1 \nearrow$	4

1. Quel est l'ensemble de définition de la fonction f ?
2. Donner le nombre de solutions de chacune des équations suivantes :
a. $f(x) = 0$; **b.** $f(x) = -1$; **c.** $f(x) = 2$.
3. a. Donner un réel k pour lequel l'équation $f(x) = k$ admet une unique solution.
b. Donner un réel k pour lequel l'équation $f(x) = k$ n'admet pas de solution.

Résoudre algébriquement

49 Préciser si les équations suivantes sont équivalentes, c'est-à-dire si elles ont le même ensemble de solutions.
a. $A : (x + 3) - (5 + x) = 0$
et $B : x + 3 = 0$ ou $5 - x = 0$.
b. $A : (x + 3)(x + 2) = 0$
et $B : x - 3 = 0$ ou $x + 2 = 0$.
c. $A : (x + 2)(3x - 1) = x + 2$ et $B : 3x - 1 = 0$.
d. $A : 2x(x - 2) = 1$ et $B : 2x = 1$ ou $x - 2 = 1$.

50 Résoudre dans $\mathbb{R}$ les équations suivantes :
a. $2x + 3 = -3x + 8$; **b.** $3x - 1 = 7x + 5$;
c. $x - 5 = 4x + 13$; **d.** $5x + 3 = -2x + 4$.

51 Résoudre dans $\mathbb{R}$ les équations suivantes :
a. $\dfrac{2x - 3}{4} = \dfrac{x + 5}{3}$; **b.** $x + \dfrac{1}{4} = 3x - \dfrac{3}{5}$;
c. $\dfrac{x}{2} + 3 = 4x - 5$; **d.** $2x - \dfrac{3}{7} = \dfrac{x}{3} + \dfrac{2}{5}$.

Pour les exercices 52 à 56 se reporter à la Fiche Savoir faire, page 49.

52 Résoudre dans $\mathbb{R}$ les équations suivantes :
a. $(2x + 3)(4x - 8) = 0$;
b. $3(3x + 5)(-5x + 1) = 0$;
c. $(4x - 7)(2x + 3) = 3(4x - 7)(5x + 11)$;
d. $3(-x + 11)(3x + 4) = 5(-x + 11)(x - 6)$.

53 Résoudre dans $\mathbb{R}$ les équations suivantes :
a. $(x + 7)^2 = (x + 7)(3x + 4)$;
b. $4x^2 + 3x = 0$;
c. $(x - 4)^2 = 5$;
d. $(3x + 1)(-x + 2) + 2(3x + 1)(2x - 1) = 0$.

54 Résoudre dans $\mathbb{R}$ les équations suivantes :
a. $(x + 1)^2 = -1$; **b.** $(4x - 8)^2 = (3x + 1)^2$;
c. $(-x + 2)^2 = 169$; **d.** $4x^2 + 4x + 1 = 121$;
e. $x^2 - 1 = (x + 1)$; **f.** $9x^2 - 1 = (3x - 1)(2x + 5)$.

55 Résoudre dans $\mathbb{R}$ les équations suivantes :
a. $\dfrac{x + 1}{2x - 4} = 0$; **b.** $\dfrac{x + 3}{x - 1} = 4$;
c. $\dfrac{4}{2x - 5} = 3$; **d.** $\dfrac{x^2 - 3x}{x + 5} = 0$.

56 Résoudre dans $\mathbb{R}$ les équations suivantes :
a. $\dfrac{x^2 - 9}{-x + 3} = 0$;
b. $\dfrac{1}{x} + \dfrac{2}{x + 1} = 0$;
c. $\dfrac{4}{3x - 1} = \dfrac{3}{2x + 5}$;
d. $\dfrac{2}{x} = \dfrac{-3}{x + 1} + \dfrac{5}{x(x + 1)}$.

Mettre un problème en équation

57 Des problèmes, des équations ...

A. Des problèmes

Problème 1
Trouver un nombre tel que son triple augmenté de 8 soit égal à son double diminué de 5

Problème 2
$AB = BC = 1$.
Où placer le point M sur $[AB]$ pour que l'aire du carré $AMNP$ soit égale à l'aire du rectangle $BMQC$?

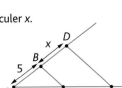

Problème 3
Existe-t-il deux nombres dont la somme est égale à 8 et le produit égal à 5 ?

Problème 4
$(AB) // (CD)$. Calculer x.

Problème 5
Un père a 25 ans de plus que son fils ; dans 5 ans il aura le double de l'âge de son fils.
Quel est l'âge du fils ?

Problème 6
Un article augmente de 5 %, son nouveau prix est 8 €. Quel était son prix avant augmentation ?

Problème 7
Si on ajoute un même nombre au numérateur et au dénominateur de la fraction $\dfrac{2}{7}$, on obtient $\dfrac{1}{3}$.
Déterminer ce nombre.

Problème 8
$ABCD$ est un carré de côté 6. Où placer le point M sur le segment $[AB]$ pour que l'aire du triangle AMD soit la moitié de l'aire du trapèze $MBCD$?

B. Des équations

1. $\dfrac{2 + x}{7 + x} = \dfrac{1}{3}$.   **2.** $2(x + 5) = x + 30$.

3. $3x = 18 - \dfrac{3x}{2}$.   **4.** $(x + 8) = 5x$.

5. $2x = 1 - x$.   **6.** $\dfrac{x}{5} = \dfrac{8}{x}$.

7. $x + 25 = 2x$.   **8.** $3x + 8 = 2x - 5$.

9. $3(x + 8) = 2x - 5$.   **10.** $\dfrac{2x}{7x} = \dfrac{1}{3}$.

11. $2(x + 25) = x + 5$.   **12.** $(8 - x) \times x = 5$.

13. $5x = 8$.   **14.** $x^2 = 1 - x$.

15. $1,05x = 8$.   **16.** $\dfrac{2}{7} + x = \dfrac{1}{3}$.

17. $2(x + 5) = x + 25$.   **18.** $3x + 8 = 2(x - 5)$.

Associer à chaque problème une équation, puis la résoudre lorsque c'est possible.

58 Sur la figure ci-contre, $ABCD$ est un trapèze rectangle. On donne : $AB = 3$, $AD = 4$ et $CD = 6$.

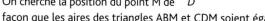

M est un point du segment $[AD]$.

On cherche la position du point M de façon que les aires des triangles ABM et CDM soient égales.

Victor annonce : « *Je dois résoudre l'équation* $\dfrac{3 \times x}{2} = \dfrac{(4 - x) \times 6}{2}$. »

Asma réplique : « *Pas du tout. Il faut résoudre l'équation* $\dfrac{(4 - x) \times 3}{2} = \dfrac{x \times 6}{2}$. »

Le professeur répond : « *Vous avez tous les deux raison, mais vos équations sont imprécises.* »

Expliquer, puis résoudre le problème.

Courbes représentatives et expressions algébriques

59 Soient quatre fonctions f_1, f_2, f_3 et f_4 définies par :

$f_1(x) = x^2 - 4$; $f_2(x) = (x - 1)(x + 2)$;

$f_3(x) = (x - 2)(x + 1)$; $f_4(x) = x^2 - 2x$.

La calculatrice a permis de tracer les courbes représentatives ci-dessous. Associer fonction et courbe représentative. Justifier sans la calculatrice.

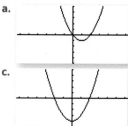

a.   **b.**

c.   **d.**

60 Voici les courbes représentatives des fonctions f et g :

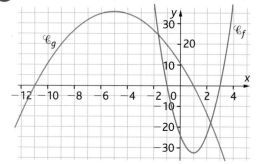

Repérer les différentes expressions algébriques de $f(x)$ et $g(x)$ parmi les expressions suivantes. Justifier sans calculatrice.

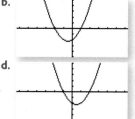

$(3x - 1)^2 - (x + 5)^2$ $8(x + 1)(x - 3)$ $8(x - 1)^2 - 32$

$(x + 1)^2 - 4$ $-x^2 - 10x + 11$ $(4x + 4)(2x - 6)$

$(1 - x)(x + 11)$

$(x + 1)(2x - 6)$ $-x^2 - 10x + 12$ $36 - (x + 5)^2$ $8x^2 - 16x - 24$

Choisir une expression algébrique adaptée

61 Soit la fonction f définie sur $\mathbb{R}$ par :
$$f(x) = (x - 4)^2 - 13.$$
On souhaite résoudre les équations suivantes :
$(E_1) : f(x) = 3$, $(E_2) : f(x) = -13$ et $(E_3) : f(x) = 0$.
Julie sait que la première étape à effectuer lors de la résolution générale d'équations est de ramener l'un des membres de l'égalité à 0.

Mais elle ne se souvient plus de la suite de la démarche.

Elle effectue les recherches suivantes à l'aide d'un logiciel de calcul formel :

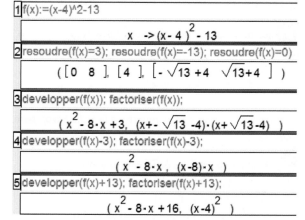

Quels sont les résultats utiles pour résoudre les équations ? Les justifier, puis résoudre chaque équation.

62 $ABCD$ est un rectangle tel que $AB = 10$ et $AD = 6$. Les points M, N, P et Q appartiennent respectivement aux segments $[AB]$, $[BC]$, $[CD]$ et $[AD]$ de façon que :
$$AM = BN = CP = DQ.$$
L'objectif est de savoir si l'aire du quadrilatère *MNPQ* peut être égale à la moitié de l'aire du rectangle *ABCD*.

1. Réaliser une figure.

2. On pose $x = AM$.

a. À quel ensemble appartient la variable x ?

b. Montrer que le problème amène à résoudre l'équation
$$(E) : 60 - [x(6 - x) + x(10 - x)] = 30.$$

3. On a effectué les recherches ci-dessous à l'aide d'un logiciel de calcul formel :

Quel(s) résultat(s) est(sont) utile(s) à la résolution de l'équation (E) ? Le(s) démontrer, puis résoudre le problème.

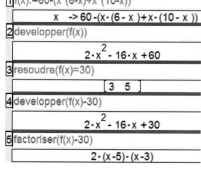

1. a. Montrer que :
$$x^3 - 4x^2 - 7x + 10 \quad \text{et} \quad (1 - x)(x + 2)(5 - x)$$
sont deux expressions différentes d'une même fonction g numérique.

b. Résoudre $\mathbb{R}$ dans l'équation : $x^3 - 4x^2 - 7x + 10 = 0$.

2. On note $\mathscr{C}_g$ sa courbe représentative relative au repère (O, I, J).

a. Quelles sont les abscisses des points d'intersection de $\mathscr{C}_g$ et de la droite (OI) ?

b. Quelles sont les coordonnées du point d'intersection de $\mathscr{C}_g$ et de la droite (OJ) ?

64 La fonction f est telle que pour tout x réel :
$$f(x) = x^2 - 6x - 3.$$
1. Vérifier que $f(x) = (x - 3)^2 - 12$.
En déduire une forme factorisée de $f(x)$.

2. Utiliser la forme adéquate de $f(x)$ pour résoudre algébriquement les équations suivantes :

a. $f(x) = -12$;   **b.** $f(x) = 0$;   **c.** $f(x) = -6x$.

Résoudre de manière approchée

65 **Résolution approchée par balayage**

Soit f la fonction définie sur $\mathbb{R}$ par $f(x) = 2x^2 - 3x - 4$. On souhaite résoudre l'équation (E) : $f(x) = 0$ de façon approchée.

1. a. Programmer la fonction f en $Y1$ dans la calculatrice.

b. Justifier graphiquement que l'équation (E) admet deux solutions x_1 et x_2 avec $x_1 < x_2$.
Encadrer chacune entre deux entiers consécutifs.

2. a. Obtenir le tableau de valeurs de f sur l'intervalle $[-1 ; 0]$ avec un pas de 0,1 comme ci-dessous.

X	Y1
-1	1
-0.9	0.32
-0.8	-0.32
-0.7	-0.92

Expliquer pourquoi $-0,9 < x_1 < -0,8$.

b. Obtenir le tableau de valeurs de f sur $[-0,9 ; -0,8]$ avec un pas de 0,01.
Puis donner un encadrement de x_1 d'amplitude 0,01.

c. Obtenir un encadrement de x_1 d'amplitude 0,001.

3. Obtenir de la même façon un encadrement de x_2 d'amplitude 10^{-3}.

66 **Le crypteur et le devin**

Partie A. Localiser un nombre entier

La règle du jeu : ce jeu se joue à deux joueurs, un crypteur et un devin.
Le crypteur pense à un nombre entier compris entre 1 et 1 000. Le devin fait alors une proposition de nombre.
Le crypteur n'a alors que trois réponses possibles : « Gagné ! » « Trop haut ! » « Trop bas ! ».

Le but pour le devin est de deviner le plus rapidement possible le nombre choisi par le crypteur.

1. Jouer par groupe de deux en alternant le rôle du crypteur et du devin, et trouver une stratégie qui permette au devin de trouver le nombre le plus rapidement possible. Exposer et justifier la méthode utilisée.

2. Avec l'ordinateur : vous êtes le crypteur, et l'ordinateur le devin. Combien d'étapes a-t-il fallu au maximum à l'ordinateur pour deviner le nombre ?

3. En regardant le script du programme, comprendre la stratégie de l'ordinateur.

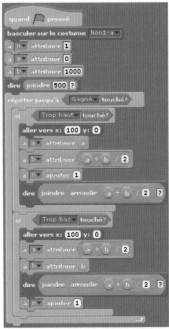

Partie B. Localiser une solution d'équation

On va utiliser la **méthode de dichotomie** du grec διχοτομία (« dichotomia », qui signifie « division en deux parties »), adaptée de la stratégie précédente, à la différence que l'on n'arrondit plus les nombres.

On sait qu'une fonction f vérifie $f(1) = -5$ et $f(11) = 15$.
On cherche à localiser un réel x_0 tel que $f(x_0) = 0$.
Lorsque l'on propose un nombre t, l'ordinateur dit :

« Trop haut »	« Trop bas »	« Gagné »
si $f(t) > 0$.	si $f(t) < 0$.	si $f(t) = 0$.

1. Voici la séquence de réponses de l'ordinateur :
« Trop bas », « Trop bas », « Trop haut », « Trop bas ».
Proposer un encadrement du nombre cherché.

2. On pose $f(x) = x^2 - 10x + 4$.

a. Vérifier que la fonction f correspond aux réponses obtenues au **1.**

b. Continuer la méthode de dichotomie pendant 4 étapes supplémentaires et en déduire un nouvel encadrement du réel cherché.

Problèmes

67 Évolution d'une population de bactéries

Une population de bactéries est mise en culture dans une boîte fermée. Leur nombre $f(t)$ (en millions) est représenté ci-dessous en fonction du temps t (en h).

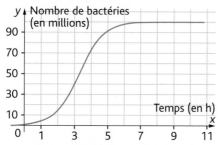

1. À partir de combien d'heures la population de bactéries est-elle de 20 millions ? de 50 millions ? 90 millions ?
2. La population semble-t-elle pouvoir compter 120 millions de bactéries ?

> **Le saviez-vous ?**
>
> La croissance d'une population a été modélisée par Verhulst vers 1840. Son modèle a conduit à l'étude de fonctions, appelées « logistiques », dont les courbes ressemblent à un S (« départ rapide », ralentissement, puis « stagnation » vers une valeur maximale). Il a été validé par Pearl vers 1920 pour une population évoluant en vase clos et dans un environnement constant.

68

Un bac à sable a une forme circulaire de diamètre 6 m.
Il est entouré par une allée en forme de couronne.
Quelle doit être la largeur de l'allée pour que celle-ci ait la même aire que le bac à sable ?

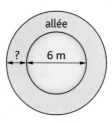

69

Un jardinier souhaite délimiter une partie de son jardin le long d'un mur, de forme triangulaire.
Pour cela, il dispose d'une clôture de longueur 40 m.
Son jardin peut être assimilé au rectangle $ABCD$ de longueur 30 m et de largeur 20 m.
La clôture est schématisée par la ligne brisée rouge.
Déterminer la position de M sur le segment $[BC]$ de façon que la somme $AM + MB$ soit égale à 40.

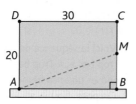

70

Une ficelle de 81 cm est fixée à deux clous A et B distants de 45 cm. On tend la ficelle jusqu'à un point C tel que ABC est un triangle rectangle en A.
Quelles sont les longueurs AC et BC ?

71 (D'après le *Rallye mathématique de l'académie de Lyon*)

Sur la figure ci-contre, le grand carré a été divisé en sept morceaux : six carrés blancs (trois petits de même taille et trois moyens de même taille) et un rectangle noir.
L'aire du rectangle noir est égale à 168 cm^2.
Combien mesure le côté du grand carré ?*

* Conseil

Noter x le côté d'un carré blanc de petite taille et y le côté d'un carré blanc de taille moyenne.
Traduire par des équations sur x et y le fait que la figure est un carré et que l'aire du rectangle noir vaut 168 cm^2.

72 Équilibre du marché

En économie :
– l'offre est la quantité de biens qu'une entreprise est prête à vendre à un prix donné ;
– la demande est la quantité de biens qu'un consommateur est prêt à acheter à un prix donné.
Traditionnellement, les fonctions d'offre et demande sont représentées graphiquement de la façon suivante.
On place en abscisse les quantités et en ordonnée les prix.
Lors du lancement d'un gadget sur le marché, une étude a permis d'obtenir les courbes représentatives $\mathscr{C}_0$ (en bleue) et $\mathscr{C}_d$ (en vert) des fonctions d'offre et de demande ci-dessous.

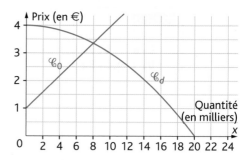

1. Lorsque le prix d'un gadget est 2 €, quelle est la quantité de gadgets :
– qu'est prête à vendre l'entreprise ?
– que les consommateurs sont prêts à acheter ?
2. Même question lorsque le prix d'un gadget est 4 €.
3. Le marché offre-demande est **à l'équilibre** lorsque, pour un même prix, la quantité offerte par les producteurs est égale à la quantité demandée par les consommateurs.
Quel est le prix d'équilibre du gadget ? Quelle sera alors la quantité offerte et demandée ?

73 Une entreprise fabrique chaque jour au maximum 40 produits. Le coût de fabrication $C(x)$ de x produits, en €, est donné par :

$$C(x) = x^2 - 20x + 200.$$

Une calculatrice graphique permet d'obtenir la représentation de la fonction C ci-dessous :

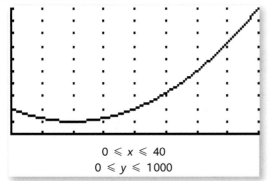

$$0 \leqslant x \leqslant 40$$
$$0 \leqslant y \leqslant 1000$$

1. Quelle est la graduation choisie sur chaque axe ?
2. Combien de produits semble-t-il falloir produire pour que le coût de fabrication soit minimum ?
Quel semble être ce coût minimum ?
3. Vérifier que $C(x) - 100 = (x - 10)^2$ et prouver les conjectures précédentes.

74 Résistance équivalente

Deux résistances R_1 et R_2 en ohms (Ω) sont placées en parallèle. La résistance équivalente R_e à celles-ci est donnée par la relation :
$$\frac{1}{R_e} = \frac{1}{R_1} + \frac{1}{R_2}.$$
On donne $R_1 = 200\,\Omega$.

1. Ici $R_2 = 390\,\Omega$. Quelle est la valeur de la résistance équivalente ?
2. a. On souhaite obtenir une résistance équivalente de 135 Ω. Quelle valeur doit-on choisir pour R_2 ?
b. En réalité, les résistances disponibles ont des valeurs calibrées (par exemple, la résistance 247 Ω n'existe pas).
Voici la liste de calibres disponibles, en ohms :

    100 – 120 – 150 – 180 – 220 – 270 – 330 – 390 – 470.

Quelle valeur calibrée R est la plus proche du résultat obtenu à la question précédente ?
c. Si on donne à R_2 la valeur R, a-t-on moins de 5 % d'erreur sur la valeur de la résistance équivalente ?

75 Volume et hauteur d'eau

On considère un aquarium ayant la forme d'un pavé droit de base carrée de côté 20 cm et de hauteur 25 cm.
On y verse une quantité d'eau et on y place un cube plein qui reste toujours au fond, et qui est toujours recouvert d'eau.

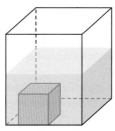

1. Dans cette question, l'arête du cube est 2 cm.
a. Si l'aquarium contient un litre d'eau, quelle est la hauteur d'eau dans l'aquarium ?*
b. Si l'aquarium contient 1,5 litre d'eau, quelle est la hauteur d'eau dans l'aquarium ?
2. Même question lorsque l'arête du cube est 20 cm.
3. Le cube est-il recouvert si l'aquarium contient 1 L d'eau et si l'arête du cube est 10 cm ?

* Conseil
La hauteur h d'eau dans l'aquarium dépend du volume total
$V_{eau} + V_{cube} = 20 \times 20 \times h$.
Rappel : 1L $= 1000$ cm³.

76 Le basketteur

Lors d'un match de basket, on doit lancer le ballon à l'intérieur d'un cercle métallique.

On assimile le ballon à un point, devant passer exactement par le centre C du cercle métallique, à 3,05 m du sol.
D'un point A situé à 2 m du sol, un joueur lance le ballon avec une vitesse v_0 (en m.s⁻¹).
Le théorème du centre d'inertie permet de décrire la trajectoire du ballon par :

$$y = \frac{-25}{v_0^2} \times x^2 + 2x + 2.$$

1. Le joueur se trouve à 7 m du panier de basket.
Avec quelle vitesse v_0 (en m.s⁻¹) doit-il lancer le ballon pour que celui-ci atteigne le centre du panier de basket ?
Dans la suite, on donne à v_0 cette valeur.
2. Voulant arrêter le ballon, un adversaire, situé à 90 cm du joueur, saute verticalement en levant les bras, à une hauteur 2,70 m.
Le panier sera-t-il marqué ?

77 ABC est un triangle tel que $AB = 5$; $BC = 9$ et $AC = 7$.

D est un point du segment $[BC]$.

On trace les parallèles aux droites (AB) et (AC) passant par le point D. Elles coupent respectivement $[AB]$ en E et $[AC]$ en F.

On souhaite savoir où placer le point D sur le segment $[BC]$ pour que les longueurs DE et DF soient égales.

1. Réaliser la figure à l'aide d'un logiciel de géométrie dynamique et conjecturer la solution du problème.

2. On pose $x = BD$.

a. À quel intervalle appartient la variable x ?

b. Montrer que le problème revient à résoudre l'équation :
$$\frac{7x}{9} = \frac{5(9 - x)}{9}.*$$

c. Résoudre algébriquement le problème et comparer avec le résultat obtenu à la question **1**.

* Conseil

Utiliser le théorème de Thalès.

78 $ABCD$ est un rectangle où $AB = 4$ et $AD = 10$. M est un point du segment $[BC]$.

Peut-on trouver une ou plusieurs positions de M de façon que le triangle AMD soit rectangle en M ?

1. Réaliser la figure à l'aide d'un logiciel de géométrie dynamique et conjecturer :

– le nombre de positions possibles de M répondant au problème ;

– la position sur le segment $[BC]$ (éventuellement approchée) du (ou des) point(s) M répondant au problème.

2. On pose $x = BM$.

a. À quel intervalle appartient la variable x ?

b. Montrer que le problème revient à résoudre l'équation :
$$(E) : 2x^2 - 20x + 32 = 0.$$

c. Vérifier que $2x^2 - 20x + 32 = 2(x - 8)(x - 2)$.

d. Résoudre le problème et comparer avec les conjectures de la question **1**.

79   **Préparer Noël**

Caroline doit réaliser des sapins pour décorer sa table pour le réveillon de Noël selon le modèle ci-dessous, en découpant dans un triangle isocèle vert plié en deux.

La base et la hauteur du sapin mesurent 8 cm.

Pour des raisons esthétiques, la surface verte restante doit représenter 80 % du triangle de départ.

On modélise la situation par le triangle ABC isocèle en A où $BC = 8$ cm ; $AI = 8$ cm où I est le milieu de $[BC]$.

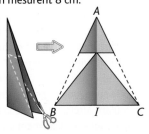

M est un point du segment $[AI]$. La parallèle à (BC) passant par M coupe les segments $[AB]$ et $[AC]$ en N et P.

On souhaite déterminer la position de M de façon que la somme des aires des triangles ANP et MBC soit égale à 80 % de l'aire du triangle ABC.

On pose $x = MI$ et $f(x)$ la somme des aires des triangles ANP et MBC.

1. Réaliser une figure.

2. À quel intervalle appartient la variable x ?

3. Exprimer $f(x)$ en fonction de x.*

4. a. En s'aidant de la calculatrice, tracer la courbe représentative de f (prendre 1 cm comme unité sur l'axe des abscisses et 1 cm pour 2 unités sur l'axe des ordonnées).

b. Répondre graphiquement au problème.

5. Pour aller plus loin

a. Montrer que $f(x) = \dfrac{1}{2}[(x - 4)^2 + 48]$.

b. Résoudre algébriquement le problème et comparer avec les résultats obtenus à la question **4**.

* Conseil *Utiliser le théorème de Thalès pour exprimer NP en fonction de x.*

80 **Aidé par le vent**

Un cycliste part d'une ville A à la vitesse de 20 km/h pour rejoindre une ville B, distante de 10 km.

Au retour, sa vitesse propre est inchangée, mais il est aidé par le vent, qui souffle à vitesse constante V.

1. a. Si la vitesse du vent est 10 km/h, quelle est la vitesse moyenne du cycliste sur l'ensemble du trajet aller-retour ?

b. Si la vitesse du vent est 20 km/h, quelle est la vitesse moyenne du cycliste sur l'ensemble du trajet aller-retour ?

2. D'une façon générale, montrer que l'expression de la vitesse moyenne V_m sur le trajet aller-retour en fonction de V est :
$$V_m = \frac{40(20 + V)}{40 + V}.*$$

3. a. Si la vitesse moyenne du cycliste est 30 km/h, quelle est la vitesse du vent ?

b. Si la vitesse moyenne du cycliste est 35 km/h, quelle est la vitesse du vent ?

c. La vitesse moyenne du cycliste peut-elle être égale à 40 km/h ?

* Conseil

La vitesse moyenne V_m est égale au rapport $\dfrac{\text{distance parcourue}}{\text{temps de parcours}}$.

La distance parcourue totale est $(10 + 10)$ km.

Exprimer le temps de parcours total en fonction de V.

81  Soit $x \geqslant 3$.

Dans un carré de côté x cm, on découpe une bande de 2 cm de large et une autre bande de 3 cm de large, comme sur le dessin ci-contre.

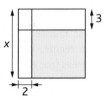

On souhaite déterminer les dimensions du carré de façon que l'aire du rectangle jaune soit 20 cm².

On note $f(x)$ l'aire du rectangle jaune en fonction de x.

1. Exprimer $f(x)$ en fonction de x.*

2. À l'aide de la calculatrice, conjecturer le nombre de solutions de l'équation $f(x) = 20$ et une valeur approchée de celle(s)-ci.

3. Vérifier que, pour tout x, $f(x) - 20 = (x - 7)(x + 2)$.
Démontrer la conjecture précédente, puis résoudre le problème.

* Conseil *Exprimer, en fonction de x, la longueur et la largeur du rectangle colorié en jaune.*

82 🖩 **a.oo** **Résolution approchée par dichotomie**

Soit l'équation (E) : $x^4 - 4x - 1 = 0$ sur l'intervalle $[-3 ; 1]$.
Soit f la fonction définie sur $[-3 ; 1]$ par :
$$f(x) = x^4 - 4x - 1.$$

1. Tracer à la calculatrice la courbe représentative de f sur l'intervalle $[-3 ; 1]$.
Vérifier graphiquement que l'équation (E) semble admettre une unique solution x_0 sur $[-3 ; 1]$.
Donner un encadrement de x_0 entre deux entiers consécutifs.

2. Maxime souhaite trouver un encadrement plus précis de la solution x_0. Pour cela, il programme la fonction f dans sa calculatrice : `Y1█X^4-4X-1`

Puis il effectue les calculs suivants et commence à dresser le tableau ci-dessous :

```
Y1(-1)
                    4
Y1(0)
                   -1
Y1(-0.5)
              1.0625
Y1(-0.25)
        3.90625ᴇ-03
```

Étape	Milieu m	$f(m)$	Intervalle $[a ; b]$ contenant x_0	
0			-1	0
1	$-0,5$	$1,062\,5$	$-0,5$	0
2	$-0,25$			
3				
4				

Recopier et compléter le tableau.

3. Pour généraliser la démarche, on propose l'algorithme ci-dessous :

```
Variables :
   a, b, m : réels ;
   n, i : entiers ;
Début
   Entrer(n) ;
   a ← -1 ; b ← 0 ;
   Pour i allant de 1 à n faire
      m ← (a + b)/2 ;
      Si f(m) > 0 alors a ← m ;
         sinon b ← m ;
      FinSi ;
   FinPour ;
   Afficher(a, b) ;
Fin.
```

Expliquer.

4. On souhaite obtenir un encadrement d'amplitude donnée p de la solution x_0.
Modifier l'algorithme précédent de façon à résoudre ce problème.

5. Pour aller plus loin
Programmer l'algorithme à l'aide de la calculatrice ou d'un logiciel, et déterminer une valeur approchée de x_0 à 10^{-6} près.

Mathématiques dans l'Histoire

83 **La méthode d'Al-Khwarizmi**

Al-Khwarizmi (788-850) utilise une méthode à support géométrique pour résoudre des équations du type $x^2 + ax = b$.
Par exemple : pour l'équation :
$$x^2 + 10x = 39,$$
il propose de tracer un carré de côté x et de compléter par deux rectangles de dimensions x et la moitié de 10 (c'est-à-dire 5) pour obtenir un grand carré.

	x	5
x	x^2	?
5	?	?

Ce grand carré a pour aire $(x^2 + 10x) + 5^2$, c'est-à-dire $39 + 25$, soit 64.
Donc il a pour côté 8. Il suffit de retirer 5 pour obtenir le côté x cherché : $x = 3$.

Remarque

À cette époque, les nombres négatifs sont inconnus.

Résoudre, en utilisant la méthode d'Al-Khwarizmi, les équations suivantes (on pourra s'aider d'un croquis) :
a. $x^2 + 12x = 45$;
b. $x^2 + 2x = 8$;
c. $x^2 + 20x = 21$.

Muhammad Ibn Moussa **Al-Khwarizmi** (788-850) fut un astronome de Bagdad né à *Khwarizem* (Ouzbékistan), d'où son nom.
Ses travaux sur le calcul algébrique dans le *Livre abrégé du calcul par al-jabr* (transposition) *et al-muqabala* (réduction) ont révolutionné les techniques de résolution d'équations.

84 Les oiseaux et le poisson

(D'après le *Rallye mathématique de l'académie de Lyon*)

De chaque côté d'un plan d'eau se trouve un arbre. La hauteur du premier est de 30 m et celle du second de 20 m ; la distance entre leurs pieds est de 50 m.

Sur la cime de chaque arbre est perché un oiseau. Brusquement, ils aperçoivent un poisson à la surface de l'eau entre les deux arbres. Ils se jettent simultanément sur lui, à la même vitesse et l'atteignent au même instant.

À quelle distance du pied du plus grand des deux arbres se trouvait le poisson ?

> Le problème de l'exercice 84 a été traité sous une forme peu différente par **Léonard de Pise dit Fibonacci (1175 à Pise, 1250)** dans un des premiers livres d'arithmétique : *Liber Abaci* en 1202.

85 🖥 𝖆𝗅𝗀𝗈 Résoudre $x^2 = 20$ par la méthode de Héron

Résoudre géométriquement l'équation :

$$(E) \quad x^2 = 20 \quad \text{avec} \quad x \geqslant 0$$

revient à construire un carré d'aire 20 : son côté sera solution de l'équation (E).

La démarche consiste à construire des rectangles d'aire toujours égale à 20, se « rapprochant » de plus en plus d'un carré d'aire 20. Les dimensions des rectangles vont ainsi se « rapprocher » de plus en plus de la solution $\sqrt{20}$ de l'équation.

1. Constructions géométriques

a. Première étape : construire un rectangle $AB_1C_1D_1$ de longueur $A_1B_1 = 10$ et d'aire 20.
La largeur de ce rectangle est $\frac{20}{10} = 2$, *et* $2 < \sqrt{20} < 10$.

b. Deuxième étape : on souhaite construire le rectangle $AB_2C_2D_2$ de longueur A_2B_2 égale à la moyenne des dimensions du rectangle précédent, c'est-à-dire 6, et d'aire 20, de façon que $B_2 \in [AB_1]$ et $D_2 \in [AD_1]$. Sa largeur est $\frac{20}{6} = \frac{10}{3}$.

En s'aidant d'un schéma, expliquer pourquoi les droites (D_1B_2) et (D_2B_1) sont parallèles.

Puis construire précisément le rectangle $AB_2C_2D_2$.

On obtient l'encadrement : $\frac{10}{3} < \sqrt{20} < 6$.

c. Troisième étape : on continue comme précédemment le procédé. Construire le rectangle $AB_3C_3D_3$; en déterminer les dimensions, puis en déduire un encadrement de $\sqrt{20}$.

2. Calculs de proche en proche

a. Sans réaliser la construction, expliquer comment déterminer les dimensions du rectangle de l'étape 4.

b. On souhaite généraliser la démarche. On propose pour cela l'algorithme ci-contre : Expliquer.

c. Programmer à l'aide de la calculatrice ou d'un logiciel de programmation, puis donner l'encadrement de $\sqrt{20}$ obtenu au bout de 8 étapes.

```
Variables :
  N, i : entiers ;
  L, ℓ : réels ;
Début
  Entrer(N) ;
  L ← 10 ; ℓ ← 20/L ;
  Pour i allant de 2 à N faire
    L ← (L + ℓ)/2 ;
    ℓ ← 20/L ;
  FinPour ;
  Afficher(L, ℓ) ;
Fin.
```

86 Épitaphe de Diophante

Après la mort du mathématicien Diophante d'Alexandrie, l'historien romain Eutrope écrivit en alexandrins un problème célèbre :

> *Passant, sous ce tombeau repose Diophante.*
> *Ces quelques vers tracés par une main savante*
> *Vont te faire connaître à quel âge il est mort.*
> *Des jours assez nombreux que lui compta le sort,*
> *Le sixième marqua le temps de son enfance ;*
> *Le douzième fut pris par son adolescence.*
> *Des sept parts de sa vie, une encore s'écoula,*
> *Puis s'étant marié, sa femme lui donna*
> *Cinq ans après un fils qui, du destin sévère*
> *Reçut de jours hélas ! deux fois moins que son père.*
> *De quatre ans, dans les pleurs, celui-ci survécut.*
> *Dis, si tu sais compter, à quel âge il mourut.*

À quel âge mourut Diophante ?

Diophante d'Alexandrie, grec, vers 325-409

> Peu de choses sont connues de sa vie. Il vécut à Alexandrie et aurait écrit treize livres d'un traité intitulé *les Arithmétiques*. Il est connu pour son étude des équations à variables rationnelles et les équations diophantiennes furent nommées en son honneur.

87 Utilisation des fractions chez les Égyptiens

Il y a plus de 3 000 ans, les Égyptiens utilisaient uniquement, à l'exception de $\frac{2}{3}$, les fractions de la forme $\frac{1}{n}$ et les sommes $\frac{1}{p} + \frac{1}{q} + \ldots$ de plusieurs fractions de dénominateurs p, q, ... **tous** différents.

Ainsi la fraction $\frac{3}{7}$ *s'écrivait* $\frac{1}{3} + \frac{1}{11} + \frac{1}{231}$ *et non* $\frac{1}{7} + \frac{1}{7} + \frac{1}{7}$.

Comment obtenir l'écriture égyptienne d'une fraction quelconque $\frac{a}{b}$ strictement inférieure à 1 ?

● Voici un algorithme de résolution de ce problème décrit par **Léonard de Pise** (dit **Fibonacci**) dans le *Liber abaci* paru en 1202 :

Étape ❶
À partir d'une fraction $\frac{a}{b}$ où $\frac{a}{b} < 1$, déterminer le plus petit entier p tel que $p \geqslant \frac{b}{a}$. Le mémoriser.

Étape ❷
Calculer $\frac{a}{b} - \frac{1}{p}$.
Si cette fraction vaut 0, passer à l'étape ❸ ;
sinon reprendre l'étape ❶ avec cette nouvelle fraction.

Étape ❸
On écrit la décomposition de $\frac{a}{b}$ en la somme des inverses de tous les entiers p mémorisés.

Exemple avec $\frac{11}{12}$ $\left(\frac{11}{12} < 1\right)$

❶ $\frac{12}{11} \approx 1,1$; donc $p = 2$. *On mémorise 2 :*

❷ $\frac{11}{12} - \frac{1}{2} = \frac{5}{12}$. *On reprend l'étape* ❶ *avec* $\frac{5}{12}$.

❶ $\frac{12}{5} = 2,4$; donc $p = 3$. *On mémorise 3.*

❷ $\frac{5}{12} - \frac{1}{3} = \frac{1}{12}$. *On reprend l'étape* ❶ *avec* $\frac{1}{12}$.

❶ $\frac{12}{1} = 12$; donc $p = 12$. *On mémorise 12.*

❷ $\frac{1}{12} - \frac{1}{12} = 0$. *On passe à l'étape* ❸.

❸ Conclusion : on obtient $\frac{11}{12} = \frac{1}{2} + \frac{1}{3} + \frac{1}{12}$.

Quelles sont les écritures égyptiennes de $\frac{7}{10}$ et $\frac{5}{11}$?

Le saviez-vous ?

L'écriture d'une fraction sous cette forme n'est pas unique.
Par exemple $\frac{11}{12}$ s'écrit aussi :
$$\frac{1}{2} + \frac{1}{3} + \frac{1}{15} + \frac{1}{156}.$$
L'algorithme de Fibonacci donne l'écriture la plus compacte.

88 Nombre d'or
De nombreux peintres et architectes de la Renaissance italienne, en particulier Léonard de Vinci (1452-1519), ont évoqué l'existence d'un rectangle de proportions « idéales », vérifiant la propriété suivante :

« Lorsqu'on ôte au rectangle considéré, un carré construit sur sa largeur, on obtient un nouveau rectangle, plus petit, semblable au rectangle d'origine, c'est-à-dire que les rapports longueur sur largeur sont les mêmes. »

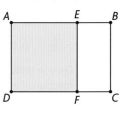

A. On note L et ℓ la longueur et la largeur du rectangle « idéal » $ABCD$.
On pose $\varphi = \frac{L}{\ell}$.

1. Démontrer que l'on a : $\frac{\ell}{L} = \frac{L - \ell}{\ell}$ et en déduire que φ est solution de l'équation $x^2 - x - 1 = 0$.

2. Vérifier que $x^2 - x - 1 = \left(x - \frac{1}{2}\right)^2 - \frac{5}{4}$.

Résoudre l'équation et en déduire la valeur exacte de φ.

B. Construction d'un rectangle d'or
$AEFD$ est un carré. I est le milieu de $[DF]$. Le cercle de centre I et de rayon IE coupe la droite (DF) en C.
Démontrer que $\frac{DC}{DA} = \varphi$.

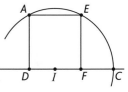

En déduire la construction d'un rectangle d'or connaissant sa largeur.

Pour info
φ s'appelle le nombre d'or.

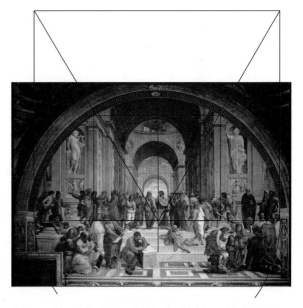

Sur ce tableau de Raphael, *L'école d'Athènes*, Pythagore est en D ; Euclide est en F et Platon et Aristote sont au centre.

Partir d'un bon pied

1 Reconnaître des fonctions particulières

Dans le repère (O, I, J) du plan, deux droites représentent les fonctions f et g.

La droite qui représente la fonction f passe par les points $A(4\,;1)$ et $B(-1\,;3)$.

La droite qui représente la fonction g passe par les points $O(0\,;0)$ et $C(3\,;2)$.

1. Quelle est la nature de chacune de ces deux fonctions ?

2. Pour chaque fonction, choisir l'expression correspondante. Déterminer les nombres a et b si nécessaire.

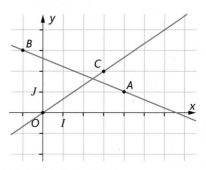

Pour f :	a. $x \longmapsto -4x + 2$	b. $x \longmapsto ax + 2{,}75$	c. $x \longmapsto -0{,}4x + b$

Pour g :	a. $x \longmapsto 3x + b$	b. $x \longmapsto ax$	c. $x \longmapsto \dfrac{3}{2}x$

2 Calculer avec des inverses et des carrés

QCM Pour chacune des affirmations suivantes, indiquer l'unique bonne réponse.

1. Le carré de -3 est :	a. -6	b. -9	c. 9
2. L'inverse de $-\dfrac{1}{3}$ est :	a. $\dfrac{1}{3}$	b. -3	c. 3
3. L'inverse de $\dfrac{1}{2} + \dfrac{1}{3}$ est :	a. $2 + 3$	b. $\dfrac{6}{5}$	c. $-\dfrac{1}{2} - \dfrac{1}{3}$
4. Si $x = 3$, alors $-x^2 + x$ est égal à :	a. -6	b. 12	c. 9
5. Si $x = -\dfrac{1}{3}$, alors $\dfrac{1}{x} + x$ est égal à :	a. $-\dfrac{8}{3}$	b. 0	c. $-\dfrac{10}{3}$

3 Lire graphiquement

Une fonction f est définie sur l'intervalle $[-1\,;3]$. On connaît sa courbe représentative ci-contre.

Répondre par **vrai** ou par **faux**.

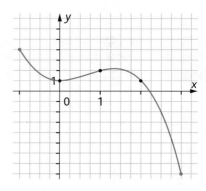

a. L'image de 2 par la fonction f est 1.

b. 2 a un seul antécédent par la fonction f.

c. La fonction f est positive sur l'intervalle $[-1\,;2]$.

d. La fonction f est décroissante sur l'intervalle $[-1\,;3]$.

e. Si $x > 2{,}5$, alors $f(x) > 0$.

f. Le minimum de la fonction f sur l'intervalle $[-1\,;1]$ est 1.

g. L'équation $f(x) = 0$ admet une unique solution.

 Pour réviser : des rappels de cours et des tests dans les **Techniques de base**

Fonctions de référence

Des maths partout !

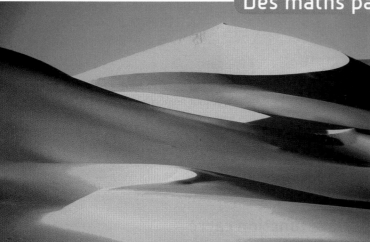

Des dunes de sable (courbe parabolique).

Fontaine et jets d'eau (courbe parabolique).

Les fonctions « carré » et « inverse » et leurs représentations graphiques, paraboles et hyperboles, sont présentes en architecture et dans l'industrie... mais aussi dans la nature.

Antenne parabolique.

L'objectif principal de ce chapitre est de construire une connaissance globale des fonctions de base, fonctions carré et inverse, et de leurs courbes représentatives pour résoudre des équations et des problèmes d'optimisation par exemple.

Château d'eau (courbe hyperbolique).

3. Découvrir

1 Déterminer le sens de variation d'une fonction affine

En utilisant un logiciel de géométrie dynamique,
représenter graphiquement dans un repère la fonction affine f définie
par $f(x) = mx + 1$, où m est un nombre réel compris entre -5 et 5.

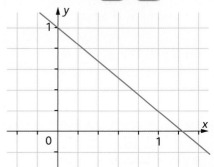

1. En faisant varier m de -5 à 5, conjecturer un lien entre m et les variations de f.

2. Quelle remarque peut-on faire si $m = 0$?

3. Considérons deux nombres quelconques x_1 et x_2, tels que $x_1 \leqslant x_2$.

a. Premier cas : m est positif.

Comparer mx_1 et mx_2, puis $mx_1 + 1$ et $mx_2 + 1$.

En déduire le sens de variation de la fonction affine f.

b. Deuxième cas : m est négatif.

Comparer mx_1 et mx_2, puis $mx_1 + 1$ et $mx_2 + 1$.

En déduire le sens de variation de la fonction affine f.

4. Si on écrit $mx + p$ au lieu de $mx + 1$ (avec p un réel quelconque),
les résultats de la question **3.** restent-ils valables ?

> **Rappels**
>
> Si $a \leqslant b$ alors :
> - pour tout nombre c, on a : $a + c \leqslant b + c$;
> - pour tout nombre positif c, on a : $ac \leqslant bc$;
> - pour tout nombre négatif c, on a : $ac \geqslant bc$.

2 Étudier le sens de variation de la fonction carré

On considère la fonction carré, c'est-à-dire la fonction f définie sur $\mathbb{R}$ par $f : x \longmapsto x^2$.

1. On considère deux nombres réels a et b, tels que $a \leqslant b$.

a. Recopier et compléter le tableau suivant en calculant les carrés de ces nombres, puis comparer ces carrés.

a	3	$\sqrt{2}$	-3	-10	-4	-2	-6
b	4	$\sqrt{3}$	-2	-9	1	5	6
a^2							
b^2							

b. Quelles conjectures peut-on faire sur le classement des nombres a^2 et b^2 ?

2. Démonstration

a. Écrire $f(b) - f(a)$ sous la forme d'un produit de deux facteurs.

b. On considère deux nombres réels positifs a et b, tels que $a \leqslant b$.
On a donc $0 \leqslant a \leqslant b$.

Déterminer le signe de chacun des facteurs du produit obtenu en **a.**,
puis le signe de ce produit.

Comparer alors $f(a)$ et $f(b)$.

c. On considère deux nombres réels négatifs a et b, tels que $a \leqslant b$.
On a donc $a \leqslant b \leqslant 0$.

En utilisant la même méthode que précédemment, comparer $f(a)$ et
$f(b)$.

> **Rappels**
>
> - Dire qu'une **fonction f est croissante** sur un
> intervalle I signifie que :
> pour tous réels a et b de I, si $a \leqslant b$, alors
> $f(a) \leqslant f(b)$, c'est-à-dire $f(b) - f(a)$ est
> positif.
> - Dire qu'une **fonction f est décroissante** sur
> un intervalle I signifie que :
> pour tous réels a et b de I, si $a \leqslant b$, alors
> $f(a) \geqslant f(b)$, c'est-à-dire $f(b) - f(a)$ est
> négatif.

3. Tableau de variation

À l'aide des résultats obtenus à la question **2.**, dresser le tableau de variation de la fonction carré sur $\mathbb{R}$.

3 Chute des corps

Si on lâche un objet dans le vide sans vitesse initiale, il a parcouru approximativement une distance de $5t^2$ mètres en t secondes. On note f la fonction définie sur l'intervalle $[0\,;+\infty[$ par $f(t) = 5t^2$.

1. Entrer cette fonction dans la calculatrice et visualiser le tableau des valeurs, la variable allant de 0 à 4 avec un pas de 0,5. Visualiser la représentation graphique dans la fenêtre $X \in [0\,;3{,}5]$ et $Y \in [0\,;60]$.

2. On donne ci-contre la représentation graphique de la fonction f.

a. Lire sur ce graphique, à 0,1 s près, le temps t_1 mis par l'objet pour parcourir les dix premiers mètres.

b. Lire sur ce graphique, à 0,1 s près, le temps t_2 mis par l'objet pour parcourir les dix mètres suivants.

3. Justifier que la distance parcourue n'est pas une fonction linéaire du temps :
• en observant le graphique ;
• en utilisant les valeurs t_1 et t_2 de la question précédente.

4. La vitesse de chute de l'objet est-elle constante ?

Le saviez-vous ?

Vers la fin du XVIe siècle, Galilée a mesuré le temps de chute de divers corps. Il a pu alors établir que la vitesse de leur chute était la même pour tous et non pas proportionnelle à leur poids comme le supposait Aristote auparavant.

Galilée (1564-1642).

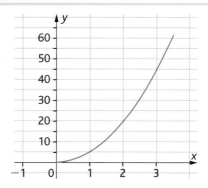

4 Coût horaire d'une location et fonction inverse

Pendant les mois de juillet et août, la commune de Charlieu propose pour la location d'un court de tennis la formule suivante : un abonnement de 40 €, puis une location horaire de 2 € par heure.

1. Perrine et Baptiste ont pris chacun un abonnement. Baptiste n'a pu jouer que 5 heures et Perrine a passé 40 heures sur les courts.

a. Calculer, pour Baptiste puis pour Perrine, le coût total de leur saison de tennis.

b. Quel est, pour chacun d'eux, le coût moyen par heure de jeu ?

2. On note f la fonction donnant le coût moyen horaire selon le nombre x d'heures de location (on suppose $x \neq 0$).

a. Exprimer, en fonction de x, le coût total pour x heures de location.

b. Montrer que $f(x) = 2 + \dfrac{40}{x}$.

3. À l'aide de la calculatrice

Entrer la fonction f sur la calculatrice et visualiser sa représentation graphique : on indiquera la fenêtre utilisée afin de pouvoir visualiser les cas de Perrine et Baptiste.

Conjecturer les variations de la fonction f sur l'intervalle $]0\,;+\infty[$.

4. À l'aide du graphique et du tableau de valeurs, déterminer à partir de combien d'heures de location le coût moyen horaire devient inférieur ou égal à 4 € l'heure.

5. Ce coût moyen peut-il être inférieur ou égal à deux euros ?

 Les activités TICE corrigées animées

1 Fonctions linéaires et fonctions affines

a. Définition et représentation graphique d'une fonction linéaire

Définition

On appelle **fonction linéaire de coefficient a** toute fonction f définie sur $\mathbb{R}$ par $f(x) = ax$ où a est un réel donné.

• Par une fonction linéaire, les images $f(x)$ sont proportionnelles aux réels x.

• La représentation graphique d'une fonction linéaire dans le repère (O, I, J) est **une droite qui passe par l'origine O**.

Exemple : Sur le dessin ci-contre, on représente graphiquement les fonctions linéaires f et g définies par $f(x) = 1{,}5x$ et $g(x) = -\dfrac{1}{4}x$.

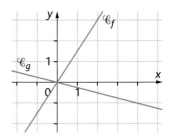

b. Définition et sens de variation d'une fonction affine

Définition

Une **fonction affine** est une fonction définie sur $\mathbb{R}$ par $f(x) = ax + b$ où a et b sont des réels fixés.

Remarque : Si $b = 0$, l'expression devient $f(x) = ax$ et f est une fonction linéaire.

Théorème

On considère la fonction affine f définie sur $\mathbb{R}$ par $f(x) = ax + b$ (a et b sont des nombres donnés).

• **Si a est positif, la fonction affine f est croissante** sur $\mathbb{R}$.

• **Si a est négatif, la fonction affine f est décroissante** sur $\mathbb{R}$.   (▶) Démonstration : voir Découvrir 1.

c. Signe de $ax + b$ (avec a non nul)

Tableau de signes **si $a > 0$** :

x	$-\infty$		$-\dfrac{b}{a}$		$+\infty$
Signe de $ax + b$		$-$	0	$+$	

Tableau de signes **si $a < 0$** :

x	$-\infty$		$-\dfrac{b}{a}$		$+\infty$
Signe de $ax + b$		$+$	0	$-$	

d. Représentation graphique d'une fonction affine

• **Si $a > 0$**

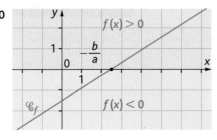

• **Si $a < 0$**

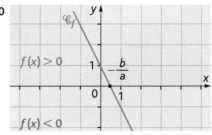

Si $a > 0$, la fonction affine $x \longmapsto ax + b$ est croissante. Elle est d'abord à valeurs négatives, puis positives.

Si $a < 0$, la fonction affine $x \longmapsto ax + b$ est décroissante. Elle est d'abord à valeurs positives, puis négatives.

Énoncé

Une fonction affine f vérifie $f(3) = -1$ et $f(-2) = 1$.

1. Trouver l'expression de $f(x)$ en fonction de x.

2. Quel est le sens de variation de la fonction affine f ?

3. Donner son tableau de signes.

Solution rédigée

1. f étant une fonction affine, elle est de la forme $f(x) = ax + b$ (point **1**).

On calcule d'abord le coefficient a : $a = \dfrac{f(3) - f(-2)}{3 - (-2)} = \dfrac{-1 - 1}{3 + 2} = -\dfrac{2}{5}$.

On a donc $f(x) = -\dfrac{2}{5}x + b$.

Pour calculer b, on utilise par exemple $f(3) = -1$: $f(3) = -\dfrac{2}{5} \times 3 + b = -1$,

d'où : $b = -1 + \dfrac{6}{5} = -\dfrac{5}{5} + \dfrac{6}{5} = \dfrac{1}{5}$.

Finalement : $f(x) = -\dfrac{2}{5}x + \dfrac{1}{5} = -0,4x + 0,2$.

2. Le coefficient $a = -\dfrac{2}{5}$ est négatif, donc la fonction f est décroissante sur $\mathbb{R}$.

3. On résout $f(x) = 0$:

$-0,4x + 0,2 = 0 \Leftrightarrow -0,4x = -0,2 \Leftrightarrow x = \dfrac{-0,2}{-0,4} \Leftrightarrow x = 0,5$.

(point **2**) La décroissance de f sur $\mathbb{R}$ permet de dire que :

- si $x \leqslant 0,5$, alors $f(x) \geqslant 0$;

- si $x \geqslant 0,5$, alors $f(x) \leqslant 0$.

D'où le tableau de signes pour $f(x)$:

x	$-\infty$		$0,5$		$+\infty$
$f(x)$		$+$	0	$-$	

Points méthode

1 Pour déterminer l'expression d'une fonction affine $f : x \longmapsto ax + b$, on peut calculer d'abord le coefficient a.

Si l'on connaît $f(x_1)$ et $f(x_2)$ avec $x_1 \neq x_2$, alors :

$a = \dfrac{f(x_1) - f(x_2)}{x_1 - x_2}$.

2 On sait que $f(0,5) = 0$ et que la fonction f est décroissante sur $\mathbb{R}$.

Si $x \leqslant 0,5$, alors $f(x) \geqslant f(0,5)$, car une fonction décroissante inverse l'ordre.

On obtient bien $f(x) \geqslant 0$ dans ce cas.

On applique le même raisonnement, en supposant $x \geqslant 0,5$.

POUR S'EXERCER

1 Représenter graphiquement dans un repère orthonormé les fonctions f et g définies sur $\mathbb{R}$ par : $f(x) = \dfrac{2}{3}x - 1$ et $g(x) = 0,6x$. Préciser leur sens de variation.

2 On considère la fonction affine f définie sur $\mathbb{R}$ par $f(x) = -0,3x + 1$. Trouver un encadrement de $f(x)$ lorsque x appartient à l'intervalle $[-3 ; 5]$.

3 Une fonction affine f est définie sur $\mathbb{R}$ par $f(x) = ax + b$.

On donne $f(2) = -2$, $f(0) = -3$ et $x \in [-5 ; 5]$.

À quel intervalle appartient $f(x)$? Justifier.

4 Une fonction affine f vérifie $f(\sqrt{2}) = 2$ et $f(\sqrt{3}) = \sqrt{6}$. Démontrer que f est une fonction linéaire.

5 On considère la fonction affine f définie par $f(x) = 5 - 3x$. Déterminer le tableau de signes de la fonction f.

6 Une fonction linéaire f vérifie $f(10^5) = 10^2$.

1. Déterminer l'expression de $f(x)$ en fonction de x.

2. La fonction f est-elle croissante ou décroissante ? Justifier la réponse.

▶ Voir exercices 23 à 38

2 La fonction carré

a. Définition et sens de variation de la fonction carré

Définition

La **fonction carré** est la fonction f définie sur $\mathbb{R}$ qui à tout réel x associe son carré.

La **fonction carré** est définie sur $\mathbb{R}$ par $f(x) = x^2$, ce que l'on note $f : x \longmapsto x^2$.

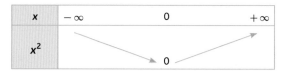

On se souvient que $x^2 = x \times x$

Théorème

La fonction carré est **croissante sur l'intervalle** $[0 ; +\infty[$ **et décroissante sur** $]-\infty ; 0]$.

▶ Démonstration : voir Découvrir 2.

Conséquences

● Deux réels positifs et leurs carrés sont rangés dans le même ordre.

● Deux réels négatifs et leurs carrés sont rangés dans l'ordre contraire.

Tableau de variation de la fonction carré

x	$-\infty$		0		$+\infty$
x^2		↘	0	↗	

b. Représentation graphique de la fonction carré

La courbe représentative de la fonction carré s'appelle **une parabole**. Cette parabole a pour équation $y = x^2$.

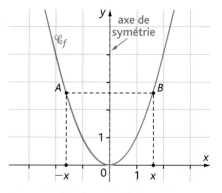

Remarques

● Cette parabole est entièrement située au-dessus de l'axe des abscisses.

● Dans un repère orthonormé, elle est symétrique par rapport à l'axe des ordonnées.

● Tout réel strictement positif est le carré de deux réels opposés, qui sont sa racine carrée et l'opposé de sa racine carrée.

c. Application pratique du sens de variation de la fonction carré

On peut utiliser le sens de variation de la fonction carré pour trouver un encadrement du carré d'un nombre.

Exemples

1. Trouver un encadrement de x^2 pour $x \in [2 ; 5]$.

On a $2 \leqslant x \leqslant 5$. Comme ces nombres sont positifs, les carrés sont rangés dans le même ordre.

On a donc $2^2 \leqslant x^2 \leqslant 5^2$, ce qui signifie $4 \leqslant x^2 \leqslant 25$.

x	-4	-1	0	2	5
x^2	16	1	0	4	25

2. Trouver un encadrement de x^2 pour $-4 \leqslant x \leqslant -1$.

Dans ce cas, les nombres sont négatifs, et les carrés sont rangés dans l'ordre contraire.

On a donc $(-4)^2 \geqslant x^2 \geqslant (-1)^2$, ce qui signifie $1 \leqslant x^2 \leqslant 16$.

Énoncé

On considère la fonction f définie sur l'intervalle $[-4\,;6]$ par $f(x) = -x^2 + 5$.

1. Démontrer que la fonction f est croissante sur l'intervalle $[-4\,;0]$.

2. Démontrer que la fonction f est décroissante sur l'intervalle $[0\,;6]$.

3. Dresser le tableau de variation de la fonction f.

4. Trouver le meilleur encadrement de $f(x)$ lorsque $x \in [2\,;6]$.

Solution rédigée

1. On considère deux réels quelconques a et b, tels que $-4 \leqslant a \leqslant b \leqslant 0$.

On obtient : $0 \leqslant b^2 \leqslant a^2 \leqslant 16$ (point ❶) ;

puis : $-16 \leqslant -a^2 \leqslant -b^2 \leqslant 0$ (point ❷) ;

enfin : $-11 \leqslant -a^2 + 5 \leqslant -b^2 + 5 \leqslant 5$.

Finalement : $f(a) \leqslant f(b)$.

Conclusion : La fonction f est croissante sur l'intervalle $[-4\,;0]$ (point ❸).

2. On considère deux réels quelconques a et b, tels que $0 \leqslant a \leqslant b \leqslant 6$.
On obtient successivement :

$0 \leqslant a^2 \leqslant b^2 \leqslant 36$ (point ❹)

$-36 \leqslant -b^2 \leqslant -a^2 \leqslant 0$

$-31 \leqslant -b^2 + 5 \leqslant -a^2 + 5 \leqslant 5$;

donc $f(a) \geqslant f(b)$.

Conclusion : La fonction f est décroissante sur l'intervalle $[0\,;6]$ (point ❺).

3.

x	-4	0	6
x^2	-11	5	-31

$f(-4) = -(-4)^2 + 5$
$\qquad = -16 + 5 = -11$.

De même :
$f(0) = 5$ et $f(6) = -31$.

4. Si $x \in [2\,;6]$, c'est-à-dire $2 \leqslant x \leqslant 6$, alors par décroissance de la fonction f sur $[2\,;6]$ on a :

$f(6) \leqslant f(x) \leqslant f(2)$ (point ❻), donc : $-31 \leqslant f(x) \leqslant 1$.

Points méthode

❶ Lorsque des nombres sont négatifs, leurs carrés sont rangés dans l'ordre contraire.

❷ • Multiplier par -1, qui est négatif, change l'ordre.
• Ajouter 5 ne change pas l'ordre.

❸ $a \leqslant b$ entraîne $f(a) \leqslant f(b)$, alors on conclut que la fonction f est croissante sur l'intervalle considéré.

❹ Lorsque des nombres sont positifs, leurs carrés sont rangés dans le même ordre.

❺ $a \leqslant b$ entraîne $f(a) \geqslant f(b)$, alors on conclut que la fonction est décroissante sur l'intervalle considéré.

❻ Une fonction décroissante change l'ordre.

POUR S'EXERCER

❼ On considère la fonction f définie sur $\mathbb{R}$ par :
$$f(x) = (x - 1)^2.$$

1. Démontrer que la fonction f est décroissante sur l'intervalle $]-\infty\,;1]$ et croissante sur $[1\,;+\infty[$.

2. Déterminer le meilleur encadrement de $f(x)$ dans les deux cas suivants :

a. $-3 \leqslant x \leqslant 1$;   b. $2 \leqslant x \leqslant 5$.

❽ On considère la fonction f définie sur $[0\,;+\infty[$ par :
$$f(x) = x^2 - 3.$$

1. Démontrer que f est croissante.

2. Calculer $f(\sqrt{3})$. En déduire que pour tout $x \geqslant \sqrt{3}$ on a $f(x) \geqslant 0$.

❾ En partageant l'intervalle $[-2\,;7]$ en deux, trouver un encadrement de x^2 lorsque $x \in [-2\,;7]$.

❿ Voici l'énoncé posé à Lucille :

« Sachant que $-2 \leqslant x \leqslant 5$, proposer un encadrement de x^2. »

Solution de Lucille :

« $-2 \leqslant x \leqslant 5$, *donc* $(-2)^2 \leqslant x^2 \leqslant 5^2$; *on obtient :* $4 \leqslant x^2 \leqslant 25$. »

Rectifier et corriger la solution proposée par Lucille.

▶ **Voir exercices 39 à 50**

3 La fonction inverse

a. Définition et sens de variation de la fonction inverse

Définition

La **fonction inverse** est la fonction f qui à tout réel non nul associe son inverse.

La **fonction inverse** est définie sur $\mathbb{R} \setminus \{0\}$ par $f(x) = \dfrac{1}{x}$,

ce que l'on note $f : x \longmapsto \dfrac{1}{x}$.

> Se souvenir que pour tout réel x non nul, $\dfrac{1}{x}$ est l'unique réel tel que $x \times \dfrac{1}{x} = 1$.

Remarque : Le réel 0 n'a pas d'inverse, puisque le produit par 0 donne toujours 0, donc jamais 1. La fonction inverse n'est donc pas définie en 0 : on dit que 0 est une **valeur interdite** pour la fonction inverse.

Théorème La fonction inverse est **décroissante sur** $]-\infty\,;0[$ **et décroissante sur** $]0\,;+\infty[$.

Démonstration

Soient deux réels a et b, tels que $a \leqslant b$.

On veut comparer leurs inverses $\dfrac{1}{a}$ et $\dfrac{1}{b}$.

On cherche le signe de la différence $\dfrac{1}{b} - \dfrac{1}{a}$:

> **Attention !**
>
> On ne peut pas dire que la fonction inverse est décroissante sur $]-\infty\,;0[\,\cup\,]0\,;+\infty[$ puisque cet ensemble n'est pas un intervalle.

$$f(b) - f(a) = \dfrac{1}{b} - \dfrac{1}{a} = \dfrac{a-b}{ab}.$$

Comme $a \leqslant b$, le numérateur $a - b$ est négatif. Le quotient $\dfrac{a-b}{ab}$ dépend du signe du produit ab.

● **Si a et b sont strictement positifs :** par produit, le dénominateur ab est strictement positif, finalement $\dfrac{1}{b} - \dfrac{1}{a}$ est négatif. Ainsi, si $0 < a \leqslant b$, alors $\dfrac{1}{a} \geqslant \dfrac{1}{b}$; donc f est décroissante sur $]0\,;+\infty[$.

● **Si a et b sont strictement négatifs :** le dénominateur ab est à nouveau strictement positif, donc le quotient reste négatif. Ainsi, si $a \leqslant b < 0$, alors $\dfrac{1}{a} \geqslant \dfrac{1}{b}$; donc f est décroissante sur $]-\infty\,;0[$.

Conséquence : Deux réels non nuls de même signe et leurs inverses sont rangés dans des ordres contraires.

Tableau de variation de la fonction inverse

x	$-\infty$		0		$+\infty$
$\dfrac{1}{x}$		↘	‖	↘	

La double barre en dessous de 0 indique que la fonction inverse n'est pas définie en 0.

b. Représentation graphique de la fonction inverse

La courbe représentative de la fonction inverse s'appelle **une hyperbole**.

Cette hyperbole a pour équation $y = \dfrac{1}{x}$.

Remarques

● Dans un repère du plan, l'hyperbole est symétrique par rapport à l'origine.

● Un réel non nul et son inverse ont le même signe.

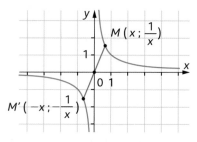

c. Application pratique du sens de variation de la fonction inverse

On peut utiliser le sens de variation de la fonction inverse pour comparer des inverses.

Exemple : Trouver un encadrement de $\dfrac{1}{x}$ lorsque $2 \leqslant x \leqslant 4$. Les nombres sont tous strictement positifs, donc leurs inverses sont rangés dans l'ordre contraire : $\dfrac{1}{4} \leqslant x \leqslant \dfrac{1}{2}$, c'est-à-dire $0,25 \leqslant x \leqslant 0,5$.

Énoncé

On considère la fonction f définie sur $\mathbb{R}\setminus\{0\}$ par $f(x) = -\dfrac{2}{x}$.

1. Visualiser la courbe représentative de la fonction f sur l'écran de la calculatrice.
Conjecturer son sens de variation.

2. Démontrer la conjecture faite en **1.**

3. Déterminer le meilleur encadrement pour $f(x)$ sachant que $0{,}5 < x < 3$.

Solution rédigée

1. La courbe représentative ci-contre est obtenue dans la fenêtre $X \in [-3\,;3]$ et $Y \in [-5\,;5]$.
La fonction f semble croissante sur l'intervalle $]-\infty\,;0[$ et croissante sur l'intervalle $]0\,;+\infty[$.

2. ● On considère deux réels a et b strictement positifs, tels que $a \leqslant b$. On a donc $0 < a \leqslant b$.
En appliquant la fonction inverse, on obtient :
$\dfrac{1}{a} \geqslant \dfrac{1}{b}$ (point **❶**).

En multipliant par -2, on obtient : $\dfrac{-2}{a} \leqslant \dfrac{-2}{b}$ (point **❷**) ;
c'est-à-dire $f(a) \leqslant f(b)$. Ainsi f est croissante sur $]0\,;+\infty[$.

● On considère deux réels a et b strictement négatifs, tels que $a \leqslant b$.
On a donc $a \leqslant b < 0$.

Par passage à l'inverse, on obtient : $\dfrac{1}{a} \geqslant \dfrac{1}{b}$ (point **❸**),

puis à nouveau $\dfrac{-2}{a} \leqslant \dfrac{-2}{b}$, c'est-à-dire $f(a) \leqslant f(b)$.
La fonction f est donc croissante sur l'intervalle $]-\infty\,;0[$.

3. La fonction f est croissante sur l'intervalle $]0{,}5\,;3[$.

Donc, si $0{,}5 < x < 3$, alors $f(0{,}5) < f(x) < f(3)$, c'est à dire : $-4 < f(x) < -\dfrac{2}{3}$.

Points méthode

❶ Deux réels strictement positifs et leurs inverses sont rangés dans l'ordre contraire.

❷ On multiplie par -2 qui est négatif, donc l'ordre change.

❸ Deux réels strictement négatifs et leurs inverses sont rangés dans l'ordre contraire.

POUR S'EXERCER

11 On considère la fonction f définie sur $]2\,;+\infty[$ par :
$$f(x) = \dfrac{-2}{x-2}.$$
1. Démontrer que f est croissante sur $]2\,;+\infty[$.
2. Démontrer que pour tout réel $x \geqslant 3$ on a :
$$-2 \leqslant f(x) < 0.$$

12 Déterminer un encadrement du réel $1 - \dfrac{1}{x}$ lorsque 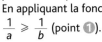 $x \in \left[\dfrac{1}{2}\,;4\right]$.

13 On considère la fonction f définie sur $\mathbb{R}\setminus\{0\}$ par :
$$f(x) = \dfrac{1}{x} - 3.$$
1. Démontrer que la fonction f est décroissante sur $]-\infty\,;0[$ et est décroissante sur $]0\,;+\infty[$.
2. À quel intervalle appartient $f(x)$ si $x \in [3\,;4]$?

14 **1.** Déterminer un encadrement de $\dfrac{1}{x}$ lorsque $x > 1$.
2. Même question lorsque $-2 \leqslant x \leqslant -0{,}5$.

15 On donne l'encadrement : $1 \leqslant \dfrac{1}{x} \leqslant 7$.
En déduire un encadrement de x.

16 On considère la fonction f définie sur $\mathbb{R}\setminus\{0\}$ par :
$$f(x) = \dfrac{x+3}{x}.$$
1. Vérifier que pour tout réel x non nul, on a :
$$f(x) = 1 + \dfrac{3}{x}.$$
2. En utilisant les variations de la fonction inverse, étudier le sens de variation de f sur $]-\infty\,;0[$ et sur $]0\,;+\infty[$.
3. Dresser le tableau de variation de la fonction f.

(▶) Voir exercices 56 à 69

17 Construction d'un cabanon

On considère un terrain carré de côté 10 m. Dans un angle du terrain, on veut construire un cabanon de forme carrée, de côté x avec $x \in [0 ; 10]$. (Voir le dessin ci-contre.)

1. Exprimer en fonction de x l'aire notée $f(x)$ de la partie restante (en vert).

2. Tracer la courbe représentative de la fonction f sur l'écran de la calculatrice.

Conjecturer le sens de variation de cette fonction.

3. On considère deux réels positifs quelconques a et b de l'intervalle $[0 ; 10]$, tels que $a \leqslant b$; comparer $f(a)$ et $f(b)$.

En déduire que la fonction f est décroissante sur $[0 ; 10]$.

4. Le côté du cabanon doit mesurer entre 2,5 m et 3 m.

Trouver un encadrement de l'aire restante.

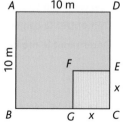

Solution | **Stratégies**

1. L'aire du cabanon est x^2, et l'aire totale est 100. Donc $f(x) = 100 - x^2$.

2. Le tracé sur calculatrice semble indiquer que la fonction f est décroissante sur $[0 ; 10]$. Cette conjecture semble raisonnable : lorsque le côté x du cabanon augmente, son aire augmente également, et l'aire restante diminue.

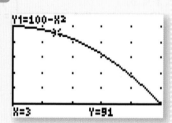

2. Attention au choix de la fenêtre avant de tracer la courbe !

3. On considère deux réels a et b positifs quelconques, tels que $0 \leqslant a \leqslant b$.

On obtient : $a^2 \leqslant b^2$.

D'où : $-a^2 \geqslant -b^2$, puis $100 - a^2 \geqslant 100 - b^2$.

$f(a) \geqslant f(b)$; donc f est décroissante sur $[0 ; 10]$.

4. On a $2,5 \leqslant x \leqslant 3$, donc $f(2,5) \geqslant f(x) \geqslant f(3)$ car f est décroissante.

Conclusion : $91 \leqslant f(x) \leqslant 93,75$.

3. ● Deux nombres positifs et leurs carrés sont rangés dans le même ordre, car la fonction « carré » est croissante sur $[0 ; +\infty[$, donc sur $[0 ; 10]$.

● Si $x \leqslant y$, alors $-x \geqslant -y$.

4. Une fonction décroissante change l'ordre.

---

18 Ombre sur un mur

Un muret vertical $[AN]$ de 2 m de haut est placé 3 m devant le mur d'une maison ($AB = 3$ m).

Au sol, un projecteur P est dirigé vers le muret et projette une ombre BM sur le mur qui contient une fenêtre.

Problème : Où situer le projecteur P pour que l'ombre portée sur le mur couvre entièrement la fenêtre dont le sommet est à une hauteur de 2,5 m, autrement dit pour que BM soit strictement supérieur à 2,5 ?

On pose $x = PA$, la distance du projecteur au muret.

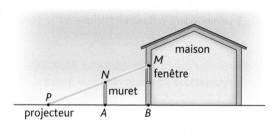

1. Conjecturer ce que fait l'ombre portée sur le mur de la maison si le projecteur s'éloigne du muret.

2. Démontrer que l'expression de la hauteur BM en fonction de x est donnée par : $BM = 2 + \dfrac{6}{x}$.

3. Démontrer que la fonction f définie sur $]0 ; +\infty[$ par $f(x) = 2 + \dfrac{6}{x}$ est décroissante.

4. Résoudre l'équation $f(x) = 2,5$.

5. Utiliser le sens de variations de la fonction f pour répondre au problème posé.

1. Si le projecteur s'éloigne du muret, la hauteur de l'ombre portée sur le mur diminue.

2. On applique le théorème de Thalès dans le triangle *PMB* :
$$\frac{PN}{PM} = \frac{PA}{PB} = \frac{AN}{BM}.$$

On conserve les deux derniers quotients et on obtient :
$$\frac{x}{x+3} = \frac{2}{MB},$$

donc $MB = \dfrac{2(x+3)}{x} = \dfrac{2x+6}{x} = \dfrac{2x}{x} + \dfrac{6}{x} = 2 + \dfrac{6}{x}$.

3. On considère deux réels *a* et *b* strictement positifs, tels que $a \leqslant b$.
Alors $\dfrac{1}{a} \geqslant \dfrac{1}{b}$, puis $\dfrac{6}{a} \geqslant \dfrac{6}{b}$

et enfin $2 + \dfrac{6}{a} \geqslant 2 + \dfrac{6}{b}$; donc $f(a) \geqslant f(b)$.

Les réels $f(a)$ et $f(b)$ sont donc dans l'ordre contraire par rapport aux réels *a* et *b*. La fonction *f* est donc décroissante sur $]0 ; +\infty[$.

4. $2 + \dfrac{6}{x} = 2{,}5 \Leftrightarrow \dfrac{6}{x} = 0{,}5 \Leftrightarrow 0{,}5x = 6 \Leftrightarrow x = \dfrac{6}{0{,}5} = 12.$

5. Par décroissance de *f* : si $x \leqslant 12$, alors $f(x) \geqslant f(12)$.

Conclusion : si $x \leqslant 12$, alors $BM \geqslant 2{,}5$.

Ainsi, le projecteur doit être à moins de 12 m du muret pour que la fenêtre soit entièrement recouverte par l'ombre.

2. On se place dans le triangle *PBM*. Les points *P*, *N*, *M* d'une part et *P*, *A*, *B* d'autre part sont alignés. Les droites (AN) et (BM) sont parallèles, on peut donc appliquer le théorème de Thalès.

3. Si deux réels sont strictement positifs, ils sont rangés dans l'ordre contraire de leurs inverses.

---

19 Utiliser un tableau de signes pour résoudre un problème

Une boutique de location de DVD propose deux formules à ses clients :

Formule A : 4,50 euros par DVD.

Formule B : abonnement annuel de 30 euros plus 1,50 euro par DVD loué.

1. Nadine pense louer 7 films dans l'année. Quelle formule lui conseiller ?

2. Même question pour Katy qui pense louer 15 films.

3. On note $A(x)$ (respectivement $B(x)$) le prix à payer pour une location annuelle de *x* DVD avec la formule A (respectivement avec la formule B).

a. Donner, en fonction de *x*, les expressions de $A(x)$ et $B(x)$, puis celle de $A(x) - B(x)$.

b. Établir le tableau de signes de $A(x) - B(x)$.

c. En déduire la formule la plus avantageuse selon le nombre de films que l'on souhaite louer dans l'année.

1. $4{,}5 \times 7 = 31{,}5$ et $30 + 1{,}5 \times 7 = 40{,}5$;
donc on conseille à Nadine la formule A.

2. $4{,}5 \times 15 = 67{,}5$ et $30 + 1{,}5 \times 15 = 52{,}5$;
donc Katy doit prendre la formule B.

3. a. $A(x) = 4{,}5x$ et $B(x) = 30 + 1{,}5x$. Donc :

$A(x) - B(x) = 4{,}5x - (30 + 1{,}5x) = 4{,}5x - 30 - 1{,}5x = 3x - 30$.

b. $3x - 30 = 0 \Leftrightarrow x = 10$.

x	$-\infty$		10		$+\infty$
$3x - 30$		$-$	0	$+$	

c. Pour moins de 10 films, la formule A est plus avantageuse. Pour 10 films, le prix est le même (45 euros) avec les deux formules, et pour plus de 10 films, il faut choisir la formule B.

1. et 2. On calcule le prix à payer avec chaque formule.

3. a. Ne pas oublier les parenthèses dans le calcul de $A(x) - B(x)$ et distribuer le signe $-$.

c. $A(x) - B(x) < 0 \Leftrightarrow A(x) < B(x)$ et $A(x) - B(x) > 0 \Leftrightarrow A(x) > B(x)$.

Organiser une recherche

Énoncé

Dans un repère orthonormé d'origine O, on construit la courbe représentative $\mathscr{C}_f$ de la fonction f définie sur l'intervalle $[0\,;1]$ par $f(x) = x^2$. M est un point quelconque de $\mathscr{C}_f$, A est le point de coordonnées $(0\,;1)$ et B est le point de coordonnées $(1\,;1)$.

Problème : Existe-t-il une position du point M pour laquelle les triangles ABM et AOM ont la même aire ?

1. Avec un logiciel de géométrie dynamique, conjecturer la réponse au problème posé.

2. Résoudre ce problème par le calcul.

Indication : vérifier que $\left(x + \dfrac{1}{2}\right)^2 - \dfrac{5}{4} = x^2 + x - 1$.

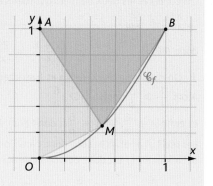

Recherche à l'aide d'un logiciel de géométrie dynamique

- On réalise la figure ci-dessus et on fait afficher les aires des triangles ABM et AOM.

- En faisant varier la position de M sur la parabole, on conjecture que le problème a une solution et que l'abscisse du point solution vaut environ 0,62.

Ébauche d'une solution

- On note x l'abscisse du point M. Comme M est un point de $\mathscr{C}_f$, son ordonnée est égale à x^2.

- On exprime les aires des deux triangles en fonction de x.

- On traduit le problème posé par une équation que l'on résout.

Rédaction d'une solution

À l'aide des deux parties précédentes, rédiger une solution du problème étudié.

Prendre des initiatives

20 Un triangle avec l'hyperbole

Dans un repère orthonormé d'origine O, on construit la courbe représentative $\mathscr{C}_f$ de la fonction $f : x \longmapsto \dfrac{1}{x}$ sur l'intervalle $]0\,;+\infty[$.

À partir d'un point A quelconque de $\mathscr{C}_f$, on construit le point B de l'axe des abscisses ayant la même abscisse que A et on considère le triangle rectangle OAB.

Le but de l'exercice est d'étudier les variations de l'aire du triangle OAB lorsque le point A décrit l'hyperbole $\mathscr{C}_f$.

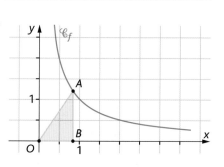

1. À l'aide d'un logiciel de géométrie dynamique, réaliser la figure, afficher l'aire du triangle OAB et conjecturer ses variations.

2. On appelle x l'abscisse de A. Exprimer en fonction de x l'aire $\mathscr{A}(x)$ du triangle OAB. Démontrer la conjecture faite au **1.**

21 Une fonction affine en physique

Le pont de Normandie.

Un joint de dilatation : à quoi sert-il ?

La dilatation linéaire est un phénomène physique qui se traduit par une augmentation de la longueur d'une barre ou d'un fil lorsque la température augmente.

Ce phénomène, bien connu des physiciens, peut causer des dégâts sur des constructions, notamment à structure métallique, comme les rails de chemin de fer ou les ponts.

On considère une barre de longueur L_0 à la température 0 °C.

Si l'on place cette barre à la température t °C, (avec $t > 0$),
alors par phénomène de dilatation linéaire, elle s'allonge et atteint une longueur $L(t)$ définie par :
$$L(t) = L_0(1 + \lambda t)$$
où λ est le coefficient de dilatation linéaire qui dépend du matériau (par exemple, pour l'acier $\lambda = 12 \times 10^{-6}$).

1. Montrer que L est une fonction affine de la température t.

2. Calculer la variation de la longueur d'un rail en acier de 20 m de long si la température passe de 0 °C à 30 °C ?

3. Le pont de Normandie a une longueur de 1 420 m.
Si l'on suppose que sa structure en acier est faite d'une seule pièce, quel serait l'allongement de ce pont si la température augmentait de 40 °C ? Quel problème poserait ce résultat ?

22 Exemple de fonction affine « par morceaux » algo

Un récipient est formé d'un cube de 10 cm d'arête et d'un parallélépipède rectangle de base carrée, de côté 5 cm et de hauteur 10 cm. On le remplit de liquide.

On appelle x la hauteur totale de liquide, en cm, dans le récipient, et $V(x)$ le volume de liquide correspondant, en cm^3.

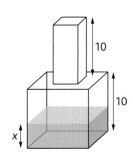

1. Quelles sont les valeurs possibles pour x ?

2. Déterminer l'expression de $V(x)$ en fonction de x (attention, il faut distinguer deux cas !)

3. Tracer la courbe représentative de la fonction V dans un repère bien choisi.

4. Par lecture graphique, puis par le calcul, déterminer :

a. la valeur de x pour laquelle $V(x) = 1200$ cm^3 ;

b. la hauteur de liquide correspondant à la moitié du volume total du récipient.

5. Écrire un algorithme permettant de calculer $f(x)$ pour toutes les valeurs de x.

6. Programmer alors le calcul de $f(x)$ sur la calculatrice.

7. Donner le tableau des valeurs du volume lorsque $9{,}5 \leqslant x \leqslant 10{,}5$ avec un pas de 0,1.

Savoir...	Comment faire ?
Connaître le sens des variations d'une fonction affine f.	On écrit l'expression de la fonction affine f sous la forme $f(x) = ax + b$ et on examine le signe du coefficient a : s'il est positif, la fonction affine est croissante, s'il est négatif, la fonction affine est décroissante.
Déterminer le signe d'une fonction affine f $x \longmapsto ax + b$ (avec $a \neq 0$).	On cherche la valeur de x qui annule la fonction f, c'est-à-dire on résout l'équation $f(x) = 0$. Cette valeur est $x = -\dfrac{b}{a}$. On a les deux configurations suivantes : • **Cas où $a > 0$** • **Cas où $a < 0$**
Connaître le sens des variations de la fonction carré.	La fonction carré est décroissante sur $]-\infty\,;0]$ et croissante sur $[0\,;+\infty[$. Elle admet pour minimum 0, atteint pour $x = 0$. $\begin{array}{\|c\|ccc\|} \hline x & -\infty & 0 & +\infty \\ \hline f(x) & & 0 & \\ \hline \end{array}$
Connaître la courbe représentative de la fonction carré.	• Cette courbe s'appelle une parabole. • Elle est située au-dessus de l'axe des abscisses. • Dans un repère orthonormé, elle est symétrique par rapport à l'axe des ordonnées. • Tout réel strictement positif est le carré de deux réels opposés.
Utiliser le sens des variations de la fonction carré.	• Deux nombres positifs et leurs carrés sont rangés dans le même ordre. • Deux nombres négatifs et leurs carrés sont rangés dans l'ordre contraire.
Connaître le sens des variations de la fonction inverse.	La fonction inverse est décroissante sur $]-\infty\,;0[$ et décroissante sur $]0\,;+\infty[$. $\begin{array}{\|c\|ccc\|} \hline x & -\infty & 0 & +\infty \\ \hline f(x) & & & \\ \hline \end{array}$
Connaître la courbe représentative de la fonction inverse.	• Cette courbe s'appelle une hyperbole. • Dans un repère du plan, l'hyperbole est symétrique par rapport à l'origine. • Tout réel non nul est l'inverse d'un unique réel non nul de même signe que lui.
Utiliser le sens des variations de la fonction inverse.	• Deux nombres strictement positifs et leurs inverses sont rangés dans l'ordre contraire. • Deux nombres strictement négatifs et leurs inverses sont rangés dans l'ordre contraire.

A Pour chacune des affirmations suivantes, préciser la (ou les) réponse(s) exacte(s).

	a. f est une fonction affine croissante sur $\mathbb{R}$	**b.** f est une fonction affine décroissante sur $\mathbb{R}$	**c.** f n'est pas une fonction affine
1. On considère la fonction f définie sur $\mathbb{R}$ par $f(x) = \dfrac{1-2x}{3}$:			
2. Une fonction affine est décroissante sur $\mathbb{R}$ et s'annule pour $x = -4$, alors :	**a.** $f(0) < 0$	**b.** f est positive sur l'intervalle $[-4\,;+\infty[$	**c.** f est négative sur l'intervalle $[-4\,;+\infty[$
3. Une fonction affine vérifie $f(1) = 5$ et $f(0) = 3$:	**a.** $f(0{,}5) = 4$	**b.** f est décroissante	**c.** $f(x)$ est positif pour tout nombre réel x.

Corrigé p. 333

B Pour chacune des questions suivantes, une seule des réponses est exacte.

1. On considère la fonction f définie sur $I = [0\,;+\infty[$ par $f(x) = -2x^2 + 1$:	**a.** f est négative sur I	**b.** f est positive sur I	**c.** f s'annule pour $x = \dfrac{\sqrt{2}}{2}$
2. Si $-2 \leqslant x \leqslant 5$, alors :	**a.** $4 \leqslant x^2 \leqslant 25$	**b.** $0 \leqslant x^2 \leqslant 25$	**c.** $0 \leqslant x^2 \leqslant 4$
3. On considère la fonction f définie sur $I = \,]0\,;+\infty[$ par $f(x) = \dfrac{3}{x} - 2$:	**a.** f est positive sur I	**b.** f est croissante sur I	**c.** f est négative sur l'intervalle $[1{,}5\,;+\infty[$
4. Si $x \geqslant 2$, alors :	**a.** $\dfrac{1}{x} \leqslant \dfrac{1}{2}$	**b.** $\dfrac{1}{x} \geqslant \dfrac{1}{2}$	**c.** $\dfrac{1}{x}$ peut être négatif

Corrigé p. 333

Vrai ou faux ?

Préciser si les affirmations suivantes sont vraies ou fausses.

C On donne ci-contre les droites d_1 et d_2 dans le repère (O, I, J).
d_1 est la représentation graphique de la fonction affine f ; d_2 celle de la fonction affine g.

1. f est croissante.	**2.** g est positive sur $[2\,;+\infty[$.	**3.** $f(1) = g(1)$.
4. $f(1) = 0$.	**5.** f est la fonction : $x \mapsto -x + 1$.	**6.** g est la fonction : $x \mapsto x - 2$.

Corrigé p. 333

D On considère les fonctions f et g définies sur $\mathbb{R}$ par : $f(x) = -x^2 + 5$ et $g(x) = x^2 - 1$.

1. $f(3) = 14$.	**2.** $g(-3) = 8$.	**3.** g est décroissante sur l'intervalle $]-\infty\,;0]$.
4. f est croissante sur l'intervalle $[0\,;+\infty[$.	**5.** Pour tout $x \in [-4\,;-2]$, on a $g(x) \leqslant 0$.	**6.** Les points de coordonnées $(\sqrt{3}\,;2)$ et $(-\sqrt{3}\,;2)$ sont communs aux courbes représentatives de f et g.

Corrigé p. 333

E On considère la fonction h définie sur $]0\,;+\infty[$ par : $h(x) = 1 + \dfrac{1}{x}$.

1. h est positive sur $]0\,;+\infty[$.	**2.** h est décroissante sur $]0\,;+\infty[$.	**3.** $h(\sqrt{2}) \leqslant h(\sqrt{3})$.
4. Si $0 < x \leqslant 1$, alors $h(x) \geqslant 2$.	**5.** La courbe représentative de h coupe l'axe des abscisses.	**6.** Pour tout $x \in \,]0\,;+\infty[$, $h(x) > 1$.

Corrigé p. 333

 Pour s'auto-évaluer : des QCM et Vrai-Faux complémentaires

3. Exercices

▶ Les exercices portant un numéro orange sont corrigés à la fin du manuel, page 330.

Applications directes

1 | Fonctions affines

23 **Vrai ou faux ?**

1. $f : x \longmapsto 3x - 2$ est une fonction affine.
2. $g : x \longmapsto x^2 + 1$ est une fonction affine.
3. $h : x \longmapsto 3x^2$ est une fonction linéaire.
4. $i : x \longmapsto 2(x + 3) - 3(x + 2)$ est une fonction linéaire.
5. i est une fonction affine.
6. $k : x \longmapsto (x - 2)(-3x + 4)$ est une fonction affine.

24 **Vrai ou faux ?**

On considère la fonction $f : x \longmapsto x - 3$.
1. f est une fonction affine.
2. f est positive sur $\mathbb{R}$.
3. f est croissante sur $\mathbb{R}$.
4. La courbe de f passe par $A(5 ; 2)$.
5. La courbe de f passe par $B(-1 ; -4)$.
6. La courbe de f est la droite (AB).

25 Reprendre les questions de l'exercice précédent avec la fonction $f : x \longmapsto -2x - 6$.

26 Recopier et compléter les tableaux de signes :

a.

x	$-\infty$		$\dfrac{5}{3}$		$+\infty$
$3x - 5$					

b.

x	$-\infty$			$+\infty$
$-x + 4$		$+$	0	

c.

x	$-\infty$			$+\infty$
$-4x$				

27 Déterminer l'expression de $f(x)$ dans les cas suivants.
a. f est linéaire et $f(-3) = -4$.
b. f est affine, $f(0) = 6$ et $f(5) = 1$.
c. f est linéaire et sa représentation graphique passe par le point $E(-3 ; 5)$.
d. La courbe représentant f est la droite (HK) avec $H(1 ; 8)$ et $K(-1 ; -2)$.
e. f est affine et sa courbe représentative coupe l'axe des ordonnées au point d'ordonnée 7 et l'axe des abscisses au point d'abscisse -3.

28 Représenter dans un repère orthonormé d'unité 1 cm les droites d_1, d_2, d_3, d_4 et d_5 associées aux cinq fonctions définies dans l'exercice précédent.

29 **1.** Déterminer les fonctions affines f, g et h ayant pour représentations graphiques respectives les droites (AB), (BC) et (CA).
2. En déduire les coordonnées du point H situé à l'intersection de (AB) avec l'axe des ordonnées.
3. Déterminer les coordonnées du point K, intersection de (AC) avec l'axe des abscisses.

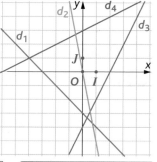

30 Donner les variations de la fonction f dans les cas suivants :
a. $f(x) = -2x$;   **b.** $f(x) = 11x - 1000$;
c. $f(x) = 7 - 9x$;   **d.** $f(x) = 5x - 7(x + 5)$;
e. $f(x) = 3(2x + 5) + 2(4 - 3x)$.

31 Dans chaque cas, donner les variations de la fonction f.
a. f est linéaire et $f(3) = -5$;
b. f est affine, $f(4) = 71$ et $f(71) = 4$;
c. f est affine, $f(-89) = 0,99$ et $f(-88) = 0,98$;
d. f est linéaire et $f(-1) = -2$.

32 Les droites d_1, d_2, d_3 et d_4 sont les représentations graphiques respectives des fonctions affines f, g, h et k dans un repère (O, I, J) du plan. Retrouver le tableau de signes de chacune de ces fonctions parmi les huit propositions ci-dessous :

a

x	$-\infty$		0		$+\infty$
$ax + b$		$-$	0	$+$	

b

x	$-\infty$		-6		$+\infty$
$ax + b$		$+$	0	$-$	

c

x	$-\infty$		2		$+\infty$
$ax + b$		$-$	0	$+$	

d

x	$-\infty$		0		$+\infty$
$ax + b$		$+$	0	$-$	

e

x	$-\infty$		-3		$+\infty$
$ax + b$		$-$	0	$+$	

f

x	$-\infty$		2		$+\infty$
$ax + b$		$+$	0	$-$	

g

x	$-\infty$		-3		$+\infty$
$ax + b$		$+$	0	$-$	

h

x	$-\infty$		-6		$+\infty$
$ax + b$		$-$	0	$+$	

33 *Voir la fiche Savoir faire, page 75.*

Établir le tableau de signes de chacune des fonctions suivantes :

a. $f : x \longmapsto x - 8$; **b.** $g : x \longmapsto -x + 3$;

c. $h : x \longmapsto -x - \dfrac{1}{2}$; **d.** $k : x \longmapsto x + \dfrac{4}{5}$.

34 Même question avec les fonctions suivantes :

a. $f : x \longmapsto -2x - 48$; **b.** $g : x \longmapsto 5x + 3$;

c. $h : x \longmapsto 4x - \dfrac{1}{2}$; **d.** $k : x \longmapsto -3x + \dfrac{2}{3}$.

35 Même question avec les fonctions suivantes :

a. $g : x \longmapsto 7 - 3x$; **b.** $h : x \longmapsto -\dfrac{3}{4}x + 3$;

c. $i : x \longmapsto \dfrac{-8}{5} - \dfrac{1}{3}x$; **d.** $k : x \longmapsto -\sqrt{5}\,x$.

36 Le tableau ci-contre donne le signe d'une fonction affine f.

x	$-\infty$		-5		$+\infty$
$f(x)$		$-$	0	$+$	

Parmi les fonctions suivantes, lesquelles peuvent convenir pour f ?

a. $g : x \longmapsto x - 5$; **b.** $h : x \longmapsto 2x + 10$;

c. $i : x \longmapsto \dfrac{1}{3}x + \dfrac{5}{3}$; **d.** $k : x \longmapsto -3x - 15$.

37 Pour chacun des tableaux de signes suivants, proposer trois fonctions affines f pouvant convenir :

a.

x	$-\infty$		3		$+\infty$
$f(x)$		$-$	0	$+$	

b.

x	$-\infty$		-1		$+\infty$
$f(x)$		$+$	0	$-$	

c.

x	$-\infty$		$-\dfrac{1}{2}$		$+\infty$
$f(x)$		$-$	0	$+$	

d.

x	$-\infty$		$\dfrac{2}{3}$		$+\infty$
$f(x)$		$+$	0	$-$	

38 Les droites d et $\mathscr{D}$ du dessin ci-contre sont les représentations graphiques respectives des fonctions affines f et g :

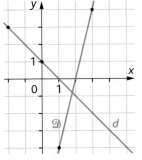

1. Donner les variations des fonctions f et g.

2. a. Donner par lecture graphique le tableau de signes de la fonction f.

b. Déterminer l'expression de $f(x)$ en utilisant les points à coordonnées entières marqués sur le dessin.

c. Vérifier la cohérence des résultats de **a.** et **b.**

3. Reprendre la question **2.** avec la fonction g.

4. Déterminer les coordonnées du point d'intersection des droites d et $\mathscr{D}$.

2 Fonction carré

39 À l'aide d'un contre-exemple, montrer que chacune des affirmations suivantes est fausse.

1. Deux nombres et leurs carrés sont toujours rangés dans le même ordre.

2. Pour tous les réels x, on a $x^2 = -x^2$.

3. Si $x \leqslant 5$, alors $x^2 \leqslant 25$.

4. Un réel est toujours inférieur à son carré.

40 Vrai ou faux ?

1. Si $a \leqslant b$, alors $a^2 \leqslant b^2$.

2. Si $a \leqslant b \leqslant 0$, alors $b^2 \leqslant a^2$.

3. Si $a^2 = b^2$, alors $a = b$.

4. Pour tout réel a, $a^2 > a - 1$. (On pourra proposer une justification graphique.)

41 🖩 Faire apparaître à l'écran de la calculatrice la courbe de la fonction carré pour $x \in [-10 ; 10]$.

42 Vrai ou faux ?

La fonction f est croissante sur $[0 ; +\infty[$ avec f définie par : *

a. $f : x \longmapsto -x^2$; **b.** $f : x \longmapsto x^2 + 2$;

c. $f : x \longmapsto x^2 - 2$; **d.** $f : x \longmapsto (x - 1)^2$;

e. $f : x \longmapsto (x + 1)^2$.

* Conseil

On se contentera ici d'une conjecture avec la calculatrice.

43 Dans chacun des cas suivants, comparer a^2 et b^2 sans utiliser la calculatrice :

a. $a = 2{,}501$ et $b = 2{,}5001$;

b. $a = -5$ et $b = -6$;

c. $a = -2{,}61$ et $b = -2{,}601$;

d. $a = -0{,}5$ et $b = \dfrac{1}{2}$.

44 Même exercice avec :

a. $a = 3{,}14$ et $b = \pi$; **b.** $a = 0{,}33$ et $b = \dfrac{1}{3}$;

c. $a = -\dfrac{1}{7}$ et $b = -\dfrac{1}{9}$; **d.** $a = 7$ et $b = 4\sqrt{3}$.

45 En observant la représentation graphique de la fonction carré, donner, dans chacun des cas suivants, le meilleur encadrement de a^2.

a. $a \in [2 ; 5]$. **b.** $a \in [-5 ; -3]$.

c. $a \in [-2 ; 5]$. **d.** $a \in [-4 ; 3]$.

46 Même exercice avec :

a. $1 \leqslant a \leqslant 6$; **b.** $-20 \leqslant a \leqslant -10$;

c. $-5 \leqslant a \leqslant 3$; **d.** $-8 \leqslant a \leqslant 8$.

47 Indiquer, dans chacun des cas suivants, le minimum et le maximum de la fonction carré sur l'intervalle I.

a. $I = [5 ; 20]$;　　　　**b.** $I = [-30 ; -10]$;
c. $I = [-3 ; 3]$;　　　　**d.** $I = [-5 ; \sqrt{29}]$.

48 Même exercice avec :

a. $I = \left[\dfrac{2}{3} ; \dfrac{5}{6}\right]$;　　　　**b.** $I = [1 - \sqrt{3} ; 1 - \sqrt{2}]$;

c. $I = \left[-\dfrac{8}{7} ; \sqrt{5} - 2\right]$.

49 *Voir la fiche Savoir faire, page 77.*
Étudier les variations de la fonction f sur l'intervalle $[0 ; +\infty[$:

a. $f(x) = x^2 - 2$;　　　　**b.** $f(x) = -x^2$;
c. $f(x) = -x^2 + 10$;　　**d.** $f(x) = -6 + x^2$.

50 **1.** Reprendre l'exercice précédent avec l'intervalle $]-\infty ; 0]$.
2. Donner alors le tableau de variation sur $\mathbb{R}$ de chacune de ces fonctions.

51 **Comparaison de x et x^2**
Sur la copie d'écran ci-dessous sont affichées les représentations graphiques des fonctions $x \longmapsto x$ et $x \longmapsto x^2$.

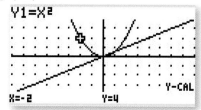

1. Justifier que sur l'intervalle $]-\infty ; 0]$, $x^2 \geqslant x$.
2. La copie d'écran proposée permet-t-elle de comparer x et x^2 quand $x \in [0 ; +\infty[$?
3. Utiliser une fenêtre plus adaptée pour conjecturer la comparaison de x et x^2 quand $x \in [0 ; +\infty[$.
4. Démonstration
a. Factoriser $x^2 - x$.
b. Recopier et compléter par $\leqslant$ ou $\geqslant$:
Sur l'intervalle $[1 ; +\infty[$; $x \dots 0$ et $x - 1 \dots 0$, donc $x^2 - x \dots 0$. Donc sur cet intervalle, $x^2 \dots x$.
c. Reprendre le raisonnement précédent sur l'intervalle $[0 ; 1]$.

52 **A.** La fonction f est définie sur $\mathbb{R}$ par :
$$f(x) = (x + 2)^2.$$
1. Visualiser la courbe de cette fonction à l'écran d'une calculatrice et conjecturer ses variations.
2. Démontrer la conjecture faite.
3. En déduire que f admet un minimum. En quelle valeur ce minimum est-il atteint et combien vaut-il ?
4. Déterminer le meilleur encadrement de $f(x)$ dans les cas suivants :
a. $x \in [-1 ; 3]$;　**b.** $x \in [-4 ; -3]$;　**c.** $x \in [-2 ; 0]$.
B. On considère la fonction $f : x \longmapsto (3 - x)^2$.
1. Montrer que f est décroissante sur l'intervalle $]-\infty ; 3]$.
2. En déduire le meilleur encadrement de $f(x)$ lorsque $x \in [-4 ; 2]$.

53 **Encadrer l'aire d'un carré**
En mesurant le côté a d'un carré, on a obtenu (en cm) :
$$3,4 \leqslant a \leqslant 3,5.$$
1. Donner le meilleur encadrement de l'aire en cm^2 de ce carré.
2. En déduire trois encadrements d'amplitude 1 cm^2 de cette aire.
3. Peut-on proposer un encadrement de l'aire d'amplitude 0,5 cm^2 ?

54 **Encadrer le volume d'un cylindre**
Le volume V d'un cylindre de hauteur h et de base un cercle de rayon r est $V = \pi r^2 h$.
Dans chacun des cas suivants, donner l'encadrement de V par des nombres décimaux ayant trois chiffres après la virgule :
a. $h = 3$ et $2,3 \leqslant r \leqslant 2,4$;
b. $h = \dfrac{7}{3}$ et $\dfrac{6}{5} \leqslant r \leqslant \dfrac{3}{2}$.

55 **Encadrer le volume d'une pyramide**
On considère une pyramide de hauteur h dont la base est un carré de côté c. Le volume de cette pyramide est donné par la formule $V = \dfrac{1}{3} c^2 h$.
Dans chacun des cas suivants, donner un encadrement de V par des nombres décimaux ayant trois chiffres après la virgule :
a. $h = 5,6$ et $4 < c < 4,1$;
b. $h = \dfrac{5}{4}$ et $\dfrac{6}{7} \leqslant c \leqslant 1$.

En architecture

On retrouve des formes paraboliques en architecture.

La forme géométrique du câble d'un pont suspendu et la forme de l'arche d'un pont en arc sont obtenues à partir de la représentation graphique d'une fonction f de la forme $f(x) = ax^2$.

3 Fonction inverse

56 **Vrai ou faux ?**

1. L'inverse d'un réel non nul x est $-x$.

2. Un nombre non nul et son inverse sont de même signe.

3. Si a et b sont des réels non nuls, tels que $a < b$, alors $\dfrac{1}{a} > \dfrac{1}{b}$.

4. L'inverse de l'opposé d'un réel non nul est égal à l'opposé de son inverse.

5. L'inverse du carré d'un réel non nul est égal au carré de son inverse.

57 **Vrai ou faux ?**

1. Si $x \leqslant y < 0$, alors $\dfrac{1}{x} \leqslant \dfrac{1}{y}$.

2. Si $t \in [2\,;3]$, alors $\dfrac{1}{3} \leqslant \dfrac{1}{t} \leqslant \dfrac{1}{2}$.

3. Si $a > b$, alors $\dfrac{1}{a} < \dfrac{1}{b}$.

58 Dans chacun des cas suivants, comparer, si c'est possible, $\dfrac{1}{a}$ et $\dfrac{1}{b}$.

a. $a > b > 2$;

b. $b \leqslant a$;

c. $a > 0 > b$;

d. $-2 < a < b$.

59 Même exercice avec :

a. $a = 5$ et $b \in \,]0\,;3]$;

b. $a \in [-3\,;-2]$ et $b = -4$;

c. $a > 5$ et $b < 4$.

60 Dans chacun des cas suivants, comparer les inverses des nombres donnés, sans utiliser la calculatrice :

a. 102 et 103 ;

b. π et 3,14 ;

c. $-\dfrac{2}{3}$ et -1 ;

d. $-\pi^2$ et $\sqrt{3}$.

61 *Voir la fiche Savoir faire, page 79.*

Dans chacun des cas suivants, donner le meilleur encadrement possible de $\dfrac{1}{x}$:

a. $3 < x < 5$;

b. $-7 \leqslant x \leqslant -5$;

c. $-1 < x \leqslant -0{,}5$;

d. $\dfrac{2}{3} \geqslant x > \dfrac{1}{2}$.

62 Même exercice avec :

a. $x \in \,]4\,;5]$;

b. $x \in [-4\,;-3[$;

c. $x \in [1\,;+\infty[$;

d. $x \in \,]-\infty\,;-2]$.

63 Dans chacun des cas suivants, indiquer le minimum et le maximum de la fonction inverse sur l'intervalle I :

a. $I = [1\,;2]$;

b. $I = [-3\,;-1]$;

c. $I = [0{,}01\,;0{,}1]$;

d. $I = \left[-\dfrac{1}{4}\,;-0{,}2\right]$.

64 *Voir la fiche Savoir faire, page 79.*

Étudier les variations de la fonction f sur l'intervalle $]0\,;+\infty[$:

a. $f(x) = \dfrac{1}{x} - 2$;

b. $f(x) = -\dfrac{1}{x}$;

c. $f(x) = 10 - \dfrac{1}{x}$;

d. $f(x) = -6 + \dfrac{1}{x}$.

65 **1.** Reprendre l'exercice précédent avec l'intervalle $]-\infty\,;0[$.

2. Donner alors le tableau de variation de chacune de ces fonctions.

66 Soit $f : x \longmapsto 2 - \dfrac{1}{x}$ avec $x \neq 0$.

1. Étudier les variations de f sur chacun des intervalles $]-\infty\,;0[$ et $]0\,;+\infty[$.

2. Sur l'intervalle $[1\,;2]$ la fonction f admet-elle un maximum ? Un minimum ?

3. Montrer que f admet un maximum valant 3 sur l'intervalle $]-\infty\,;-1]$.

67 *Voir la fiche Savoir faire, page 79.*

On considère la fonction f définie par $f(x) = \dfrac{1}{x-2}$.

1. Pourquoi l'ensemble de définition de f est-il $\mathbb{R}\backslash\{2\}$?

2. Visualiser la courbe de cette fonction à l'écran d'une calculatrice et conjecturer ses variations.

3. Démontrer la conjecture faite.

68 *Voir la fiche Savoir faire, page 79.*

La fonction f est définie sur $I = \,]-\infty\,;-3[$ par :
$$f(x) = \dfrac{1}{x+3}.$$

1. Montrer que f est décroissante sur I.

2. En déduire le meilleur encadrement de $f(x)$ lorsque $x \in [-5\,;-4]$.

69 Chaque courbe dessinée ci-dessous a une équation du type $y = \dfrac{k}{x}$. Déterminer la valeur de k pour chacune de ces courbes.

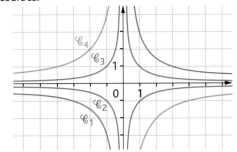

Parabole et hyperbole en français

Une parabole est un récit allégorique qui renferme une vérité, un enseignement (ex. *les paraboles de l'Évangile*).

Une hyperbole est une figure de style qui consiste à employer une expression exagérée pour frapper l'esprit (ex. *verser des torrents de larmes*).

Problèmes

AU FIL DU TEMPS

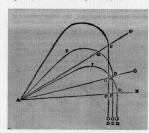

Paraboles et hyperboles ont été étudiées dans l'Antiquité par **Apollonius de Perge** (262-180 av. J.-C.) comme intersection d'un cône avec un plan.

C'est au XVIIᵉ siècle, avec le Français **René Descartes** et l'Anglais **John Wallis**, qu'elles furent étudiées comme des courbes ayant une équation algébrique. L'Italien **Niccolo Fontana**, dit **Tartaglia** dans son ouvrage *Nova Scientia* (1537), modélise la trajectoire d'un projectile. C'est **Galilée** qui le premier modélise cette trajectoire par une parabole, courbe représentative de la fonction « carré ».

70 Le tableau ci-dessous donne le signe d'une fonction affine $f : x \longmapsto ax + b$:

x	$-\infty$		2		$+\infty$
$ax + b$		$+$	0	$-$	

1. Quel est le signe de a ?
2. Déterminer le signe de b.
3. On sait de plus que le point de coordonnées $(a\,;b)$ appartient à la courbe représentative de la fonction carré ; calculer a et b.

71 Le tableau ci-dessous donne le signe d'une fonction affine $x \longmapsto ax + b$:

x	$-\infty$		-4		$+\infty$
$ax + b$		$-$	0	$+$	

1. Quel est le signe de a ?
2. Déterminer le signe de b.
3. On sait de plus que le point de coordonnées $(a\,;b)$ appartient à la courbe représentative de la fonction inverse. Calculer a et b.

72 La fonction f est linéaire et sa représentation graphique passe par le point de coordonnées $(\alpha\,;\beta)$ différent de l'origine.
1. Peut-on avoir $\alpha = 0$?
2. Choisir, parmi les mots « croissante », « décroissante » et « constante », pour compléter les phrases suivantes :
a. Si $\alpha > 0$ et $\beta > 0$, alors f est .... sur $\mathbb{R}$.
b. Si $\alpha < 0$ et $\beta > 0$, alors f est .... sur $\mathbb{R}$.
c. Si $\alpha > 0$ et $\beta = 0$, alors f est .... sur $\mathbb{R}$.
d. Si $\alpha > 0$ et $\beta < 0$, alors f est .... sur $\mathbb{R}$.
e. Si $\alpha < 0$ et $\beta < 0$, alors f est .... sur $\mathbb{R}$.
f. Si $\alpha < 0$ et $\beta = 0$, alors f est .... sur $\mathbb{R}$.

73 Utiliser les variations d'une fonction affine
Le but est de montrer, *sans faire de calculs ni de dessin*, qu'il n'existe pas de fonction affine dont la représentation graphique dans un repère du plan passe par les points $A(-5\,;11)$, $B(-4\,;13)$ et $C(-3\,;12)$.
On note f et g les fonctions affines ayant pour représentations graphiques respectives les droites (AB) et (BC).
1. Que peut-on dire des fonctions f et g si le point $C \in (AB)$?
2. Expliquer pourquoi l'observation des coordonnées des points A et B permet d'affirmer que f est croissante.
3. Préciser de même les variations de la fonction g.
4. Conclure.

74 Montrer, *sans calculs ni dessin*, que les points $A(0\,;-2)$, $B(0,5\,;-2,1)$ et $C(1\,;-1,9)$ ne sont pas alignés.

75 Justifier un alignement
On considère les points $A(5\,;8)$, $B(13\,;21)$ et $C(45\,;73)$ dans un repère du plan.
1. Pourquoi la méthode utilisée dans l'exercice **73** ne permet-elle pas de conclure quant à l'alignement des points A, B et C ?
2. a. Déterminer l'expression $f(x)$ de la fonction affine ayant pour représentation graphique la droite $(AB)^*$.
b. Montrer que les points A, B et C sont alignés.
c. Quelle est l'expression de la fonction affine ayant pour représentation graphique la droite (AC) ?

* Conseil *Voir la fiche Savoir faire, page 75.*

76 Logique
La représentation graphique d'une fonction f passe par les points $A(-2\,;0)$, $B(0\,;-1)$ et $C(-6\,;2)$.
Parmi ces affirmations, lesquelles sont vraies ?
Mathilde : « f est une fonction affine. »
Sami : « Il est possible que f ne soit pas affine. »
Manon : « C'est sûr, f n'est pas une fonction affine ! »
Kevin : « Il est possible que f soit une fonction affine. »

77 **Avec le logiciel Geogebra**
On représente graphiquement, par quatre droites d_1, d_2, d_3 et d_4, les fonctions affines f, g, h et k. Associer chaque droite à une des expressions de la fenêtre algèbre.

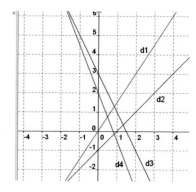

78 On considère une fonction affine f définie sur $\mathbb{R}$ par :
$$f(x) = ax + b.$$
On sait que $1 \leqslant a \leqslant 2$ et que la droite qui représente cette fonction dans un repère coupe l'axe des abscisses au point d'abscisse -1.
1. Proposer une expression possible pour $f(x)$.
2. Déterminer l'ensemble des valeurs possibles du réel b.

79 On considère une fonction affine g définie sur $\mathbb{R}$ par $g(x) = ax + b$. On sait que la droite qui représente cette fonction dans un repère coupe l'axe des abscisses au point d'abscisse 2 et l'axe des ordonnées en un point dont l'ordonnée appartient à l'intervalle $]-2\,;-1[$.
1. Proposer une expression possible pour $g(x)$.
2. Déterminer l'ensemble des valeurs possibles du réel a.

80 On considère une fonction affine f définie sur $\mathbb{R}$ par :
$$f(x) = ax + b.$$
On sait que la droite qui représente la fonction f dans un repère passe par le point de coordonnées $(-2\,;-1)$.
1. Exprimer b en fonction de a.
2. En déduire un encadrement de b sachant que $-3 \leqslant a \leqslant 2$.

81 On considère une fonction affine f définie sur $\mathbb{R}$ par :
$$f(x) = ax + b.$$
On sait que la droite qui représente cette fonction dans un repère passe par le point de coordonnées $(2\,;-4)$.
1. Exprimer a en fonction de b.
2. En déduire l'ensemble des valeurs possibles de a sachant que $b \in]-2\,;-1[$.

Étymologie

Le mot « parabole » vient du grec *parabolê* (para : à côté) et *ballein* (lancer, jeter).
La parabole correspond à la trajectoire d'un projectile lancé et retombant à terre.

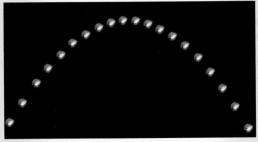

Chronophotographie d'une figure de style freestyle au festival international des sports extrêmes.

Chronophotographie d'une balle lancée.

---

82 On considère une fonction affine f définie sur $\mathbb{R}$ par :
$$f(x) = ax + b.$$
On sait que la droite qui représente cette fonction dans un repère passe par le point de coordonnées $(-a\,;0)$.
1. Montrer que le point de coordonnées $(a\,;b)$ appartient à la courbe de la fonction carré.
2. En déduire un encadrement de b sachant que $-6 \leqslant a \leqslant 7$.

83 On considère une fonction affine non constante f définie sur $\mathbb{R}$ par $f(x) = ax + b$.
On sait que la droite qui représente cette fonction dans un repère passe par le point $(b\,;b+1)$.
1. Montrer que le point de coordonnées $(a\,;b)$ appartient à la courbe de la fonction inverse.
2. En déduire l'ensemble des valeurs possibles de b sachant que $a \in]0,1\,;0,5[$.

84 La fonction f est définie sur $\mathbb{R}$ de la façon suivante :
- sur $\left]-\infty\,;-\dfrac{1}{2}\right]$, $f(x) = x^2$;
- sur $\left[\dfrac{1}{2}\,;+\infty\right[$, $f(x) = \dfrac{1}{x}$;
- sur $\left[-\dfrac{1}{2}\,;\dfrac{1}{2}\right]$, la courbe représentative de f est le segment $[AB]$ qui permet de tracer la courbe de f sur $\mathbb{R}$ sans « lever le crayon ».

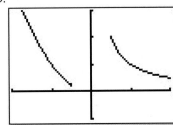

1. Tracer la courbe de f dans un repère.
2. Déterminer l'expression de la fonction affine ayant pour représentation graphique la droite (AB).
3. Établir le tableau de variation de la fonction f.

85 Comparer les réels a et b donnés ci-dessous.
On justifiera la réponse par une phrase de la forme :
« La fonction $x \longmapsto$ ...... est ...... sur l'intervalle ...... et ......$<$...... ».
Exemple :
$a = -13 \times 2,01 + 21$ et $b = -13 \times 2,02 + 21$.

La fonction $x \longmapsto -13x + 21$ *est* **décroissante sur** $\mathbb{R}$ *et* $2,01 < 2,02$, *donc* $a > b$.
a. $a = 5\pi - 8$ et $b = 5 \times 4 - 8$.
b. $a = -5 - 2 \times \dfrac{7}{3}$ et $b = -5 - 2 \times \dfrac{11}{3}$.
c. $a = \pi^2$ et $b = 3,14^2$.
d. $a = \left(-\dfrac{2}{3}\right)^2$ et $b = (-0,66)^2$.
e. $a = -\dfrac{1}{0,709}$ et $b = -\dfrac{1}{0,71}$.

86  Comparaison de x^2 et $\dfrac{1}{x}$

1. Justifier que, pour tout $x < 0$, on a $\dfrac{1}{x} < x^2$.

2. Conjecturer, à l'aide de la calculatrice, la comparaison de x^2 et $\dfrac{1}{x}$ lorsque x est un réel strictement positif.

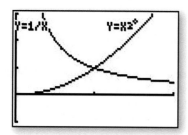

3. Démonstration utilisant les variations

On note $f : x \longmapsto x^2$ et $g : x \longmapsto \dfrac{1}{x}$.

a. Recopier et compléter :

La fonction f est ... sur l'intervalle $]0\,;1]$ donc, pour tout $x \in\ ]0\,;1]$, $f(x)...f(1)$.

La fonction g est ... sur l'intervalle $]0\,;1]$ donc, pour tout $x \in\ ]0\,;1]$, $g(x)...g(1)$.

Or $f(1)...g(1)$ donc, pour tout $x \in\ ]0\,;1]$, on a $x^2...\dfrac{1}{x}$.

b. Reprendre ce raisonnement lorsque $x \in [1\,; +\infty[$.

4. Démonstration algébrique

a. Montrer que, pour tout $x \neq 0$, on a :

$$x^2 - \frac{1}{x} = \frac{(x-1)(x^2+x+1)}{x}.$$

b. Justifier alors que, pour $x > 0$, $x^2 - \dfrac{1}{x}$ a le même signe que $(x-1)$.

c. Donner le tableau de signes de $(x-1)$ et conclure.

87 Une course en taxi est facturée selon le modèle suivant : une prise en charge de 2,50 € au départ, puis 1,20 € par kilomètre parcouru.

1. Nicolas prend ce taxi et parcourt 5 km. Quel est le montant de sa facture ?

Quel est le prix moyen par kilomètre parcouru ?

Même question si le parcours de Nicolas en taxi est 12 km.

2. On appelle x le nombre de kilomètres parcourus en taxi. Exprimer en fonction de x le montant $f(x)$ de la facture.

3. Quelle est la nature de la fonction f ?

Préciser ses variations.

4. On appelle $g(x)$ le prix moyen par kilomètre parcouru.

Montrer que $g(x) = 1,2 + \dfrac{2,5}{x}$.

5. Montrer que la fonction g est décroissante sur $]0\,; +\infty[$.

6. Johan a pris ce taxi et le prix moyen au kilomètre de sa course est 1,30 €.

Calculer la longueur de son trajet et le montant de sa facture.

7. Akim aussi a utilisé ce taxi ; il affirme que son trajet lui est revenu à 1 € le kilomètre.

Que penser de cette affirmation ?

88 On considère une fonction f définie sur l'intervalle $[0\,; +\infty[$ telle que $f(0) = 3$ et $f(1) = 2$.

1. Peut-on en déduire les variations de f ?

2. L'expression de $f(x)$ est de la forme $f(x) = \dfrac{a}{x+b}$, où a et b désignent des réels fixés. Calculer les nombres a et b.

3. Démontrer que la fonction f est décroissante sur l'intervalle $[0\,; +\infty[$.

89 Une voûte parabolique est destinée à supporter un toit dont les pans sont symétriques par rapport au faîte S. Cette voûte est bâtie sur un mur porteur et sa base $[AA']$ mesure 4 m.

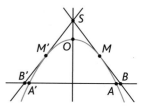

Le sommet O de la voûte est à 2 m à la verticale du mur. On veut faire reposer les poutres $[BS]$ et $[B'S]$ sur la voûte de sorte que les deux pans de toit soient perpendiculaires.

Le problème à résoudre est donc : sur quels points M et M′ de la voûte faut-il faire reposer ces poutres ?

Dans un repère orthonormé d'origine O tel que $A(2\,; -2)$, la voûte est la représentation graphique de la fonction f : $x \longmapsto -\dfrac{1}{2}x^2$ définie sur l'intervalle $[-2\,;2]$.

On admet que la tangente à la parabole au point d'abscisse u est la représentation graphique de la fonction affine $x \longmapsto -ux + \dfrac{u^2}{2}$.

1. On note a, avec $a \neq 0$, l'abscisse du point M ; préciser les coordonnées des points M et M'.

2. Donner les expressions des fonctions affines ayant pour représentations graphiques les tangentes (BM) et (BM').

3. En déduire l'ordonnée du point S en fonction du réel a.

4. Montrer, en utilisant l'égalité de Pythagore, que le triangle $MM'S$ est rectangle en S si, et seulement si, $a^2(a^2-1) = 0$.*

5. En déduire les positions des points M et M' répondant au problème.

*** Conseil**

On utilise un résultat du chapitre 9.

90  Recoupe ou ne recoupe pas ?

On considère la fonction linéaire f définie par $f(x) = x$ et la fonction g définie par $g(x) = ax^2$ où a est un réel fixé non nul.

Sur la figure ci-après, on représente graphiquement dans un repère (O, I, J) la fonction f et la fonction g dans le cas où $a = 0,23$.

On appelle respectivement $\mathscr{C}_f$ et $\mathscr{C}_g$ les courbes représentatives des fonctions f et g.

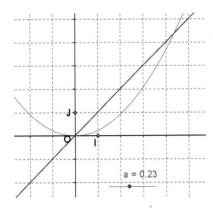

a = 0,23

1. Dans le cas où $a = 0,23$, calculer les coordonnées des points d'intersection de ces deux courbes.

2. Réaliser la figure sur un logiciel de géométrie dynamique et faire varier la valeur de a entre 0,01 et 0,5 en prenant un pas de 0,01. Conjecturer le nombre de points d'intersection entre les courbes $\mathscr{C}_f$ et $\mathscr{C}_g$.

3. Résoudre l'équation $ax^2 = x$.

4. La réponse à la question **3.** confirme-t-elle ou infirme-t-elle la conjecture faite en **2.** ?

91 🖥 Une parabole « point par point »

Avec le logiciel Geogebra, on place le point $A(0\,;2)$.
À partir d'un point B de l'axe des abscisses, on construit le point D_1 à l'intersection de la médiatrice du segment $[AB]$ et de la parallèle à l'axe des ordonnées passant par B (figure ①).
En décochant « afficher l'objet », on ne garde visible que les points A et D_1 (figure ②).

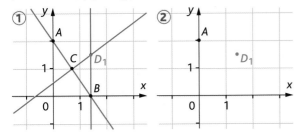

1. Reproduire cette construction cinq fois (sur le même dessin) en changeant de point sur l'axe des abscisses.
On nommera D_1, D_2, D_3, D_4 et D_5 les points ainsi construits.

2. En utilisant l'icône ci-contre de la barre d'outils, faire construire une courbe passant par les points D_1, D_2, D_3, D_4 et D_5.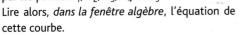
Lire alors, *dans la fenêtre algèbre*, l'équation de cette courbe.

3. Vérifier que cette équation peut se mettre sous la forme $y = f(x)$ où $x \longmapsto \dfrac{1}{4}x^2 + 1$.

4. On se propose maintenant de démontrer que tout point construit sur le modèle de D_1 est sur la courbe représentative de f. On considère donc un point $B(a\,;0)$ quelconque de l'axe des abscisses. Que peut-on dire de l'abscisse du point que l'on veut construire ?
Calculer alors l'ordonnée b de D en fonction de a et conclure.*

* **Conseil**
Cette question utilise un résultat du chapitre 9. On donne comme indication que le point D est équidistant des points A et B.

92 🖥 Une propriété de l'hyperbole

Dans un repère orthonormé, on trace la courbe de la fonction inverse $x \longmapsto \dfrac{1}{x}$ sur l'intervalle $]0\,;+\infty[$. Sur cette hyperbole, on place les points A, B et C d'abscisses respectives 1, a et a^2, où a est un réel strictement positif. Les points A', B' et C' sont les points de l'axe des abscisses ayant mêmes abscisses que A, B et C.

1. Réaliser la figure avec le logiciel Geogebra, en faisant varier a de 0,1 à 10. Faire afficher les aires des trapèzes $AA'B'B$ et $BB'C'C$. Émettre une conjecture en faisant varier le curseur a.

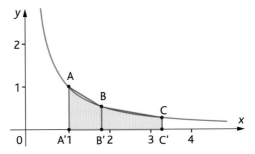

2. Démonstration

a. Donner les coordonnées des points A', B', C', A, B et C.

b. Démontrer la conjecture émise à la question **1.***

* **Conseil**
L'aire d'un trapèze est : $\dfrac{(\text{petite base } + \text{ grande base}) \times \text{hauteur}}{2}$.

93 🖥 Question ouverte

Benjamin a représenté graphiquement dans un repère orthonormé (O, I, J) la fonction f définie par $f(x) = x^2$ et le cercle de centre $A(0\,;1)$ et de rayon 1.
Il conjecture que le cercle et la parabole se superposent sur un petit intervalle autour de zéro.

1. Réaliser la construction avec un logiciel de géométrie dynamique.

2. En zoomant autour de zéro, que dire de la conjecture de Benjamin ?

3. Prendre un point M d'abscisse x de la parabole ; résoudre l'équation $AM^2 = 1$ et conclure.*

* **Conseil**
Cette question utilise un résultat du chapitre 9.

94 Question ouverte

Montrer que toute droite passant par l'origine et de coefficient directeur positif, autre que l'axe des abscisses, coupe la représentation graphique de la fonction inverse en deux points symétriques par rapport à l'origine.

Partir d'un bon pied

1 Développer un carré

1. QCM Pour chacune des affirmations suivantes, préciser la seule réponse correcte.

1. $(x + 3)^2 = \ldots$	**a.** $x^2 + 9$	**b.** $x^2 + 3x + 9$	**c.** $x^2 + 6x + 9$	**d.** $x^2 - 6x + 9$
2. $(2 - x)^2 = \ldots$	**a.** $x^2 - 4x + 4$	**b.** $4 - x^2$	**c.** $4 + x^2$	**d.** $(2 - x)(2 + x)$
3. $(3x - 5)^2 = \ldots$	**a.** $3x^2 - 25$	**b.** $9x^2 - 25$	**c.** $3x^2 - 30x + 25$	**d.** $9x^2 - 30x + 25$

2. À l'oral, développer les carrés suivants :

a. $(x - 5)^2$;   **b.** $\left(\dfrac{1}{2}x + 1\right)^2$;   **c.** $(4 - 3x)^2$.

2 Connaître les variations des fonctions de référence

Répondre par **vrai** ou par **faux** aux affirmations suivantes :

1. La fonction carré est croissante sur l'intervalle $[4 ; +\infty[$.

2. La fonction inverse est décroissante sur tout intervalle ne contenant pas zéro.

3. La fonction carré est croissante sur l'intervalle $[-1 ; 3]$.

4. La fonction carré est décroissante sur l'intervalle $[-5 ; -1]$.

5. La fonction affine $x \longmapsto -2x + 3$ est croissante sur $\mathbb{R}$.

3 Résoudre une équation du premier degré

Répondre par **vrai** ou par **faux** aux affirmations suivantes :

1. L'équation $x + 1 = 0$ a pour unique solution -1.

2. L'équation $2x = 0$ a pour solution -2.

3. L'expression $2x + 3$ s'annule pour $x = \dfrac{3}{2}$.

4. L'antécédent de 0 par la fonction $x \longmapsto 4 - 3x$ est $\dfrac{4}{3}$.

5. Si $c \neq 0$, l'équation $cx + d = 0$ a une et une seule solution.

4 Calculer avec des quotients

Associer à chaque expression de la première ligne l'expression de la deuxième ligne qui lui est égale.

a. $\dfrac{5}{x - 2} + 3$; **b.** $\dfrac{5}{x - 2} - 3$; **c.** $-3 - \dfrac{5}{x - 2}$; **d.** $3 + \dfrac{17}{x - 2}$; **e.** $\dfrac{-5}{x - 2} + 3$.

❶ $\dfrac{3x - 11}{x - 2}$; **❷** $\dfrac{3x + 11}{x - 2}$; **❸** $\dfrac{-1 + 3x}{x - 2}$; **❹** $\dfrac{-3x + 1}{x - 2}$; **❺** $-\dfrac{3x - 11}{x - 2}$.

 Pour réviser : des rappels de cours et des tests dans les **Techniques de base**

Études de fonctions

Des maths partout !

Certains architectes conçoivent des bâtiments curvilignes complexes. Ces réalisations architecturales sont possibles avec le développement des logiciels de conception assistée par ordinateur.

Frank Gehry : Musée Guggenheim à Bilbao (Espagne) (1997).

Renzo Piano : Centre culturel Jean-Marie Tjibaou à Nouméa, en Nouvelle-Calédonie (1998).

Antti Lovag : Le Palais Bulles à Théoule-sur-Mer (années 70).

L'objectif principal de ce chapitre est de compléter l'étude des fonctions carré et inverse vues au chapitre 3, par l'étude de fonctions plus générales, dont les courbes sont aussi des paraboles ou des hyperboles. Leur connaissance permet, par exemple, de résoudre des équations ou des problèmes d'optimisation en physique, en économie, ...

Découvrir

1 Variation de la fonction $x \mapsto ax^2 + bx + c$ $(a \neq 0)$

À l'aide du logiciel Geogebra, on crée trois curseurs a, b et c variant entre -5 et 5 avec un pas de $0,1$.

Dans la ligne de saisie, on tape l'expression : $f(x) = a \times x^2 + b \times x + c$.

> Une fonction de la forme $x \mapsto ax^2 + bx + c$, avec $a \neq 0$, est appelée fonction polynôme de degré 2.

1. Reproduire cette construction.

2. Faire varier successivement les trois curseurs (activer la fonction « animer » par un clic droit sur le curseur.)

3. Quelles conjectures peut-on faire quant à l'influence de chacun des coefficients a, b, et c sur les variations de la fonction f ?

4. Conjecturer, à l'aide du logiciel, le tableau de variation de la fonction f dans les cas suivants :

a. $f : x \mapsto 0,3x^2 + 1,2x - 3,8$;

b. $f : x \mapsto -1,5x^2 + 3x + 0,5$.

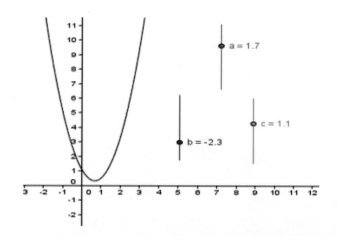

2 La forme $a(x - \alpha)^2 + \beta$ et l'extremum de $f : x \mapsto ax^2 + bx + c$

On suppose toujours le coefficient a non nul.

> Une expression de la forme $a(x - \alpha)^2 + \beta$ peut s'écrire, en développant, sous la forme : $ax^2 + bx + c$.
> L'expression $a(x - \alpha)^2 + \beta$ est appelée la forme canonique.

On s'intéresse ici au problème réciproque :

peut-on toujours écrire $ax^2 + bx + c$ sous la forme $a(x - \alpha)^2 + \beta$?

1. Étude de quelques cas

Mettre sous la forme $a(x - \alpha)^2 + \beta$ les expressions suivantes, où $x \in \mathbb{R}$:

a. $x^2 - 6x + 9$;   **b.** $-2x^2 - 4x - 2$;

c. $x^2 - 4x + 7$ (indication : $7 = 4 + 3$).

> **Rappels**
> $a^2 + 2ab + b^2 = (a + b)^2$
> $a^2 - 2ab + b^2 = (a - b)^2$

2. Utilisation d'un logiciel de calcul formel

Pour des expressions plus compliquées, on peut utiliser un logiciel de calcul formel.*

Sur cette copie d'écran du logiciel Xcas, on lit :
$$0,3x^2 + 1,2x - 3,8 = 0,3(x + 2)^2 - 5.$$

* Conseil

Dans Xcas, on trouve « forme canonique » dans « Scolaire seconde ».

```
canonical_form(0.3*x^2+1.2*x-3.8)
                              0.3·(x+2.0)²-5.0
```

3. Intérêt de l'expression $a(x - \alpha)^2 + \beta$

Un carré étant positif ou nul, l'expression $a(x - \alpha)^2 + \beta$ permet de montrer que la fonction associée possède un extremum (maximum ou minimum) sur $\mathbb{R}$.

Par exemple, **pour $f : x \longmapsto 0{,}3x^2 + 1{,}2x - 3{,}8$, l'écriture $0{,}3(x + 2)^2 - 5$ permet le raisonnement suivant :**

Pour tout réel x : $(x + 2)^2 \geqslant 0$; donc $0{,}3(x + 2)^2 \geqslant 0$ et $0{,}3(x + 2)^2 - 5 \geqslant -5$.

Ainsi, pour tout réel x, $f(x) \geqslant -5$. Comme de plus $f(-2) = -5$, on peut conclure :

sur $\mathbb{R}$, -5 est le minimum de la fonction f ; il est atteint en -2.

4. Application

Après avoir écrit $f(x)$ sous la forme $a(x - \alpha)^2 + \beta$ à l'aide d'un logiciel de calcul formel, déterminer l'extremum de la fonction f sur $\mathbb{R}$, en vous inspirant de l'exemple ci-dessus.

a. $f(x) = 14x^2 + 252x + 1\,746$;

b. $f(x) = -1{,}5x^2 + 3x + 0{,}5$.

③ Le cycliste et la fonction homographique

Un cycliste roule à la vitesse moyenne de 20 km/h pendant la première partie de son trajet. À la fin de cette première partie, son chronomètre indique qu'il est parti depuis 1 heure. La seconde partie du trajet comporte plus de descentes et est parcourue à la vitesse moyenne de 28 km/h.

> **Rappel**
>
> $$\text{vitesse moyenne} = \frac{\text{distance parcourue}}{\text{durée du parcours}}.$$

1. Vitesse = danger ?

a. Quelle distance a-t-il parcourue pendant la première partie ?

b. Le cycliste pense que s'il fait le même nombre de kilomètres pendant la seconde partie, sa vitesse moyenne sur l'ensemble de la sortie sera égale à 24 km/h (car il calcule la moyenne des deux vitesses : $24 = \dfrac{20 + 28}{2}$). Ce calcul est-il correct ?

2. Un peu de réflexion...

On note t la durée, exprimée en heure, de la seconde partie du parcours et $v(t)$ la vitesse moyenne sur l'ensemble de la sortie.

Conjecturer **sans faire de calculs** les réponses aux questions suivantes.

a. Par quelles valeurs constantes peut-on encadrer $v(t)$?

b. Quelle doit être la durée de la seconde partie pour que la vitesse moyenne sur l'ensemble du parcours soit 24 km/h ?

c. Comparer les vitesses moyennes $v(t_1)$ et $v(t_2)$ dans les deux cas suivants :

• le cycliste a roulé pendant un temps $t_1 = 2$ h à 28 km/h ;

• le cycliste a roulé pendant un temps $t_2 = 3$ h à 28 km/h.

3. Un peu de calculs...

a. Exprimer en fonction de t la distance parcourue lors de la seconde partie.

b. En déduire que $v(t) = \dfrac{28t + 20}{t + 1}$.

> Une fonction de la forme $x \longmapsto \dfrac{ax + b}{cx + d}$ est appelée fonction homographique.

c. Vérifier par le calcul la réponse proposée à la question **2.b.**

d. Démontrer que, pour tout réel $t \geqslant 0$, $v(t) - 20 \geqslant 0$ et que $v(t) - 28 \leqslant 0$. En déduire un encadrement de $v(t)$.

e. La durée totale du trajet est de 5 heures. Calculer la vitesse moyenne du cycliste.

f. ▦ En faisant tracer par la calculatrice la courbe représentant la fonction v, vérifier la réponse proposée à la question **2.c.**, puis indiquer les variations de la fonction v sur l'intervalle $[0 ; +\infty[$.

 Les activités TICE corrigées animées

1 Fonctions polynômes de degré 2

Définition

On appelle **fonction polynôme de degré 2** toute fonction de la forme $x \longmapsto ax^2 + bx + c$ où a, b et c sont des réels fixés avec $a \neq 0$.

Les fonctions polynômes de degré 2 sont définies sur $\mathbb{R}$.

Propriété admise

Pour toute fonction polynôme de degré 2, $f : x \longmapsto ax^2 + bx + c$, il existe des réels α et β uniques tels que, pour tout réel x, $f(x) = a(x - \alpha)^2 + \beta$.

L'écriture $a(x - \alpha)^2 + \beta$ d'une fonction polynôme de degré 2 s'appelle sa **forme canonique** ; on peut l'obtenir avec un logiciel de calcul formel.

▶ Voir Découvrir 2, page 96

Exemples

• $3x^2 - 12x + 5 = 3(x - 2)^2 - 7$ (ici $\alpha = 2$ et $\beta = -7$).

• $-2x^2 - 2x = -2\left(x + \dfrac{1}{2}\right)^2 + \dfrac{1}{2}$ $\left(\text{ici } \alpha = -\dfrac{1}{2} \text{ et } \beta = \dfrac{1}{2}\right)$.

Propriété

Les variations sur $\mathbb{R}$ de la fonction : $x \longmapsto a(x - \alpha)^2 + \beta$ sont de deux types, suivant le **signe de a** :

• **quand $a > 0$ (positif)**

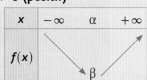

f est d'abord décroissante, puis croissante.

f **admet pour minimum β, atteint en α.**

• **quand $a < 0$ (négatif)**

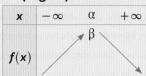

f est d'abord croissante, puis décroissante.

f **admet pour maximum β, atteint en α.**

Démonstration

On va démontrer par exemple que, si $a < 0$, la fonction
$f : x \longmapsto a(x - \alpha)^2 + \beta$ est croissante sur l'intervalle $]-\infty ; \alpha]$.
On considère des réels x_1 et x_2 de l'intervalle $]-\infty ; \alpha]$ tels que $x_1 \leqslant x_2$.
On a donc : $x_1 \leqslant x_2 \leqslant \alpha$.

On utilise les définitions du chapitre 1 page 20

• On retranche α à chaque membre,
donc : $x_1 - \alpha \leqslant x_2 - \alpha \leqslant 0$.
$x_1 - \alpha$ et $x_2 - \alpha$ appartiennent donc à l'intervalle $]-\infty ; 0]$.

• La fonction carré est décroissante sur l'intervalle $]-\infty ; 0]$, et $x_1 - \alpha \leqslant x_2 - \alpha$
donc : $(x_1 - \alpha)^2 \geqslant (x_2 - \alpha)^2$.

▶ Voir chapitre 3, page 76

• On multiplie par le réel négatif a,
donc : $a(x_1 - \alpha)^2 \leqslant a(x_2 - \alpha)^2$.

• On ajoute β, d'où : $a(x_1 - \alpha)^2 + \beta \leqslant a(x_2 - \alpha)^2 + \beta$.
On obtient ainsi : $f(x_1) \leqslant f(x_2)$.

Quand on multiplie par un réel négatif, l'ordre de change !

• Finalement, pour tous réels x_1 et x_2 de l'intervalle $]-\infty ; \alpha]$ tels que $x_1 \leqslant x_2$, on a $f(x_1) \leqslant f(x_2)$.
Ceci prouve que la fonction f est croissante sur l'intervalle $]-\infty ; \alpha]$.

L'exercice 29, page 109, propose la justification des autres flèches des tableaux ci-dessus.

Énoncé

1. La fonction f est définie sur $\mathbb{R}$ par $f(x) = 2x^2 + 28x + 87$.

Vérifier que, pour tous réels x, $f(x) = 2(x + 7)^2 - 11$.

En déduire le tableau des variations de f.

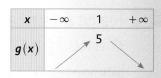

2. Justifier que la fonction g définie sur $\mathbb{R}$ par $g(x) = -3x^2 + 6x + 2$ admet le tableau de variation ci-dessus.

Solution rédigée

1. On développe l'expression sous forme canonique :
$2(x + 7)^2 - 11 = 2(x^2 + 14x + 49) - 11$ (point ❶)
$\qquad = 2x^2 + 28x + 98 - 11$
$\qquad = 2x^2 + 28x + 87 = f(x)$.

On retrouve bien l'expression : $f(x) = 2x^2 + 28x + 87$.
Dans la forme canonique $a(x - \alpha)^2 + \beta$, on a $a = 2$, donc $a > 0$.
Par conséquent, f est d'abord décroissante, puis croissante (point ❷).

La forme canonique $2(x + 7)^2 - 11$ permet alors d'affirmer que :
pour tout réel x, $f(x) \geqslant -11$, puisque $2(x + 7)^2 \geqslant 0$;
de plus $f(-7) = -11$: -11 est donc le minimum de f atteint en -7.

D'où le tableau ci-dessous :

2. g est une fonction polynôme de degré 2, donc $g(x)$ admet une forme canonique du type : $-3(x - \alpha)^2 + \beta$ (point ❸).
Le tableau des variations permet d'identifier $\alpha = 1$ et $\beta = 5$.
Vérification : $-3(x - 1)^2 + 5 = -3(x^2 - 2x + 1) + 5 = -3x^2 + 6x + 2$.
On retrouve bien l'expression de $g(x)$, ce qui valide les valeurs 1 et 5 du tableau.
Comme $-3 < 0$, g est d'abord croissante, puis décroissante (point ❷).
Pour tout réel x, $-3(x - 1)^2 \leqslant 0$, donc $g(x) \leqslant 5$.
5 est donc le maximum de g, atteint en 1. Le tableau est validé.

Points méthode

❶ Il suffit de développer l'expression proposée.
On utilise :
$(a + b)^2 = a^2 + 2ab + b^2$.

❷ Une fonction polynôme de degré 2 est soit « d'abord décroissante, puis croissante » quand $a > 0$, soit « d'abord croissante, puis décroissante » quand $a < 0$.

❸ L'écriture développée de $g(x)$ permet d'identifier la valeur du réel a (coefficient de x^2). Puis le tableau de variation permet d'identifier les valeurs des réels α et β, donc d'écrire la forme canonique de $g(x)$:
$a(x - \alpha)^2 + \beta$.

POUR S'EXERCER

❶ Donner le tableau des variations de chacune des fonctions suivantes définies sur $\mathbb{R}$:

a. $f(x) = 7(x + 9)^2 - 15$;

b. $g(x) = \dfrac{2}{3}(x - 0{,}5)^2 + 1{,}5$;

c. $h(x) = -13\left(x + \dfrac{3}{4}\right)^2 + \dfrac{5}{4}$;

d. $k(x) = -(x - 6)^2$.

❷ La fonction f est définie sur $\mathbb{R}$ par :
$$f(x) = -\dfrac{2}{3}x^2 + 8x - 4.$$

Montrer que, pour tous réels x, $f(x) = -\dfrac{2}{3}(x - 6)^2 + 20$.

En déduire le tableau de variation de la fonction f.

❸ Montrer que $f : x \longmapsto x^2 + 20x$ admet le tableau de variation suivant :

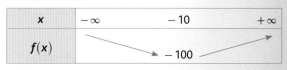

❹ 🖩 Soit $f : x \longmapsto (x - 3)(x + 1)$.

1. Justifier que f est une fonction polynôme de degré 2.
2. Conjecturer le tableau de variation de f à l'aide de la calculatrice et démontrer cette conjecture.

▶ **Voir exercices 15 à 24**

2 Représentation graphique d'une fonction polynôme de degré 2

Définition

La représentation graphique dans un repère orthogonal d'une fonction $x \longmapsto ax^2 + bx + c$ où a, b et c sont des réels fixés, avec $a \neq 0$, s'appelle une **parabole**. Si $a(x - \alpha)^2 + \beta$ est la forme canonique correspondante, le point de coordonnées $(\alpha\,;\beta)$ est le **sommet** de la parabole.

Exemples :

● $f(x) = 2x^2 - 4x - 1$
Quand $a > 0$, la parabole « a les bras tournés vers le haut » et l'ordonnée de son sommet est le minimum de la fonction.
Ici $a = 2$.

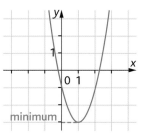

● $g(x) = -x^2 + 4x - 3$
Quand $a < 0$, la parabole « a les bras tournés vers le bas » et l'ordonnée de son sommet est le maximum de la fonction.
Ici $a = -1$.

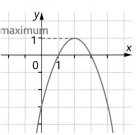

Propriété admise

Dans un repère orthogonal, la parabole représentant une fonction polynôme de degré 2 admet pour axe de symétrie la droite parallèle à l'axe des ordonnées passant par le sommet.

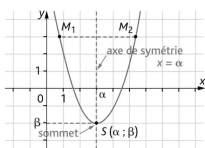

Conséquence : si deux points de la parabole M_1 et M_2 d'abscisses respectives x_1 et x_2 ont la même ordonnée, alors le sommet S a pour abscisse $\alpha = \dfrac{x_1 + x_2}{2}$ (voir exercice 40, page 110).

3 Fonctions homographiques

Définition

On appelle **fonction homographique** toute fonction de la forme $\boldsymbol{x \longmapsto \dfrac{ax + b}{cx + d}}$ où a, b, c et d sont des réels fixés avec $c \neq 0$ et $a \times d \neq b \times c$. La courbe représentative s'appelle une **hyperbole**.

Remarque : La condition $ad \neq bc$ traduit le fait que $ax + b$ et $cx + d$ ne sont pas proportionnels.

Propriété

L'ensemble de définition de la fonction $f : x \longmapsto \dfrac{ax + b}{cx + d}$ est $\mathbb{R}\backslash\left\{-\dfrac{d}{c}\right\}$ puisque le réel $-\dfrac{d}{c}$ annulant le dénominateur est **valeur interdite**.

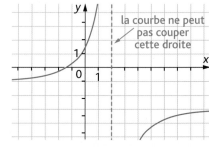

Exemple : La fonction $f : x \longmapsto \dfrac{2x + 3}{-x + 2}$ a pour ensemble de définition $\mathbb{R}\backslash\{2\}$ que l'on peut aussi noter $]-\infty\,;2[\,\cup\,]2\,;+\infty[$. La représentation graphique de f dans un repère est formée de deux branches distinctes, séparées par la droite d'équation $x = 2$.

Énoncé

On note $\mathcal{P}$ la parabole représentant la fonction $f : x \longmapsto ax^2 + 3x - 4$ dans un repère orthogonal.

1. Calculer le réel a sachant que la parabole $\mathcal{P}$ passe par le point de coordonnées $(3 ; -4)$.

2. a. Déterminer un autre point de $\mathcal{P}$ d'ordonnée -4.

b. En déduire les cordonnées du sommet de la parabole $\mathcal{P}$.

3. Établir le tableau de variation de la fonction f.

Solution rédigée

1. $f(3) = -4 \Leftrightarrow 9a + 9 - 4 = -4$

$\qquad\qquad \Leftrightarrow 9a = -9$

$\qquad\qquad \Leftrightarrow a = -1 \quad$ (point ❶).

2. a. On doit résoudre : $f(x) = -4 \Leftrightarrow -x^2 + 3x - 4 = -4$

$\qquad\qquad\qquad \Leftrightarrow -x^2 + 3x = 0 \Leftrightarrow -x(x - 3) = 0$

$\qquad\qquad\qquad \Leftrightarrow x = 0$ ou $x = 3$.

Le point d'abscisse 0 a donc une ordonnée égale à -4, comme le point d'abscisse 3.

b. Ainsi 0 et 3 ont la même image par f.

Par symétrie, le sommet de la parabole $\mathcal{P}$ a donc pour abscisse $\alpha = \dfrac{0 + 3}{2} = 1,5$

(point ❷).

L'ordonnée du sommet s'obtient par le calcul de l'image $f(1,5)$ (point ❶) :

$f(1,5) = -1,5^2 + 3 \times 1,5 - 4 = -1,75$.

Le sommet de la parabole $\mathcal{P}$ a donc pour coordonnées $(1,5 ; -1,75)$.

3. $a = -1$ est négatif ; la fonction f admet donc un maximum, qui est l'ordonnée $-1,75$ du sommet de la parabole $\mathcal{P}$, atteint en 1,5 (point ❸).

On en déduit le tableau de variation ci-dessous (point ❹) :

x	$-\infty$		1,5		$+\infty$
$f(x)$			$-1,75$		

Points méthode

❶ La courbe représentative d'une fonction f passe par le point de coordonnées $(x ; y)$ si, et seulement si, $y = f(x)$.

❷ La droite parallèle à l'axe des ordonnées passant par le sommet est l'axe de symétrie de la parabole $\mathcal{P}$.

❸ L'ordonnée du sommet d'une parabole est soit le maximum, soit le minimum de la fonction qu'elle représente.

❹ Lorsque $a < 0$, la fonction polynôme du 2nd degré f est « d'abord croissante, puis décroissante ».

POUR S'EXERCER

5 Soit $f : x \longmapsto 2x^2 - 12x + 11$.

1. Calculer $f(1)$ et $f(5)$.

2. En déduire les coordonnées du sommet de la parabole représentant la fonction f dans un repère orthogonal, puis le tableau de variation de f.

6 Soit $f : x \longmapsto -3x^2 + x + 2$.

1. Résoudre l'équation $f(x) = 2$.

2. En déduire les coordonnées du sommet de la parabole représentant la fonction f dans un repère orthogonal, puis le tableau de variation de f.

7 La fonction f définie sur $\mathbb{R}$ est telle que $f(0) = f(2)$; son tableau de variation est le suivant :

x	$-\infty$		m		$+\infty$
$f(x)$			3		

1. Déterminer le réel m en lequel f atteint son maximum 3.

2. Pour tout réel x, on pose : $f(x) = ax^2 + bx + c$. Quel est le signe du réel a ?

3. On donne $a = -2$. Calculer les réels b et c.

8 Pour chacune des fonctions suivantes, donner son ensemble de définition et préciser si c'est une fonction homographique :

a. $f : x \longmapsto -3 + \dfrac{2}{x + 5}$; **b.** $f : x \longmapsto x - \dfrac{1}{x - 1}$.

 Voir exercices 28 à 40

9 Étudier une fonction polynôme de degré 2 en utilisant la calculatrice et exploiter cette étude

On considère la fonction $f : x \longmapsto 3x^2 - 9x + 5$ et on note $\mathcal{P}$ la parabole représentant la fonction f dans un repère du plan.

1. Conjecturer avec la calculatrice l'abscisse α du sommet de la parabole $\mathcal{P}$. Valider cette conjecture par le calcul.

2. Établir le tableau des variations de la fonction f.

3. Montrer que si $x \geqslant 3$, alors $3x^2 - 9x + 5$ est positif.

4. Montrer que, pour tout réel x, $3x^2 - 9x + 8$ ne s'annule pas.

Solution

1. La courbe affichée à l'écran de la calculatrice amène à conjecturer que $\alpha = 1{,}5$. Pour valider cette conjecture, on calcule :
$$3(x - 1{,}5)^2 = 3(x^2 - 3x + 2{,}25)$$
$$= 3x^2 - 9x + 6{,}75.$$
On en déduit que $f(x) = 3(x - 1{,}5)^2 - 1{,}75$.
Donc pour tout réel x, $f(x) \geqslant -1{,}75$, l'égalité ayant lieu pour $x = 1{,}5$.

Ainsi le sommet de $\mathcal{P}$ a pour coordonnées $(1{,}5\,;-1{,}75)$.

2. Le coefficient de x^2 est positif $(3 > 0)$ et f admet un minimum en 1,5 ; d'où le tableau :

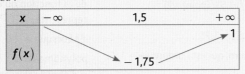

3. La fonction f est croissante sur l'intervalle $[3\,;+\infty[$; donc, si $x \geqslant 3$, alors $f(x) \geqslant f(3)$.
Or $f(3) = 5 > 0$, donc : si $x \geqslant 3$, $f(x)$ est positif.

4. $3x^2 - 9x + 8 = 0 \Leftrightarrow f(x) + 3 = 0 \Leftrightarrow f(x) = -3$.

Comme le minimum de f est $-1{,}75$, cette équation n'a pas de solution et $3x^2 - 9x + 8$ ne s'annule pour aucun réel x.

Stratégies

1. ● Pour localiser grossièrement α on commence par faire un tableau de valeurs, ce qui aide pour définir la fenêtre.

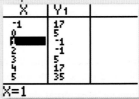

● Pour montrer que f admet un extremum en 1,5, on peut essayer d'écrire $f(x)$ sous la forme $3(x - 1{,}5)^2 + \beta$ (c'est une méthode particulière aux fonctions polynômes de degré 2).

2. On sait que f est soit d'abord croissante, puis décroissante, soit d'abord décroissante puis croissante.

3. On utilise la définition d'une fonction croissante : les réels et leurs images sont rangés dans le même ordre.

4. Pour utiliser les résultats précédents, on introduit $f(x)$.

10 Résoudre un problème à l'aide d'une fonction polynôme de degré 2

(Voir aussi l'exercice 11, page 53, chapitre 2)

Le carré $ABCD$ a un côté de longueur 8 cm et M est un point du segment $[AB]$.

On dessine dans le carré $ABCD$, comme indiqué sur la figure ci-contre :

● un carré de côté $[AM]$;

● un triangle isocèle de base $[MB]$ et dont la hauteur a même longueur que le côté $[AM]$ du carré.

On note x la distance AM et $f(x)$ l'aire du triangle isocèle de base $[MB]$.

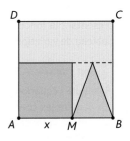

1. Montrer que $f(x) = -\dfrac{1}{2}x^2 + 4x$.

2. Résoudre l'équation $f(x) = 0$ et en déduire la valeur α de x en laquelle f admet son extremum.

3. Où faut-il placer M sur le segment $[AB]$ pour que l'aire du triangle soit la plus grande possible ?

1. Avec la base $[MB]$ de longueur $8 - x$, l'aire du triangle est :

$$f(x) = \frac{(8 - x) \times x}{2} = \frac{8x - x^2}{2} = \frac{8x}{2} - \frac{x^2}{2}$$

$$= 4x - \frac{1}{2}x^2 = -\frac{1}{2}x^2 + 4x.$$

2. $f(x) = 0 \Leftrightarrow -\frac{1}{2}x^2 + 4x \Leftrightarrow x\left(-\frac{1}{2}x + 4\right) = 0$

$$\Leftrightarrow x = 0 \text{ ou } -\frac{1}{2}x + 4 = 0 \Leftrightarrow x = 0 \text{ ou } x = 8.$$

0 et 8 ayant la même image par f, on en déduit : $\alpha = \dfrac{0 + 8}{2} = 4$.

3. Le coefficient de x^2 est négatif $\left(-\dfrac{1}{2} < 0\right)$, donc f admet un maximum atteint en $x = 4$.

Conclusion : l'aire du triangle est la plus grande possible lorsque M est le milieu de $[AB]$.

1. On applique la formule :

$\dfrac{\text{base} \times \text{hauteur}}{2} = $ aire du triangle

avec la base $[MB]$ et la hauteur de longueur x.

2. Pour obtenir α, il suffit de calculer l'abscisse du sommet de la parabole représentant f, c'est-à-dire la demi somme de deux réels ayant la même image par f.

3. Pour savoir si on a affaire à un maximum ou un minimum, il suffit d'examiner le signe de a.

---

11 Étudier une situation faisant intervenir une fonction homographique

1. Préciser l'ensemble de définition des fonctions $f : x \longmapsto \dfrac{0{,}35x + 1{,}4}{x + 3}$ et $g : x \longmapsto \dfrac{x + 3}{0{,}35x + 1{,}4}$.

2. Un fournisseur propose à un commerçant un article à 0,5 € pièce. S'il en commande plus de 20, chaque article à partir du 21-ème est facturé 0,45 € et 3 articles supplémentaires sont offerts.
Le commerçant décide de commander x articles avec $21 \leqslant x \leqslant 40$ et de les revendre 0,8 € pièce.

a. Exprimer en fonction de x le montant de sa facture, le nombre d'articles reçus et le bénéfice total réalisé par le commerçant (dans l'hypothèse où il revend la totalité des articles).

b. Montrer que le bénéfice moyen par article revendu est donné par une des fonctions de la question **1.**

c. Afficher la courbe de cette fonction avec la fenêtre ci-contre et conjecturer ses variations sur l'intervalle $[21 ; 40]$.

d. Le commerçant peut-il réaliser en moyenne 36 centimes de bénéfice par article ?

```
FENETRE
Xmin=20
Xmax=40
Xgrad=1
Ymin=.34
Ymax=.37
Ygrad=1
Xres=1
```

1. $x + 3 = 0 \Leftrightarrow x = -3$, donc $D_f = \,]-\infty ; -3[\cup]-3 ; +\infty[$.

$0{,}35x + 1{,}4 = 0 \Leftrightarrow 0{,}35x = -1{,}4$

$$\Leftrightarrow x = -\frac{1{,}4}{0{,}35} = -4,$$

donc $D_g = \mathbb{R} \backslash \{-4\}$.

2. a. Le commerçant paie 20 articles à 0,5 € l'unité et $(x - 20)$ articles à 0,45 € l'unité, donc le montant de sa facture s'élève à :

$$20 \times 0{,}5 + (x - 20) \times 0{,}45 = 0{,}45x + 1.$$

Il reçoit en tout $x + 3$ (articles) et son bénéfice total est égal à :

$$0{,}8(x + 3) - (0{,}45x + 1) = 0{,}8x + 2{,}4 - 0{,}45x - 1$$

$$= 0{,}35x + 1{,}4.$$

b. $\dfrac{\text{bénéfice total}}{\text{nombre d'articles}} = \dfrac{0{,}35x + 1{,}4}{x + 3}$;

c'est la fonction f qui donne l'expression du bénéfice moyen par article revendu.

```
Y1=(0.35X+1.4)÷(X+3)

                              Y-CAL
X=25          Y=0.3625
```

c. La courbe affichée ci-contre amène à conjecturer que f est décroissante sur l'intervalle $[21 ; 40]$.

d. $\dfrac{0{,}35x + 1{,}4}{x + 3} = 0{,}36 \Leftrightarrow 0{,}35x + 1{,}4 = 0{,}36(x + 3)$ et $x \neq -3$

$$\Leftrightarrow 0{,}35x + 1{,}4 = 0{,}36x + 1{,}08 \Leftrightarrow 0{,}32 = 0{,}01x \Leftrightarrow 32 = x.$$

Si le commerçant commande et revend 32 articles, le bénéfice par article revendu sera de 36 centimes.

1. Pour trouver la valeur interdite, on résout l'équation « dénominateur $= 0$ » et on exclut la solution de l'ensemble de définition.

2. a. On obtient le bénéfice total en retranchant le prix d'achat au prix de vente.

b. On obtient le bénéfice moyen en divisant le bénéfice total par le nombre d'objets.

d. On résout l'équation :

$$f(x) = 0{,}36.$$

● On vérifie avec le tableur de la calculatrice.

Organiser une recherche

Énoncé

On considère un rectangle *ABCD*.

Pour tout point *M* de la droite (AB) distinct du point *B*, on construit le point *N* intersection des droites (AD) et (CM), puis le milieu *I* du segment $[MN]$.

Quel est l'ensemble des positions prises par le point *I* (on dit *le lieu géométrique de I*) lorsque le point *M* décrit la droite (AB) privée du point *B* ?

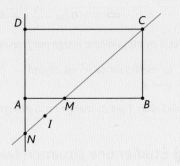

Recherche à l'aide d'un logiciel de géométrie dynamique

On construit la figure de l'énoncé avec le logiciel Geogebra et en explorant la barre d'outils, on découvre le mode ci-dessous :

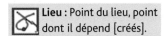 **Lieu** : Point du lieu, point dont il dépend [créés].

On clique donc successivement sur *I* et sur *M*.

On voit alors s'afficher la courbe colorée en vert ci-contre.

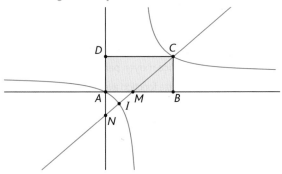

Ébauche de solution

La courbe affichée fait penser à une hyperbole, représentation graphique d'une fonction homographique dans un repère.

Il faut donc définir un repère.

La configuration conduit à choisir les droites (AB) et (AD) comme axes du repère.

Le point *M* étant sur l'axe des abscisses, ses coordonnées sont de la forme $(t \, ; 0)$.

Le calcul, en fonction de *t*, de l'ordonnée du point *N*, intersection des droites (CM) et (AD), nécessite d'utiliser des propriétés du chapitre 11 (Les droites du plan) ou du chapitre 12 (Les vecteurs).

Il reste à calculer les coordonnées du point *I*, milieu du segment $[MN]$, en fonction de *t*. On établit ensuite une relation entre l'ordonnée y_I du point *I* et son abscisse x_I. On vérifie enfin que cette relation est de la forme $y_I = f(x_I)$, où *f* est une fonction homographique.

On conclut en confirmant la conjecture initiale : les positions du point *I* décrivent une hyperbole, d'équation $y = f(x)$ dans le repère choisi.

Rédaction d'une solution

À l'aide des deux parties précédentes, rédiger une solution du problème étudié.

Prendre des initiatives

⑫ Recherche de paraboles particulières

1. On considère la fonction $f : x \longmapsto -x^2 + bx$ où b est un réel fixé, et on note $\mathcal{P}$ sa représentation graphique dans un repère. Montrer que l'origine du repère appartient à $\mathcal{P}$ et que le sommet de $\mathcal{P}$ appartient à la courbe représentative de la fonction carré.

2. Réciproquement, montrer que si $\mathcal{P}$ est une parabole passant par l'origine et ayant son sommet distinct de l'origine et sur la courbe de la fonction carré, alors la fonction polynôme du second degré représentée par $\mathcal{P}$ est de la forme $x \longmapsto -x^2 + bx$.

⑬ Calcul approché d'une aire

Avec un logiciel de géométrie dynamique, on trace la parabole $\mathcal{P}$ représentant dans un repère la fonction $f : x \longmapsto -x^2 + 2x$.

1. Vérifier par le calcul que $\mathcal{P}$ coupe l'axe des abscisses aux points de coordonnées $(0\,;0)$ et $(2\,;0)$, et que son sommet est le point $S(1\,;1)$. Le but est de trouver une valeur approchée de l'aire $\mathcal{A}$ du domaine délimité par $\mathcal{P}$ et l'axe des abscisses.

2. Sur la figure ci-contre, on a partagé l'intervalle $[0\,;2]$ en quatre segments de même longueur et on a construit avec les points de $\mathcal{P}$ deux triangles rectangles et deux trapèzes rectangles dont on a fait afficher les aires.

a. Pourquoi retrouve-t-on deux fois chaque valeur ?

b. Quelle valeur approchée de $\mathcal{A}$ obtient-on ?

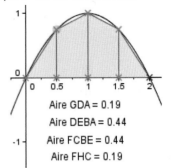

Aire GDA = 0.19
Aire DEBA = 0.44
Aire FCBE = 0.44
Aire FHC = 0.19

3. Pour obtenir une valeur approchée plus précise de $\mathcal{A}$, on partage l'intervalle $[0\,;2]$ en 20 intervalles de longueur 0,1. On construit ensuite, selon le même principe que dans la question **2.**, deux triangles rectangles et 18 trapèzes rectangles (la symétrie permet de limiter les calculs à l'intervalle $[0\,;1]$).

a. Justifier les résultats suivants :
- aire du triangle $= 0{,}5 \times 0{,}1 \times f(0,1)$;
- aire du premier trapèze $0{,}5 \times 0{,}1 \times (f(0,1) + f(0,2))$.

b. Établir une feuille de calcul en vous aidant de la copie d'écran ci-contre et des résultats de **a.**

Indication : On mettra en cellule C2 l'aire du triangle et en cellule C3 une formule que l'on tirera vers le bas jusqu'en C11 pour obtenir les aires des trapèzes.

	A	B	C	D
1	x	f(x)	aires	=2*SOMME(C2:C11)
2	0,1			
3				

c. La valeur exacte de cette aire est $\dfrac{4}{3}$. La valeur approchée obtenue en D1 paraît-elle satisfaisante ?

⑭ Fonction homographique réciproque

Le professeur a demandé d'utiliser un tableur pour tracer la courbe représentative de la fonction $f : x \longmapsto \dfrac{2x - 1}{x + 2}$ en mettant en colonne A les valeurs de x et en colonne B celles de $f(x)$ (figure de gauche).

Un élève étourdi a permuté les deux colonnes et a obtenu la figure de droite. Il semble que ce soit également une hyperbole. Valider cette conjecture en déterminant la fonction homographique représentée par la courbe représentative de droite.

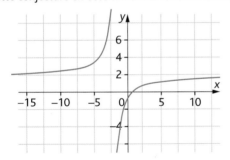

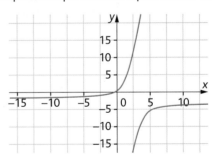

Savoir...	Comment faire ?
Reconnaître une fonction polynôme de degré 2.	On développe et on réduit l'expression proposée, puis on vérifie que le résultat est de la forme $ax^2 + bx + c$ avec a, b, c des réels fixes et $a \neq 0$.
Établir le tableau de variation sur $\mathbb{R}$ de : $f : x \longmapsto a(x - \alpha)^2 + \beta.$	On sait que f présente en α un extremum qui vaut β et que f est soit « d'abord décroissante puis croissante », soit « d'abord croissante puis décroissante ». • Si f est « d'abord décroissante, puis croissante », son extremum est un minimum. • Si f est « d'abord croissante, puis décroissante », son extremum est un maximum. Pour décider du cas dans lequel on se trouve, on peut : • soit observer le signe de a ; • soit calculer l'image par f d'un autre réel que α et la comparer à β. **cas $a > 0$** La parabole a « les bras tournés vers le haut ». La fonction admet un minimum. **cas $a < 0$** La parabole a « les bras tournés vers le bas ». La fonction admet un maximum.
Établir le tableau de variation sur $\mathbb{R}$ de $f : x \longmapsto ax^2 + bx + c$.	Il faut essayer de se ramener au cas précédent : • soit en conjecturant la valeur de α (en affichant la courbe sur l'écran de la calculatrice) et en validant cette conjecture par le calcul ; on obtiendra ensuite β en calculant $f(\alpha)$; • soit en utilisant un logiciel de calcul formel pour mettre $f(x)$ sous la forme : $a(x - \alpha)^2 + \beta$; • soit en utilisant la rubrique suivante.
Utiliser l'axe de symétrie de la parabole pour obtenir l'extremum de : $f : x \longmapsto ax^2 + bx + c.$	On détermine deux points de la parabole ayant même ordonnée, c'est-à-dire deux réels x_1 et x_2 tels que : $f(x_1) = f(x_2)$. On a alors $\alpha = \dfrac{x_1 + x_2}{2}$, puis $\beta = f(\alpha)$. Pour obtenir facilement deux réels ayant la même image, on peut résoudre l'équation $f(x) = c$.
Reconnaître une fonction homographique et déterminer son ensemble de définition.	• On réduit si besoin l'expression donnée au même dénominateur, puis on regarde si le résultat est de la forme $\dfrac{ax + b}{cx + d}$, a, b, c, d étant des réels fixes avec $c \neq 0$ et $ac \neq bd$. • On détermine la valeur qui annule le dénominateur et on l'exclut de l'ensemble de définition. • On écrit l'ensemble de définition sous la forme d'une réunion de deux intervalles ouverts ou sous la forme $\mathbb{R}\backslash\{\ldots\}$.

QCM

Pour chacune des questions suivantes, préciser la seule réponse correcte.

A On dessine avec la calculatrice la représentation graphique d'une fonction polynôme de degré 2 pour x compris entre 0 et 5.

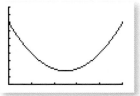

1. Une expression de $f(x)$ est :	**a.** $(x - 2,5)^2 + 1,75$	**b.** $(x + 2,5)^2 + 1,75$	**c.** $(x - 2,5)^2 - 1,75$
2. Le minimum de f sur l'intervalle $[0 ; 5]$ est :	**a.** 0	**b.** 2,5	**c.** 1,75
3. L'expression développée de $f(x)$ est :	**a.** $x^2 - 5x + 8$	**b.** $x^2 + 5x + 8$	**c.** $-x^2 - 5x + 8$

Corrigé p. 334

B On considère la fonction $f : x \mapsto ax^2 + bx + c$, dont une autre expression est $a(x - \alpha)^2 + \beta$.
On connait une forme factorisée : $f(x) = (2 - x)(-x + 5)$.

1. Question sur a :	**a.** on ne peut pas calculer la valeur de a	**b.** $a = -1$	**c.** $a = 1$
2. Question sur α :	**a.** on ne peut pas calculer la valeur de α	**b.** $\alpha = 3,5$	**c.** $\alpha = -1,5$
3. Question sur l'extremum :	**a.** la fonction f admet un maximum en 3,5	**b.** $\beta = -2,25$	**c.** l'extremum est le réel $c = 10$

Corrigé p. 334

Vrai ou faux ?

Préciser si les affirmations suivantes sont vraies ou fausses.

C **1.** La fonction $x \mapsto (x - 1)(x + 2)$ est une fonction polynôme de degré 2.

2. La fonction $x \mapsto 9x^2 - 1 - (3x + 1)^2$ est une fonction polynôme de degré 2.

3. La fonction $x \mapsto 3(x - 1)^2 + 4$ présente un maximum sur $\mathbb{R}$ en 1.

4. La fonction de la question **3.** est décroissante sur l'intervalle $]-\infty ; -1]$.

5. La fonction $x \mapsto -2(x - 3)^2 - 5$ présente un maximum sur $\mathbb{R}$ en -3.

6. La fonction de la question **5.** est décroissante sur l'intervalle $[3 ; +\infty[$.

Corrigé p. 334

D **1.** La fonction $x \mapsto \dfrac{2 - x}{3x}$ est une fonction homographique.

2. La fonction $x \mapsto \dfrac{2 - x}{3x}$ est définie sur $\mathbb{R} \backslash \{-3\}$.

3. La fonction $x \mapsto \dfrac{5}{2x + 1} - 1$ est une fonction homographique.

4. La fonction $x \mapsto \dfrac{5}{2x + 1} - 1$ a pour ensemble de définition $\left]-\infty ; -\dfrac{1}{2}\right[\cup \left]-\dfrac{1}{2} ; +\infty\right[$.

5. On ne peut pas tracer la courbe représentative d'une fonction homographique « sans lever le crayon ».

Corrigé p. 334

 Pour s'auto-évaluer : des QCM et Vrai-Faux complémentaires

4 Exercices

▶ Les exercices portant un numéro orange sont corrigés à la fin du manuel, page 330.

Applications directes

1 Fonctions polynômes de degré 2

15 Vrai ou faux ?

On considère la fonction polynôme f du second degré définie sur $\mathbb{R}$ par : $f(x) = 3(x-1)^2 + 2$.

1. La parabole qui représente graphiquement la fonction f a les bras tournés vers le haut.

2. Le sommet de la parabole est le point de coordonnées $(-1\,;2)$.

3. Cette fonction est croissante sur l'intervalle $[1\,;+\infty[$.

16 Vrai ou faux ?

On considère la fonction polynôme f du second degré définie sur $\mathbb{R}$ par : $f(x) = -\dfrac{1}{2}(x+3)^2 - 1$.

1. La parabole qui représente graphiquement la fonction f a les bras tournés vers le haut.

2. Le sommet de la parabole est le point de coordonnées $(-3\,;1)$.

3. Cette fonction est décroissante sur l'intervalle $[0\,;+\infty[$.

17 Vrai ou faux ?

On considère la fonction polynôme f du second degré définie sur $\mathbb{R}$ par : $f(x) = (x-3)^2 + 1$.

1. Pour tout réel x : $f(x) \geqslant 0$.

2. L'équation $f(x) = 0$ n'admet aucune solution.

3. La courbe représentative de f coupe l'axe des abscisses.

4. Les réponses aux questions **2.** et **3.** sont forcément différentes.

Savoir utiliser un tableau de variation

18 *Voir la fiche Savoir faire, page 99.*

On donne le tableau de variation d'une fonction polynôme du second degré :

x	$-\infty$		2		$+\infty$
$f(x)$			-4		

Parmi les fonctions suivantes, quelles sont celles dont les variations correspondent à ce tableau ?

$f : x \longmapsto (x+4)^2 - 2$; $g : x \longmapsto 3(x-2)^2 - 4$;
$h : x \longmapsto (x-2)^2 - 4$; $k : x \longmapsto (x+2)^2 + 4$.

19 Parmi les fonctions suivantes, quelles sont celles dont les variations correspondent au tableau de variation ci-dessous ?

$f : x \longmapsto -(x+1)^2 - 3$; $g : x \longmapsto 2(x+1)^2 - 3$;
$h : x \longmapsto -\dfrac{2}{3}(x-1)^2 - 3$; $k : x \longmapsto -(x+3)^2 - 1$.

x	$-\infty$		-1		$+\infty$
$f(x)$			-3		

20 *Voir la fiche Savoir faire, page 99.*

1. Dresser le tableau des variations de la fonction :
$$f : x \longmapsto \left(x - \dfrac{1}{2}\right)^2 + 1.$$

2. Démontrer que pour réel x, on a : $f(x) \geqslant 1$.

21 **1.** Dresser le tableau des variations de la fonction :
$$f : x \longmapsto -\left(x + \dfrac{1}{2}\right)^2 + 3.$$

2. Démontrer que pour réel x, on a : $f(x) \leqslant 3$.

22 Voici le tableau des variations d'une fonction polynôme du second degré :

x	$-\infty$		4		$+\infty$
$f(x)$			$\dfrac{1}{2}$		

Quel est le nombre de solutions de l'équation $f(x) = k$ dans les cas suivants :

a. $k < \dfrac{1}{2}$;

b. $k = \dfrac{1}{2}$;

c. $k > \dfrac{1}{2}$.

23 Quel est le nombre de solutions de l'équation $f(x) = k$ selon les valeurs du réel k ?

x	$-\infty$		-2		$+\infty$
$f(x)$			1		

24 Voici le tableau des variations d'une fonction f polynôme du second degré :

x	$-\infty$		$-\sqrt{2}$		$+\infty$
$f(x)$			$\sqrt{2} - 1$		

Démontrer que pour tout réel x, $f(x) \geqslant 0$.

Résoudre une équation avec des carrés

25 Résoudre dans $\mathbb{R}$ les équations suivantes :
a. $x^2 - 9 = 0$;
b. $3x^2 + 1 = 0$;
c. $2x^2 - 3 = 0$;
d. $x^2 + 10x + 25 = 0$;
e. $x^2 - 12x + 36 = 0$;
f. $8x^2 - 8x + 2 = 0$.

26 On cherche à résoudre l'équation :
$$2x^2 - 2x + 1 = 0.$$
1. Tracer sur l'écran de la calculatrice la courbe représentative de la fonction $f : x \longmapsto 2x^2 - 2x + 1$.
Conjecturer le nombre de solutions de l'équation proposée.
2. Montrer que $f(x) = 2\left(x - \dfrac{1}{2}\right)^2 + \dfrac{1}{2}$. Conclure sur le nombre de solutions de l'équation proposée.

27 On cherche à résoudre l'équation :
$$x^2 - 2x - 3 = 0.$$
1. Tracer sur l'écran de la calculatrice la courbe représentative de la fonction $f : x \longmapsto x^2 - 2x - 3$.
Conjecturer le nombre de solutions de l'équation proposée et une valeur approchée de chacune des solutions éventuelles.
2. Montrer que $f(x) = (x - 1)^2 - 4$.
3. Résoudre par le calcul l'équation $f(x) = 0$.

Travailler avec l'écriture $a(x - \alpha)^2 + \beta$

28 On représente graphiquement à l'aide du logiciel Geogebra quatre fonctions polynômes du second degré f, g, h, k :
$f(x) = (x - 1)^2 - 1$; $g(x) = (x + 1)^2 + 1$;
$h(x) = -2(x - 4)^2 + 2$; $k(x) = -(x - 2)^2 + 4$.
Associer à chaque courbe l'expression qui lui correspond.

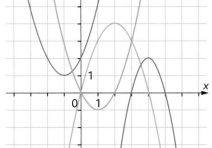

29 **Démontrer un résultat du cours**
1. Démontrer que si $a > 0$, alors la fonction f, définie sur $\mathbb{R}$ par $f(x) = a(x - \alpha)^2 + \beta$, est décroissante sur $]-\infty ; \alpha]$ et croissante sur $[\alpha ; +\infty[$.
2. Démontrer que si $a < 0$, alors la fonction f est décroissante sur l'intervalle $[\alpha ; +\infty[$.

30 *Voir la fiche Savoir faire, page 99.*
Dresser le tableau de variation de chacune des fonctions suivantes :
a. $f : x \longmapsto (x + 1)^2 - 3$;
b. $g : x \longmapsto -(x - 2)^2 - 3$;
c. $h : x \longmapsto -\dfrac{1}{2}(x + 3)^2 + 2$;
d. $k : x \longmapsto 2(x - 1)^2 + 1$.

31 Dans chacun des cas suivants, l'expression de $f(x)$ est égale à l'une des expressions développées A, B ou C. Préciser laquelle.
1. $f(x) = (x - 3)^2 + 1$.
$A = x^2 - 8$; $B = x^2 - 6x + 10$; $C = x^2 + 6x - 8$.
2. $f(x) = 2(x + 1)^2 - 3$.
$A = 2x^2 + 4x - 1$; $B = 2x^2 - 1$; $C = 4x^2 + 8x + 1$.
3. $f(x) = -4(x - 2)^2 + 2$.
$A = -4x^2 + 16x + 2$; $B = -4x^2 + 16x - 14$; $C = -4x^2 + 18$.

32 Dans chacun des cas suivants, trouver parmi les expressions A, B ou C celle qui est égale à la fonction proposée :
1. $f(x) = x^2 - 2x + 7$.
$A = (x - 1)^2 + 6$; $B = (x + 1)^2 - 8$; $C = (x - 1)^2 + 8$.
2. $f(x) = x^2 + x + 1$.
$A = (x + 1)^2 + x$; $B = \left(x + \dfrac{1}{2}\right)^2$; $C = \left(x + \dfrac{1}{2}\right)^2 + \dfrac{3}{4}$.
3. $f(x) = 2x^2 - 12x + 4$.
$A = 2(x - 3)^2$; $B = 2(x - 3)^2 - 14$; $C = 2(x - 6)^2 - 32$.

33 La parabole qui représente graphiquement une fonction polynôme du second degré admet pour sommet le point $A(1 ; 2)$ et passe par le point $B(2 ; 5)$.
1. Déterminer l'expression de $f(x)$.
2. Donner le tableau de variation de la fonction f.

34 *Voir la fiche Savoir faire, page 101.*
Une fonction polynôme du second degré f vérifie $f(-2) = f(4) = 0$ et admet pour maximum la valeur 3.
1. Déterminer l'expression de $f(x)$.
2. Donner le tableau de variation de la fonction f.

35 La parabole $\mathscr{P}$ représentant graphiquement une fonction polynôme f de degré 2 est définie par $f(x) = a(x - \alpha)^2 + \beta$.
La parabole $\mathscr{P}$ est symétrique par rapport à la droite parallèle à l'axe des ordonnées et passant par le point d'abscisse -1.
1. Déterminer α.
2. De plus, la parabole $\mathscr{P}$ coupe l'axe des ordonnées au point d'ordonnée 3.
En déduire une relation entre a et β.
3. Proposer deux expressions possibles de $f(x)$. Afficher les courbes sur l'écran de la calculatrice.

36 **Question ouverte avec une feuille de calcul**

Amélie a réalisé avec un tableur une feuille de calcul qui donne les images de quelques réels par une fonction polynôme de degré 2 notée f.

Elle a imprimé son document et l'a supprimé sur son ordinateur. Malheureusement, elle ne se souvient plus de l'expression de $f(x)$ qui est de la forme $ax^2 + bx + c$.

1. Retrouver les coefficients a, b, c.

2. Dresser le tableau de variation de la fonction f.

	A	B
1	valeur de x	valeur de $f(x)$
2	-5	143
3	-4	104
4	-3	71
5	-2	44
6	-1	23
7	0	8
8	1	-1
9	2	-4
10	3	-1
11	4	8
12	5	23

37 **Logique**

Répondre par **vrai** ou par **faux** aux affirmations suivantes.

1. Pour tout réel x : $(x + 1)^2 + 1 = x^2 + 2$.

2. Il existe un réel x tel que : $(x + 1)^2 + 1 = x^2 + 2$.

3. Pour tout réel x : $(x + 1)^2 + 1 \geqslant 0$.

4. Il existe un réel x tel que $(x + 1)^2 - 1 \leqslant 0$.

38   **Logique**

Toutes les questions de cet exercice concernent une fonction polynôme de degré 2, notée f, et définie par $f(x) = ax^2 + bx + c$ avec $a \neq 0$.

On pourra s'aider de la calculatrice.

Répondre par **vrai** ou par **faux** :

1. Si $c = 0$, alors $f(0) = 0$.

2. Si $a < 0$, alors, pour tout réel x, $f(x) \leqslant 0$.

3. Si les réels a, b, c sont tous les trois positifs, alors, pour tout réel x, $f(x) \geqslant 0$.

39 **Logique**

Répondre par **vrai** ou par **faux** aux affirmations suivantes.

1. Il existe un réel x tel que $x^2 < x$.

2. Toute fonction polynôme de degré 2 a sa représentation graphique qui coupe l'axe des ordonnées du repère.

3. Toute fonction polynôme de degré 2 a sa représentation graphique qui coupe l'axe des abscisses du repère.

40 **Justifier un résultat du cours**
(voir la conséquence du paragraphe 2 du cours, page 100)

On considère la parabole $\mathscr{P}$ représentant dans un repère orthogonal la fonction polynôme f de degré 2 définie sur $\mathbb{R}$ par $f(x) = a(x - \alpha)^2 + \beta$.

On se propose de démontrer que, si deux points distincts de $\mathscr{P}$ d'abscisses respectives x_1 et x_2 ont la même ordonnée, alors $\alpha = \dfrac{x_1 + x_2}{2}$.

1. Pourquoi a-t-on $a \neq 0$, $x_1 \neq x_2$ et $f(x_1) = f(x_2)$?

2. Montrer que :
$$f(x_1) = f(x_2) \Leftrightarrow (x_1 - \alpha)^2 = (x_2 - \alpha)^2$$
$$\Leftrightarrow (x_1 + x_2 - 2\alpha)(x_1 - x_2) = 0.$$

3. Conclure.

2 Fonctions homographiques

41 Déterminer l'ensemble de définition de chacune des fonctions homographiques suivantes :

a. $f : x \longmapsto \dfrac{x + 5}{x - 1}$;

b. $g : x \longmapsto \dfrac{3x - 1}{2x + 6}$;

c. $h : x \longmapsto \dfrac{5x - 3}{x}$.

42 Parmi les fonctions suivantes, quelles sont celles qui sont homographiques ? Justifier.

a. $f : x \longmapsto 1 + \dfrac{2}{x + 1}$; **b.** $g : x \longmapsto \dfrac{2x + \sqrt{x}}{x - 1}$;

c. $h : x \longmapsto \dfrac{1}{x} - 1$; **d.** $k : x \longmapsto \dfrac{x^2 + 1}{x + 1}$.

> **Un cas particulier de fonction homographique**
>
> $f : x \longmapsto \dfrac{ax + b}{x}$ avec $b \neq 0$ **(exercices 43 à 46)**
>
> Dans ce cas, f est définie sur $\mathbb{R}\backslash\{0\}$ et on peut remarquer que $f(x) = a + \dfrac{b}{x}$.

43 On considère la fonction homographique f définie sur $\mathbb{R}\backslash\{0\}$ par $f(x) = \dfrac{3x + 1}{x}$.

1. En utilisant la remarque ci-dessus, trouver une autre écriture de $f(x)$.

2. Démontrer que cette fonction est décroissante sur l'intervalle $]-\infty \,; 0[$ et décroissante sur l'intervalle $]0 \,; +\infty[$.

3. Dresser le tableau des variations de cette fonction.

44 On considère la fonction homographique g définie sur $\mathbb{R}\backslash\{0\}$ par $g(x) = \dfrac{2x - 1}{x}$.

1. Démontrer que cette fonction est croissante sur l'intervalle $]-\infty \,; 0[$ et croissante sur l'intervalle $]0 \,; +\infty[$.

2. Dresser le tableau des variations de cette fonction.

45 On considère la fonction homographique h définie sur $\mathbb{R}\backslash\{0\}$ par $h(x) = \dfrac{ax + b}{x}$, où a et b sont deux réels fixés à déterminer. On suppose que $h(3) = \dfrac{1}{3}$ et $h(1) = 5$.

1. Déterminer les réels a et b.

2. Dresser le tableau des variations de la fonction h.

46 🖩 On considère la fonction homographique f définie sur $\mathbb{R}\backslash\{0\}$ par $f(x) = \dfrac{x + b}{x}$ avec $b \neq 0$.

1. Conjecturer, à l'aide de la calculatrice, le sens des variations de la fonction f suivant le signe du réel b.

2. Démontrer ces conjectures.

Travailler avec le tableau des variations d'une fonction homographique

47 On considère une fonction homographique f définie par $f(x) = \dfrac{ax + b}{x + d}$ et qui a pour tableau de variation :

x	$-\infty$		1		$+\infty$
$f(x)$	↘			↘	

1. Que vaut le réel d ?

2. On sait de plus que $f(0) = -1$ et $f(2) = 5$.
Déterminer les réels a et b.

48 🖩 Parmi les fonctions homographiques suivantes, quelles sont celles qui peuvent avoir le tableau de variation ci-dessous ? On pourra s'aider de la calculatrice pour observer le sens de variation.

$f : x \longmapsto \dfrac{x}{x + 2}$; $g : x \longmapsto \dfrac{3x + 1}{2x - 4}$;

$h : x \longmapsto \dfrac{x - 3}{x - 2}$; $k : x \longmapsto \dfrac{2x - 1}{-10x + 21}$.

x	$-\infty$		2		$+\infty$
$f(x)$	↗			↗	

49 On considère la fonction homographique f définie sur $\mathbb{R}\backslash\{1\}$ par $f(x) = 4 - \dfrac{2}{x - 1}$.

Justifier les éléments qui apparaissent dans son tableau des variations :

x	$-\infty$		1		$+\infty$
$f(x)$	↗			↗	

50 Logique

Répondre par **vrai** ou par **faux** aux affirmations suivantes.

1. Pour tout réel x, on a : $x < x + 1$.

2. Pour tout réel x, on a : $\dfrac{x}{x + 1} < 1$.

3. Il existe un réel n'ayant pas d'antécédent par la fonction $x \longmapsto \dfrac{x}{x + 1}$.

4. Il existe une fonction homographique n'ayant pas de valeur interdite.

51 🖥 On représente graphiquement à l'aide du logiciel Geogebra trois fonctions homographiques f, g, h :

$$f(x) = \dfrac{x - 1}{x - 3} \; ; \quad g(x) = \dfrac{-x + 5}{x - 3} \; ; \quad h(x) = \dfrac{3x - 8}{x - 2}.$$

Associer à chaque courbe l'expression qui lui correspond.

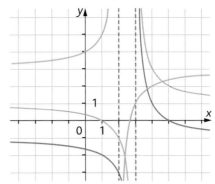

52 ABC est un triangle, M est un point du côté $[AB]$ et la droite (MN) est parallèle au côté $[BC]$.
On donne $AB = x$, $MB = 2$ et $MN = 4$.
On suppose $x > 2$.

1. Exprimer la longueur BC en fonction de x.

2. On appelle $\ell(x)$ la longueur BC trouvée dans la question **1**.

a. Montrer que $\ell(x) = 4 + \dfrac{8}{x - 2}$.

b. Démontrer que la fonction ℓ est décroissante sur l'intervalle $]2 ; +\infty[$.

3. Calculer x pour que $BC = 5$.

4. Peut-on avoir $BC = 1000$?

En lien avec les arts

Au-delà des besoins pratiques, le recours des architectes aux sciences mathématiques est fortement inspiré aujourd'hui par une dimension esthétique. *« Ce n'est pas l'angle droit qui m'attire, ni la ligne droite, dure, inflexible, créée par l'homme. Ce qui m'attire, c'est la courbe libre et sensuelle, la courbe que je rencontre dans les montagnes de mon pays, dans le cours sinueux de ses fleuves, dans la vague de la mer, dans le corps de la femme préférée. De courbe est fait tout l'univers, l'univers courbe d'Einstein. »* a dit l'architecte brésilien Oscar Niemeyer.

L'auditorium d'Ibirapuera à Sao Paulo au Brésil (1950) : une des créations de Oscar Niemeyer.

53 🖥 Un problème d'aires

ABCD est un carré de côté *x*. L'unité est le centimètre. On prolonge le côté [*BC*] de 3 cm et le côté [*BA*] de 2 cm comme l'indique le dessin ci-dessous.

Le but de cet exercice est de savoir pour quelle(s) valeur(s) de *x* l'aire du rectangle *BEFG* est le double de l'aire du carré *ABCD*.

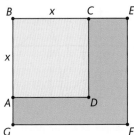

1. Conjecture à l'aide d'un tableur

a. À l'aide d'un tableur, réaliser une feuille de calcul similaire à celle qui figure ci-dessous.

	A	B	C	D
1	valeur de x	aire carré	aire rectangle	rapport des aires
2	0,5	0,25	8,75	35
3	1	1	12	12
4	1,5	2,25	15,75	7
5	2	4	20	5
6	2,5	6,25	24,75	3,96
7	3	9	30	3,333333333

b. Donner une valeur de *x* qui répond au problème posé.

2. Résolution algébrique

a. Exprimer en fonction de *x* l'aire *f*(*x*) du carré *ABCD* et l'aire *g*(*x*) du rectangle *BEFG*.

b. Montrer que résoudre l'équation *g*(*x*) = 2 *f*(*x*) est équivalent à résoudre l'équation −*x*² + 5*x* + 6 = 0.

c. Démontrer que $-x^2 + 5x + 6 = -\left(x - \dfrac{5}{2}\right)^2 + \dfrac{49}{4}$.

d. Résoudre l'équation −*x*² + 5*x* + 6 = 0 et trouver la valeur de *x* répondant au problème. Comparer avec la conjecture faite dans la question **1.**

3. La question **2.** apporte-t-elle des informations supplémentaires à la question **1.b.** ?

54 Variations de l'aire d'un triangle

ABCD est un carré de côté 1. On place les points *E* et *F* respectivement sur les côtés [*AB*] et [*BC*] tels que *EB* = *BF* = *x*.

On étudie les variations de l'aire du triangle *EFD* en fonction de *x*.

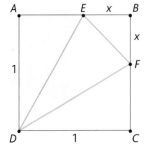

1. À quel intervalle *x* appartient-il ?

2. Exprimer en fonction de *x* les aires des triangles *EBF*, *FCD* et *AED*.

3. Montrer que l'aire du triangle *EFD* en fonction de *x* est :

$$f(x) = -\frac{x^2}{2} + x.$$

4. a. Résoudre l'équation *f*(*x*) = 0.

b. En déduire l'écriture de *f*(*x*) sous la forme :

$$f(x) = -\frac{1}{2}(x - \alpha)^2 + \beta.$$

5. Donner le tableau de variation de la fonction *f* sur l'intervalle [0 ; 1].

55 🖩 Une configuration de Thalès

Sur la figure ci-dessous, *ABC* et *AMN* sont deux triangles isocèles en *A*. Les points *A*, *M*, *B* d'une part et *A*, *N*, *C* d'autre part sont alignés. De plus (*MN*) // (*BC*).

On donne :
AM = *AN* = *x* avec *x* ∈ [0 ; 10] ;
NC = *MB* = 3 et *BC* = 5.

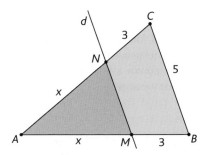

On se propose d'étudier les variations du périmètre du trapèze isocèle *MBCN* lorsque *x* varie de 0 à 10.

1. Exprimer en fonction de *x* la longueur *MN*.

2. Déduire de la question précédente que le périmètre *p*(*x*) du trapèze *MBCN* est donné par :

$$p(x) = \frac{16x + 33}{x + 3}.$$

3. Tracer la courbe représentative de la fonction *p* sur l'écran de la calculatrice. Conjecturer le sens de variations de cette fonction sur l'intervalle [0 ; 10].

4. a. Démontrer que pour tout *x* ∈ [0 ; 10] :

$$p(x) = 16 - \frac{15}{x + 3}.$$

b. Démontrer la conjecture du **3.**

5. Est-il possible d'avoir *p*(*x*) = 15 ? Justifier.

56 Des paraboles en architecture

Construits par Eugène Freyssinet (1879-1962), les hangars d'Orly sont des chefs-d'œuvre incontestés de l'architecture du xxᵉ siècle. Les voûtes sont formées d'arcs en béton armé dont les dimensions sont les suivantes : une portée de 75 m, une largeur de 86 m. La structure est une grande voûte formée par un voile plié constitué de 40 ondes de forme parabolique.

Le but de ce problème est de trouver l'équation de la parabole qui a servi à fabriquer cette arche.

On se place dans un repère (O, I, J) en prenant comme origine le milieu de la base de l'arche et comme unité le mètre $(OI = OJ = 1\ \text{m})$.

1. Dans ce repère, donner les coordonnées du sommet S de l'arche et des extrémités de la base de l'arche.

2. En utilisant le résultat de la question **1.**, trouver l'expression de la fonction du second degré dont la représentation graphique est la parabole dessinée par cette arche.

57 🖩 Trajectoire d'un boulet de canon

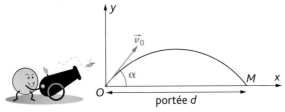

Lors d'un tir au canon, si l'on néglige les forces dues au frottement de l'air les physiciens savent que, la trajectoire du boulet de canon est donnée par la formule suivante :

$$y = f(x) = \frac{-g}{2v_0^2 \times \cos^2 \alpha} x^2 + (\tan \alpha) x$$

• g désigne l'accélération de la pesanteur ($g \approx 10\ \text{m.s}^{-2}$) ;
• v_0 désigne la vitesse initiale du boulet lorsqu'il sort du canon, exprimée en m.s^{-1} ;
• α désigne l'angle entre l'horizontale et la direction du canon ;
• x désigne la distance horizontale parcourue par l'obus, exprimée en m ;
• y désigne la hauteur à laquelle se trouve l'obus, exprimée en m.

Dans la suite, on suppose $v_0 = 100\ \text{m.s}^{-1}$.

1. Écrire les expressions obtenues donnant la hauteur atteinte par le boulet lorsque :
a. $\alpha = 60°$;
b. $\alpha = 30°$;
c. $\alpha = 45°$.

2. Tracer sur l'écran de la calculatrice les courbes des trois fonctions obtenues.

3. Conjecturer par lecture graphique laquelle de ces trois valeurs de α permet au boulet :
a. d'aller le plus haut ;
b. d'aller le plus loin.

58 Couronne circulaire

Dans un cercle $\mathscr{C}_1$ de centre A et de rayon 10 cm, on construit un second cercle $\mathscr{C}_2$ de centre A et de rayon x avec $0 \leqslant x \leqslant 10$. On définit ainsi entre ces deux cercles un domaine du plan appelé couronne circulaire.

1. Exprimer en fonction de x l'aire de la couronne circulaire notée $f(x)$.

2. Démontrer que la fonction f est décroissante sur l'intervalle $[0\,;10]$.

3. Trouver la valeur de x pour laquelle l'aire de la couronne circulaire est égale à la moitié de l'aire du disque de frontière $\mathscr{C}_1$.

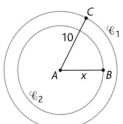

4. Question ouverte

Dans cette question, on suppose que x est un nombre entier et on suppose que l'on a construit un carré $RSTU$ dont les quatre sommets appartiennent au cercle $\mathscr{C}_1$.

a. Calculer la longueur du côté de ce carré.

b. Quelle est la plus grande valeur possible de x telle que le cercle $\mathscr{C}_2$ ne coupe pas les côtés de ce carré ? Expliquer la méthode.

59 🖥 Comprendre le mécanisme d'un enchaînement

1. Étudier le texte ci-dessous.

On considère la fonction $f : x \longmapsto 2(x + 1)^2 + 3$.

On a établi une feuille de calcul permettant de visualiser les étapes du calcul de $f(x)$:

	A	B	C	D
1	x	x + 1	$(x + 1)^2$	f(x)
2		=A2+1	=B2^2	=2*C2+3

La ligne 1 est une ligne de titres.

Dans la cellule A2, on mettra les valeurs pour lesquelles on veut calculer l'image par la fonction f. Les cellules B2, C2 et D2 contiennent les formules nécessaires à ce calcul. Ces formules correspondent en fait à des fonctions. Ainsi :
• la fonction $u : x \longmapsto x + 1$ permet de passer de la colonne A à la colonne B ;
• la fonction $v : x \longmapsto x^2$ permet de passer de la colonne B à la colonne C ;
• la fonction $w : x \longmapsto 2x + 3$ permet de passer de la colonne C à la colonne D.

On obtient la fonction f par un enchaînement de fonctions de référence :

$$x \overset{u}{\rightarrow} x + 1 \overset{v}{\rightarrow} (x + 1)^2 \overset{w}{\rightarrow} 2(x + 1)^2 + 3.$$

2. Voici un extrait de feuille de tableur :

a. Donner les titres à placer en cellules B1 et C1.

	A	B	C	D
1	x			h(x)
2		=2*A2-1	=1/B2	=-3*C2

b. Définir les fonctions u, v et w permettant de passer d'une colonne à la suivante.

c. Donner l'expression de $h(x)$.

60 🔲 **algo Écrire et tester un algorithme**

La fonction f est définie de la façon suivante :

• si $x \in \,]-\infty\,;0]$, $f(x) = \dfrac{x+1}{x-1}$;

• si $x \in [0\,;+\infty[$, $f(x) = \dfrac{x-1}{x+1}$.

1. Calculer les images par f des réels -2 ; -1 ; 0 ; 1 ; 2.
Quel est l'ensemble de définition de la fonction f ?

2. Écrire un algorithme permettant de calculer l'image par f d'un réel quelconque. Vérifier les résultats de la question **1.** en faisant fonctionner cet algorithme sur la calculatrice.

3. a. Conjecturer les variations de f sur l'intervalle $]-\infty\,;0]$.

b. Démontrer cette conjecture.

Aide : On vérifiera que : $\dfrac{x+1}{x-1} = 1 + \dfrac{2}{x-1}$.

4. Un travail similaire permet de montrer que f est croissante sur l'intervalle $[0\,;+\infty[$ (ce travail n'est pas demandé). Établir le tableau des variations de la fonction f et en déduire que f admet un minimum sur $\mathbb{R}$.

5. Question ouverte : Montrer que, pour tout réel x, $f(x) < 1$.

61 **En lien avec la Physique**

Lors d'un branchement en parallèle (on dit aussi en dérivation) de deux résistances R_1 et R_2, les physiciens savent qu'une loi permet de remplacer ces deux résistances par une seule résistance R à condition qu'elle vérifie la relation :

$$\frac{1}{R} = \frac{1}{R_1} + \frac{1}{R_2}.$$

Dans cet exercice, les résistances sont exprimées en ohms, avec $R_1 = 2$ et $R_2 = x$.

Branchement en parallèle

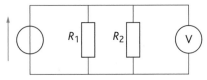

Schéma du montage

1. Démontrer que $R = \dfrac{2x}{x+2}$.

2. On considère la fonction r définie sur $[0\,;+\infty[$ par :

$$r(x) = \frac{2x}{x+2}.$$

a. Démontrer que cette fonction est croissante sur $[0\,;+\infty[$ (on pourra remarquer que $r(x) = 2 - \dfrac{4}{x+2}$).

b. Démontrer que, pour tout réel positif x, on a $0 \leqslant r(x) < 2$.

c. Dresser le tableau des variations de cette fonction.

3. Comment choisir R_2 pour avoir $R = 1{,}5\ \Omega$?

62 🔲 **algo** 🖥 Dans la ligne de saisie du logiciel Geogebra, on tape l'expression suivante pour définir une fonction f :

$$f(x) = \mathrm{Si}\left[x < 0,\ x^2 + 4x - 1, (-2x - 3)/(x + 3)\right]$$

1. Calculer les images par f des réels -2 ; -1 ; 0 ; 1 ; 2.

2. Écrire un algorithme permettant de calculer l'image par f d'un réel quelconque. Vérifier les résultats de la question **1.** en faisant fonctionner cet algorithme sur la calculatrice.

3. La courbe obtenue avec le logiciel est donnée ci-dessous :

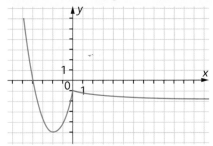

a. Conjecturer les réels α et β tels que :

$$x^2 + 4x - 1 = (x - \alpha)^2 + \beta$$

et vérifier par le calcul. En déduire les variations de f sur chacun des intervalles $]-\infty\,;-2]$ et $[-2\,;0]$.

b. En remarquant que $\dfrac{-2x-3}{x+3} = -2 + \dfrac{3}{x+3}$, montrer que f est décroissante sur l'intervalle $[0\,;+\infty[$.

c. Établir le tableau des variations de f.

4. Question ouverte : montrer que -5 est le minimum de f sur $\mathbb{R}$.

63 **Distance de freinage**

Sur une route sèche et horizontale, la distance de freinage d'une voiture à partir de l'instant où le conducteur met le pied sur le frein est donnée par la formule suivante :

$D = \dfrac{v^2}{2 \times g \times c}$ où D est exprimée en mètres avec :

• v : la vitesse en m/s au moment du freinage ;

• $g = 9{,}81$ m/s² (accélération de la pesanteur) ;

• c : le coefficient de frottement longitudinal qui dépend de la nature et de la qualité du revêtement.

Pour les quatre premières questions, on suppose que $c = 0{,}7$.

1. Justifier les distances de freinage, arrondies au mètre, apparaissant dans ce tableau.

Vitesse (km/h)	20	30	50	70	90	110	130
Distance de freinage (m)	2	5	14	28	46	68	95

2. À la lecture de ce tableau, quel semble être le sens de variation de la fonction qui à v associe la distance de freinage D ?

3. Démontrer la conjecture faite au **2.**

4. La distance de freinage D est-elle proportionnelle à la vitesse ?

5. On considère la vitesse v constante et on fait varier le coefficient de frottement longitudinal c.

Démontrer que D est une fonction décroissante de c.

---

64 a[go] Raisonner à l'aide d'un algorithme

On réalise l'algorithme suivant à l'aide du logiciel Algobox.

1. Utiliser l'algorithme précédent pour compléter le tableau suivant :

x	-6	-3	-1	2	5
y					

2. Exprimer en fonction de x la valeur de y obtenue à l'affichage en fin d'algorithme. On notera $f(x)$ l'expression obtenue.

3. Démontrer que f est croissante sur l'intervalle $]-\infty\,;-1]$ et décroissante sur $[-1\,;+\infty[$.

---

65 a[go] Manipuler un algorithme

Julien a rédigé cet algorithme et a entré une valeur pour x qu'il a malheureusement oubliée. Il a obtenu le résultat 3,4 comme l'indique l'encart des résultats.

Comment l'aider à retrouver sa valeur de x (on pourra écrire la fonction qui correspond à cet algorithme).

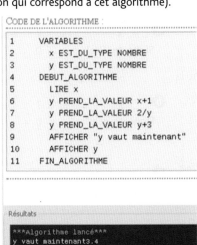

---

66 a[go] Question ouverte

Aurélien a rédigé cet algorithme à l'aide du logiciel Algobox et a entré la valeur 2. La valeur de y obtenue en fin d'algorithme a disparu sous une tache d'encre malencontreuse.

1. Quelle est la valeur de y obtenue en fin d'algorithme ?

2. Aurélien affirme que s'il augmente la valeur de x à partir de 2, celle de y diminuera. A-t-il raison ? Justifier.

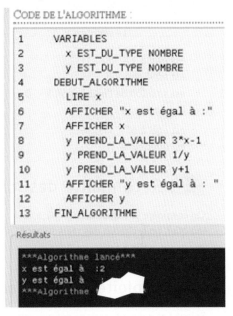

---

67 🖩 **Pourquoi a-t-on la condition $ad \neq bc$ dans la définition d'une fonction homographique ?**

(voir le paragraphe 3 du cours, page 100)

1. On choisit des réels a, b, c, d avec $c \neq 0$ tels que $a \times d = b \times c$. Par exemple : $a = 1$, $d = -6$, $b = -2$, $c = 3$. Afficher, avec ces valeurs, la courbe de la fonction $x \longmapsto \dfrac{ax + b}{cx + d}$ à l'écran de la calculatrice.

2. Recommencer avec d'autres valeurs de a, b, c, d vérifiant $ad = bc$. Dans chaque cas la courbe dessinée est-elle une hyperbole ?

3. Prenons un exemple.

On considère la fonction $f : x \longmapsto \dfrac{2x + 4}{3x + 6}$.

a. Préciser l'ensemble de définition D_f de f.

b. Montrer que, pour tout $x \in D_f$, on a $f(x) = \dfrac{2}{3}$.

c. Quelle est la nature de f sur D_f ?

4. Cas général :

Soit $f : x \longmapsto \dfrac{ax + b}{cx + d}$ avec $c \neq 0$ et $ad = bc$.

En remplaçant b par $\dfrac{ad}{c}$, montrer que pour tout $x \neq -\dfrac{d}{c}$, on a $f(x) = \dfrac{a}{c}$.

5. Expliquer alors les courbes visualisées à l'écran.

Remarque : en fait, la courbe n'est pas une droite, mais une droite privée d'un point. Pourquoi ?

Partir d'un bon pied

1 Examiner le signe d'un nombre

x est un nombre réel. Pour chaque nombre a vérifiant la condition de la colonne de gauche, indiquer son signe, si c'est possible. Recopier et compléter le tableau suivant :

Le nombre a	Le signe de a est :		
	positif	négatif	On ne peut pas savoir
est égal à $1 - \sqrt{2}$			
est supérieur à 0			
est solution de l'inéquation $x < 0$			
est égal à $-b$			
est égal à b^2			
est inférieur à 1			

2 Reconnaître des solutions d'une inéquation

On considère l'inéquation : $x^2 \leqslant x + 1$.
Indiquer, pour chacun des réels suivants, s'il est solution de cette inéquation.
a. 2 ;   b. 1,5 ;   c. 0 ;   d. $\sqrt{2}$;   e. -3.

3 Exploiter un tableau de signes

Soient f et g deux fonctions définies sur $\mathbb{R}$. On donne leurs tableaux de signes ci-dessous :

x	$-\infty$		-1		3		$+\infty$
Signe de $f(x)$		$+$	0	$-$	0	$+$	

x	$-\infty$		2		$+\infty$
Signe de $g(x)$		$-$	0	$+$	

Préciser si les phrases suivantes sont vraies ou fausses.

1. 4 est solution de l'inéquation $f(x) > 0$.

2. Si $x \leqslant -1$, alors $f(x) \geqslant 0$.

3. Si $x > 3$, alors $f(x) \geqslant 0$.

4. Si $x = 2$, alors $g(x) \leqslant 0$.

5. Si $f(x) = 0$, alors $x = 3$.

6. Si $x < -1$, alors $f(x) \times g(x) < 0$.

4 Associer signe et courbe représentative

Voici les tableaux de signes notés **a**, **b** et **c** des fonctions f, g et h et trois courbes $\mathscr{C}_1$, $\mathscr{C}_2$, $\mathscr{C}_3$.

1. Associer à chaque tableau de signes la courbe qui convient.

2. Recopier et compléter chaque tableau de signes en indiquant la valeur manquante.

a	x	$-\infty$	?	$+\infty$
	Signe de $f(x)$		$+$ 0 $-$	

b	x	$-\infty$	?	$+\infty$
	Signe de $g(x)$		$+$ 0 $+$	

c	x	$-\infty$	?	$+\infty$
	Signe de $h(x)$		$-$ 0 $+$	

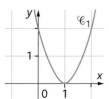

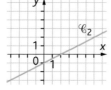

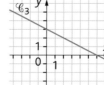

Pour réviser : des rappels de cours et des tests dans les **Techniques de base**

5

Résolution d'inéquations

Louis XIV décide d'améliorer les défenses de Saint-Malo en butte à des attaques anglaises. En 1689, il charge Sébastien de Prestre, maréchal de Vauban, de construire différents forts sur les îlots devant Saint-Malo et, en particulier, le fort du Petit Bé. Celui-ci n'est accessible qu'à marée basse. La courbe ci-contre donne la hauteur d'eau $f(t)$ en mètres en fonction du temps t.

La résolution graphique d'une inéquation permet de déterminer les horaires d'accessibilité du fort.

De gauche à droite : Le Petit Bé, le Grand Bé, la plage de la piscine de Saint-Malo.

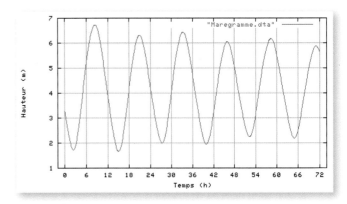

L'objectif principal de ce chapitre est la résolution d'inéquations dans la recherche de problèmes. On utilise pour cela le calcul algébrique ou des représentations graphiques.

AU FIL DU TEMPS

$<$: strictement inférieur. $>$: strictement supérieur.

Les symboles $<$ et $>$ apparaissent dans *Artis Analyticae Praxis ad Aequationes Algebraicas Resolvendas* de **Thomas Harriot** (1560-1621), publié de façon posthume en 1631 : « *Signum majoritatis ut a > b significet a majorem quam b* » et « *Signum minoritatis ut a < b significet a minorem quam b.* »

$\leqslant$: inférieur ou égal. $\geqslant$: supérieur ou égal.

Le Français **Pierre Bouguer** (1698-1758) utilise les symboles $\leqq$ et $\geqq$ en 1734.

En 1670, l'Anglais **John Wallis** (1616-1703) utilise des symboles similaires avec une seule barre horizontale. On lui doit aussi le symbole de l'infini ∞.

Le symbole actuel $\leqslant$ est sans doute le fruit d'une évolution typographique plus moderne.

Découvrir

1 Résoudre une inéquation

On considère un champ rectangulaire de 100 m sur 80 m.

Soit x un nombre compris entre 0 et 80. On diminue la longueur du champ de x mètres et on augmente la largeur de x mètres.

On cherche les valeurs de x pour lesquelles ces modifications conduisent à une augmentation de la surface du champ.

1. Montrer que résoudre ce problème revient à déterminer toutes les valeurs de x qui vérifient : $20x - x^2 > 0$. (I)

2. Représenter graphiquement la fonction f définie sur $[0\,;80]$ par $f(x) = 20x - x^2$ sur une calculatrice. Quelle réponse à la question posée peut-on ainsi prévoir ?

3. On donne la propriété suivante :

Le produit de deux nombres est positif si, et seulement si, ces deux nombres sont de même signe.

a. Utiliser cette propriété pour résoudre algébriquement l'inéquation (I).

b. Comparer les résultats avec ceux obtenus à la question **2.**

2 Utiliser un tableau de signes

On considère l'expression $A(x) = x(-x + 3)(2x - 1)$. On propose le tableau de signes correspondant ci-dessous.

x	$-\infty$		0		0,5		3		$+\infty$
Signe de x		$-$	0	$-$		$+$		$+$	
Signe de $-x + 3$		$-$		$-$		$-$	0	$+$	
Signe de $2x - 1$		$-$		$-$	0	$+$		$+$	
Signe du produit $x(-x + 3)(2x - 1)$		$-$	0	$+$	0	$-$	0	$+$	

1. Le tableau de signes comporte un certain nombre d'erreurs :

a. les corriger ;

b. indiquer la méthode utilisée pour les détecter.

2. En utilisant le tableau rectifié, répondre aux questions suivantes :

a. Pour quelles valeurs de x, le nombre $A(x)$ est-il nul ?

b. Donner le signe de $A(x)$ pour $x = 7$, $x = -5$, $x = 2$, $x = 2\sqrt{2}$ et $x = 2\pi$.

c. Résoudre dans $\mathbb{R}$ l'inéquation $A(x) < 0$.

3 Utiliser un tableau de variation

On considère une fonction g définie sur l'intervalle $[-5\,;5]$. Elle admet le tableau de variation ci-dessous.

x	-5	-3	0	2	5
$g(x)$	2 ↘	0 ↗	5 ↘	0 ↘	-4

1. Quel est le signe de $g(-4)$? de $g(-3)$? de $g(1)$? de $g(3)$? de $g(4)$?

2. Pour quelles valeurs de x a-t-on $g(x) > 0$?

4 Positions relatives de deux courbes

On considère les fonctions f et g définies pour $x > 0$ par :

$$f(x) = x + 1 + \frac{x - 10}{x^2} \quad \text{et} \quad g(x) = x + 1.$$

On représente graphiquement les fonctions f et g sur une calculatrice.

1. Reconnaître chacune des deux courbes et conjecturer la position de l'une par rapport à l'autre.

2. On donne la méthode suivante :

> Pour comparer deux nombres, on peut étudier le signe de leur différence.

En utilisant cette méthode, peut-on confirmer algébriquement la conjecture précédente ?

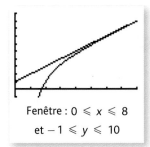

Fenêtre : $0 \leqslant x \leqslant 8$
et $-1 \leqslant y \leqslant 10$

5 Résoudre un problème à l'aide de plusieurs outils

On considère la fraction $\frac{2}{3}$. En ajoutant le même nombre $x \neq -3$ au numérateur et au dénominateur de cette fraction, on obtient la fraction :

$$f(x) = \frac{2 + x}{3 + x}.$$

Selon le choix de x, cette nouvelle fraction est-elle supérieure, inférieure, ou égale à $\frac{2}{3}$?

1. À l'aide de la calculatrice, et en faisant quelques essais, peut-on se faire une idée de la réponse au problème posé ?

2. Avec un tableur :

- consacrer une colonne aux valeurs de x, de -5 à 5 avec le pas 0,5 ;
- consacrer une colonne aux valeurs de $\frac{2 + x}{3 + x}$;
- consacrer une colonne aux valeurs de $\frac{2 + x}{3 + x} - \frac{2}{3}$.

Quelle réponse au problème peut-on conjecturer ?

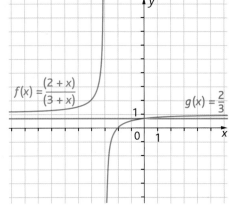

3. Expliquer comment les courbes tracées ci-contre peuvent également permettre de répondre au problème.

4. a. Montrer que : $f(x) - \frac{2}{3} = \frac{x}{3(3 + x)}$.

b. Recopier et compléter le tableau de signes ci-contre et répondre au problème posé.

x	$-\infty$		-3		0		$+\infty$
Signe de x							
Signe de $(3 + x)$		$-$	0	$+$		$+$	
Signe de $\dfrac{x}{3(3 + x)}$							

6 Analyser une démarche

On propose à la classe l'exercice suivant : « Résoudre dans $\mathbb{R}$ l'inéquation : $x^2 < 5x$ ».

On présente ci-contre la solution de Diégo.

1. Que peut-on penser de la solution proposée par Diégo ?

2. D'après le résultat de Diégo, le nombre -2 est-il solution ?

Qu'en est-il réellement ?

3. Mettre en place une stratégie pour donner une solution exacte au problème.

> *Comme $x \times x = x^2$, l'inéquation s'écrit : $x \times x < 5x$.*
> *En simplifiant par x, on obtient : $x < 5$.*
> *L'ensemble des solutions est l'intervalle : $]-\infty ; 5[$.*

 Les activités TICE corrigées animées

1 Résoudre une inéquation

Définition   Résoudre une inéquation dans un ensemble de réels D, c'est trouver **tous les éléments** de D qui vérifient l'inégalité donnée.

Exemples

- 3 est solution de l'inéquation $2x - 5 > 0$, car $3 \times 2 - 5 = 1 > 0$.
- -2 n'est pas solution de l'inéquation $2x - 5 > 0$, car $2 \times (-2) - 5 = -9 < 0$.

Dans $\mathbb{R}$, l'ensemble des solutions de l'inéquation $2x - 5 > 0$ est $\left] \dfrac{5}{2} ; +\infty \right[$, car $2x - 5 > 0$ équivaut à $x > \dfrac{5}{2}$.

2 Outils pour la résolution algébrique d'inéquations

a. Le signe d'un produit ou d'un quotient

On rappelle dans le tableau ci-contre la règle des signes pour obtenir le signe d'un produit ou d'un quotient.

Signe de a	+	+	−	−
Signe de b	+	−	+	−
Signe de $a \times b$ ou de $\dfrac{a}{b}$ (avec $b \neq 0$)	+	−	−	+

b. Les règles de transformation d'une inéquation

Règle 1

Ajouter ou soustraire un même nombre à chaque membre d'une inégalité ne change pas le sens de cette inégalité.

Règle 2

- Si $a > 0$, multiplier ou diviser par a les deux membres d'une inégalité ne change pas le sens de cette inégalité.
- Si $a < 0$, multiplier ou diviser par a les deux membres d'une inégalité change le sens de cette inégalité.

c. Le signe de « $ax + b$ » (voir chapitre 3, page 74)

- Si $a < 0$

x	$-\infty$		$-\dfrac{b}{a}$		$+\infty$
Signe de $ax + b$		+	0	−	

- Si $a > 0$

x	$-\infty$		$-\dfrac{b}{a}$		$+\infty$
Signe de $ax + b$		−	0	+	

Exemple : Résolution dans $\mathbb{R}$ de l'inéquation $36 - 4x^2 \geqslant 0$.

On remarque que : $36 - 4x^2 = 6^2 - (2x)^2$. On peut donc factoriser le membre de gauche pour **se ramener à l'étude d'un produit de facteurs du premier degré** : $36 - 4x^2 \geqslant 0 \Leftrightarrow (6 + 2x)(6 - 2x) \geqslant 0$.

Or $6 - 2x$ s'annule pour $x = 3$ et $6 + 2x$ s'annule pour $x = -3$.

On construit le tableau de signes correspondant.

x	$-\infty$		-3		3		$+\infty$
Signe de $6 - 2x$		+		+	0	−	
Signe de $6 + 2x$		−	0	+		+	
Signe du produit $(6 - 2x)(6 + 2x)$		−	0	+	0	−	

Cette ligne symbolise $\mathbb{R}$: on y range **par ordre croissant les valeurs** de la variable x **qui annulent les facteurs**.

$x \longmapsto -2x + 6$ est **décroissante**, on a donc le modèle « $+\ 0\ -$ ».

$x \longmapsto 2x + 6$ est **croissante**, on a donc le modèle « $-\ 0\ +$ ».

Cette ligne est obtenue en appliquant, dans chaque colonne les règles de signes d'un produit.

D'après la dernière ligne du tableau, le produit est positif $(+)$, c'est-à-dire supérieur à 0, ou nul, lorsque x (1ʳᵉ ligne) est situé entre -3 et 3.

L'ensemble des solutions de l'inéquation $36 - 4x^2 \geqslant 0$ est donc l'intervalle $[-3 ; 3]$.

Énoncé

Résoudre dans $\mathbb{R}$ les inéquations suivantes :

a. $(2x - 1)^2 \geqslant (2x - 1)(5x + 2)$;   b. $\dfrac{x + 4}{x - 2} \geqslant 0$.

Solution rédigée

a. Par transposition, l'inéquation est équivalente à :
$(2x - 1)^2 - (2x - 1)(5x + 2) \geqslant 0$ (point ❶).
$(2x - 1)$ est un facteur commun.

En factorisant, l'inéquation est équivalente à :
$(2x - 1)\big[(2x - 1) - (5x + 2)\big] \geqslant 0$,
soit $(2x - 1)(-3x - 3) \geqslant 0$ (point ❷).

On construit le tableau de signes correspondant :
$2x - 1 = 0$ pour $x = \dfrac{1}{2}$; $-3x - 3 = 0$ pour $x = -1$ (point ❸).

x	$-\infty$		-1		$\dfrac{1}{2}$		$+\infty$
$(2x - 1)$		$-$		$-$	0	$+$	
$(-3x - 3)$		$+$	0	$-$		$-$	
$(2x - 1)(-3x - 3)$		$-$	0	$+$	0	$-$	

◄── -1 et $\dfrac{1}{2}$ sont placés dans l'ordre croissant dans la 1re ligne

◄── $a = 2 > 0$: $+$ à droite de $\dfrac{1}{2}$

◄── $a = -3 < 0$: $+$ à gauche de -1

◄── Règle des signes par colonne

On souhaite résoudre $(2x - 1)(-3x - 3) \geqslant 0$.
On cherche les signes $+$ et les 0 dans la dernière ligne du tableau (point ❹).
Par lecture du tableau, on obtient les solutions de l'inéquation.
Les solutions de l'inéquation sont les réels de l'intervalle $\left[-1 ; \dfrac{1}{2}\right]$.

b. Les points ❶ et ❷ sont déjà effectués.
On construit le tableau de signes correspondant
(point ❸).
On a : $x + 4 = 0$ pour $x = -4$
et $x - 2 = 0$ pour $x = 2$.
On souhaite résoudre $\dfrac{x + 4}{x - 2} \geqslant 0$.

x	$-\infty$		-4		2		$+\infty$
$(x + 4)$		$-$	0	$+$		$+$	
$(x - 2)$		$-$		$-$	0	$+$	
$\dfrac{x + 4}{x - 2}$		$+$	0	$-$		$+$	

On cherche les signes $+$ et les 0 dans la dernière ligne du tableau (point ❹).
Par lecture du tableau, on obtient : $S = \,]-\infty ; -4] \cup \,]2 ; +\infty[$ (2 est exclu, car c'est une valeur interdite : elle annule le dénominateur).

Points méthode

Pour résoudre algébriquement une inéquation qui n'est pas du premier degré :

❶ Transposer pour avoir une inéquation avec un second membre nul.

❷ Factoriser le plus possible.

❸ Construire le tableau de signes de l'expression produit ou quotient :
– étudier le signe de chaque facteur en utilisant le signe de « $ax + b$ » ;
– obtenir le signe du produit ou du quotient dans la dernière ligne en utilisant la règle des signes.
Attention aux valeurs interdites dans le cas d'un quotient !

❹ Conclure par lecture de la dernière ligne du tableau.

POUR S'EXERCER

1 Résoudre dans $\mathbb{R}$ les inéquations suivantes :

a. $3x - 5 < 2x + 3$;   b. $2 - 5x > \dfrac{x}{3} + 2$.

2 1. Étudier le signe des expressions suivantes :
$$3x - 1 \text{ et } 6 - 2x.$$
2. En déduire le tableau de signes du produit :
$$(3x - 1)(6 - 2x).$$
3. Résoudre dans $\mathbb{R}$ l'inéquation $(3x - 1)(6 - 2x) < 0$.

3 Résoudre dans $\mathbb{R}$ les inéquations suivantes (attention aux valeurs interdites) :

a. $\dfrac{x - 3}{x + 1} < 0$;

b. $\dfrac{3}{x - 2} - 4 \geqslant 0$ (réduire au même dénominateur avant de construire le tableau de signes).

▶ Voir exercices 13 à 47

3 Résolution graphique de l'inéquation $f(x) > k$ (ou $f(x) < k$)

Soit $\mathscr{C}$ la courbe représentative d'une fonction numérique f définie sur un ensemble I.
Soit k un réel et $\mathscr{D}$ la droite d'équation $y = k$.

Propriété

Les solutions de l'inéquation $f(x) > k$ sont les abscisses des points de la courbe $\mathscr{C}$ situés au-dessus de la droite horizontale $\mathscr{D}$ d'équation $y = k$.

Exemple

On représente ci-contre une fonction f définie sur l'intervalle $[-2,5 \,; 1]$.
• Les points de coordonnées $(x\,;y)$ tels que $y > k$ se trouvent dans la partie jaune, au-dessus de la droite $\mathscr{D}$.
• Les points $M(x\,;f(x))$ de la courbe $\mathscr{C}$ tels que $f(x) > k$ sont dans la partie jaune. Les abscisses de ces points sont représentées en bleu sur le graphique.
• Donc les solutions de l'inéquation $f(x) > k$ sont les éléments de $]a\,;b[\,\cup\,]c\,;1]$.

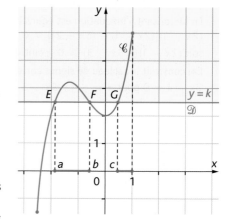

Remarque

Si on résout l'inéquation $f(x) < k$, il faut considérer les abscisses des points de $\mathscr{C}$ situés sous la droite $\mathscr{D}$.
Dans l'exemple ci-dessus, cette inéquation a pour ensemble de solutions les éléments de $[-2,5\,; a[\,\cup\,]b\,; c[$.

4 Positions relatives de deux courbes

Soient f et g deux fonctions définies sur un ensemble I, de courbes représentatives respectives $\mathscr{C}_f$ et $\mathscr{C}_g$.

Propriété

• Les solutions de l'équation $f(x) = g(x)$ sont les abscisses des **points d'intersection** des courbes $\mathscr{C}_f$ et $\mathscr{C}_g$.
• Les solutions de l'inéquation $f(x) > g(x)$ sont les abscisses des points de la courbe $\mathscr{C}_f$ situés **au-dessus** de la courbe $\mathscr{C}_g$.
• Les solutions de l'inéquation $f(x) < g(x)$ sont les abscisses des points de la courbe $\mathscr{C}_f$ situés **au-dessous** de la courbe $\mathscr{C}_g$.

Exemple

On représente ci-contre deux fonctions f et g définies sur l'intervalle $[-3\,;3]$.

• L'ensemble des solutions de l'équation $f(x) = g(x)$ est $\{-1\,;2\}$.

• Les solutions de l'inéquation $f(x) < g(x)$ sont les réels de l'intervalle $]-1\,;2[$.

• L'ensemble des solutions de l'inéquation $f(x) > g(x)$ est $[-3\,;-1[\,\cup\,]2\,;3]$.

• L'ensemble des solutions de l'inéquation $f(x) \leqslant g(x)$ est l'intervalle fermé $[-1\,;2]$. Du fait qu'on accepte l'égalité des images, les abscisses des points d'intersection sont aussi des solutions.

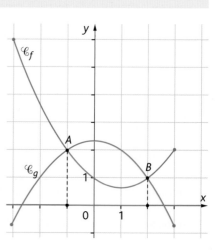

Énoncé

On considère la fonction numérique f définie sur $[-2\,;3]$ et représentée ci contre.

1. Résoudre graphiquement l'inéquation $f(x) > -1$.

2. Résoudre graphiquement l'inéquation : $f(x) < -0,2$.

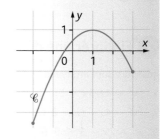

Solution rédigée

1. Les solutions de cette inéquation sont les abscisses des points de $\mathscr{C}$ situés au-dessus (strictement) de la droite $\mathscr{D}$ d'équation $y = -1$.
Les solutions sont les réels de l'intervalle $]-1\,;3[$.

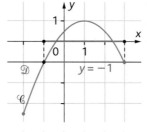

2. La courbe $\mathscr{C}$ et la droite $\mathscr{D}$ d'équation $y = -0,2$ ont deux points d'intersection, d'abscisses a et b (avec $a < b$).
Les solutions de l'inéquation $f(x) < -0,2$ sont les abscisses des points de $\mathscr{C}$ situés au-dessous (strictement) de la droite $\mathscr{D}$.
L'inéquation $f(x) < -0,2$ admet pour ensemble de solutions une réunion d'intervalles : $[-2\,;a[\,\cup\,]b\,;3]$.

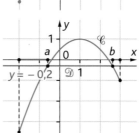

Points méthode

Pour résoudre graphiquement une inéquation du type $f(x) > k$ ou $f(x) < k$:

1 Construire la courbe représentative de f et la droite d'équation $y = k$.

2 Lire sur le graphique les valeurs de x pour lesquelles l'image $f(x)$ est strictement supérieure (ou inférieure) à k.

POUR S'EXERCER

4   Soit f la fonction définie sur $[-2\,;3]$ par :
$$f(x) = x^3 + x^2 - 2x.$$

1. À l'aide de la calculatrice, tabuler la fonction f sur $[-2\,;3]$ avec le pas 0,5.

2. Représenter graphiquement la fonction f sur $[-2\,;3]$.

3. Résoudre graphiquement sur l'intervalle $[-2\,;3]$ l'inéquation : $x^3 + x^2 - 2x \geqslant 0$.

5 1. Sur un même graphique, représenter sur l'intervalle $[-2\,;2]$ les courbes $\mathscr{C}_1$ et $\mathscr{C}_2$ d'équations respectives :
$$y = x^2 - 4 \quad \text{et} \quad y = -x - 2.$$

2. Étudier graphiquement la position des courbes $\mathscr{C}_1$ et $\mathscr{C}_2$ sur l'intervalle $[-2\,;2]$.

3. Quelles sont les solutions dans l'intervalle $[-2\,;2]$ de l'inéquation $x^2 - 4 > -x - 2$?

6 Une petite entreprise produit de la peinture. Pour des raisons de stockage, la production mensuelle q est comprise entre 0 et 10 tonnes.

Le coût total de fabrication mensuel, exprimé en milliers d'euros, est donné par la fonction f définie sur $[0\,;10]$ représentée ci-dessous en vert (en abscisses : tonnes de peinture ; en ordonnée : prix en milliers d'euros).

Une tonne de peinture est vendue 5,5 milliers d'euros. Le résultat de la vente est représenté par la courbe rouge. Déterminer graphiquement les quantités de peinture à produire pour que l'entreprise soit bénéficiaire.

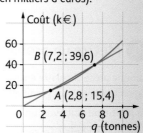

▶ **Voir exercices 57 à 66**

7 Élaborer une démarche pour résoudre une inéquation

Résoudre sur l'intervalle $I = [-5\,;5]$ les inéquations suivantes :

1. $(x^2 + 4)(3x + 5) > 0$ (E$_1$).

2. $(x^2 - 4) - (x - 2)(2x + 3) < 0$ (E$_2$).

3. $x^2 + 2x - 3 \leqslant 0$ (E$_3$).

Solution

1. Pour tout réel x, $x^2 \geqslant 0$, donc $x^2 + 4 > 0$, et l'inéquation (E$_1$) est équivalente à $3x + 5 > 0$, soit à $x > -\dfrac{5}{3}$.

Sur I, l'ensemble des solutions de (E$_1$) est $\left]-\dfrac{5}{3}\,;5\right]$.

2. $(E_2) \Leftrightarrow (x - 2)(x + 2) - (x - 2)(2x + 3) < 0,$

soit : $(E_2) \Leftrightarrow (x - 2)[(x + 2) - (2x + 3)] < 0$

$\Leftrightarrow (x - 2)(-x - 1) < 0.$

- $x - 2$ s'annule pour $x = 2$.
- $-x - 1$ s'annule pour $x = -1$.

En utilisant le signe de « $ax + b$ », on construit le tableau de signes suivant :

x	-5		-1		2		5
$x - 2$		$-$		$-$	0	$+$	
$-x - 1$		$+$	0	$-$		$-$	
$(x - 2)(-x - 1)$		$-$	0	$+$	0	$-$	

Par lecture du tableau, les solutions de (E$_2$) sont les réels de l'ensemble $[-5\,;-1[\cup]2\,;5]$.

3. À l'aide d'un grapheur ou de la calculatrice, on construit la courbe représentant f. Puis on vérifie par le calcul que $f(-3) = 0$ et $f(1) = 0$.

Les points $M(x\,;f(x))$ tels que $f(x) < 0$ sont représentés en rouge.

Les solutions de (E$_3$) sont les réels de l'intervalle $[-3\,;1]$.

On peut vérifier algébriquement les résultats en remarquant que :
$$x^2 + 2x - 3 = (x + 1)^2 - 4.$$

Stratégies

1. (E$_1$) est une inéquation produit, mais le facteur $x^2 + 4$ est strictement positif pour toutes les valeurs de x. Un tableau de signes n'est pas nécessaire.

2. Si on développe, les termes en x^2 ne s'éliminent pas. De plus, l'expression algébrique est factorisable, car :
$$x^2 - 4 = (x - 2)(x + 2).$$
Il suffit de factoriser et ensuite d'utiliser un tableau de signes.

3. On procède à une résolution graphique à l'aide de la fonction f définie sur I par $f(x) = x^2 + 2x - 3$, en deux étapes :
– la construction de la courbe d'équation $y = f(x)$;
– la lecture des réels qui ont une image par f négative ou nulle.

8 Mettre un problème en inéquation

Sur une pièce circulaire en acier de rayon 12 cm ; on perce deux trous circulaires, le grand trou ayant un rayon trois fois plus grand que le petit.

Le petit trou doit avoir un rayon strictement supérieur à 0,5 cm.

Comment choisir le rayon du petit trou pour que l'aire de la pièce en acier, obtenue après l'élimination des deux disques découpés, soit supérieure à la moitié de l'aire de la pièce initiale ?

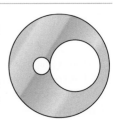

● On appelle x le rayon (en cm) du petit trou ; le rayon du grand trou est donc $3x$.
Vu les dimensions de la plaque, il faut que $x + 3x < 12$, donc $4x < 12$, soit $x < 3$.
D'après les contraintes, on a $0,5 < x < 3$.

● Choisir l'inconnue et repérer l'ensemble de ses valeurs possibles.

● Pour obtenir l'aire de la pièce en acier, il faut soustraire à l'aire du grand disque, l'aire des deux trous.

– Aire, en cm², du grand disque : $\pi \times 12^2 = 144\pi$.

– Aire, en cm², du petit trou : πx^2.

– Aire, en cm², du grand trou : $\pi(3x)^2 = 9\pi x^2$.

– L'aire de la pièce s'exprime en fonction de x :
$$144\pi - \pi x^2 - 9\pi x^2 = 144\pi - 10\pi x^2.$$

On doit donc avoir $144\pi - 10\pi x^2 > \dfrac{144\pi}{2}$.

● Repérer le morceau de phrase qui donne l'inéquation : ici « l'aire de la pièce en acier obtenue est supérieure à la moitié de l'aire du grand disque ».

● En transposant, on se ramène à résoudre l'inéquation $72\pi - 10\pi x^2 > 0$ sur $I = \,]0,5 \,;\, 3[$.

● $72\pi - 10\pi x^2 > 0 \Leftrightarrow 2\pi(36 - 5x^2) > 0$.

On utilise l'identité remarquable :
$$a^2 - b^2 = (a - b)(a + b).$$
$72\pi - 10\pi x^2 > 0 \Leftrightarrow 2\pi(6 + \sqrt{5}x)(6 - \sqrt{5}x) > 0$.

On sait que $2\pi > 0$, et comme x est strictement positif, $6 + \sqrt{5}x > 0$.

Ainsi, on obtient : $72\pi - 10\pi x^2 > 0 \Leftrightarrow 6 - \sqrt{5}x > 0 \Leftrightarrow x < \dfrac{6}{\sqrt{5}}$.

● Une fois l'inéquation obtenue, on remarque qu'on peut la résoudre algébriquement, car le premier membre est factorisable.

● En conclusion, le petit trou doit avoir un rayon compris entre $0,5$ cm et $\dfrac{6}{\sqrt{5}}$ cm,
c'est-à-dire entre $0,5$ cm et $2,68$ cm à $0,01$ près.

⑨ Placer une courbe par rapport à une autre

On considère les fonctions f et g définies sur $]0 \,;\, +\infty[$ par :
$$f(x) = \frac{x^3 - x^2 + x - 7}{x^2} \quad \text{et} \quad g(x) = x - 1.$$

On représente ci-contre une partie de leurs courbes représentatives $\mathcal{C}_f$ et $\mathcal{C}_g$.

Le tracé rend difficile à distinguer les positions relatives de $\mathcal{C}_f$ et $\mathcal{C}_g$.

Il semble toutefois que $\mathcal{C}_g$ soit toujours au-dessus de $\mathcal{C}_f$.
Est-ce vrai ?

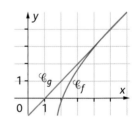

On a : $g(x) - f(x) = x - 1 - \dfrac{x^3 - x^2 + x - 7}{x^2}$,

soit, en réduisant au même dénominateur x^2 :

$$g(x) - f(x) = \frac{(x - 1)x^2 - (x^3 - x^2 + x - 7)}{x^2}.$$

D'où : $g(x) - f(x) = \dfrac{x^3 - x^2 - x^3 + x^2 - x + 7}{x^2} = \dfrac{-x + 7}{x^2}$,

soit : $g(x) - f(x) > 0 \Leftrightarrow \dfrac{-x + 7}{x^2} > 0$;

donc : $g(x) - f(x) > 0 \Leftrightarrow -x + 7 > 0$ (car x^2 est toujours positif),
soit $x < 7$.

En conclusion, $\mathcal{C}_g$ est au-dessus de $\mathcal{C}_f$ pour $x \in \,]0 \,;\, 7[$.

Pour confirmer ou infirmer la conjecture, il suffit de résoudre l'inéquation $g(x) - f(x) > 0$.

Organiser une recherche

Énoncé

Le carré *ABCD* a un côté de longueur 8 cm. *M* est un point du segment [*AB*].
On dessine comme ci-contre dans le carré *ABCD* :
• un carré de côté [*AM*] ;
• un triangle isocèle de base [*MB*] et dont la hauteur a même mesure que
le côté [*AP*] du carré.

On s'intéresse à l'aire du motif coloré, constitué par le carré *AMNP* et le triangle *MQB*.

Quelles sont les positions du point *M* sur le segment [*AB*] pour que le motif
ait une aire supérieure à 10 cm² ?

▭▭▭▭ Recherche à l'aide d'un logiciel de géométrie dynamique

À l'aide d'un logiciel de géométrie dynamique :

a. on construit la figure où *M* est un point variable sur le segment [*AB*] ;

b. on fait ensuite apparaître la longueur *x* du segment [*AM*] et la somme *S* des aires du carré *AMNP* et du triangle *MQB*.

En déplaçant le point *M* sur le segment [*AB*], on constate que :

• *x* varie sur I = [0 ; 8] ;

• *S* semble dépasser 10 lorsque *x* dépasse 2.

* Conseil pour construire le point Q

MQB est isocèle en Q, donc Q appartient à la médiatrice de [*MB*].

MQB a la même hauteur que le carré, donc Q appartient à la droite (*PN*).

▭▭▭▭ Ébauche d'une solution

● **Formaliser le problème.**

Il faut repérer la position de *M* sur le segment [*AB*]. On pose $x = AM$.

En exprimant l'aire $f(x)$ du motif en fonction de *x*, le problème se ramène à la résolution
de l'inéquation $f(x) > 10$, ou encore $f(x) - 10 > 0$.

● **Utiliser un logiciel de calcul formel pour aider à la démonstration.**

La formalisation donne $f(x) = \dfrac{x^2}{2} + 4x$.

On veut résoudre $f(x) - 10 > 0$.

On utilise un logiciel de calcul formel pour aider au calcul algébrique, comme ci-contre.

Il reste à montrer par le calcul les résultats « utiles » du logiciel et à prouver la conjecture.

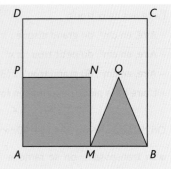

▭▭▭▭ Rédaction d'une solution

À l'aide des deux parties précédentes, rédiger une solution du problème étudié.

Prendre des initiatives

10 Étude du volume d'un solide

On considère un cône de génératrice 10 cm.

On souhaite déterminer les hauteurs possibles du cône pour que son volume soit strictement inférieur à 200 cm³.

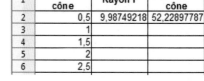

A • Approche numérique

1. Calculer le volume du cône lorsque la hauteur est 8 cm.

2. Donner l'ensemble des valeurs possibles de la hauteur du cône.

On appelle I cet intervalle.

3. Mettre en place la feuille de calcul ci-contre.

On placera des formules dans les cellules B2 et C2, qu'on recopiera vers le bas.

4. En utilisant le tableur, donner un encadrement des hauteurs solutions du problème.

	A	B	C
1	Hauteur du cône	Rayon r	Volume du cône
2	0,5	9,98749218	52,22897787
3	1		
4	1,5		
5	2		
6	2,5		

B • Approche graphique

1. Démontrer que le volume du cône est donné en fonction de x par :

$$f(x) = \frac{1}{3} \times \pi \times x(100 - x^2).$$

2. Construire sur la calculatrice la courbe représentative de f sur I (choisir une échelle adaptée).

3. Répondre à la question posée à l'aide du bouton TRACE de la calculatrice.

C • Approche algébrique

1. Montrer que le problème se ramène à la résolution de l'inéquation $600 - \pi \times x(100 - x^2) > 0$.

2. Demander une factorisation de l'expression $600 - \pi \times x(100 - x^2)$ avec un logiciel de calcul formel en mode approché :

> 1 factoriser(600-pi*x*(100-x^2))

3. Conclure.

11 Correction de copie

Voici la copie de Sacha pour répondre à la question : « Résoudre dans $\mathbb{R}$ l'inéquation : $(x^2 - 9) \leqslant (2x + 1)(x + 3)$ ».

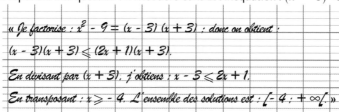

La résolution de Sacha est-elle correcte ? Sinon, proposer une solution exacte.

12 Descente rapide...

Un cycliste escalade une côte de 10 km à la vitesse de 20 km/h, puis il fait demi-tour et la redescend aussitôt à une vitesse v.

On note v_m sa vitesse moyenne sur l'ensemble du parcours.

1. Indiquer intuitivement une vitesse v telle que $v_m = 40$ km/h.

2. Élaborer et mettre en place une démarche permettant de confirmer ou d'infirmer la conjecture.

Faire le point

Savoir...	Comment faire ?
Transformer une inéquation.	• On utilise la somme ou la différence d'un même terme des deux côtés de l'inégalité. • On multiplie (ou on divise) chaque membre de l'inégalité par un même nombre : – si ce nombre est positif, le sens de l'inégalité est inchangé ; – si ce nombre est négatif, le sens de l'inégalité est inversé.
Déterminer le signe de l'expression $ax + b$.	• On détermine la valeur charnière en résolvant l'équation $ax + b = 0$. • On conclut selon le signe de a, et selon la position de x par rapport à cette valeur charnière : – si $a > 0$, $ax + b$ est négatif avant de s'annuler, positif après ; – si $a < 0$, $ax + b$ est positif avant de s'annuler, négatif après. • On trace la droite d'équation $y = ax + b$ pour contrôler le signe de $ax + b$ selon les valeurs de x.
Résoudre une inéquation produit ou quotient de facteurs du premier degré.	• On détermine les nombres annulant les facteurs du 1er degré. • On construit le tableau de signes. Attention aux valeurs interdites pour un quotient ! • On lit dans le tableau l'ensemble des solutions de l'inéquation.
Résoudre graphiquement l'inéquation $f(x) < k$ (ou $f(x) > k$) sur un intervalle I (k étant un nombre réel donné).	• On construit la courbe $\mathscr{C}$ d'équation $y = f(x)$ sur I. • On trace sur le même graphique la droite $\mathscr{D}$ d'équation $y = k$, parallèle à l'axe des abscisses. *(graphique : courbe $\mathscr{C}$, droite $\mathscr{D}$ d'équation $y = k$, axes x et y, points J, O, I)* • On lit sur le graphique les abscisses des points de $\mathscr{C}$ se trouvant au-dessous de $\mathscr{D}$ (ou au-dessus de $\mathscr{D}$).
Résoudre graphiquement une inéquation de la forme $f(x) < g(x)$.	À partir des courbes représentatives des fonctions f et g : • On identifie, si c'est possible, les abscisses des points d'intersection de $\mathscr{C}_f$ et $\mathscr{C}_g$: ce sont les solutions de l'équation $f(x) = g(x)$. • On identifie, si c'est possible, les abscisses pour lesquels $\mathscr{C}_f$ est au-dessous de $\mathscr{C}_g$: ce sont les solutions de l'inéquation $f(x) < g(x)$.
Savoir placer une courbe par rapport à une autre.	• On traduit le problème sous la forme d'une inéquation. • On choisit une méthode algébrique ou graphique pour la résoudre.
Mettre un problème en inéquation et le résoudre.	• On choisit une inconnue et on précise l'ensemble auquel elle appartient. • On traduit les données de l'énoncé en les exprimant en fonction de cette inconnue et on aboutit à une inéquation. • On résout graphiquement ou algébriquement l'inéquation obtenue.

Pour chacune des questions suivantes, une seule réponse est correcte.

A

	a.	b.	c.
1. L'inéquation $5 - 3x \leqslant 3$ est équivalente à :	**a.** $3x \leqslant -2$	**b.** $3x \geqslant 2$	**c.** $x \geqslant -1$
2. L'inéquation $(x + 1) + (6 - 2x) > 0$ admet pour ensemble des solutions :	**a.** $]-1\,;3[$	**b.** $]-\infty\,;7[$	**c.** $]7\,;+\infty[$
3. L'inéquation $(x - 1)(x - 2) \leqslant 2$ admet pour ensemble des solutions :	**a.** $[1\,;2]$	**b.** $]0\,;3[$	**c.** $[0\,;3]$
4. L'inéquation $(x - 3)(4 - 2x) < 0$ admet pour ensemble des solutions :	**a.** $]2\,;3[$	**b.** $]-\infty\,;2[\,\cup\,]3\,;+\infty[$	**c.** $]3\,;+\infty[$
5. L'inéquation $\dfrac{1,5 - x}{4 + x} \geqslant 0$ admet pour ensemble des solutions :	**a.** $[-4\,;1,5]$	**b.** $]-\infty\,;-1,25]$	**c.** $]-4\,;1,5]$
6. L'inéquation $x^2 + 1 > 0$ admet pour ensemble des solutions :	**a.** $]-1\,;1[$	**b.** $]-\infty\,;-1[\,\cup\,]1\,;+\infty[$	**c.** $]-\infty\,;+\infty[$
7. Un père a 45 ans et son fils 11 ans. Dans combien d'années le triple de l'âge du fils sera-t-il supérieur ou égal à l'âge du père ?	**a.** dans 4 ans	**b.** dans 5 ans	**c.** dans 6 ans

Corrigé p. 336

Vrai ou faux ?

Préciser si les affirmations suivantes sont vraies ou fausses.

B On considère la fonction f définie sur $\mathbb{R}$ par $f(x) = x(x - 8) + 7$.
On considère les expressions : **①** $x^2 - 8x + 7$; **②** $(x - 4)^2 - 9$; **③** $(x - 1)(x - 7)$.

1. Les expressions **①**, **②**, **③** sont des expressions égales à $f(x)$.

2. Pour résoudre l'inéquation $f(x) \leqslant 7$ l'expression la plus adaptée est la **③**.

3. Pour résoudre l'inéquation $f(x) \geqslant -5$ l'expression la plus adaptée est **②**.

4. Pour tout réel x de l'intervalle $[1\,;7]$, $f(x) \leqslant 0$.

Corrigé p. 336

C Les fonctions f et g définies sur $I = [-2\,;3]$ sont représentées ci-contre : la courbe représentative de f est en bleu, celle de g est en rouge.
Les points marqués sont à coordonnées entières.

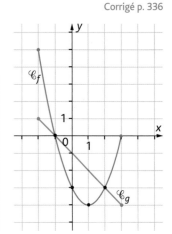

1. L'ensemble des solutions de l'inéquation $f(x) \geqslant 0$ sur I est $[-2\,;-1]$.

2. L'ensemble des solutions de l'inéquation $g(x) \geqslant 0$ sur I est $[-2\,;-1]$.

3. L'ensemble des solutions de l'inéquation $f(x) \leqslant -3$ sur I est $[0\,;2]$.

4. Les solutions de l'inéquation $f(x) - g(x) \leqslant 0$ sont les abscisses des points de la courbe représentative de f situés sous les points de la courbe représentative de g.

5. L'ensemble des solutions de l'inéquation $\dfrac{g(x)}{f(x)} \geqslant 0$ sur I est $I\backslash\{-1\,;3\}$.

Corrigé p. 336

 Pour s'auto-évaluer : des QCM et Vrai-Faux complémentaires

▶ Les exercices portant un numéro orange sont corrigés à la fin du manuel, page 330.

Applications directes

1 Résoudre une inéquation

13 Déterminer le signe de :

a. $-x$ si x est négatif ;

b. $\dfrac{-2}{x}$ si x est strictement positif ;

c. $x^2 + 1$ pour x négatif.

14 **QCM** Une seule réponse est correcte.

Soit M un point de l'axe (O, I) d'abscisse x.

L'ensemble des points M tels que $-1 < x \leqslant 3$ est :

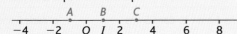

a. le segment $[AB]$

b. le segment $[AC]$

c. le segment $[AC]$ privé du point C

d. le segment $[AC]$ privé du point A

15 **QCM**

On considère l'inéquation $x^3 - x^2 + 1 > 0$.

Choisir le (ou les) nombre(s) qui est (sont) solution de cette inéquation.

a. 2   **b.** -3 **c.** $\sqrt{2}$ **d.** $-0,5$

16 On donne le programme de calcul ci-dessous :

• Choisir un nombre.
• Multiplier ce nombre par 4.
• Ajouter 6.
• Écrire le résultat.

Quels nombres doit-on choisir pour que le résultat soit supérieur ou égal à 15 ?

17 On considère le tableau de signes suivant :

x	$-\infty$		1		$+\infty$
$f(x)$		$-$	0	$+$	

1. Quel est le signe de $f(3)$?

2. Quel est le signe de $f(-\pi)$?

3. Déterminer trois solutions de l'inéquation $f(x) < 0$.

18 On considère l'expression suivante : $P(x) = x^2 - x - 6$.

1. Traduire par un tableau de signes les phrases suivantes :

« On peut vérifier que l'expression $P(x)$ s'annule pour deux valeurs de x qui sont 3 et -2.

D'autre part, $P(x)$ est de signe négatif pour x variant entre -2 et 3, et de signe positif pour x inférieur à -2, ou bien pour x supérieur à 3. »

2. À l'aide du tableau précédent, donner l'ensemble des solutions de l'inéquation $P(x) > 0$.

3. a. -3 est-il solution de l'inéquation $P(x) < 0$?

b. -2 est-il solution de l'inéquation $P(x) > 0$?

2 Résolution algébrique d'inéquations

19 **Vrai ou faux ?**

On considère l'inéquation : $x - 5 \geqslant 0$ (I).

1. 4 est une solution de (I).

2. 8 est une solution de (I).

3. Les solutions de (I) sont les nombres supérieurs à 5.

4. Tous les réels supérieurs à 6 sont solution de (I).

20 **QCM** Une seule réponse est correcte.

1. L'ensemble des solutions de l'inéquation $5 - 4x > 0$ est :

a. $\left]\dfrac{5}{4} ; +\infty\right[$ **b.** $\left]-\infty ; \dfrac{5}{4}\right[$ **c.** $\left]-\infty ; \dfrac{5}{4}\right]$

2. L'ensemble des solutions de l'inéquation $(x - 1)^2 > 0$ est :

a. $\mathbb{R}$ **b.** $]1 ; +\infty[$ **c.** $\mathbb{R}\backslash\{1\}$

21 Compléter les tableaux de signes suivants après avoir tracé au brouillon ou sur la calculatrice la droite concernée.

a.

Valeurs de x	$-\infty$	$+\infty$
Signe de $x - 2$		

b.

Valeurs de x	$-\infty$	$+\infty$
Signe de $-3x + 7$		

c.

Valeurs de x	$-\infty$	$+\infty$
Signe de $-3 + 2x$		

d.

Valeurs de x	$-\infty$	$+\infty$
Signe de $3x$		

Inéquations du 1er degré

Pour les exercices 22 à 26, résoudre dans $\mathbb{R}$ les inéquations proposées.

22 **a.** $x + 3 \leqslant 2$;   **b.** $3 - 4x < 7$;

c. $8 - 5x > 2 - x$.

23 **a.** $-2x + \dfrac{1}{3} < x - \dfrac{1}{4}$; **b.** $2\left(\dfrac{x}{3} - 5\right) \geqslant x + \dfrac{3}{4}$;

c. $\dfrac{2x - 1}{5} + \dfrac{1}{3} > x + 4$.

24 **a.** $\sqrt{2}\,x + 1 < 5$;   **b.** $(1 - \sqrt{3})x + \sqrt{3} < 2$;
c. $x\sqrt{2} - \sqrt{3} \geqslant x\sqrt{3} - 1$.

25 Résoudre le système d'inéquations suivant :
$$\begin{cases} 2x + 1 \geqslant x - 5 \\ 5 - x \geqslant 3x - 1 \end{cases}.$$

26 Résoudre le système d'inéquations suivant :
$$-1 < 8 - 3x < 1.$$

Inéquations produit

27 On trace dans le plan muni d'un repère les droites d'équation $\mathscr{D}_1 : y = \dfrac{x}{2} - 2$ et $\mathscr{D}_2 : y = -x + 1$.

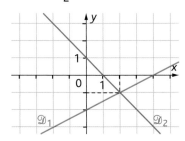

Choisir la bonne réponse parmi les quatre propositions suivantes.

Le produit $\left(\dfrac{x}{2} - 2\right)(-x + 1)$ est positif ou nul :

a. si, et seulement si, $x \geqslant 4$;
b. si, et seulement si, $x \geqslant 2$;
c. si, et seulement si, $1 \leqslant x \leqslant 4$;
d. si, et seulement si, $x \leqslant 1$ ou $x \geqslant 4$.

28 **a.** Recopier et compléter le tableau de signes suivant :

x	$-\infty$		$\dfrac{3}{2}$		2		$+\infty$
$-3 + 2x$			0				
$x\dots\dots$					0		
$(\dots\dots)(\dots\dots)$							

b. Donner une inéquation que ce tableau permet de résoudre.

29 **a.** Recopier et compléter le tableau de signes suivant :

x	$-\infty$		$\dots\dots$		5		$+\infty$
$-x - 3$			0				
$x - 5$							
$(\dots\dots)(\dots\dots)$							

b. Donner une inéquation que ce tableau permet de résoudre.

Pour les exercices 30 à 32, résoudre dans $\mathbb{R}$ les inéquations proposées.

Voir la fiche Savoir faire, page 121.

30 **a.** $(x - 2)(5 - x) \geqslant 0$; **b.** $(1 - 3x)(4x + 3) < 0$.

31 **a.** $3x(4 - x) \geqslant 0$;   **b.** $(2x - 1)(2x + 1) < 0$.

32 **a.** $x(3 - x)(2x + 1) > 0$;
b. $(2x - 1)(4 - 5x)(x + 2) \leqslant 0$.

Pour les exercices 33 à 39, se ramener à une inéquation produit, puis la résoudre.

33 **a.** $x^2 - 9 \geqslant 0$;   **b.** $2x^2 + 3x < 0$.

34 **a.** $(x - 3)(5 + 2x) - (x - 3)(x - 6) \leqslant 0$;
b. $(x + 2)^2 - (x + 2)(3x + 4) < 0$.

35 **a.** $2x^2 \geqslant 8$;   **b.** $(2x - 1)^2 - (x + 3)^2 < 0$.

36 **a.** $x^2 + 1 \leqslant 0$;   **b.** $(3 - x)^2 \geqslant 25$.

37 **a.** $(x + 3)^2 \leqslant (4 - 3x)^2$;
b. $x^2 - 9 \geqslant 2x(x - 3)$.

38 **a.** $(x + 2)^2 < 9(5 - 3x)^2$;
b. $(x^2 - 6x + 9) \geqslant (x - 3)(3x - 7)$.

39 $x^3 < 4x$.

Inéquations quotient

40 **QCM** Déterminer la (ou les) bonne(s) réponse(s).
1. L'inéquation $\dfrac{x + 3}{x} \leqslant 0$:

a. est équivalente à $x + 3 \leqslant x$
b. est équivalente à $x + 3 \leqslant 0$
c. admet pour solutions les réels de l'intervalle $[-3 ; 0[$
2. L'inéquation $\dfrac{x + 3}{x} \leqslant 1$:

a. est équivalente à $x + 3 \leqslant x$
b. est équivalente à $\dfrac{3}{x} \leqslant 0$
c. admet pour solutions les réels de $]-\infty ; 0[$

41 **a.** Recopier et compléter le tableau de signes suivant, en précisant la valeur interdite :

x	$-\infty$		$\dots\dots$		3		$+\infty$
$x + 2$			0				
$x - 3$					0		
$\dfrac{x + 2}{x - 3}$							

b. Donner une inéquation que ce tableau permet de résoudre.

42 **a.** Recopier et compléter le tableau de signes suivant :

x	$-\infty$		-1		4		$+\infty$
$x \ldots\ldots$			0				
$x - 4$					0		
$\dfrac{x \ldots\ldots}{x - 4}$							

b. Donner une inéquation que ce tableau permet de résoudre.

Pour les exercices 43 à 47, résoudre dans $\mathbb{R}$ les inéquations proposées. (Préciser la (ou les) valeur(s) interdite(s)).

Voir la fiche Savoir faire, page 121.

43 **a.** $\dfrac{x + 3}{x - 2} < 0$; **b.** $\dfrac{5}{5 - 2x} > 0$.

44 **a.** $\dfrac{x^2}{x + 1} < 0$; **b.** $\dfrac{x^2 - 1}{2 - 3x} > 0$.

45 **a.** $\dfrac{x + 3}{x} < 2$; **b.** $\dfrac{3x}{x + 1} > 3$.

46 **a.** $\dfrac{2x + 3}{x + 2} \leqslant \dfrac{x + 2}{2x + 3}$; **b.** $\dfrac{3 + x}{2x} > \dfrac{4 - 6x}{x}$.

47 $\dfrac{x^2 - 9}{x^2 - 10x + 25} \geqslant 0$.

Choix d'une expression algébrique

48 On considère l'expression $f(x) = (x + 1)^2 - 4$.
1. Factoriser, puis développer $f(x)$.
2. Choisir l'expression la plus adaptée de $f(x)$ pour résoudre les inéquations suivantes :
a. $f(x) > 0$; **b.** $f(x) < -3$; **c.** $f(x) > x + 3$.

49 Pour tout x réel, on pose : $f(x) = (x - 2)(x + 3)$.
1. Un logiciel de calcul formel donne les résultats ci-dessous :

Justifier les résultats obtenus par le logiciel.
2. Choisir l'expression la plus adaptée pour résoudre les inéquations suivantes :
a. $f(x) \geqslant 0$; **b.** $f(x) \leqslant -6$; **c.** $f(x) < \dfrac{11}{4}$.

50 **1.** Démontrer que : $(x + 3)(x - 3)$, $x^2 - 9$ et $(x - 1)(x + 3) - 2(x + 3)$ sont trois formes différentes d'une même expression algébrique $f(x)$.
2. Utiliser la forme la plus adaptée de $f(x)$ pour résoudre :
a. $f(x) > 0$;
b. $f(x) < -5$.

51 Soit f la fonction définie sur $\mathbb{R} \setminus \{1\}$ par :
$$f(x) = \dfrac{x}{x - 1} + 2.$$
1. Un logiciel de calcul formel donne les résultats suivants.

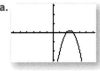

Justifier les résultats obtenus par le logiciel.
2. Choisir l'expression la plus adaptée pour résoudre les inéquations suivantes :
a. $f(x) \geqslant 0$; **b.** $f(x) < 2$; **c.** $f(x) \leqslant \dfrac{1}{x - 1}$.

52 On considère quatre fonctions f_1, f_2, f_3 et f_4 définies par :
$f_1(x) = (x - 2)^2$; $f_2(x) = -(x - 2)(x - 3)$;
$f_3(x) = (x - 2)(x - 3)$; $f_4(x) = -(x - 2)^2$.
La calculatrice permet de tracer les courbes représentatives suivantes :

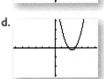

Associer chaque fonction à une courbe représentative. Justifier sans la calculatrice.

Mettre un problème en inéquation

53 On donne la figure ci-contre.
On cherche les dimensions du carré et du triangle équilatéral pour que le périmètre du triangle soit supérieur ou égal à celui du carré.

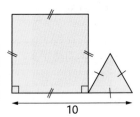

Bruno annonce :
« *Je dois résoudre l'inéquation $4x \leqslant 3(10 - x)$.* »

Marie réplique : « *Pas du tout. Il faut résoudre l'inéquation $3x \geqslant 4(10 - x)$.* »

Le professeur répond : « *Vous avez tous les deux raison, mais vos inéquations sont à préciser.* »

Expliquer, puis résoudre le problème.

54 Dans un club de gym, il y a deux formules d'abonnement possibles :

• *formule A* : un abonnement mensuel de 18 € et 5 € la séance ;

• *formule B* : un abonnement mensuel de 30 € et 2,50 € la séance.

On se propose de déterminer le nombre de séances mensuelles pour que la formule B soit la plus avantageuse.

1. On note x le nombre (entier) de séances mensuelles. Parmi les inéquations suivantes, déterminer laquelle il faut résoudre pour répondre au problème :

a. $18x + 5 \geqslant 30x + 2,5$;

b. $18 + 5x \geqslant 30 + 2,5x$;

c. $18x + 5 \leqslant 30x + 2,5$;

d. $18 + 5x \leqslant 30 + 2,5x$.

2. Résoudre le problème.

55 Soit un réel x dans l'intervalle $[0 \, ; 8]$. On considère un rectangle de dimensions 4 cm sur x cm, dans lequel on trace deux disques de même rayon comme sur la figure ci-dessous.

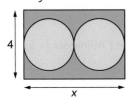

On souhaite déterminer les valeurs de x de façon que la surface verte ait une aire supérieure ou égale à l'aire de la surface jaune.

1. Montrer que le problème se ramène à la résolution de l'inéquation (I) : $\pi x^2 \leqslant 16x$ sur $[0 \, ; 8]$.

2. Montrer que l'ensemble des solutions de (I) est $\left[0 \, ; \dfrac{16}{\pi}\right]$.

56 $ABCD$ est un carré de côté 10 cm. M est un point de $[AB]$. La parallèle à (AD) passant par M coupe $[AC]$ en I et $[CD]$ en P. La parallèle à (AB) en I coupe $[BC]$ en N et $[AD]$ en Q.

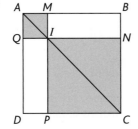

On souhaite déterminer la position de M sur $[AB]$ de façon que l'aire de la surface bleue soit inférieure à 58 cm².
On pose $x = AM$.

1. À quel intervalle appartient la variable x ?

2. Quelles sont les natures des quadrilatères $AMIQ$ et $INCP$?

3. Montrer que le problème se ramène à résoudre l'inéquation :
$$(\text{I}) : \ 2x^2 - 20x + 42 \leqslant 0.$$

4. a. Vérifier que $2x^2 - 20x + 42 = 2(x - 7)(x - 3)$.

b. Résoudre algébriquement l'inéquation (I) et répondre au problème.

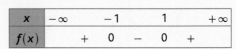

3 ## Résolution graphique de l'inéquation $f(x) > k$ (ou $f(x) < k$)

57 **QCM**

Choisir la courbe correspondant au tableau de signes ci-dessous.

x	$-\infty$		-1		1		$+\infty$
$f(x)$		$+$	0	$-$	0	$+$	

a.  **b.**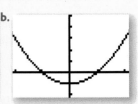

c.

58 **Vrai ou faux ?** Répondre par **vrai** ou par **faux** ou « on ne peut pas répondre ».

La courbe rouge a pour équation $y = x^2$.

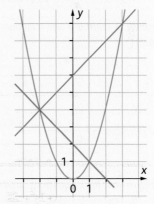

1. Pour tout réel x strictement supérieur à -2, on a : $2 - x < x + 6$.

2. Pour $x \in [-2 \, ; 3]$, $x^2 \leqslant x + 6$.

3. Pour $x \in [-2 \, ; 1]$, $x^2 + x - 2 \leqslant 0$.

59 **Vrai ou faux ?**
Équivalence de deux propositions

Les phrases suivantes sont-elles vraies ou fausses ?

1. Si $x \geqslant 3$, alors $x^2 \geqslant 9$.

2. Si $x^2 \geqslant 9$, alors $x \geqslant 3$.

Courbes représentatives

Voir la fiche Savoir faire, page 123.

60 On représente la courbe d'une fonction f ci-dessous :

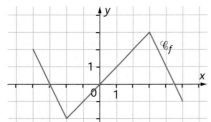

1. Lire l'ensemble de définition de la fonction f.
2. Résoudre graphiquement les inéquations suivantes :
a. $f(x) > 2$;
b. $f(x) \leqslant 1$;
c. $f(x) \geqslant -1$;
d. $f(x) < 0$.

61 On représente la courbe d'une fonction f définie sur l'intervalle $[-1,1 ; 3,1]$.

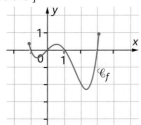

Résoudre graphiquement les inéquations suivantes :
a. $f(x) > 0$;
b. $f(x) \leqslant 0$;
c. $f(x) \leqslant -2$.

62 On représente la courbe d'une fonction f définie sur l'intervalle $[-4 ; 3]$.

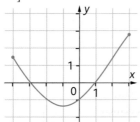

Résoudre graphiquement les inéquations suivantes :
a. $f(x) > 0$;
b. $f(x) \leqslant 0$;
c. $f(x) \geqslant -1$.

63 On représente la courbe d'une fonction f définie sur l'intervalle $[0 ; 7]$.

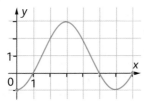

Résoudre graphiquement les inéquations suivantes :
a. $f(x) > 0$;
b. $f(x) \leqslant 0$;
c. $f(x) \geqslant 2$.

64 Soit f une fonction définie sur $I = [-5 ; 4]$ et telle que :
• pour tout x de I, $-2 \leqslant f(x) \leqslant 2$;
• l'inéquation $f(x) \geqslant 0$ admet pour solutions les réels de l'intervalle $[-3 ; 2]$.
Construire une courbe représentative possible de f dans un repère orthonormé.

65 📱 **1.** Représenter la fonction f définie sur l'intervalle $[-4 ; 5]$ par $f(x) = x^2 + x - 6$ sur la calculatrice.
2. En utilisant le mode TRACE de la calculatrice, déterminer les solutions de l'inéquation $f(x) > 0$.

66 📱 On considère la fonction g définie sur $\mathbb{R}$ par :
$$g(x) = -x^2 + 3x + 10.$$
1. Expliquer pourquoi, avec les outils dont on dispose, on ne peut pas résoudre algébriquement l'inéquation $g(x) \geqslant 0$.
2. a. Représenter graphiquement la fonction g en s'aidant de la calculatrice.
b. Résoudre graphiquement l'inéquation $g(x) \geqslant 0$.

Tableaux de variation

67 Une fonction f définie sur $[-5 ; 5]$ a pour tableau de variation :

x	-5		-3		0		2		5
$f(x)$	2	↘	0	↗	5	↘	0	↘	-4

1. Dessiner une courbe pouvant représenter la fonction f.
2. En déduire les solutions, sur l'intervalle $[-5 ; 5]$, des inéquations suivantes :
a. $f(x) \geqslant 0$;
b. $f(x) < 0$;
c. $f(x) \geqslant 5$.

68 Une fonction f définie sur $[-5 ; 3]$ a pour tableau de variation :

x	-5		-2		0		1		3
$f(x)$	2	↘	0 ... -3	↗	0	↗			5

Déterminer les solutions, sur l'intervalle $[-5 ; 3]$, des inéquations suivantes :
a. $f(x) \geqslant 0$;
b. $f(x) < 0$;
c. $f(x) < -3$.

69 Le tableau de variation de la fonction f définie sur l'intervalle $[-5 ; 4]$ est :

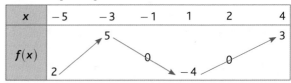

x	-5		-3		-1		1		2		4
$f(x)$	2	↗	5	↘	0	↘	-4	↗	0	↗	3

Résoudre l'inéquation $f(x) \geqslant 0$ sur l'intervalle $[-5 ; 4]$.

Lien graphique-algébrique

70 La courbe ci-après représente une fonction f définie sur $[-2,5\,;2,5]$.

1. On sait que $f(x)$ est une des trois expressions suivantes :

a. $2x^3 - 3x^2 - 2x + 3$; **b.** $x^3 - 4x + 3$;

c. $3x^3 + 2x^2 - 8x + 3$.

Laquelle ? Justifier sans calculatrice.

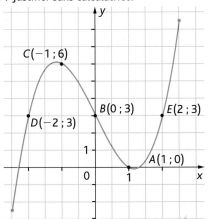

2. a. Résoudre graphiquement sur $[-2,5\,;2,5]$ l'inéquation $f(x) \geqslant 3$.

b. Résoudre algébriquement sur $\mathbb{R}$ l'inéquation $f(x) \geqslant 3$.

71 On considère la fonction f définie sur $\mathbb{R}$ par :
$$f(x) = -x^3 - 3x^2 + 4x.$$

1. La calculatrice graphique affiche la courbe ci-contre.

En utilisant la courbe proposée, conjecturer l'ensemble des solutions de l'inéquation $f(x) \geqslant 0$.

2. À l'aide de la calculatrice, tabuler la fonction f avec le pas 1 sur l'intervalle $[-10\,;10]$.

Fenêtre : $x \in [-2,5\,;2,5]$; $y \in [-2,5\,;5]$

Que peut-on penser de la conjecture précédente ?

3. a. Vérifier que pour tout réel x, on a :
$$x^2 + 3x - 4 = (x + 4)(x - 1).$$

b. Résoudre algébriquement l'inéquation $f(x) \geqslant 0$.

72 Soit la fonction f définie sur $\mathbb{R}$ par $f(x) = \dfrac{4x}{x^2 + 1}$.

On donne ci-dessous sa représentation graphique sur $[-4\,;4]$.

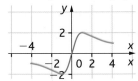

1. Conjecturer deux réels a et b tels que, pour tout réel x de $[-4\,;4]$, $a \leqslant f(x) \leqslant b$.

2. Résoudre algébriquement dans $\mathbb{R}$ les inéquations :
$$f(x) \geqslant -2 \text{ et } f(x) \leqslant 2.$$

Que peut-on en déduire ?

73 On se propose de résoudre dans $\mathbb{R}$ l'inéquation (I) de trois façons différentes :
$$\text{(I)} \quad x^2 - 2x - 8 \leqslant 0.$$

1. Première façon

a. Vérifier que pour tout réel x, on a :
$$x^2 - 2x = (x - 1)^2 - 1.$$

b. En déduire algébriquement les solutions de (I).

2. Deuxième façon

Tracer la courbe d'équation $y = x^2 - 2x - 8$ et expliquer comment retrouver le résultat précédent.

3. Troisième façon

Tracer la parabole $\mathscr{P}$ d'équation $y = x^2$ et la droite d'équation $y = 2x + 8$ et expliquer comment retrouver les résultats du **1.**

4 Positions relatives de deux courbes

74 On considère les fonctions f et g définies sur $[-3\,;5]$. Leurs courbes représentatives sont données ci-dessous :

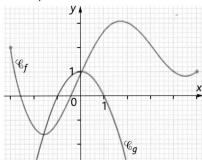

1. Faire le tableau de signes de la fonction f.

2. Résoudre graphiquement l'inéquation $f(x) > 1$.

3. Résoudre graphiquement l'inéquation $f(x) > g(x)$.

75 On considère les fonctions f et g définies sur $\mathbb{R}$ par les courbes représentatives ci-contre.

Résoudre graphiquement sur $\mathbb{R}$ les équations ou inéquations :

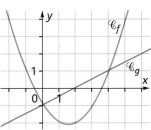

a. $f(x) = 4$;

b. $f(x) = g(x)$; **c.** $f(x) \leqslant g(x)$; **d.** $g(x) = 2$;

e. $f(x) > g(x)$; **f.** $f(x) = -1$.

76 On définit la fonction f sur $\mathbb{R}$ par : $f(x) = x^3 - 12x$.

1. Tracer la courbe représentative de f sur $[-4\,;4]$.

2. Tracer sur la même figure la droite d'équation $y = 16$.

Résoudre graphiquement l'inéquation $f(x) \leqslant 16$.

3. a. Montrer que les points $A(-3\,;9)$, $B(1\,;-11)$ et $C(2\,;-16)$ sont des points de la courbe $\mathscr{C}_f$.

b. En déduire graphiquement les solutions de l'inéquation :
$$f(x) \geqslant -5x - 6.$$

Problèmes

77 Gravité d'une épidémie

Lors d'une épidémie observée sur une période de onze jours, un institut de veille sanitaire a modélisé le nombre de personnes malades par jour.

La durée, écoulée à partir du début de la période et exprimée en jours, est notée t.

Le nombre de cas en fonction de la durée t est donné en milliers, par la fonction f de la variable réelle t définie sur l'intervalle $[0\,;11]$. Sa représentation graphique $\mathscr{C}_f$ est donnée ci-dessous.

La durée en jours est en abscisse et le nombre de malades en milliers est en ordonnée.

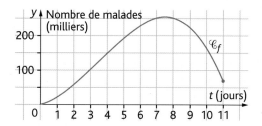

L'épidémie est considérée comme grave s'il y a plus de 150 000 malades.

Préciser la période où cette épidémie est grave.

78

Un coureur cycliste effectue un entraînement de quatre heures. Au cours de sa sortie, il utilise un cardio-fréquencemètre pour enregistrer son rythme cardiaque. L'appareil enregistre toutes les quinze minutes le pouls du cycliste. À la fin de l'entraînement, l'enregistrement du pouls permet d'obtenir le graphique ci-dessous.

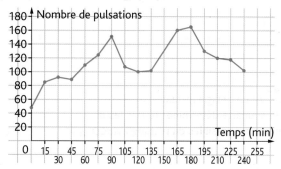

On appelle $f(t)$ le nombre de pulsations en fonction du temps t en minutes.

1. Quel est le nombre maximum de pulsations ?
2. Déterminer les solutions de $f(t) \geqslant 120$.

79 Choisir son forfait de téléphone

Sarah et Julien possèdent un téléphone portable et veulent choisir l'abonnement mensuel le plus adapté à leur besoin. Ils ont sélectionné les trois tarifs suivants.

Tarif 1 : Le montant de la facture de téléphone en fonction du temps de communication est représenté par le graphique ci-dessous.

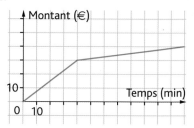

Tarif 2 : Le montant de la facture de téléphone est proportionnel au temps de communication et une minute de communication coûte 0,55 € ;

Tarif 3 : Le montant de la facture de téléphone est obtenu de la façon suivante : on ajoute à un abonnement mensuel de 10 € un montant proportionnel au temps de communication, tel qu'une minute de communication coûte 0,35 €.

Tous les montants des factures de téléphone seront exprimés en euros et les temps de communication en minutes.

Déterminer graphiquement le tarif le plus avantageux en fonction du temps de communication.

80 Réaliser des bénéfices

Une entreprise fabrique par mois entre 0 et 12 milliers d'objets. Les fonctions coûts et recettes en fonction de la quantité produite et vendue sont représentées ci-dessous respectivement par les courbes $\mathscr{C}$ et $\mathscr{D}$.

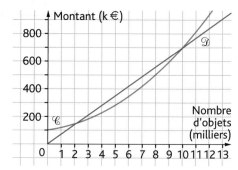

Par lecture graphique, indiquer les quantités à produire et vendre pour que l'entreprise réalise des bénéfices.

81 Stratégie d'achat ou de vente à la bourse

La courbe ci-après donne les cours d'une action sur 36 jours consécutifs à la bourse.

On place sur le même graphique le cours moyen de l'action sur les 7 jours qui précèdent.

La règle de décision d'achat ou de vente de l'action est :

– **acheter en phase de hausse**, c'est-à-dire lorsque le cours passe au-dessus du cours moyen ;

– **vendre en phase de baisse**, c'est-à-dire lorsque le cours passe en dessous du cours moyen.

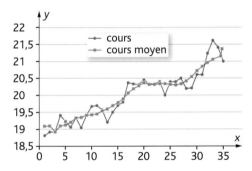

Déterminer les jours pendant lesquels il paraît être intéressant de vendre l'action.

82 Où acheter ?

Monsieur Duchamp vend ses pommes de terre selon les règles suivantes :
– il vend 0,90 € le kg si on lui achète moins de 10 kg (10 exclu) ;
– il accorde une remise de 20 % sur le prix du kilogramme si on lui achète entre 10 kg (inclus) et 50 kg (exclu) ;
– il vend 0,50 € le kg pour une commande supérieure à 50 kg (50 inclus).

1. Recopier et compléter le tableau de valeurs ci-dessous :

Masse achetée (en kg)	2	5	10	20	30	40	50	60	70	80
Prix (en €)										

2. Représenter graphiquement le prix (en €) en fonction de la masse de pommes de terre achetées.

3. Monsieur Dupré, un concurrent, vend ses pommes de terre 0,65 € le kg.
Déterminer quel commerçant choisir selon la masse de pommes de terre achetées.

83 Feu d'artifice

Lors d'un spectacle, une fusée doit être lancée du sol avec la vitesse initiale v_0 (en m.s^{-1}).
Les artificiers sont cachés des spectateurs par un mur, de hauteur 2 m, placé à 1 m du point de lancement de la fusée.
Les spectateurs sont placés à 100 m du mur, derrière des barrières de sécurité.

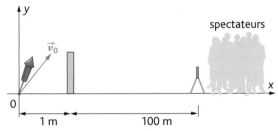

On admet que la trajectoire de la fusée peut être décrite par :
$$y = \frac{-50}{v_0^2}x^2 + 3x.$$

Quelles sont les vitesses possibles v_0 (en m.s^{-1}) pour que la fusée passe au-dessus du mur, tout en retombant, en cas de non-explosion en l'air, avant les barrières de sécurité ?*

* Conseil
La fusée retombe à une abscisse x_0 solution de l'équation $\frac{-50}{v_0^2}x^2 + 3x = 0$. Factoriser le membre de gauche pour avoir la valeur de x_0 en fonction de v_0.

84 On trace ci-contre les courbes représentatives des fonctions suivantes définies sur $]0;+\infty[$:

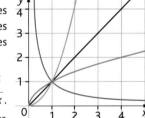

a. $x \mapsto x$;   **b.** $x \mapsto x^2$;
c. $x \mapsto \dfrac{1}{x}$;   **d.** $x \mapsto \sqrt{x}$.

1. Identifier chacune des courbes.
2. Classer graphiquement les réels x, x^2, $\dfrac{1}{x}$, $\sqrt{x}$ en fonction des valeurs de x.
3. Confirmer algébriquement ce classement.

85 On considère les fonctions f et g définies sur $\mathbb{R}$ par $f(x) = (3-x)(x^2+x-6)$ et $g(x) = 9 - x^2$.

1. En utilisant la calculatrice, conjecturer les positions relatives des courbes représentatives de f et g.
2. a. Calculer $h(x) = f(x) - g(x)$.
b. Factoriser $h(x)$ et étudier son signe en fonction des valeurs de x.
Vérifier la conjecture émise en **1.**

86 ABC est un triangle rectangle en A tel que $AB = 3$ et $AC = 4$.

Soit M un point du segment $[AC]$.
$MNPA$ est un rectangle de façon que les points N et P appartiennent respectivement à $[BC]$ et $[AB]$. On pose $CM = x$.
Déterminer les valeurs de x pour lesquelles le périmètre de $MNPA$ est supérieur à 7.*

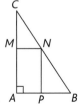

* Conseil
Utiliser le théorème de Thalès pour exprimer la longueur MN en fonction de x.

87 $ABCD$ est un rectangle de périmètre 20 cm.

BIC est un triangle rectangle isocèle en I.
On souhaite déterminer toutes les dimensions possibles du rectangle $ABCD$ de façon que son aire soit strictement inférieure à l'aire du triangle BIC.
On pose $x = BC$.

1. À quel intervalle appartient la variable x ?
2. a. Montrer que l'expression de l'aire du rectangle $ABCD$ en fonction de x est $x(10 - x)$.
b. Montrer que l'expression de l'aire du triangle BIC en fonction de x est $\dfrac{1}{4}x^2$.*
3. Résoudre algébriquement le problème.

* Conseil *Utiliser par exemple le théorème de Pythagore ou la trigonométrie pour exprimer BI en fonction de x.*

88 On considère un carré *ABCD* de côté 6 cm.

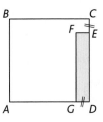

E est un point de $[CD]$; G est un point de $[AD]$ tel que $CE = DG$.
EFGD est un rectangle.

On souhaite déterminer la position de *E* de façon que l'aire du rectangle *DEFG* soit maximale.

On pose $x = CE$.

1. Quelles sont les valeurs possibles de *x* ?

2. À l'aide de la calculatrice ou d'un tableur, conjecturer le maximum de l'aire de *DEFG*.

3. Développer $-(x - 3)^2 + 9$ et confirmer la conjecture précédente.

89 Dans l'espace

Soit *x* un réel strictement supérieur à 20.

On dispose de deux cuves :

– la première est un cube, de côté *x* cm ;

– la deuxième est un pavé droit à base carrée, dont le côté mesure 20 cm de plus que celui du cube ; sa hauteur mesure 20 cm de moins que celle du cube.

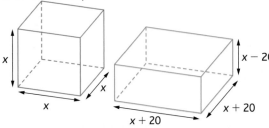

On souhaite déterminer les valeurs de *x* de façon que la cuve cubique ait le volume le plus grand.

1. Montrer que le problème se ramène à résoudre l'inéquation

$$(I) \quad x^2 - 20x - 400 \leqslant 0.$$

2. Développer $(x - 10)^2 - 500$.

3. Résoudre algébriquement le problème.

90 On considère un carré *ABCD* de côté 6 cm.

I est le milieu de $[AD]$.

M est un point de $[BC]$ et *N* un point de $[CD]$ tels que $BM = CN$.

On s'intéresse à l'aire du triangle *IMN*.

On pose $x = BM$.

1. À l'aide d'un logiciel de géométrie dynamique, réaliser la figure ci-contre. Afficher les valeurs de *x* et de l'aire du triangle *IMN*.

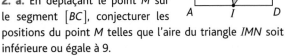

2. a. En déplaçant le point *M* sur le segment $[BC]$, conjecturer les positions du point *M* telles que l'aire du triangle *IMN* soit inférieure ou égale à 9.

b. En donner une démonstration géométrique.

3. a. En déplaçant le point *M*, conjecturer les positions du point *M* telles que l'aire du triangle *IMN* soit supérieure ou égale à 8.

b. Montrer que l'expression de l'aire du triangle *IMN* en fonction de *x* est $\frac{1}{2}(x^2 - 9x + 36)$.*

c. Vérifier que pour tout réel *x*, on a :

$$x^2 - 9x + 20 = (x - 5)(x - 4).$$

Puis utiliser ce résultat pour prouver la conjecture du **3. a.**

* Conseil

Écrire l'aire du triangle IMN comme une différence d'aires.

> **Pour info**
>
> L'aire *S* d'un trapèze de bases *B* et *b*, et de hauteur *h* est $S = \dfrac{(B + b)h}{2}$.

91 Coût réel

Une société veut imprimer un catalogue. Elle loue une machine 800 € et chaque catalogue lui coûte 3 € de matières premières.

1. Quel est le coût réel d'un catalogue lorsque la société imprime 100 catalogues ? 500 catalogues ?*

2. Combien doit-elle en produire pour que chaque catalogue ait un coût réel inférieur à 5 € ?

* Conseil

Exprimer le coût réel d'un catalogue en fonction du nombre x de catalogues imprimés.

92 Vitesse moyenne

Un cycliste part d'une ville A à la vitesse de 30 km/h pour rejoindre une ville B, puis il revient vers A à la vitesse de *x* km/h.

1. Quelle est la vitesse moyenne sur le trajet aller-retour lorsque la vitesse du retour est 40 km/h ?*

2. Montrer que la vitesse moyenne sur le trajet total est :

$$v(x) = \frac{60x}{x + 30}.$$

3. Pour quelles valeurs de *x* la vitesse moyenne sera supérieure à 40 km/h ?

4. La vitesse moyenne peut-elle dépasser les 60 km/h ?

* Conseil

Introduire la distance D entre les villes A et B et exprimer la durée totale du parcours.

93 Intersection de deux droites

a et *b* sont deux réels strictement positifs.

On considère dans un repère les points $A(a\,;0)$ et $B(0\,;b)$.

Soit *d* la droite d'équation $y = x$.

1. Déterminer les coordonnées du point *H*, intersection des droites (AB) et *d*, en fonction de *a* et de *b*.

2. On pose $a = 3$.

On souhaite déterminer les valeurs possibles de *b* pour que l'abscisse de *H* soit strictement supérieure à 2.

a. À l'aide d'un logiciel de géométrie dynamique, réaliser la figure, puis conjecturer l'ensemble cherché des valeurs de *b*.

b. Répondre algébriquement à la question posée.

94 **Aire de jeu**

On veut construire le long d'un bâtiment une aire de jeu rectangulaire de 450 m². Celle-ci est entourée par une clôture sur trois côtés d'une allée de 3 m de large comme l'indique le croquis ci-dessous.

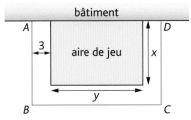

On souhaite de plus que les dimensions de l'aire de jeu soient supérieures ou égales à 10 m.

On recherche les dimensions de l'aire de jeu de façon que la longueur de la clôture soit la plus petite possible.

On note x et y les dimensions de l'aire de jeu comme sur le croquis.

On note L la longueur de la clôture :
$$L = AB + BC + CD.$$
On admet que x appartient à $[10 \, ; 45]$.

1. Montrer que L s'exprime en fonction de x par :
$$L = 2x + 12 + \frac{450}{x}.$$

2. On note f la fonction définie sur $[10 \, ; 45]$ par :
$$f(x) = 2x + 12 + \frac{450}{x}.$$

a. À l'aide de la calculatrice, conjecturer le tableau de variation de f.

b. Vérifier que $f(x) - 72 = \dfrac{2(x - 15)^2}{x}$.

c. En déduire les dimensions à donner à l'aire de jeu pour que la longueur de la clôture soit la plus petite possible. Que vaut alors cette longueur ?

95 On souhaite remplir d'eau le cône de révolution ci-contre d'au moins le quart de sa contenance maximale.
Les longueurs sont données en cm.
On note x la hauteur de liquide dans le solide.
On se demande quelle est la hauteur minimale d'eau dans le solide.

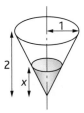

1. Montrer que le volume d'eau dans le solide est égal à :
$$V = \frac{1}{12} \pi \times x^3.^*$$

2. Résoudre le problème à l'aide de la calculatrice.

* Conseil
Utiliser le théorème de Thalès.

Rappel
Le volume d'un cône de hauteur h et d'aire de base B est $V = \dfrac{1}{3} B \times h$.

96 L'aire d'un trapèze est donnée par la formule $S = \dfrac{(B + b)h}{2}$, où B, b et h sont les mesures des bases et de la hauteur en unités de longueur.
On pose $S = 60$ et $b = 7$.
Quelles sont les différentes valeurs possibles de h ? (Ne pas oublier que h et B sont des réels strictement positifs.)

97 **Dans l'espace**

Sur la figure ci-contre :
• *ABCDEFGH* est un cube de côté 6 cm ;
• *AMNPQRST* est un pavé droit tel que les points M, P et Q appartiennent respectivement aux segments $[AB]$, $[AD]$ et $[AE]$;
• $AM = AP = EQ$.

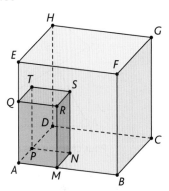

On cherche la position du point M sur le segment $[AB]$ de façon que le volume du pavé droit *AMNPQRST* soit maximal.

On note x la longueur AM (en cm) et $f(x)$ le volume du pavé droit *AMNPQRST* (en cm³).

1. À quel intervalle appartient la variable x ?

2. Exprimer $f(x)$ en fonction de x.

3. À l'aide de la calculatrice, conjecturer la valeur maximale du volume et en quel réel il est atteint.

4. Un logiciel de calcul formel permet d'avoir le résultat ci-dessous.

1	f(x):=x^2*(6-x)
	$x \ \rightarrow x^2 \cdot (6 - x)$
2	factoriser(f(x)-32)
	$-(x-4)^2 \cdot (x+2)$

En utilisant le résultat donné par le logiciel, montrer les conjectures émises à la question **3.**

98 La phrase suivante est-elle vraie ?
« La somme d'un réel strictement positif et de son inverse est toujours supérieure ou égale à 2. »
Justifier.

99 **Défi !**

On dispose d'une feuille rectangulaire.
On peut l'enrouler de deux façons différentes pour obtenir un cylindre : dans le sens de la longueur, ou dans le sens de la largeur.
Quel est le cylindre qui a le plus grand volume ?

Partir d'un bon pied

1. Écrire des relations trigonométriques dans un triangle rectangle

QCM *ABC* est un triangle rectangle en *A*, *BCD* est un triangle rectangle en *D*.

La droite passant par le point *A* est perpendiculaire à la droite (*BC*) au point *E*.

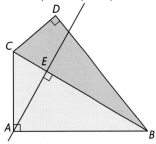

> **Étymologie**
>
> Trigonométrie signifie « mesure de trois côtés ».
> La connaissance des angles d'un triangle et de certains côtés permet de calculer la longueur d'autres côtés.

Pour chacune des questions suivantes, trouver la (ou les) réponse(s) exacte(s).

1. $\cos \widehat{ABC} =$	**a.** $\dfrac{AB}{AC}$	**b.** $\dfrac{AB}{BC}$	**c.** $\dfrac{BE}{BA}$
2. $\sin \widehat{BCD} =$	**a.** $\dfrac{CD}{CB}$	**b.** $\dfrac{BD}{BC}$	**c.** $\dfrac{BD}{CD}$
3. $\tan \widehat{ACB} =$	**a.** $\dfrac{AE}{EC}$	**b.** $\dfrac{AB}{AC}$	**c.** $\dfrac{CE}{CA}$
4. $\widehat{ACB} =$	**a.** $\widehat{BCD}$	**b.** $90° - \widehat{CAE}$	**c.** $90° - \widehat{ABC}$
5. $\widehat{ACD} =$	**a.** $\widehat{ACE} + \widehat{BCD}$	**b.** $180°$	**c.** $180° - \widehat{ABD}$

2. Calculer une longueur dans un triangle rectangle

Dans le parc de la Cité des Sciences à Paris se trouve la Géode. Il s'agit d'une salle de cinéma qui a extérieurement la forme d'une calotte sphérique posée sur le sol, de centre *O* et de rayon *OM* $= 18$ m.

1. Calculer la longueur *OH*. (Arrondir au mètre près.)

2. Calculer la hauteur *h* de la Géode.

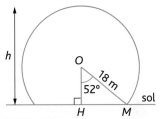

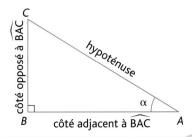

3. Calculer la mesure d'un angle dans un triangle rectangle

Un triangle *ABC* est rectangle en *B*.

On donne *AB* $= 5$ cm et *AC* $= 6$ cm.

On nomme α la mesure en degrés de l'angle $\widehat{BAC}$.

À l'aide d'une relation trigonométrique et de la calculatrice, calculer une valeur approchée de α à $0,1°$ près.

Pour réviser : des rappels de cours et des tests dans les **Techniques de base**

Trigonométrie

Des maths partout !

Certains logiciels de filtre et de traitement des couleurs utilisent des fonctions trigonométriques. À droite, la photo du Taj Mahal a été traitée avec un filtre dit « psychédélique » utilisant des fonctions de déphasage qui intègrent les fonctions sinus et cosinus.

AU FIL DU TEMPS

L'histoire des **fonctions trigonométriques** semble avoir débuté il y a environ 4 000 ans. On sait de façon certaine que les **Babyloniens** déterminaient des approximations de mesures d'angles ou de longueurs de côtés de triangles rectangles. Plusieurs tables de nombres gravés sur de l'argile séchée en témoignent. Une **tablette** babylonienne écrite en **cunéiforme**, nommée **Plimpton 322** (environ 1900 av. J.-C.), montre quinze **triplets pythagoriciens**, c'est-à-dire des triplets de nombres représentant les longueurs des trois côtés d'un triangle rectangle.

Tablette Plimpton 322.

● **L'objectif principal** de ce chapitre est de définir le sinus et le cosinus d'un nombre réel quelconque et de résoudre des problèmes à l'aide de la trigonométrie.

1 Appliquer la trigonométrie à l'astronomie

Pour calculer les distances entre le Soleil et les planètes, il faut mesurer l'angle sous lequel on les voit. Le point *V* désigne la planète Vénus (connue aussi sous le nom « d'étoile du berger »), le point *S* le Soleil et le point *T* la Terre.

Copernic a mesuré l'angle $\widehat{STV}$ quand les positions des trois planètes forment un triangle rectangle ; il a trouvé 48°.

1. Montrer que **la distance de Vénus au Soleil est environ égale à 0,74 fois celle de la Terre au Soleil.**

2. Sachant que la distance Terre-Soleil est égale à environ 150 000 000 km, calculer la distance Vénus-Soleil.

3. Calculer la distance Vénus-Terre dans cette disposition.

> **Pour info**
>
> Nicolas Copernic (1473-1543) est un astronome polonais qui fit l'hypothèse que les planètes tournaient autour du Soleil.

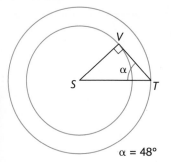

α = 48°

2 Calculer le cosinus et le sinus d'angles « remarquables »

1. *ABCD* est un carré de 5 cm de côté.

a. Calculer la longueur de la diagonale $[AC]$.

b. Quelle est la mesure de l'angle $\widehat{BAC}$?

c. Calculer les valeurs exactes de $\cos\widehat{BAC}$ et de $\sin\widehat{BAC}$.

2. *EFG* est un triangle équilatéral de 4 cm de côté. On trace la hauteur $[GH]$ issue de *G*.

a. Calculer la longueur *GH*.

b. Quelle est la mesure de l'angle $\widehat{FEG}$?

c. Calculer les valeurs exactes de $\cos\widehat{FEG}$ et $\sin\widehat{FEG}$.

d. Quelle est la mesure de l'angle $\widehat{EGH}$?

e. Calculer les valeurs exactes de $\cos\widehat{EGH}$ et $\sin\widehat{EGH}$.

f. Recopier et compléter le tableau ci-contre avec les valeurs trouvées.

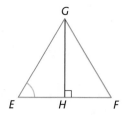

Angles (en degrés)	30°	45°	60°
Cosinus			
Sinus			

3 Calculer des longueurs d'arcs sur un cercle

On trace un cercle $\mathscr{C}$ de centre *A* de rayon 1.
– $[BD]$ et $[CE]$ sont deux diamètres perpendiculaires de ce cercle.
– *ABF* est un triangle équilatéral
– $[AH)$ est la bissectrice de l'angle droit $\widehat{BAE}$.
On trace en couleur trois arcs de cercle : en vert l'arc $\overset{\frown}{BF}$, en rouge l'arc $\overset{\frown}{CD}$, en violet l'arc $\overset{\frown}{DH}$.

1. Calculer le périmètre du cercle $\mathscr{C}$.

2. Préciser les mesures en degrés des angles $\widehat{BAF}$, $\widehat{CAD}$, $\widehat{DAH}$.

3. On dit que l'angle au centre $\widehat{BAF}$ intercepte sur le cercle l'arc de cercle $\overset{\frown}{BF}$ coloré en vert.
De même, les angles $\widehat{CAD}$ et $\widehat{DAH}$ interceptent respectivement les arcs de cercles $\overset{\frown}{CD}$ et $\overset{\frown}{DH}$ colorés en rouge et violet.
Calculer la longueur exacte de chacun des arcs de cercle colorés.

4. On admet que **la longueur d'un arc de ce cercle est proportionnelle à la mesure en degrés de l'angle géométrique qui intercepte cet arc.** Quel est le coefficient de proportionnalité ?

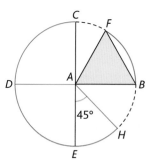

> Rappel : $\mathscr{C}$ est un cercle de rayon *R*.
> Périmètre de $\mathscr{C} = 2 \times \pi \times R$.

A. Sur papier

• On considère un cercle $\mathscr{C}$ de centre O de rayon $OI = 1$ dans le repère orthomormé (O, I, J).

On trace également deux bissectrices $[OR)$ et $[OS)$ de deux angles droits formés par les axes (OI) et (OJ).

Calculer les longueurs exactes des arcs de cercle d'origine I et d'extrémités R, J, S, K et L, puis en donner une valeur approchée à 0,01 près.

• On considère la demi-droite graduée $[IA)$ tangente au cercle en I, munie de son repère (I, A) tel que $IA = OI = 1$. Elle va représenter l'ensemble des nombres réels positifs.

Un point N, variable sur la demi-droite $[IA)$, est repéré par son abscisse a dans le repère (I, A).

On construit sur le cercle un point M tel que la longueur de l'arc de cercle, d'origine I et d'extrémité M, soit égale à a : on « enroule » ainsi la demi-droite $[IA)$ sur le cercle.

B. À l'aide du logiciel Geogebra

1. Réaliser la figure ci-contre en suivant les étapes suivantes :

• Créer les points $O(0 \,; 0)$, $I(1\,; 0)$, $J(0\,; 1)$ et le cercle $\mathscr{C}$.

• Créer un curseur a variant entre 0 et 20, puis le point N de coordonnées $(1\,; a)$.

• Créer le point M : utiliser le bouton  pour construire l'image M du point I par la rotation de centre O et d'angle a dans le sens anti-horaire.

• Créer aussi la mesure m en degrés de l'angle $\widehat{IOM}$.

2. En faisant bouger le point N, avec le curseur a, de telle sorte que M coïncide avec les points R, J, S, K et L, vérifier les résultats obtenus dans la partie **A**.

3. En utilisant le logiciel dynamique, déterminer le point de $\mathscr{C}$ avec lequel M coïncide lorsque :

a. $a = 2\pi$;   **b.** $a = \dfrac{7\pi}{2}$;   **c.** $a = \dfrac{11\pi}{4}$.

4. Déterminer un réel a associé par l'enroulement au point R' diamétralement opposé à R.

Existe-t-il un tel réel dans l'intervalle $[4\pi\,; 6\pi]$?

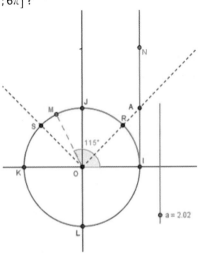

 L'activité TICE corrigée animée.

1 Enroulement de la droite des réels sur le cercle trigonométrique

a. Le cercle trigonométrique

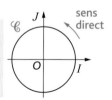

Définition

Le plan est muni d'un repère orthonormé (O, I, J).

Le cercle trigonométrique est le cercle de centre O de rayon 1, orienté dans le sens indiqué par la flèche, appelé **sens direct**, c'est-à-dire le sens inverse des aiguilles d'une montre.

Remarque : Le sens des aiguilles d'une montre est appelé le **sens indirect**.

b. Principe de l'enroulement

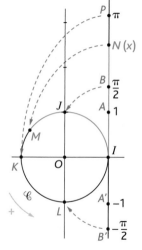

$\mathscr{C}$ est le cercle trigonométrique de centre O de rayon $[OI]$. On trace la tangente en I au cercle $\mathscr{C}$ et on munit cette droite du repère (I, A) avec $IA = OI = 1$: elle représente la droite des réels. On « enroule cette droite des réels » autour du cercle $\mathscr{C}$: la demi-droite $[IA)$ s'enroule dans le sens direct, la demi-droite $[IA')$ dans le sens indirect.

Propriété

Tout point N d'abscisse x de la droite des réels vient se superposer à un point M du cercle $\mathscr{C}$, et on associe ainsi à tout réel x un unique point M du cercle trigonométrique grâce à cet enroulement.

Exemples :

- Le point P d'abscisse π vient se superposer à K ; on dira que K est associé au nombre réel π : la longueur de l'arc $\overset{\frown}{IK}$ est égale à π.

- Le point L est associé au réel $-\dfrac{\pi}{2}$: on a enroulé la droite dans le sens indirect, car le réel repérant B' est négatif. $-\dfrac{\pi}{2}$ est l'opposé de la longueur du « petit » arc $\overset{\frown}{IL}$.

Remarque :

Lorsque l'abscisse x du point N appartient à l'intervalle $[0 ; 2\pi]$, elle est égale à la longueur de l'arc de cercle d'origine I et d'extrémité le point M sur lequel N se superpose.

Définition

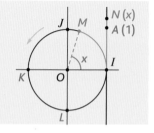

Soit x un réel de l'intervalle $[0 ; 2\pi]$. Lorsque le point N d'abscisse x sur la droite des réels se superpose au point M sur le cercle trigonométrique, on dit que : le réel x est la **mesure en radians de l'arc de cercle** $\overset{\frown}{IM}$.

Si $x \in [0 ; \pi]$, x est aussi appelé **mesure en radians de l'angle** $\widehat{IOM}$.

Remarque :

Par le procédé d'enroulement, on associe à tout réel x un unique point M. Mais tout point M du cercle est associé à une infinité de réels, correspondant à l'enroulement d'un nombre entier de tours supplémentaires, dans le sens direct ou dans le sens indirect.

Par exemple, le point J correspond aux réels $\dfrac{\pi}{2}$, $\dfrac{\pi}{2} + 2\pi$, $\dfrac{\pi}{2} + 4\pi$, $\dfrac{\pi}{2} + 6\pi$, ..., $\dfrac{\pi}{2} - 2\pi$, $\dfrac{\pi}{2} - 4\pi$, $\dfrac{\pi}{2} - 6\pi$, ...

J correspond aux réels $\dfrac{\pi}{2} + k \times 2\pi$, où k est un entier relatif.

Déterminer un réel associé à un point
du cercle trigonométrique

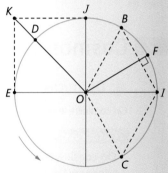

Énoncé

On considère le cercle trigonométrique $\mathscr{C}$ associé au repère orthonormé (O, I, J).

OIB et OIC sont des triangles équilatéraux et $OJKE$ est un carré. La diagonale de ce carré coupe le cercle en D, la hauteur issue de O dans le triangle OIB coupe le cercle en F.

Trouver un réel associé à chacun des points B, D, F et C du cercle par l'enroulement de $\mathbb{R}$ sur $\mathscr{C}$.

Solution rédigée

● Le triangle OIB est équilatéral, l'angle $\widehat{IOB}$ a une mesure de 60° ;
or $60° = \dfrac{1}{3} \times 180°$; donc l'arc $\widehat{IB}$ a pour longueur $\dfrac{1}{3} \times \pi = \dfrac{\pi}{3}$ (point ❶ ou point ❷).

Le point B est associé au réel $\dfrac{\pi}{3}$.

● L'arc $\widehat{ID}$ a pour longueur les $\dfrac{3}{4}$ de la longueur du demi-cercle, il a donc pour longueur $\dfrac{3\pi}{4}$.

Le point D est associé au réel $\dfrac{3\pi}{4}$.

● L'angle $\widehat{IOF}$ a pour mesure 30°, donc l'arc $\widehat{IF}$ a pour longueur la moitié de la longueur de l'arc $\widehat{IB}$ (point ❶).

Le point F est donc associé au réel $\dfrac{1}{2} \times \dfrac{\pi}{3} = \dfrac{\pi}{6}$.

● La longueur de l'arc $\widehat{IC}$ est aussi égale à $\dfrac{\pi}{3}$, mais comme on tourne dans le sens indirect, on conclut (point ❸).

Le point C est associé au réel $-\dfrac{\pi}{3}$.

Points méthode

❶ On utilise la proportionnalité entre la longueur de l'arc de cercle et la mesure de l'angle au centre qui intercepte cet arc, sachant que le demi-cercle est de longueur π et l'angle plat $\widehat{IOE}$ mesure 180°.

❷ On peut aussi fabriquer le tableau de proportionnalité suivant :

Longueur de l'arc	π	ℓ
Angle	180°	60°

$\ell = \dfrac{60 \times \pi}{180} = \dfrac{60\pi}{180} = \dfrac{\pi}{3}$.

❸ Lorsqu'on tourne dans le sens indirect, les réels associés aux points du cercle sont négatifs.

POUR S'EXERCER

On considère un cercle trigonométrique associé au repère orthonormé (O, I, J).

❶ Placer sur le cercle trigonométrique les points M, N et P associés respectivement aux réels $-\dfrac{\pi}{6}$, $\dfrac{2\pi}{3}$ et $-\dfrac{3\pi}{4}$ (les constructions seront faites à la règle et au compas).

❷ Pour chacun des quatre points B, D, F, C de la figure de l'exercice corrigé ci-dessus, trouver deux autres réels associés, de signes contraires.

❸ On considère les quatre points « cardinaux » du cercle trigonométrique.
Préciser trois réels associés par enroulement à chacun de ces quatre points, l'un étant négatif dans chaque cas.

❹ 1. Montrer que les réels $\dfrac{\pi}{3}$ et $\dfrac{43\pi}{3}$ sont associés au même point sur le cercle trigonométrique.
2. Même question avec les réels $\dfrac{\pi}{4}$ et $-\dfrac{39\pi}{4}$.

❺ En ayant tourné dans le sens direct, un point A est placé sur le cercle trigonométrique et $\widehat{IOA} = 54°$.
À quel réel est associé le point A ?

❻ En ayant tourné dans le sens indirect, un point B est placé sur le cercle trigonométrique et $\widehat{IOB} = 72°$.
À quel réel est associé le point B ?

▶ **Voir exercices 17 à 23**

2 Cosinus et sinus d'un nombre réel

a. Définitions et propriétés

On considère le cercle trigonométrique associé au repère orthonormé (O, I, J) et la droite des réels, tangente au cercle en I.

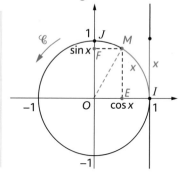

> **Définition**
>
> On considère un réel x quelconque et on appelle M le point du cercle trigonométrique associé à x.
>
> - L'abscisse du point M dans le repère orthonormé (O, I, J) est le cosinus du réel x, noté $\cos x$.
> - L'ordonnée du point M dans le repère orthonormé (O, I, J) est le sinus du réel x, noté $\sin x$.
> - Dans le repère (O, I, J), on a donc $M(\cos x\,;\,\sin x)$.

> **Propriétés**
>
> **(1) Propriété d'encadrement :** Pour tout réel x, on a : $-1 \leqslant \cos x \leqslant 1$ et $-1 \leqslant \sin x \leqslant 1$.
>
> **(2) Relation fondamentale :** Pour tout réel x, on a : $(\cos x)^2 + (\sin x)^2 = 1$.

Remarque : La relation fondamentale peut aussi être notée : $\cos^2 x + \sin^2 x = 1$

▶ **Démonstration : voir l'exercice 44**

b. Lien avec la trigonométrie dans le triangle rectangle

Si $0 < x < \dfrac{\pi}{2}$, alors $\cos x > 0$ et $\sin x > 0$, donc $\cos x = OE$ et $\sin x = OF$.

Or dans le triangle rectangle OEM, on a :

$\cos \widehat{EOM} = \dfrac{OE}{OM} = \dfrac{OE}{1} = OE = \cos x$.

De plus, $\sin \widehat{EOM} = \dfrac{EM}{OM} = \dfrac{OF}{OM} = \dfrac{OF}{1} = OF = \sin x$.

Donc $\cos \widehat{IOM} = \cos x$ et $\sin \widehat{IOM} = \sin x$.

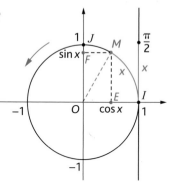

Les définitions du cosinus et du sinus d'un réel quelconque données dans ce chapitre sont cohérentes avec les définitions vues au collège du cosinus et du sinus d'un angle aigu dans un triangle rectangle.

c. Valeurs remarquables des cosinus et sinus

Angle $\widehat{IOM}$	0°	30°	45°	60°	90°
x	0	$\dfrac{\pi}{6}$	$\dfrac{\pi}{4}$	$\dfrac{\pi}{3}$	$\dfrac{\pi}{2}$
$\cos \widehat{IOM} = \cos x$	1	$\dfrac{\sqrt{3}}{2}$	$\dfrac{\sqrt{2}}{2}$	$\dfrac{1}{2}$	0
$\sin \widehat{IOM} = \sin x$	0	$\dfrac{1}{2}$	$\dfrac{\sqrt{2}}{2}$	$\dfrac{\sqrt{3}}{2}$	1

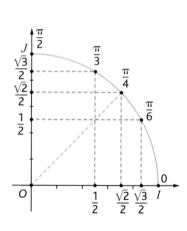

Remarque : d'autres propriétés du cosinus et du sinus d'un réel seront vues dans les exercices 34, 35 et 36.

Énoncé

On considère un réel x appartenant à l'intervalle $\left[0\,;\dfrac{\pi}{2}\right]$ tel que $\cos x = \dfrac{1}{5}$.

1. Tracer un cercle trigonométrique de centre O et placer sur ce cercle le point M associé au réel x.

2. Calculer la valeur exacte de $\sin x$.

3. À l'aide de la calculatrice, calculer une valeur approchée du réel x à 0,01 près.

Solution rédigée

1. Méthode, voir points ❶ et ❷.

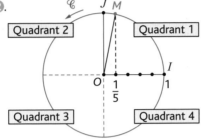

2. On utilise la relation fondamentale : $\cos^2 x + \sin^2 x = 1$.

On a $\left(\dfrac{1}{5}\right)^2 + \sin^2 x = 1 \iff \dfrac{1}{25} + \sin^2 x = 1 \iff \sin^2 x = 1 - \dfrac{1}{25}$.

On obtient donc $\sin^2 x = \dfrac{24}{25}$ (point ❸) et on sait que M est dans le quadrant 1, donc son ordonnée $\sin x$ vérifie : $\sin x \geqslant 0$.

D'où : $\sin x = \sqrt{\dfrac{24}{25}} = \dfrac{\sqrt{24}}{\sqrt{25}} = \dfrac{\sqrt{4 \times 6}}{5} = \dfrac{2\sqrt{6}}{5}$.

3. On tape $\cos^{-1}\left(\dfrac{1}{5}\right)$ ou $\sin^{-1}\left(\dfrac{2\sqrt{6}}{5}\right)$.

Dans les deux cas, on obtient $x \approx 1,37$ (point ❹).

Points méthode

❶ On choisit un rayon de 5 cm (ou 5 carreaux) pour le cercle trigonométrique et on place le repère orthomormé (O, I, J) associé. Le partage du rayon $[OI]$ en 5 segments de même longueur est alors aisé.

❷ $x \in \left[0\,;\dfrac{\pi}{2}\right]$, donc M est situé dans le quadrant 1. $\cos x$ est l'abscisse de M : on place sur l'axe des abscisses (OI) le point d'abscisse $\dfrac{1}{5}$, puis sur le cercle (dans le quadrant 1) le point M d'abscisse $\dfrac{1}{5}$.

❸ La relation $\cos^2 x + \sin^2 x = 1$ permet d'exprimer la coordonnée inconnue (ici $\sin x$) en fonction de l'autre qui est connue. L'appartenance du point M à l'un des 4 quadrants du repère permet de connaître le signe de ses coordonnées $\cos x$ et $\sin x$.

❹ Utiliser le mode « radian » de la calculatrice. Sur certaines calculatrices $\cos^{-1}$ et $\sin^{-1}$ sont remplacés par Arccos et Arcsin, ou Acs et Asn.

POUR S'EXERCER

7 Calculer $\cos 0$ et $\sin 0$, puis vérifier la relation fondamentale.

8 Même exercice avec $\cos\dfrac{\pi}{2}$ et $\sin\dfrac{\pi}{2}$, puis avec $\cos\pi$ et $\sin\pi$, enfin avec $\cos 2\pi$ et $\sin 2\pi$.

9 Un réel x est tel que $x \in \left[\dfrac{\pi}{2}\,;\pi\right]$ et $\sin x = \dfrac{1}{3}$.

1. Construire le point M du cercle trigonométrique associé à ce réel x ; préciser à quel quadrant appartient le point M.

2. Quel est le signe de $\cos x$?

3. Calculer la valeur exacte de $\cos x$.

10 Même exercice avec $x \in [0\,;\pi]$ et $\cos x = -\dfrac{3}{4}$.

On précisera cette fois, pour les questions 2 et 3, le signe de $\sin x$ et sa valeur exacte.

11 Trouver avec la calculatrice une valeur approchée de x à 0,01 près dans chacun des cas suivants :

a. $\cos x = 0,1$ et $x \in [0\,;\pi]$;

b. $\sin x = -\dfrac{\sqrt{3}}{3}$ et $x \in \left[-\dfrac{\pi}{2}\,;\dfrac{\pi}{2}\right]$.

12 x est un réel, tel que $\sin x = -\dfrac{1}{4}$.

1. Placer sur le cercle trigonométrique les deux points M_1 et M_2 qui peuvent être associés au réel x.

2. Calculer les abscisses des points M_1 et M_2.

3. On sait, de plus, que $\cos x > 0$.

Quel est le point associé à x sur le cercle trigonométrique ?

▶ Voir exercices 31 à 35

13 La randonnée

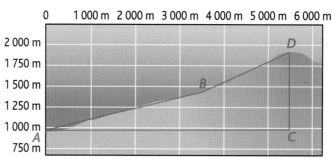

Voici le profil d'une randonnée dont le départ est situé au point A d'altitude 970 m et l'arrivée au point D d'altitude 1 880 m. Le randonneur a fait une halte au point B situé après 3 500 m de marche et à une altitude de 1 420 m. La distance parcourue par le randonneur entre B et D est 2 075 mètres.

On suppose les trajets A-B et B-D rectilignes.

1. Calculer en degrés la mesure de l'angle $\widehat{BAC}$ arrondie à 0,1° près.

2. Calculer la pente, en pourcentage, de la première partie de la randonnée (c'est-à-dire du trajet A-B).

3. Calculer la pente, en pourcentage, de la seconde partie de la randonnée (le trajet B-D).

4. Le randonneur affirme que la pente moyenne de sa randonnée est supérieure à 15 %.
A-t-il raison ?

Définition

Une pente (ou déclivité) de 1 % pour un sentier de randonnée est obtenue lorsque le dénivelé par rapport à l'horizontale est de 1 m pour une distance parcourue de 100 m. C'est le sinus de l'angle que fait le sentier avec l'horizontale.

100 m / 1 m

Solution

On schématise la configuration de la randonnée à l'aide d'une figure.

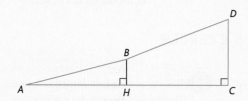

1. Dans le triangle BAH, rectangle en H :
$$\sin\widehat{BAH} = \sin\widehat{BAC} = \frac{BH}{AB} = \frac{1420 - 970}{3\,500} = \frac{450}{3\,500} = \frac{9}{70}.$$
On obtient $\widehat{BAC} = \sin^{-1}\left(\frac{9}{70}\right) \approx 7{,}4°$.

2. $\frac{9}{70} \approx 0{,}13$, donc la pente de la première partie est d'environ 13 %.

3. La pente de la seconde partie est :
$$\frac{1880 - 1420}{2\,075} \approx 0{,}22 \text{ donc la pente est d'environ 22 %.}$$

4. $\frac{1880 - 970}{3\,500 + 2\,075} \approx 0{,}16$.
La pente moyenne est environ 16 %. Le randonneur a raison.

Stratégies

1. ● Pour calculer la mesure de l'angle $\widehat{BAC}$, on utilise une relation trigonométrique appropriée dans le triangle rectangle ABH.

● BH est égal au dénivelé de la première partie de la randonnée.

● Pour calculer $\widehat{BAC}$ on utilise sin⁻¹ et le mode degré de la calculatrice.

4. On peut soit faire une moyenne pondérée, soit calculer directement la pente sur le parcours total.

⑭ Calculer le cosinus et le sinus du réel $\dfrac{\pi}{8}$

Soit (O, I, J) un repère orthonormé et $\mathscr{C}$ le cercle trigonométrique de centre O.

1. a. Placer sur le cercle $\mathscr{C}$ les points M et S associés respectivement aux réels $\dfrac{\pi}{4}$ et $\dfrac{\pi}{8}$.

b. Indiquer les coordonnées du point M dans le repère (O, I, J).

2. On considère sur l'axe (O, I) les points P d'abscisse $\dfrac{\sqrt{2}}{2}$ et K d'abscisse -1.

a. Calculer la longueur KM.

b. Déterminer une mesure en degrés de l'angle $\widehat{MKO}$.

c. Dans le triangle rectangle MKP, calculer $\cos\widehat{MKP}$ et $\sin\widehat{MKP}$.

3. Comparer les angles $\widehat{MKP}$ et $\widehat{IOS}$. En déduire les valeurs exactes de $\cos\dfrac{\pi}{8}$ et de $\sin\dfrac{\pi}{8}$.

Solution

1. a. Comme $\dfrac{\pi}{8} = \dfrac{1}{2} \times \dfrac{\pi}{4}$, l'arc $\overset{\frown}{IM}$ a une longueur égale à la moitié de celle de l'arc $\overset{\frown}{IJ}$ (voir la figure ci-après). On obtient le point M sur $\mathscr{C}$ en prenant l'intersection $\mathscr{C}$ avec la bissectrice de l'angle $\widehat{IOJ}$, puis le point S comme intersection de $\mathscr{C}$ et de la bissectrice de l'angle $\widehat{IOM}$.

b. Les coordonnées du point M sont $\left(\cos\dfrac{\pi}{4} ; \sin\dfrac{\pi}{4}\right)$ par définition, donc :
$M\left(\dfrac{\sqrt{2}}{2} ; \dfrac{\sqrt{2}}{2}\right)$.

2. a. P et M ayant même abscisse, le triangle KPM est rectangle en P et avec le théorème de Pythagore, on a :
$$KP^2 + PM^2 = KM^2 \quad \text{donc} \quad \left(1 + \dfrac{\sqrt{2}}{2}\right)^2 + \left(\dfrac{\sqrt{2}}{2}\right)^2 = KM^2 ;$$
d'où : $KM^2 = 1 + \sqrt{2} + \dfrac{2}{4} + \dfrac{2}{4} = 2 + \sqrt{2}$ et enfin $KM = \sqrt{2 + \sqrt{2}}$.

b. L'angle $\widehat{MKO}$ est égal à l'angle $\widehat{MKI}$; c'est un angle inscrit dans le cercle et il intercepte le même arc $\overset{\frown}{IM}$ que l'angle au centre $\widehat{IOM}$: il a donc une mesure égale à la moitié de l'angle $\widehat{IOM}$, d'où : $\widehat{MKO} = \dfrac{1}{2}\,\widehat{IOM} = \dfrac{45°}{2} = 22{,}5°$.

c. Dans le triangle rectangle MKP, on a :
$$\cos\widehat{MKP} = \dfrac{KP}{KM} = \dfrac{1 + \dfrac{\sqrt{2}}{2}}{\sqrt{2 + \sqrt{2}}} = \dfrac{2 + \sqrt{2}}{2\sqrt{2 + \sqrt{2}}} = \dfrac{\sqrt{2 + \sqrt{2}}}{2}$$

et $\sin\widehat{MKP} = \dfrac{MP}{KM} = \dfrac{\dfrac{\sqrt{2}}{2}}{\sqrt{2 + \sqrt{2}}} = \dfrac{\sqrt{2} \times \sqrt{2 - \sqrt{2}}}{2\sqrt{2 + \sqrt{2}}\sqrt{2 - \sqrt{2}}} = \dfrac{\sqrt{2 - \sqrt{2}}}{2}$.

Remarque : « L'expression conjuguée »

Le réel $2 - \sqrt{2}$ est appelé parfois « le conjugé » du réel $2 + \sqrt{2}$. En multipliant les deux, on applique l'identité remarquable : $(a + b)(a - b) = a^2 - b^2$.

Cette technique permet d'obtenir une expression sans racine carrée au dénominateur. Ainsi, par exemple :
$$\dfrac{2}{1 + \sqrt{3}} = \dfrac{2(1 - \sqrt{3})}{(1 + \sqrt{3})(1 - \sqrt{3})} = \dfrac{2(1 - \sqrt{3})}{1^2 - \sqrt{3}^2} = \dfrac{2(1 - \sqrt{3})}{-2} = \sqrt{3} - 1.$$

3. L'arc $\overset{\frown}{IS}$ a une longueur moitié de celle de l'arc $\overset{\frown}{IM}$, il en est de même des angles au centre : $\widehat{IOS} = \dfrac{1}{2}\,\widehat{IOM} = \widehat{MKP}$.

On obtient donc : $\cos\dfrac{\pi}{8} = \cos\widehat{IOS} = \cos\widehat{MKP} = \sqrt{\dfrac{\sqrt{2 + \sqrt{2}}}{2}}$

et : $\qquad \sin\dfrac{\pi}{8} = \sin\widehat{IOS} = \sin\widehat{MKP} = \dfrac{\sqrt{2 - \sqrt{2}}}{2}$.

Stratégies

1. a. On sait que J est associé à $\dfrac{\pi}{2}$ (point remarquable de $\mathscr{C}$) et on utilise ici la proportionnalité entre les différentes longueurs des arcs.

b. Les coordonnées d'un point de $\mathscr{C}$, repéré par un réel x, sont $\cos x$ et $\sin x$ dans le repère (O, I, J).

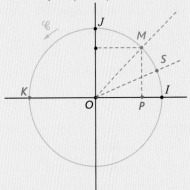

2. c. La présence de triangles rectangles permet de calculer les cosinus et sinus d'angles aigus de la figure.

3. Le réel $\dfrac{\pi}{8}$ associé au point S a même cosinus et sinus que l'angle au centre $\widehat{IOS}$.

$\left(\cos\dfrac{\pi}{8} ; \sin\dfrac{\pi}{8}\right)$ sont les coordonnées du point S.

Organiser une recherche

Sur cette figure, *ABC* est un triangle rectangle en *A*.
On donne $AB = 4$ cm et $BC = 5$ cm.
Les droites (AD) et (EF) sont perpendiculaires au côté $[BC]$, la droite (DE) est perpendiculaire au côté $[AB]$.
Aurélien prétend que le triangle *AEF* est isocèle en *E*.
A-t-il raison ?
Justifier.

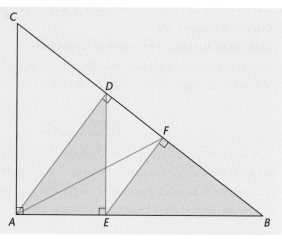

Recherche

1. Démontrer que les angles $\widehat{ABC}$, $\widehat{CAD}$, $\widehat{ADE}$, $\widehat{DEF}$ sont de même mesure.
2. Calculer la longueur *AC*.
3. En utilisant le cosinus de l'angle $\widehat{ABC}$ dans plusieurs triangles, démontrer que $EF = \left(\dfrac{4}{5}\right)^3 \times 3$.
4. Calculer la longueur *AE*.
5. Conclure.

Ébauche d'une solution

1. Dans un triangle rectangle, les deux angles aigus sont complémentaires. L'angle $\widehat{ACB}$ est donc le complémentaire de l'angle $\widehat{ABC}$, mais aussi le complémentaire de $\widehat{CAD}$.
Par ailleurs, sur cette figure, il y a aussi des angles alternes internes égaux.
2. Le théorème de Pythagore permet facilement de calculer la longueur *AC*.
3. $AD = AC \times \cos \widehat{CAD}$; $DE = AD \times \cos \widehat{ADE}$; $EF = ED \times \cos \widehat{DEF}$.
4. On peut encore utiliser le théorème de Pythagore, ou le sinus de l'angle $\widehat{ADE}$.

Rédaction d'une solution

À l'aide des deux parties précédentes, rédiger une solution du problème étudié.

Prolongement possible

Comparer les distances *BE* et *AD*.

Prendre des initiatives

15 Boule qui roule...

Une boule est lâchée à l'instant $t = 0$ et roule sans glisser sur un plan incliné faisant un angle de 40° avec le plan horizontal (la mesure en degrés de cet angle est notée α).

Les physiciens ont établi que si on néglige les frottements, la vitesse à l'instant t de la boule sur le plan incliné est donnée par la formule :

$v(t) = \text{g} \times \sin\alpha \times t$ où $\text{g} \approx 9{,}81\,\text{m.s}^{-2}$.

Partie A

1. Calculer la vitesse de la boule (en m.s^{-1}) après 5 s de roulement, après 10 s de roulement.

2. La vitesse de la boule est-elle proportionnelle au temps ? Justifier la réponse.

3. La vitesse de la boule est-elle une fonction croissante du temps ? Justifier.

Partie B

On fait maintenant varier la mesure de l'angle α et on mesure la vitesse de la boule après 5 s de roulement.

1. Reproduire et compléter le tableau suivant :

Angle α (en degrés)	0	10	20	30	40	50	60
Vitesse $v(t)$ (en m.s^{-1})	0						

2. La vitesse de la boule (après 5 s) est-elle proportionnelle à la mesure de l'angle ? Justifier.

$\alpha = 40°$

16 Avec un algorithme algo

On considère deux points M et N du cercle trigonométrique.
Le point M est associé au réel x et le point N au réel y.
On considère l'algorithme décrit sur la copie d'écran ci-contre.

> **Avec Algobox**
>
> Le nombre π s'écrit Math.PI.
>
> floor(z) désigne la partie entière de z.
>
> t%2 désigne le reste de la division de l'entier t par 2.

1. Réaliser cet algorithme sur Algobox.

Le tester avec $x = \dfrac{13\pi}{3}$ et $y = \dfrac{\pi}{3}$, puis avec $x = \dfrac{21\pi}{4}$ et $y = \dfrac{\pi}{4}$.

Expliquer les réponses obtenues.

2. Le point M a pour coordonnées $\left(-\dfrac{1}{2} ; \dfrac{\sqrt{3}}{2}\right)$ et le point N est associé au réel $x = \dfrac{250\pi}{3}$.

a. Les points M et N sont-ils confondus ?

b. Proposer un algorithme permettant de savoir si deux points M et N du cercle trigonométrique, M de coordonnées $(a ; b)$ et N associé au réel x, sont confondus ou non.

```
1    VARIABLES
2        x EST_DU_TYPE NOMBRE
3        y EST_DU_TYPE NOMBRE
4        z EST_DU_TYPE NOMBRE
5        t EST_DU_TYPE NOMBRE
6    DEBUT_ALGORITHME
7        LIRE x
8        LIRE y
9        z PREND_LA_VALEUR (x-y)/Math.PI
10       t PREND_LA_VALEUR floor(z)
11       SI ((z-t)<0.00001 ET t%2==0) ALORS
12           DEBUT_SI
13           AFFICHER "M et N sont confondus"
14           FIN_SI
15           SINON
16               DEBUT_SINON
17               AFFICHER "M et N sont distincts"
18               FIN_SINON
19    FIN_ALGORITHME
```

3. Compléter l'énoncé suivant qui caractérise les réels associés au même point du cercle trigonométrique :

« Deux nombres réels x et y sont associés au même point M du cercle trigonométrique si, et seulement si, ... Dans ce cas, on a les égalités : $\cos x = ...$ et $\sin x = ...$ ».

Savoir...

Comment faire ?

Associer un point du cercle trigonométrique à un réel donné, par l'enroulement de la droite des réels sur ce cercle :

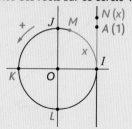

À tout réel x, abscisse d'un point N dans le repère (I, A), on associe un point unique M du cercle trigonométrique :

- Si ce réel est positif, on enroule la droite dans le sens direct, s'il est négatif, on l'enroule dans le sens indirect.

- Lorsque $x \in [0 ; 2\pi]$, x est égal à la longueur de l'arc de cercle d'origine I et d'extrémité M parcouru dans le sens direct .

- Lorsque $x \in [-2\pi ; 0]$, x est l'opposé de la longueur de l'arc de cercle d'origine I et d'extrémité M parcouru dans le sens indirect.

Associer des réels aux points remarquables du cercle trigonométrique muni du repère orthonormé (O, I, J).

La longueur du cercle étant 2π, on utilise la proportionnalité entre la longueur des arcs de cercle et la mesure des angles au centre qui les interceptent.

Par exemple : I est associé à 0, J est associé à $\dfrac{\pi}{2}$, K est associé à π, L est associé à $\dfrac{3\pi}{2}$ ou à $-\dfrac{\pi}{2}$.

Trouver tous les réels associés à un point du cercle trigonométrique connaissant l'un de ces réels.

Si M est associé au réel x, alors il est aussi associé à tous les réels du type $x + k \times 2\pi$ où k est un entier relatif.

Par exemple, J est aussi associé à $\dfrac{5\pi}{2} = \dfrac{\pi}{2} + 2\pi$, $\dfrac{9\pi}{2} = \dfrac{\pi}{2} + 4\pi$,

$-\dfrac{3\pi}{2} = \dfrac{\pi}{2} - 2\pi$, $-\dfrac{7\pi}{2} = \dfrac{-\pi}{2} - 4\pi$, etc.

Déterminer le cosinus et le sinus d'un réel associé à un point du cercle trigonométrique.

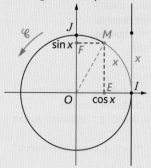

Dans le repère orthonormé (O, I, J), $\cos x$ est l'abscisse de M, $\sin x$ est l'ordonnée de M.

On doit connaître les valeurs remarquables des cosinus et sinus de 0, $\dfrac{\pi}{6}$, $\dfrac{\pi}{4}$, $\dfrac{\pi}{3}$ et $\dfrac{\pi}{2}$.

x	0	$\dfrac{\pi}{6}$	$\dfrac{\pi}{4}$	$\dfrac{\pi}{3}$	$\dfrac{\pi}{2}$
$\cos x$	1	$\dfrac{\sqrt{3}}{2}$	$\dfrac{\sqrt{2}}{2}$	$\dfrac{1}{2}$	0
$\sin x$	0	$\dfrac{1}{2}$	$\dfrac{\sqrt{2}}{2}$	$\dfrac{\sqrt{3}}{2}$	1

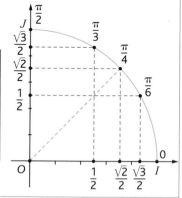

Calculer $\cos x$, connaissant $\sin x$ et un encadrement du réel x (ou le contraire).

On place sur le cercle trigonométrique le point M associé à x grâce à la coordonnée connue ($\cos x$ ou $\sin x$) et à l'encadrement de x qui détermine un « quadrant ».

- On détermine le signe de la coordonnée inconnue.
- Pour exprimer le nombre inconnu en fonction de l'autre on utilise la relation fondamentale entre cosinus et sinus :

Pour tout réel x, on a : $\cos^2 x + \sin^2 x = 1$.

- Attention : les valeurs trouvées doivent vérifier les encadrements :

$$-1 \leqslant \cos x \leqslant 1 \text{ et } -1 \leqslant \sin x \leqslant 1.$$

A Pour chacune des questions suivantes, indiquer la (ou les) bonne(s) réponse(s).

1. Si le point M du cercle trigonométrique est associé au réel $\frac{\pi}{4}$, alors M est aussi associé à	**a.** $-\frac{\pi}{4}$	**b.** $\frac{33\pi}{4}$	**c.** $-\frac{7\pi}{4}$
2. Si $x \in \left[\frac{\pi}{2}\,;\pi\right]$, alors	**a.** $\cos x \leqslant 0$ et $\sin x \leqslant 0$	**b.** $\cos x \leqslant 0$ et $\sin x \geqslant 0$	**c.** $\cos x \geqslant 0$ et $\sin x \geqslant 0$
3. Si $x \in \left[-\frac{\pi}{2}\,;0\right]$, alors	**a.** $\cos x \leqslant 0$ et $\sin x \leqslant 0$	**b.** $\cos x \geqslant 0$ et $\sin x \geqslant 0$	**c.** $\cos x \geqslant 0$ et $\sin x \leqslant 0$
4. Un réel x qui vérifie $\cos x = \frac{1}{2}$ est	**a.** $\frac{\pi}{3}$	**b.** $-\frac{\pi}{3}$	**c.** $\frac{\pi}{6}$
5. Un réel x qui vérifie $\sin x = \frac{1}{2}$ est	**a.** $\frac{\pi}{6}$	**b.** $\frac{\pi}{3}$	**c.** $\frac{5\pi}{6}$

Corrigé p. 337

B Pour chacune des questions suivantes, une seule réponse est correcte. (Ne pas utiliser la calculatrice.)

1. $\cos \pi =$	**a.** 0	**b.** 1	**c.** -1
2. $\sin \frac{\pi}{2} =$	**a.** 0	**b.** 1	**c.** -1
3. $\cos^2 \frac{\pi}{7} + \sin^2 \frac{\pi}{7} =$	**a.** 0	**b.** 1	**c.** $0{,}9$
4. $\cos \frac{27\pi}{4} =$	**a.** $\cos \frac{3\pi}{4}$	**b.** $\cos \frac{\pi}{4}$	**c.** $\cos\left(-\frac{\pi}{4}\right)$
5. $\sin \frac{19\pi}{3} =$	**a.** $\sin\left(-\frac{\pi}{3}\right)$	**b.** $\sin \frac{\pi}{3}$	**c.** $\sin \frac{\pi}{6}$

Corrigé p. 337

Vrai ou faux ?

Préciser si les affirmations suivantes sont vraies ou fausses.

1. Chaque point du cercle trigonométrique est associé à un réel unique.

2. Chaque réel est associé à un unique point du cercle trigonométrique.

3. Les réels $\frac{\pi}{2}$ et $\frac{15\pi}{2}$ sont associés au même point du cercle trigonométrique.

4. Il existe des réels x tels que $\cos x = \sin x$.

5. Pour tout entier relatif k, on a : $\cos(k \times 2\pi) = 1$.

6. Pour tout entier relatif k, on a : $\sin(k \times \pi) = 0$.

7. Si $\cos x = \frac{1}{2}$, alors $\sin x = \frac{1}{2}$ ou $\sin x = -\frac{1}{2}$.

Corrigé p. 337

 Pour s'auto-évaluer : des QCM et des Vrai-faux complémentaires

6 **Exercices**

▶ Les exercices portant un numéro orange sont corrigés à la fin du manuel, page 330.

Applications directes

1 Enroulement de la droite des réels

Dans les exercices 17 à 23, $\mathscr{C}$ désigne le cercle trigonométrique de centre O et (O, I, J) est le repère orthonormé associé.

17 Vrai ou faux ?

Le carré $IJKL$ est inscrit dans le cercle $\mathscr{C}$.

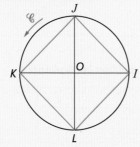

Répondre par **vrai** ou par **faux** à chacune des affirmations suivantes.

Dans l'enroulement de la droite des réels sur le cercle $\mathscr{C}$:

1. Le point J est associé au réel $\dfrac{\pi}{2}$.

2. Le point K est associé au réel 2π.

3. Le point L est associé au réel $-\dfrac{\pi}{2}$.

4. L'arc de cercle $\widehat{IK}$ a pour longueur $\dfrac{\pi}{2}$.

5. Le point J est associé au réel $\dfrac{7\pi}{2}$.

18 Placer sur le cercle trigonométrique $\mathscr{C}$ les points A, B, C et D, associés respectivement aux réels $-\pi$, $\dfrac{\pi}{2}$, $-\dfrac{\pi}{4}$ et $\dfrac{2\pi}{3}$, dans l'enroulement de la droite des réels sur ce cercle.

Rappel : l'enroulement s'effectue à partir du point I.

19 Le triangle équilatéral ICD est inscrit dans le cercle $\mathscr{C}$.

À quels réels de l'intervalle $]0 ; 2\pi]$ sont associés les points C et D dans l'enroulement de la droite des réels sur le cercle $\mathscr{C}$?

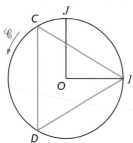

20 Le carré $DACB$ est inscrit dans le cercle trigonométrique $\mathscr{C}$.

À quels réels de l'intervalle $]-\pi ; \pi]$ sont associés les points D, A, C et B ?

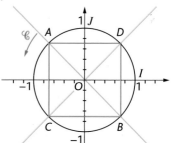

21 $IBCDEF$ est un hexagone régulier inscrit dans le cercle trigonométrique $\mathscr{C}$.

À quels réels de l'intervalle $]-\pi ; \pi]$ sont associés les points I, B, C, D, E et F ?

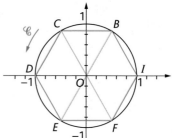

22 Le pentagone régulier $IABCD$ est inscrit dans le cercle trigonométrique $\mathscr{C}$.

À quels réels de l'intervalle $]0 ; 2\pi]$ sont associés les sommets de ce pentagone ?

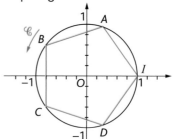

23 Pour chacun des réels suivants, trouver l'unique réel appartenant à l'intervalle $]-\pi ; \pi]$ et associé au même point du cercle trigonométrique.

$a = \dfrac{100\pi}{3}$; $\qquad b = 2\,010\pi$; $\qquad c = \dfrac{41\pi}{4}$;

$d = -\dfrac{41\pi}{4}$; $\qquad e = 20{,}4\,\pi$; $\qquad f = 29{,}2\,\pi$.

24  **Avec un algorithme**

Dans cet algorithme réalisé avec Algobox, x désigne un réel positif.

On teste cet algorithme sur trois réels positifs, voici les résultats fournis :

Avec 251 π :

```
***Algorithme lancé***
3.1415927
***Algorithme terminé***
```

Avec 34,5 π :

```
***Algorithme lancé***
1.5707963
***Algorithme terminé***
```

Avec 80,25 π :

```
***Algorithme lancé***
0.78539817
***Algorithme terminé***
```

1. Expliquer les réponses obtenues.
2. Tester cet algorithme sur le réel 2 010 π.
Que remarque-t-on ?

25 Le plan est muni du repère orthonormal (O, I, J).
Deux points M et N du cercle trigonométrique $\mathscr{C}$ de centre O sont respectivement associés aux réels a et b.
Préciser, dans chaque cas, si les points M et N sont confondus ou symétriques par rapport au point O ou par rapport à l'un des axes du repère :

1. $a = \dfrac{\pi}{2}$ et $b = \dfrac{17\pi}{2}$.

2. $a = \dfrac{\pi}{3}$ et $b = -\dfrac{\pi}{3}$.

3. $a = \dfrac{\pi}{4}$ et $b = -\dfrac{3\pi}{4}$.

4. $a = \dfrac{\pi}{6}$ et $b = \dfrac{5\pi}{6}$.

5. $a = -\dfrac{\pi}{5}$ et $b = -\dfrac{4\pi}{5}$.

Calculs de longueurs d'arcs de cercle

26 **Vrai ou faux ?**

$\mathscr{C}$ désigne le cercle trigonométrique de centre O, (O, I, J) le repère orthonormé associé et $\mathscr{C}'$ le cercle de centre O de rayon 2.
Répondre par **vrai** ou par **faux** à chacune des affirmations suivantes.

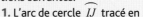

1. L'arc de cercle $\overset{\frown}{IJ}$ tracé en rouge a pour longueur la moitié de celle de l'arc $\overset{\frown}{CD}$ tracé en bleu.
2. Les arcs de cercles $\overset{\frown}{AI}$ (vert) et $\overset{\frown}{CD}$ (bleu) ont même longueur.
3. Le périmètre de $(\mathscr{C}')$ est le double de celui de $(\mathscr{C}')$.
4. L'arc de cercle bleu a pour longueur π.

27 Sur ce cercle trigonométrique, les points A, B et D sont associés respectivement aux réels $\dfrac{\pi}{3}$, $\dfrac{3\pi}{4}$ et $-\dfrac{\pi}{6}$.
1. Préciser les réels de l'intervalle $]-\pi\,;\pi]$ associés aux points I, J, K et L.
2. Calculer la longueur exacte de chacun des quatre arcs de cercle colorés.

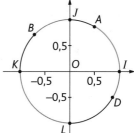

28 $BCDEFG$ est un hexagone régulier inscrit dans le cercle $\mathscr{C}$ de centre A de rayon 1. Les triangles BCL, CDM, DEN, EFO, FGP et GBQ sont équilatéraux.
Calculer le périmètre de la figure colorée en rouge dont les sommets sont ceux de l'hexagone et délimitée par les arcs de cercle intérieurs au cercle $\mathscr{C}$.

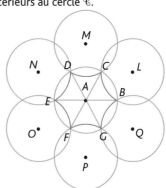

29 Sur la figure suivante, *ICD* est un triangle équilatéral inscrit dans le cercle trigonométrique $\mathscr{C}$ (de centre *O*). De plus, les triangles *IAO* et *OAC* sont équilatéraux.

Calculer le périmètre de la figure délimitée par les segments $[ID]$, $[DC]$ et l'arc de cercle $\overset{\frown}{CI}$ de centre *A*.

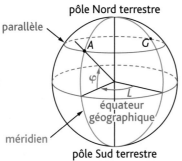

30 Distance Caen-Pau

Pour se repérer à la surface de la Terre, on utilise les méridiens et les parallèles.

Les méridiens sont des demi-cercles qui rejoignent les pôles, ils permettent de donner la longitude *L* à partir du méridien de Greenwich (*G*).

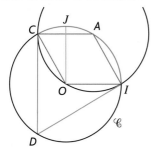

Les parallèles sont des cercles, ils permettent de donner la latitude φ à partir de l'équateur.

Calculer la distance entre deux points du globe situés sur le même méridien revient à calculer la longueur d'un arc de cercle.

Les villes de Caen et Pau sont situées sur le même méridien et sont séparées par 6° de latitude.

Le rayon de la Terre est environ égal à 6 400 km.

Calculer la distance entre ces deux villes en suivant le méridien.

2 Cosinus et sinus d'un réel

31 Vrai ou faux ? `Logique`

Répondre par **vrai** ou **faux** à chacune des affirmations suivantes.

1. Pour tout réel $x \in \left[-\dfrac{\pi}{2}\,;\dfrac{\pi}{2}\right]$, $\cos x \geqslant 0$.

2. Pour tout réel $x \in [0\,;\pi]$, $\sin x \geqslant 0$.

3. Il existe un réel $x \in [0\,;2\pi]$ tel que $\sin x < 0$ et $\cos x < 0$.

4. Pour tout réel x, $0 \leqslant \cos^2 x \leqslant 1$.

5. Il existe un réel x tel que $\sin x = \dfrac{45}{\sqrt{2\,010}}$.

32 Vrai ou faux ?

1. $\cos(2\pi) = 2 \times \cos \pi$.

2. Si $\cos x = \dfrac{1}{2}$, alors $\sin x = \dfrac{1}{2}$.

3. $\cos 0 = \cos(2\pi)$.

4. $\sin(1{,}99\,\pi) < 0$.

5. $\cos(0{,}51\,\pi) < 0$.

33 🖩 *A* et *B* sont deux points du cercle trigonométrique $\mathscr{C}$ associés respectivement aux réels *x* et *y* de l'intervalle $]-\pi\,;\pi]$.

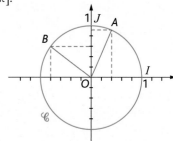

1. Lire sur le dessin la valeur de $\cos x$.

2. Calculer la valeur exacte de $\sin x$, puis calculer *x* à l'aide de la calculatrice. (On demande une valeur approchée à 0,01 près.)

3. Les valeurs de $\cos y$ et $\sin y$ lues sur le dessin sont-elles cohérentes ? Justifier.

4. Déterminer à la calculatrice une valeur approchée à 0,01 près de *y*.

34 Analyse d'un résultat

On demande de trouver *x* dans l'intervalle $[0\,;\pi]$ tel que :

$\cos x = 0{,}8$.

Adeline a utilisé sa calculatrice et voici ce qu'elle a tapé :

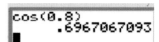

Noémie a fait autrement, voici ce qu'elle a tapé :

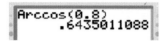

Qui a la bonne réponse ?

35 Soit M le point de coordonnées $(-0,8 ; -0,6)$ dans le repère orthonormé (O, I, J).

1. Démontrer que M appartient au cercle trigonométrique de centre O.

Soit x le réel de l'intervalle $[0 ; 2\pi]$ associé à M.

2. Justifier que $x \in \left[\pi ; \dfrac{3\pi}{2}\right]$.

3. Déterminer, parmi les trois calculs proposés, celui qui donne une valeur approchée correcte de x. Justifier votre choix.

```
cos⁻¹(-0.8)
        2.498091545
sin⁻¹(-0.6)+2π
        5.639684198
cos⁻¹(0.8)+π
        3.785093762
```

Propriétés du cosinus et du sinus

36 Nouvelles propriétés du cosinus et du sinus

1. Si x est un réel quelconque associé à un point M du cercle trigonométrique, que peut-on dire du point associé au réel $x + 2\pi$?

2. Conclure en recopiant et complétant les deux propriétés suivantes :

– pour tout réel x, $\cos(x + 2\pi) = \dots$;

– pour tout réel x, $\sin(x + 2\pi) = \dots$.

37 Encore une propriété du cosinus et du sinus

Nicolas a tapé sur sa calculatrice les calculs suivants :

```
cos(π/8)
        .9238795325
cos(-π/8)
        .9238795325
```
```
sin(π/5)
        .5877852523
sin(-π/5)
        -.5877852523
```

Il affirme que *deux réels opposés ont le même cosinus et des sinus opposés*.

1. À l'aide de la calculatrice, tester sur plusieurs exemples la validité de cette affirmation.

2. Démonstration

Placer sur le cercle trigonométrique un point M quelconque associé à un réel x.

a. Placer le point N associé à $-x$.

Quelle propriété de symétrie observe-t-on ?

b. Comparer $\cos x$ et $\cos(-x)$.

c. Comparer $\sin x$ et $\sin(-x)$.

3. Conclure en recopiant et complétant les deux propriétés suivantes :

– pour tout réel x, $\cos(-x) = \dots$;

– pour tout réel x, $\sin(-x) = \dots$.

38 A est le point du cercle trigonométrique associé au réel $\dfrac{\pi}{6}$.

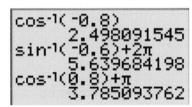

1. Reproduire la figure et placer sur ce cercle le point B associé au réel $\dfrac{\pi}{6} + \pi$.

2. En utilisant des propriétés géométriques, simplifier les écritures de $\cos\left(\dfrac{\pi}{6} + \pi\right)$ et $\sin\left(\dfrac{\pi}{6} + \pi\right)$.

3. Plus généralement, si M est un point quelconque du cercle trigonométrique associé au réel x, comment construit-on le point M' associé au réel $x + \pi$?

4. Conclure en recopiant et complétant les deux propriétés suivantes :

– pour tout réel x, $\cos(x + \pi) = \dots$;

– pour tout réel x, $\sin(x + \pi) = \dots$.

Utiliser les valeurs remarquables

Rappel des valeurs remarquables

x	0	$\dfrac{\pi}{6}$	$\dfrac{\pi}{4}$	$\dfrac{\pi}{3}$	$\dfrac{\pi}{2}$	π
$\cos x$	1	$\dfrac{\sqrt{3}}{2}$	$\dfrac{\sqrt{2}}{2}$	$\dfrac{1}{2}$	0	-1
$\sin x$	0	$\dfrac{1}{2}$	$\dfrac{\sqrt{2}}{2}$	$\dfrac{\sqrt{3}}{2}$	1	0

39 Calculer sans utiliser la calculatrice

En utilisant le tableau ci-dessus et les différentes propriétés du cosinus et du sinus d'un réel vues dans les exercices précédents, calculer les nombres suivants :

$\cos\left(\dfrac{7\pi}{6}\right)$; $\sin\left(-\dfrac{\pi}{4}\right)$; $\cos\left(\dfrac{7\pi}{3}\right)$; $\cos(-\pi)$;

$\sin\left(\dfrac{5\pi}{4}\right)$; $\cos\left(-\dfrac{4\pi}{3}\right)$; $\sin\left(-\dfrac{3\pi}{2}\right)$; $\sin\left(\dfrac{13\pi}{6}\right)$.

40 Calculer sans utiliser la calculatrice

Effectuer les calculs suivants :

1. $\cos\left(\dfrac{\pi}{3}\right) + \sin\left(\dfrac{\pi}{6}\right)$.

2. $\sin\left(\dfrac{\pi}{4}\right) - \cos\left(-\dfrac{\pi}{4}\right)$.

3. $\sin\left(\dfrac{\pi}{6}\right) + \sin\left(\dfrac{7\pi}{6}\right) + \cos\left(\dfrac{\pi}{6}\right) + \cos\left(\dfrac{7\pi}{6}\right)$.

4. $\sin\left(\dfrac{\pi}{4}\right) + \sin\left(\dfrac{3\pi}{4}\right) + \sin\left(\dfrac{5\pi}{4}\right) + \sin\left(\dfrac{7\pi}{4}\right)$.

41 Trouver la (ou les) valeur(s) de x solution(s) de l'équation : $\cos x = -\dfrac{1}{2}$ et $x \in [0 ; 2\pi]$.

42 Même exercice que le précédent avec :
$$\sin x = \dfrac{1}{2} \text{ et } x \in [0 ; \pi].$$

43 Même exercice que le précédent avec :
$$\sin x = -\frac{1}{2} \text{ et } x \in \left[-\frac{\pi}{2} ; \frac{\pi}{2}\right].$$

44 Démonstration de la relation fondamentale
M est un point du cercle trigonométrique associé au réel x ; ses coordonnées dans le repère orthonormé (O, I, J) sont $(\cos x ; \sin x)$.
On nomme E le point de coordonnées $(\cos x ; 0)$ et F le point de coordonnées $(0 ; \sin x)$.

1. On suppose que $x \in \left]0 ; \frac{\pi}{2}\right[$.
En utilisant le théorème de Pythagore dans un triangle rectangle, démontrer la relation :
$$\cos^2 x + \sin^2 x = 1.$$
2. Démontrer cette relation dans le cas où $x \in \left]\frac{\pi}{2} ; \pi\right[$ (on remarquera que $OE = -\cos x$).
3. Démontrer la relation lorsque $x \in \left]\pi ; \frac{3\pi}{2}\right[$, puis lorsque $x \in \left]\frac{3\pi}{2} ; 2\pi\right[$.
4. Lorsque $x \in \left\{0 ; \frac{\pi}{2} ; \pi ; \frac{3\pi}{2} ; 2\pi\right\}$, indiquer les valeurs de $\cos x$ et $\sin x$ et montrer que la relation fondamentale est encore vérifiée.

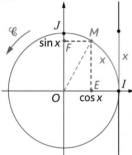

45
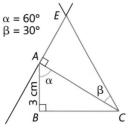
$\alpha = 60°$
$\beta = 30°$

En utilisant les données de cette figure et des valeurs remarquables de sinus et cosinus, calculer la longueur exacte du côté $[CE]$.

 46 Logique
Montrer que chacune des affirmations suivantes est fausse à l'aide d'un contre-exemple.
1. Pour tous les réels x et y tels que :
$$x \leqslant y \quad \text{alors} \quad \sin x \leqslant \sin y.$$
2. Pour tout réel x, on a l'égalité : $\cos x = \sqrt{1 - \sin^2 x}$.
3. Si $\cos x = \cos y$, on a $x = y$.
4. Si $x \leqslant 0$, on a $\sin x \leqslant 0$.

47 Démontrer que pour tout réel x on a l'égalité :
$$(\sin x + \cos x)^2 + (\sin x - \cos x)^2 = 2.$$

Rappel
$$(a + b)^2 = a^2 + 2ab + b^2.$$
$$(a - b)^2 = a^2 - 2ab + b^2.$$

48 Démontrer que pour tout réel x on a l'égalité :
$$(\cos x)^4 - (\sin x)^4 = (\cos x)^2 - (\sin x)^2.$$

Rappel
$$a^2 - b^2 = (a + b)(a - b).$$

Avec la tangente

Rappel
Lorsque $\cos x \neq 0$, on peut définir la tangente du réel x, notée $\tan x$ par $\tan x = \dfrac{\sin x}{\cos x}$.

49 Effectuer sans calculatrice
1. $\tan\left(\dfrac{\pi}{4}\right)$; $\tan\left(\dfrac{\pi}{3}\right)$; $\tan\left(\dfrac{\pi}{6}\right)$; $\tan\left(-\dfrac{\pi}{3}\right)$.
2. $\tan\left(-\dfrac{\pi}{3}\right) + \tan\left(\dfrac{\pi}{3}\right)$.

50 Question ouverte
ABC est un triangle rectangle et isocèle en B avec $AB = BC = 1$.
On place D le milieu de $[BC]$.
Justin prétend que la droite (AD) est la bissectrice de l'angle $\widehat{BAC}$.
A-t-il raison ? Justifier la réponse.

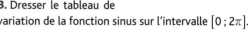

Les fonctions sinus et cosinus

Définition
Les fonctions f et g définies pour tout réel x par :
$$f(x) = \cos x \text{ et } g(x) = \sin x$$
sont appelées **fonction cosinus** et **fonction sinus**.

51 On trace à l'aide de la calculatrice les courbes représentatives $\mathscr{C}_1$ et $\mathscr{C}_2$ des fonctions cosinus et sinus sur l'intervalle $[0 ; 2\pi]$.
1. Associer à chacune des deux fonctions sa courbe représentative.
2. Dresser le tableau de variation de la fonction cosinus sur l'intervalle $[0 ; 2\pi]$.
3. Dresser le tableau de variation de la fonction sinus sur l'intervalle $[0 ; 2\pi]$.

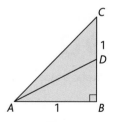

Problèmes

52 L'aire d'un pentagone régulier

ABCDE est un pentagone régulier (ses cinq côtés sont de même longueur) inscrit dans un cercle de centre *O* et de rayon 3 cm.

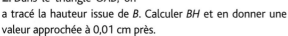

1. Quelle est la nature de chacun des cinq triangles identiques qui composent ce pentagone régulier ?

2. Dans le triangle *OAB*, on a tracé la hauteur issue de *B*. Calculer *BH* et en donner une valeur approchée à 0,01 cm près.

3. Calculer l'aire du triangle *OAB* arrondie au mm² près.

4. Calculer l'aire du pentagone *ABCDE*.

53 Prendre des initiatives

L'escargot de Pythagore :

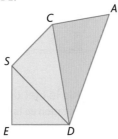

DES est un triangle rectangle en *E* et isocèle avec *ED* = *ES* = 1 cm. On a construit *C* tel que *DSC* soit rectangle en *S* et *SC* = 1 cm, puis *A* tel que *DCA* soit rectangle en *C* et *CA* = 1 cm.

1. Calculer les longueurs exactes des segments [*DS*], [*DC*] et [*DA*].

2. Calculer les mesures en degrés des angles $\widehat{EDS}$, $\widehat{SDC}$ et $\widehat{CDA}$ (on donnera, si besoin est, des valeurs approchées à 0,01° près).

3. Charlie prétend qu'en construisant encore trois points de la même façon, le troisième sera aligné avec *E* et *D*. A-t-il raison ?

54 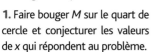 Conjecturer avec un logiciel

On considère un point *M* mobile associé au réel $x \in \left[0 ; \dfrac{\pi}{2}\right]$; il appartient donc au premier quadrant du cercle trigonométrique.

On veut déterminer les valeurs de *x* solutions de l'inéquation : $\cos x \leqslant \sin x$.

À l'aide d'un logiciel de géométrie dynamique, construire la figure ci-dessous et faire afficher l'abscisse de *M*, notée *c*, l'ordonnée de *M*, notée *s*, et la mesure en radian de l'angle $\widehat{IOM}$).

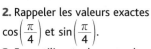

1. Faire bouger *M* sur le quart de cercle et conjecturer les valeurs de *x* qui répondent au problème.

2. Rappeler les valeurs exactes $\cos\left(\dfrac{\pi}{4}\right)$ et $\sin\left(\dfrac{\pi}{4}\right)$.

3. En utilisant les courbes représentatives des fonctions sinus et cosinus (ou celles tracées dans l'exercice **51**), écrire l'intervalle solution de l'inéquation proposée.

55 Distance Mars-Soleil

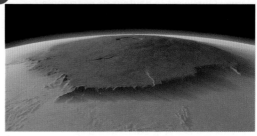

Sur le schéma ci-dessous, *S* désigne le Soleil, *T* la Terre et *M* la planète Mars. Il arrive que Mars et le Soleil soient en opposition par rapport à la Terre, c'est-à-dire *S*, T_1, M_1 alignés (ce fut le cas le 24 décembre 2007). Des mesures en astronomie permettent de savoir que 106 jours plus tard, le Soleil, la Terre et Mars

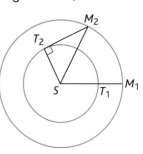

forment un triangle rectangle ($\widehat{ST_2M_2} = 90°$).

On sait que Mars fait un tour complet autour du Soleil en 687 jours, la Terre en 365 jours.

1. Calculer une valeur approchée à 0,1° près de la mesure des angles $\widehat{M_1SM_2}$ et $\widehat{T_1ST_2}$.

2. En déduire la mesure de l'angle $\widehat{M_2ST_2}$.

3. Démontrer que la distance Soleil-Mars est égale à environ 1,52 × distance Soleil-Terre, c'est-à-dire $SM \approx 1,52 \times ST$.

Remarque : pour simplifier les calculs on a supposé que les trajectoires de Mars et de la Terre sont des cercles de centre le Soleil.

56 La loi des sinus

ABC est un triangle dont les trois angles $\widehat{A}$, $\widehat{B}$ et $\widehat{C}$ sont aigus. On a tracé sa hauteur [*AH*] issue de *A* (on a noté *AH* = *h*). Les longueurs *AB*, *BC* et *CA* sont respectivement notées *c*, *a* et *b*.

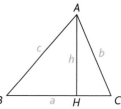

1. Exprimer $\sin\widehat{B}$ et $\sin\widehat{C}$ à l'aide de longueurs apparaissant sur la figure.

2. Exprimer l'aire du triangle *ABC* à l'aide de longueurs apparaissant sur la figure.

3. En déduire deux expressions de l'aire du triangle *ABC*, l'une faisant intervenir $\sin\widehat{B}$, l'autre $\sin\widehat{C}$.

4. Démontrer que $\dfrac{b}{\sin\widehat{B}} = \dfrac{c}{\sin\widehat{C}}$.

Remarque : On peut démontrer en utilisant la même méthode que $\dfrac{a}{\sin\widehat{A}} = \dfrac{b}{\sin\widehat{B}} = \dfrac{c}{\sin\widehat{C}}$.

Ce résultat est appelé **loi des sinus**.

57 Quelle hauteur ?

ABE est un triangle tel que :

$$AB = 5\text{ cm},\ \widehat{BAE} = 60°,\ \widehat{ABE} = 70°.$$

Problème : Quelle est la hauteur de ce triangle ?

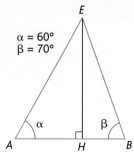

α = 60°
β = 70°

1. En utilisant une relation trigonométrique dans le triangle rectangle *AEH*, exprimer *AH* en fonction de *EH*.

2. En utilisant le triangle *BEH* et la trigonométrie, exprimer *BH* en fonction de *EH*.

3. En remarquant que :

$$AH + BH = 5,$$

calculer une valeur approchée de la hauteur *EH* à 0,1 près.

58 En lien avec la physique

Une loi de Descartes

Lorsqu'un rayon lumineux passe d'un milieu 1 à un milieu 2 (par exemple de l'air au verre), il est dévié selon une loi dite, **deuxième loi de Descartes**.

N est la perpendiculaire à la surface de séparation des deux milieux, *i* est la mesure

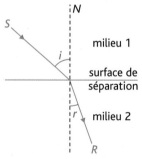

de l'angle d'incidence, *r* est la mesure de l'angle de réfraction.

On a la relation : $n_1 \times \sin i = n_2 \times \sin r$ où n_1 est l'indice de réfraction du milieu 1 et n_2 celui du milieu 2.

On suppose que le milieu 1 est l'air, d'indice de réfraction 1, et le milieu 2 le verre, d'indice de réfraction 1,52.

1. Calculer à 0,1 près la mesure en degrés de l'angle de réfraction *r* si l'angle d'incidence est *i* = 45°.

2. Si le milieu 2 est l'eau, et l'angle d'incidence est *i* = 45° alors l'angle de réfraction est *r* ≈ 32,1°.

Calculer l'indice de réfraction de l'eau.

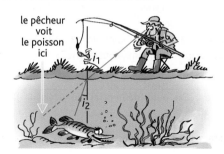

le pêcheur voit le poisson ici

59

Un observateur vise le sommet *S* d'un arbre et mesure l'angle $\widehat{CAS}$ entre l'horizontale (*AC*) et la droite (*AS*) ; il obtient $v_1 = 20°$.

Il avance ensuite d'une distance *AB* = 30 m et mesure l'angle $\widehat{CBS}$; il obtient $v_2 = 35°$.

On suppose que son œil se situe à 1,70 m du sol.

1. En appliquant une relation trigonométrique dans le triangle rectangle *SBC*, exprimer *BC* en fonction de *SC*.

2. Démontrer que :

$$\tan 20° = \frac{SC \times \tan 35°}{30 \times \tan 35° + SC}.$$

3. En déduire l'expression de *SC* en fonction de tan 20° et tan 35°.

4. Quelle est la hauteur de l'arbre (arrondir à 0,01 m près) ?

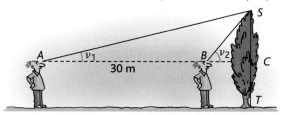

30 m

60 Sous le ciel des tropiques...

L'axe de rotation de la Terre est incliné de 23,44° par rapport au plan de l'écliptique (voir schéma ci-dessous).

Le tropique du Cancer (c'est un cercle) est situé à une latitude de 23,44° nord, le cercle arctique a pour latitude 66,56° nord.

Le rayon de la Terre est environ égal à 6 400 km.

1. Calculer le périmètre du tropique du Cancer.

2. Calculer le périmètre du cercle polaire arctique.

Pour info

Lorsque le Soleil atteint le zénith du **tropique du Cancer** c'est l'été (en juin) dans l'hémisphère Nord et l'hiver dans l'hémisphère Sud, et inversement lorsqu'il atteint le **zénith** du **tropique du Capricorne** (décembre).

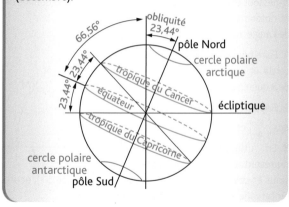

61 Calculs de cos15° et sin15°

ABE est un triangle isocèle en *E* tel que :

$$\widehat{EAB} = \widehat{EBA} = 75° \text{ et}$$
$$EA = EB = a.$$

La droite passant par *A* et perpendiculaire à (BE) coupe (BE) en *F*.

α = 75°
β = 75°
γ = 30°

1. Démontrer que $AF = \dfrac{a}{2}$.

2. Démontrer que $EF = \dfrac{a\sqrt{3}}{2}$. En déduire l'expression de *FB* en fonction de *a*.

3. Démontrer que $AB = a\sqrt{2 - \sqrt{3}}$.

4. Calculer les valeurs exactes de cos15° et sin15°.

62 Diamètre apparent du Soleil : une éclipse de Soleil avec 2 € !

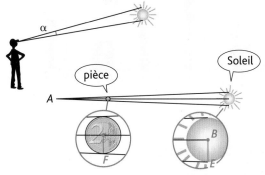

pièce

Soleil

A

Attention , on ne regarde jamais directement le Soleil, on porte obligatoirement des lunettes spéciales !

Le diamètre apparent du Soleil est l'angle α sous lequel on le voit depuis la Terre.

1. La distance Terre-Soleil est égale à $1,5 \times 10^8$ km, le rayon du Soleil est égal à $6,96 \times 10^5$ km.
Calculer une valeur approchée arrondie au centième de degré de la mesure de l'angle α.

2. À quelle distance de l'œil de l'observateur doit-on placer une pièce de 2 € pour qu'elle éclipse exactement le Soleil sachant que le diamètre de cette pièce est 2,6 cm ?

63 Partie A

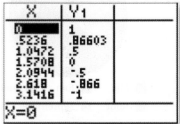

Un élève a programmé sur sa calculatrice la fonction cosinus :

et a obtenu le tableau de valeurs ci-avant en faisant varier *x* de 0 à π avec un pas de $\dfrac{\pi}{6}$.

1. Faire un graphique représentant les valeurs de ce tableau.
Unités graphiques : en abscisses 6 cm pour π et en ordonnées 5 cm d'unité.
Rejoindre les points par un trait courbe et régulier.

2. Conjecturer le sens de variations de la fonction cosinus sur l'intervalle $[0 ; \pi]$.

3. Dresser son tableau de variations.

Partie B

1. Réaliser le tableau de valeurs obtenu avec la fonction sinus lorsque *x* varie de 0 à π.

2. Conjecturer le sens de variations de la fonction sinus sur l'intervalle $[0 ; \pi]$.

3. Dresser son tableau de variations.

64 Une corde sur un cercle

À partir de deux points *B* et *C* d'un cercle de centre *O* de rayon *R*, on a tracé la corde $[BC]$ de longueur ℓ.
On cherche à déterminer la mesure α de l'angle $\widehat{BOC}$ en fonction de *R* et ℓ.

1. Montrer que :
$$\sin\left(\dfrac{\alpha}{2}\right) = \dfrac{\ell}{2R}$$

2. Calculer α lorsque $\ell = R$.
Que peut-on dire alors du triangle *OBC* ? Justifier.

3. Calculer α lorsque $R = 10$ et $\ell = 14$.

65 Problème ouvert : le meilleur angle de vue

ABCD représente une salle de spectacle carrée de côté *a*, dont la scène est représentée par le segment $[AD]$. Cathy et Éloïse sont placées respectivement aux points *C* et *E*, le point *E* étant le milieu du côté $[BC]$. Elles comparent l'angle sous lequel chacune d'elles voit la scène ($\widehat{ACD}$ et $\widehat{AED}$). Chacune prétend avoir l'angle de vue plus grand que l'autre. Qui a raison ?

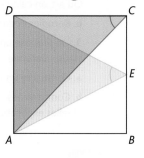

Partir d'un bon pied

1 ⟩ Représenter une statistique

On donne ci-dessous le nombre de mariages célébrés à Paris et en Haute-Garonne entre mai et septembre 2006.

Nombre de mariages célébrés	Mai	Juin	Juillet	Août	Septembre
Paris	1 069	1 777	1 424	640	1 156
Haute-Garonne	369	746	1 027	677	601

(Source : *Insee.*)

1. On effectue le calcul suivant :

$$\frac{1069 + 1777 + 1424 + 640 + 1156}{5} \approx 1\ 213.$$

Qu'a-t-on calculé ? Effectuer le même calcul pour la Haute-Garonne.

2. On représente ci-contre un diagramme à bâtons du nombre de mariages célébrés à Paris entre mai et septembre 2006.

Reproduire et compléter le graphique avec le nombre de mariages célébrés en Haute-Garonne.

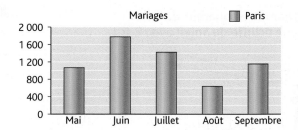

2 ⟩ Des outils pour comparer deux statistiques

On veut pouvoir comparer le nombre de mariages célébrés à Paris et en Haute-Garonne.

1. Quelles remarques peut-on faire en observant les données du tableau de l'exercice 1 ?

Pourquoi la comparaison n'est-elle pas facile ?

2. On donne le tableau ci-dessous :

	Mai	Juin	Juillet	Août	Septembre
Nombre de mariages à Paris	1 069	1 777	1 424	640	1 156
	18 %				

a. Pour remplir le premier élément de la seconde ligne du tableau ci-dessus, on a effectué le calcul suivant : $\frac{1069}{6\ 066} \approx 0,176 \approx 18\ \%$.

Qu'a-t-on calculé ? Comment peut-on nommer cette seconde ligne ?

b. Recopier et compléter le tableau.

3. On propose un diagramme circulaire illustrant la situation de la Haute-Garonne.

a. Construire un diagramme du même type pour Paris.

b. Comparer les deux diagrammes. Quelles différences apparaissent ? Quelles explications peut-on proposer ?

Haute-Garonne

■ Mai ■ Juin ■ Juillet
■ Août ■ Septembre

Pour réviser : des rappels de cours et des tests dans les **Techniques de base**

Statistiques

Des maths partout !

Les statistiques interviennent aujourd'hui dans les domaines les plus inattendus. Ainsi, pour connaître l'évolution d'une espèce menacée comme la tortue Herman, on utilise la méthode C.M.R., basée sur le choix aléatoire de zones géographiques, le marquage d'animaux et une utilisation de méthodes statistiques pour évaluer la population globale.

« QUI JOUE PERD. C'EST MATHÉMATIQUE. LES STATISTIQUES NE SE TROMPENT PAS. ET POURTANT, IL FAUT JOUER POUR GAGNER MÊME SI LES CHANCES SONT MINCES. »

Normand Reid

sites de suivi 2006-2009
- 2006
- 2007
- 2008
- 2009
- périmètre plaine

0   1,25   2,5   5
Kilomètres

Localisation des sites échantillonnés par la méthode « capture-marquage-recapture ».

L'objectif principal de ce chapitre est d'étudier des séries statistiques à l'aide de caractéristiques de « position » et de « dispersion », et de représenter graphiquement des données. On abordera également les notions d'échantillonnage et de simulations.

AU FIL DU TEMPS

Bien que le nom « statistique » soit relativement récent, cette activité semble exister dès la naissance des premières structures sociales. Recenser le bétail, le cours des céréales, le nombre d'habitants : voici quelques-unes des activités dont on retrouve la trace depuis la Chine du XXIIIe siècle avant Jésus-Christ !

C'est au XVIIIe siècle après J.-C. que l'on commence à penser que les statistiques peuvent jouer un rôle dans la **prévision**, avec la construction des premières tables de mortalité. **A. Deparcieux** écrit ainsi en 1746 l'*Essai sur les probabilités de la durée de vie humaine*. La statistique va servir aux premières compagnies d'assurances sur la vie, et son développement mathématique va aller de pair avec la multiplication de ses applications.

Antoine de Parcieux
(1703-1768).

Le Suisse **Bernoulli** au XVIIe siècle, les Français **Condorcet** au XVIIIe siècle, **Laplace** et le Belge **Quételet** au XIXe siècle, le Russe **Kolmogorov** et bien d'autres au XXe siècle vont laisser leurs noms à des résultats mathématiques essentiels. Aujourd'hui, les statistiques interviennent dans des domaines aussi divers que la fixation du prix des billets d'avion, les paris sportifs ou la détermination des quotas pour la pêche du thon rouge en Méditerranée.

Découvrir

1 Utiliser des indicateurs de position

Aux Jeux Olympiques de Pékin de 2008, le Brésil a obtenu 3 médailles d'or.

Est-ce un bon résultat, un résultat moyen, ou même médiocre ? Il faut y regarder de plus près !

Voici les médailles d'or distribuées parmi les 88 pays ayant obtenu au moins une médaille aux J.O. :

Nombre de médailles d'or	0	1	2	3	4	5	6	7	8	9	13	14	16	19	23	36	51
Nombre de pays	33	19	9	9	3	2	1	3	1	1	1	1	1	1	1	1	1

1. Déterminer le nombre moyen de médailles d'or par pays. Comment se situe le Brésil ?

2. Un supporter brésilien répond : « La moitié des pays ont obtenu au plus une médaille d'or et les trois quarts des pays n'ont pas obtenu plus de 3 médailles d'or ! Notre résultat est donc tout à fait honorable ! »

a. L'affirmation du supporter est-elle vraie ? Quels indicateurs statistiques a-t-il utilisé ?

b. Un journaliste sportif fait remarquer que le tableau est trompeur, car il comporte les résultats de pays très petits, ou qui n'ont pas de tradition sportive, ce qui n'est pas le cas du Brésil.

Il propose donc de ne garder du tableau précédent que les résultats des pays ayant obtenu au moins une médaille d'or.
Déterminer pour ce nouveau tableau, la médiane et le troisième quartile. Commenter.

2 Enquêter, dépouiller, calculer et comparer

A Enquête

Réaliser l'enquête suivante sur les habitudes culturelles des lycéens.

> **Questionnaire de l'enquête**
>
> **a.** Combien d'heures passez-vous par semaine devant la télévision ?
>
> **b.** Quel est votre type de livre préféré parmi les six catégories suivantes : roman, BD/manga, livre historique, livre d'actualité, livre pratique (art de vivre, loisir, bricolage, sport…), autres ?

Chaque enquêteur ou groupe d'enquêteurs doit poser les questions à au moins 25 élèves différents d'un lycée.

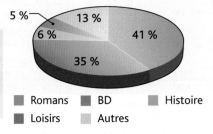

(Source : *Ministère de la Culture et de la Communication, 2008.*)

B Présentation et analyse des données de l'enquête

1. Pour la première question de l'enquête, recopier et compléter, après dépouillement, le tableau suivant :

Nombre d'heures devant la télévision	moins de 10 heures	de 10 à moins de 15 heures	de 15 à moins de 20 heures	de 20 à moins de 30 heures	30 heures et plus	Moyenne	Médiane
Fréquence en %							

2. Pour la deuxième question de l'enquête, présenter les résultats à l'aide d'un graphique circulaire.

3. On présente ci-dessous les résultats obtenus lors d'une étude effectuée en 2008 sur les pratiques culturelles des Français, auprès de jeunes âgés de 15 à 19 ans.

Comparer ces résultats avec ceux de la question **1.**

Nombre d'heures devant la télévision	moins de 10 heures	de 10 à moins de 15 heures	de 15 à moins de 20 heures	de 20 à moins de 30 heures	30 heures et plus	Moyenne	Médiane
Fréquence en %	42	19	15	13	11	15	12

3 Réaliser une simulation pour mesurer ses chances

On propose le jeu suivant :

> On lance deux dés équilibrés à six faces.
> Si **la somme des deux nombres apparus est 2 ou 11**, on gagne 2 euros.
> Si **la somme est 7**, on perd 2 euros.
> Si **une autre somme** est obtenue, on ne perd ni ne gagne rien.
> Une partie se joue en 18 lancers.

L'organisateur du jeu claironne : « Devenez riches, vous avez deux fois plus de chance de gagner que de perdre, à chaque lancer ! »

1. Pour vérifier les allégations de l'organisateur, simuler dix parties de 18 lancers et indiquer le gain total (éventuellement négatif).

Regrouper les résultats obtenus par toute la classe. Quel est le pourcentage de parties qui aboutissent à un gain positif ou nul ? Quel est le gain moyen par partie ? Commenter.

2. Un ami vous conseille : « C'est simple, il suffit de jouer suffisamment longtemps et la chance finit toujours par sourire ! »

Simuler cette fois une série de 90 lancers et indiquer le gain total. Regrouper les résultats obtenus par toute la classe. Commenter.

4 Prévoir un gain moyen

L'organisateur du jeu décrit dans l'activité 3 voudrait savoir s'il peut prévoir le gain par partie. Pour cela, il va effectuer des simulations sur ordinateur.

1. Compléter l'algorithme suivant pour qu'il simule une partie de 18 lancers.

2. On simule 50 fois 200 parties de 18 lancers, puis on simule 50 fois 2 000 parties de 18 lancers.

On note à chaque fois le gain moyen par partie. Voici les résultats obtenus :

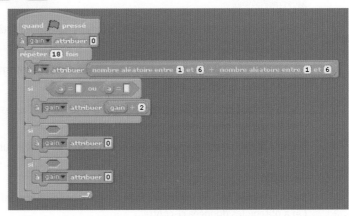

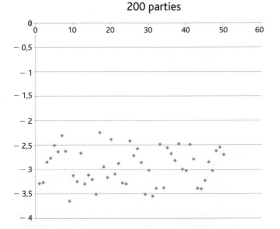

200 parties

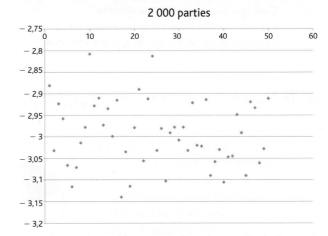

2 000 parties

Comment évolue la fluctuation entre les deux simulations ? Que peut-on raisonnablement conclure de cette étude ?

L'activité TICE corrigée animée

1 Effectifs et fréquences

Définitions

On étudie une population selon un caractère précis qui peut prendre différentes valeurs.

● L'**effectif** d'une valeur est le nombre d'individus de la population prenant cette valeur.

● La **fréquence** d'une valeur est le quotient de l'effectif de cette valeur par l'effectif total :

$$\text{fréquence d'une valeur} = \frac{\text{effectif de la valeur}}{\text{effectif total}}.$$

Exemple

Sur un parking, on étudie la couleur des voitures.
Le caractère étudié est dit **qualitatif** (les valeurs ne sont pas numériques).
La distribution des effectifs est donnée dans le tableau ci-contre.
● L'**effectif** de la **valeur grise** est 18.
● La **fréquence** de la valeur grise est $\frac{18}{32}$, soit $\frac{9}{16}$.
Cette fréquence vaut aussi 0,562 5 ou 56,25 %.

Couleur	Effectif
grise	**18**
blanche	7
bleue	5
rouge	2
	32 (total)

Définitions

On étudie un **caractère quantitatif** dans une population : ses valeurs sont numériques, on les note $x_1 ; x_2 ; \ldots ; x_p$.

● L'**effectif cumulé croissant** d'une valeur x_i est la somme des effectifs de toutes les valeurs du caractère inférieures ou égales à x_i.

● La **fréquence cumulée croissante** d'une valeur x_i est le quotient de l'effectif cumulé croissant de cette valeur par l'effectif total.

C'est aussi la somme des fréquences de toutes les valeurs du caractère inférieures ou égales à x_i.

Exemple

Dans un village, on a dénombré les foyers selon leur nombre d'enfants.
On a obtenu les données ci-contre.
C'est une étude **quantitative discrète**.
L'effectif cumulé croissant de la valeur 2 est $18 + 14 + 8$, soit 40.
Cela signifie que 40 foyers ont 2 enfants ou moins.

Nombre d'enfants	0	1	2	3	4
Nombre de foyers	18	14	8	7	3
Effectif cumulé croissant	18	32	40	47	50

2 Représentation d'une série statistique

● Pour un caractère qualitatif, on peut faire :
– un diagramme à bâtons (ou en barres) ;
– un diagramme circulaire.
Avec les couleurs des voitures, on obtient le diagramme circulaire ci-contre.

● Pour un caractère quantitatif discret, on peut en plus faire un nuage de points.
Avec les effectifs cumulés croissants du nombre de foyers selon le nombre d'enfants, on obtient le nuage de points ci-contre.

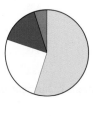

Diagramme circulaire

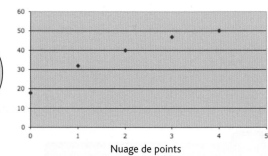

Nuage de points

Énoncé

L'histogramme ci-contre donne la répartition des différentes tailles des élèves d'une classe de Seconde.

1. Dresser un tableau des tailles regroupées en classes d'amplitude 10 cm (intervalles A à E), avec les effectifs.

2. a. Compléter le tableau avec les effectifs cumulés croissants et les fréquences cumulées croissantes.

b. Exprimer en pourcentage la proportion des élèves de cette classe de Seconde qui mesurent moins de 1,65 m.

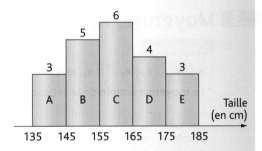

Solution rédigée

1. On a le tableau suivant (point ❶).
On note dans le tableau les effectifs cumulés croissants (ECC) et les fréquences cumulées croissantes (FCC). Par convention, la borne supérieure de l'intervalle est exclue.

Taille	[135 ; 145[	[145 ; 155[	[155 ; 165[	[165 ; 175[	[175 ; 185[
Effectif	3	5	6	4	3
ECC	3	$3 + 5 = 8$	$8 + 6 = 14$	$14 + 4 = 18$	$18 + 3 = 21$
FCC	$\dfrac{3}{21} = \dfrac{1}{7}$	$\dfrac{8}{21}$	$\dfrac{14}{21} = \dfrac{2}{3}$	$\dfrac{18}{21} = \dfrac{6}{7}$	$\dfrac{21}{21} = 1$

2. a. Voir ci-dessus (point ❷).   b. On a $\dfrac{2}{3} = 0,667$ à 10^{-3} près.

La proportion des élèves qui mesurent moins de 1,65 m est 66,7 % à 0,1 % près.

Remarque : Dans un histogramme, c'est l'aire de chaque rectangle qui est proportionnelle à l'effectif de la classe correspondante.

Points méthode

❶ Les données sont regroupées en intervalles semi-fermés, appelés classes, dont l'amplitude 10 correspond à la largeur des rectangles.

❷ On calcule les effectifs cumulés croissants (ECC) de la gauche vers la droite et on en déduit les fréquences cumulées croissantes (FFC).

❸ La fréquence des tailles inférieures à 1,65 m est la fréquence cumulée croissante de la classe [155 ; 165[.

POUR S'EXERCER

1 Recopier et compléter le tableau suivant.

Valeur	[0 ; 5[	[5 ; 10[	[10 ; 15[
Effectif	6	15	9
Fréquence			
Fréquence en %			

2 Reprendre les données de l'exercice 1 et dresser un tableau donnant les effectifs cumulés croissants et les fréquences cumulées croissantes.

3 Dans une classe de Seconde, la fréquence des filles est 0,6.

1. Quelle est la fréquence des garçons ?
2. Dans cette classe, il y a 21 filles.
Calculer l'effectif des garçons.
3. Représenter ces données par un diagramme circulaire.

4 On a relevé le nombre de pulsations cardiaques par minute de 32 élèves. Les résultats obtenus sont les suivants :

57 – 61 – 55 – 67 – 59 – 52 – 59 – 63 – 62 – 65 – 59 –
54 – 59 – 57 – 62 – 54 – 60 – 65 – 63 – 61 – 63 – 55 – 66 –
63 – 60 – 59 – 62 – 63 – 58 – 61 – 59 – 63.

1. a. Dépouiller ces données en les regroupant dans les classes [52 ; 56[, [56 ; 60[, [60 ; 64[et [64 ; 68[.
b. Présenter les résultats dans un tableau avec les effectifs, les effectifs cumulés croissants et les fréquences cumulées croissantes.

2. Construire un histogramme représentant le regroupement en classes de ces données.

3. Combien d'élèves ont au moins 60 pulsations par minute ?

4. Quel est le pourcentage d'élèves ayant un nombre de pulsations par minute inférieur à 60 ?

▶ Voir exercices 21 à 27

3 Moyenne, médiane, quartiles

Définitions

● Soit $x_1 ; x_2 ; x_3 ; \ldots ; x_N$ une série statistique quantitative de N valeurs.

La **moyenne simple** de la série, notée $\overline{x}$, est le quotient de la somme des valeurs par l'effectif total N :

$$\overline{x} = \frac{x_1 + x_2 + x_3 + \ldots + x_N}{N}.$$

● Soit $x_1 ; x_2 ; x_3 ; \ldots ; x_p$ une série statistique quantitative affectée de coefficients $n_1 ; n_2 ; n_3 ; \ldots ; n_p$.

La **moyenne pondérée** de la série, notée $\overline{x}$, est le quotient :

$$\overline{x} = \frac{n_1 x_1 + n_2 x_2 + \ldots + n_p x_p}{n_1 + n_2 + n_3 + \ldots + n_p}.$$

Exemple

Les notes d'un élève sont 6 ; 12 ; 7 ; 14 ; 10.

Sa moyenne arithmétique simple est : $\overline{x} = \dfrac{6 + 12 + 7 + 14 + 10}{5} = \dfrac{49}{5}$, soit 9,8.

Affectée des coefficients respectifs 2 ; 5 ; 3 ; 6 ; 4, la moyenne pondérée de ses notes est :

$\overline{x} = \dfrac{2 \times 6 + 5 \times 12 + 3 \times 7 + 6 \times 14 + 4 \times 10}{2 + 5 + 3 + 6 + 4} = \dfrac{217}{20}$, soit 10,85.

Remarques

● La moyenne est **une caractéristique de position** ; on la complète souvent par **une caractéristique de dispersion** qui est l'**étendue** (différence entre la valeur maximale et la valeur minimale).

● Moyenne et étendue sont sensibles aux valeurs extrêmes.

Définitions

Soit $x_1 ; x_2 ; x_3 ; \ldots ; x_N$ une série statistique quantitative de N valeurs.

● On appelle **médiane** de la série, notée **Me**, une valeur telle :

– que 50 % au moins des valeurs de la série soient inférieures ou égales à Me ;

– et que 50 % au moins des valeurs de la série soient supérieures ou égales à Me.

● On appelle **premier quartile** de la série, notée **Q_1**, la plus petite valeur de la série telle :

– que 25 % au moins des valeurs de la série soient inférieures ou égales à Q_1 ;

– et que 75 % au moins des valeurs de la série soient supérieures ou égales à Q_1.

● On appelle **troisième quartile** de la série, notée **Q_3**, la plus petite valeur de la série telle :

– que 75 % au moins des valeurs de la série soient inférieures ou égales à Q_3 ;

– et que 25 % au moins des valeurs de la série soient supérieures ou égales à Q_3.

Détermination de la médiane

On range la série de N valeurs par ordre croissant des valeurs :
● si l'effectif N est impair, la médiane est la valeur de la série de rang $\dfrac{N + 1}{2}$;
● si l'effectif N est pair, on prend comme médiane la moyenne des valeurs de rangs $\dfrac{N}{2}$ et $\dfrac{N}{2} + 1$.

Remarques

● La médiane est **une caractéristique de position** ; on la complète souvent par **une caractéristique de dispersion** qui est l'**écart interquartile $Q_3 - Q_1$**.

● Médiane et écart interquartile sont peu sensibles aux valeurs extrêmes.

Énoncé

Pour chacune des séries suivantes, déterminer sa médiane et ses quartiles Q_1 et Q_3.

a. **série A** : 1 ; 2,5 ; 3 ; 4,2 ; 5,3 ; 7 ; 9 ; 10,2 ; 12 ; 15 ; 17 ; 20 ; 21,7 ; 25 ; 27 ; 30.

b. **série B** : 13 ; 17 ; 35 ; 12 ; 20 ; 45 ; 67 ; 54 ; 23 ; 34 ; 26.

Solution rédigée

a. La série est ordonnée et comporte 16 valeurs.

● Sa médiane est la moyenne de la 8e valeur (10,2) et de la 9e valeur (12), soit **11,1** (point ❶).

● Le rang de Q_1 est 0,25 × 16, soit 4 (point ❷) : Q_1 est la 4e valeur, soit **4,2**.

● Le rang de Q_3 est 0,75 × 16, soit 12 (point ❸) : Q_3 est la 12e valeur, soit **20**.

b. ● Dans l'ordre croissant, la série B est (point ❹) :
12 ; 13 ; 17 ; 20 ; 23 ; 26 ; 34 ; 35 ; 45 ; 54 ; 67.
Il y a 11 valeurs, donc la médiane est la 6e valeur, soit **26** (point ❺).

● Le rang de Q_1 est 0,25 × 11, soit 3 (point ❷) : Q_1 est la 3e valeur, soit **17**.

● Le rang de Q_3 est 0,75 × 11, soit 9 (point ❸) : Q_3 est la 9e valeur, soit **45**.

Points méthode

❶ Dans une série ordonnée d'effectif pair, la médiane est la moyenne des valeurs centrales.

❷ Le rang du premier quartile est 0,25 × effectif total, arrondi si nécessaire toujours par excès.

❸ Le rang du troisième quartile est 0,75 × effectif total, arrondi si nécessaire toujours par excès.

❹ Une série doit être ordonnée pour pouvoir en déterminer la médiane ou les quartiles.

❺ Dans une série ordonnée d'effectif impair, la médiane est la valeur centrale.

POUR S'EXERCER

5 Parmi 80 restaurants d'une région, 5 restaurants ont 2 salariés ; 7 en ont 3 ; 14 en ont 4 ; 17 en ont 5 ; 21 en ont 6 ; 10 en ont 7 ; 6 en ont 8.

Calculer le nombre moyen de salariés par restaurant.

6 Au cours d'une course d'athlétisme (400 m), le temps réalisé par chacun des 15 coureurs a été chronométré.

Ces mesures sont données ci-après :
48,65 ; 52,05 ; 49,20 ; 50 ; 52,60 ; 51,90 ; 50,45 ; 53,28 ; 50,13 ; 51,80 ; 51,85 ; 52,20 ; 51 ; 50,12 ; 49,17.
Déterminer la médiane de cette série, ainsi que les quartiles Q_1 et Q_3.

7 Le tableau ci-dessous donne la répartition des notes obtenues à un contrôle de maths par les 26 élèves d'une classe de Seconde :

Notes	3	5	7	8	10	11	13	14	17
Effectifs	1	2	1	5	4	1	7	3	2

1. Calculer la note moyenne arrondie à l'unité.

2. Reproduire le tableau et le compléter avec une ligne contenant les effectifs cumulés croissants.

3. a. Quelles sont les treizième et quatorzième notes de la série ordonnée ? En déduire la note médiane.

b. Déterminer les premier et troisième quartiles.

▶ Voir exercices 28 à 38

4 Échantillonnage

a. Fluctuation d'échantillonnage

Échantillon

– Lancer 100 fois un dé et noter la liste des résultats obtenus.
– Prélever 100 ampoules d'une chaîne de fabrication. Tester, puis noter à chaque fois si elles sont conformes ou non.
– Interroger 100 personnes au hasard et noter à chaque fois leur couleur préférée.

Ces trois situations consistent à noter les résultats obtenus en répétant 100 fois de manière indépendante, la même expérience. On dit qu'on a constitué, à chaque fois, un échantillon de taille 100.

> **Définition**
>
> Un échantillon de taille n est la liste de n résultats obtenus par n répétitions indépendantes de la même expérience.

Échantillon de Bernoulli

Un mathématicien suisse, Jakob Bernoulli (1654-1705) dans son *Ars Conjectandi* a été un des premiers à étudier mathématiquement les propriétés des échantillons et leurs applications. Il a donné son nom à un type particulier d'expérience.

> **Définition**
>
> On appelle épreuve de Bernoulli une expérience qui n'a que deux issues possibles : obtenir pile ou face, répondre oui ou non, gagner ou perdre...

b. Intervalle de fluctuation

On étudie un échantillon d'épreuves de Bernoulli, et on s'intéresse à l'une des deux issues (par exemple, obtenir pile dans un tirage de pile ou face). On note p la probabilité qu'elle se réalise.

> **Propriété**
>
> Si on analyse un grand nombre d'échantillons de taille n ($n \geqslant 25$) et que l'on observe à chaque fois la fréquence d'apparition f de l'issue choisie, on s'aperçoit que pour une probabilité p comprise entre 0,2 et 0,8, au moins 95 % des fréquences se situent dans un intervalle $I = \left[p - \dfrac{1}{\sqrt{n}} \; ; \; p + \dfrac{1}{\sqrt{n}} \right]$, appelé intervalle de fluctuation.

Exemple : On lance une pièce équilibrée et on s'intéresse au fait d'obtenir pile : $p = 0,50$.

100 échantillons de taille 100 : $I = [0,4 \; ; 0,6]$.
Le graphique des fréquences obtenues est :

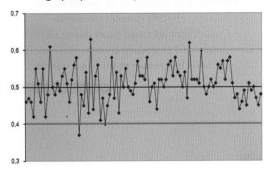

100 échantillons de taille 400 : $I = [0,45 \; ; 0,55]$
Le graphique des fréquences obtenues est :

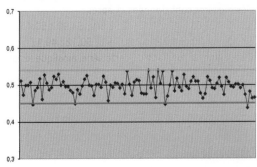

Énoncé

1. Au Casino Belle-Vue, sur 2 500 lancers de dé, 1 150 ont donné un nombre pair.

On se demande s'il y a lieu de faire une enquête pour utilisation de dés truqués.

2. Les 10 000 employés d'une entreprise doivent être consultés sur la nouvelle couleur du sigle de l'entreprise : vert ou rouge. Inquiète du résultat, la direction, qui a fait campagne pour le rouge, a interrogé un échantillon de 100 employés sur leur choix et 54 % ont répondu rouge.

Que peut-on en conclure ?

Solution rédigée

1. Il s'agit ici de prendre une décision : le dé est-il truqué ou non ?

On fait l'hypothèse que les dés ne sont pas truqués (point ❶) : il y a alors autant de chances d'obtenir un nombre pair qu'un nombre impair.

On assimile la situation à un échantillon de taille $n = 2\,500$, avec une probabilité $p = 0,5$ d'obtenir un résultat pair (point ❷).

Comme $\dfrac{1}{\sqrt{n}} = \dfrac{1}{\sqrt{2\,500}} = \dfrac{1}{50} = 0,02$, l'intervalle de fluctuation est :

$$I = [0,48 \,;\, 0,52] \quad \text{(point ❸)}.$$

La fréquence observée est $f = \dfrac{1150}{2\,500} = 0,46$.

Elle n'appartient pas à l'intervalle I ; on **rejette** donc l'hypothèse que les dés ne sont pas truqués : une enquête s'impose !

Attention : Cette décision de rejet comporte un risque d'erreur : dans environ 5 % des cas, 2 500 lancers avec des **dés non truqués** peuvent donner une fréquence de nombres pairs n'appartenant pas à l'intervalle I.

2. On assimile la situation à un échantillon de taille $n = 100$, avec une probabilité p inconnue (point ❷).

La fréquence observée est $f = 0,54$ et $\dfrac{1}{\sqrt{n}} = \dfrac{1}{\sqrt{100}} = 0,1$.

On obtient donc une fourchette $I = [0,44 \,;\, 0,64]$ (point ❹).

Il y a donc de très grandes chances pour que la proportion réelle p soit comprise dans l'intervalle I. On ne peut donc pas savoir qui des partisans du vert ou du rouge vont l'emporter !

Points méthode

❶ Définir une hypothèse que l'on va tester. Dans ce cas, l'hypothèse est : « les dés ne sont pas truqués ».

❷ Modéliser par un échantillon de Bernoulli.

❸ Déterminer l'intervalle de fluctuation :

$$I = \left[p - \frac{1}{\sqrt{n}} \,;\, p + \frac{1}{\sqrt{n}} \right].$$

❹ Utiliser l'intervalle de fluctuation pour en déduire une fourchette dans laquelle la proportion p dans la population a 95 % de chances de se trouver :

$$f \in \left[p - \frac{1}{\sqrt{n}} \,;\, p + \frac{1}{\sqrt{n}} \right] \Leftrightarrow$$
$$p \in \left[f - \frac{1}{\sqrt{n}} \,;\, f + \frac{1}{\sqrt{n}} \right].$$

POUR S'EXERCER

8 Un joueur a lancé un dé tétraédrique 200 fois, et il a obtenu les résultats suivants :

Face	1	2	3	4
Lancers	58	49	52	41

Peut-on penser que le dé est truqué et que la face 1 ne devrait pas sortir aussi souvent ?

9 On a vendu à un grossiste 50 000 appareils électroniques en certifiant qu'au moins 80 % ne présentent aucun défaut de fonctionnement.

En prélevant 400 appareils au hasard et en les testant, on s'aperçoit que seulement 70 % n'ont pas de défaut de fonctionnement.

Peut-on penser que le grossiste a été trompé ?

▶ Voir exercices 39 à 41

10 Comparer deux séries de valeurs

Lors des contrôles de mathématiques en Seconde, Jean a obtenu comme notes :

$$12 - 8 - 9 - 6 - 13 - 17 - 10 - 8 - 12 - 12 - 3 - 10.$$

Dans le même temps, Anne a obtenu les notes suivantes :

$$9 - 13 - 10 - 8 - 8 - 10 - 11 - 10 - 11 - 9 - 11 - 10.$$

1. Peut-on différencier ces deux élèves en utilisant les critères de position que sont la moyenne et la médiane ?

2. a. Pour Jean, puis pour Anne, déterminer l'étendue de ses notes et l'écart interquartile.

b. Comparer les résultats des deux élèves à l'aide de caractéristiques de dispersion.

Solution

1. La moyenne de Jean est :

$$(3 + 12 + 12 + 8 + 10 + 17 + 13 + 6 + 9 + 8 + 12 + 10) \div 12 = 120 \div 12 = \mathbf{10}.$$

La moyenne d'Anne est :

$$(9 + 13 + 10 + 8 + 8 + 10 + 11 + 10 + 11 + 9 + 11 + 10) \div 12 = 120 \div 12 = \mathbf{10}.$$

Pour Jean, on a : 3 ; 6 ; 8 ; 8 ; 9 ; 10 ; 10 ; 12 ; 12 ; 12 ; 13 ; 17.

La médiane est la moyenne des 6e et 7e valeurs, de la série ordonnée. La note médiane de Jean est **10**.

Pour Anne, on a : 8 ; 8 ; 9 ; 9 ; 10 ; 10 ; 10 ; 10 ; 11 ; 11 ; 11 ; 13.

La note médiane d'Anne est **10**.

On ne peut pas différencier Jean et Anne à l'aide des critères de position que sont la moyenne et la médiane.

2. a. La meilleure note de Jean est 17 et la moins bonne est 3 ; l'étendue de ses notes est $17 - 3$, soit 14.

La meilleure note d'Anne est 13 et la moins bonne est 8 ; l'étendue de ses notes est $13 - 8$, soit 5.

Pour chacune des séries de douze notes, le rang de Q_1 est $0,25 \times 12$, soit 3 et le rang de Q_3 est $0,75 \times 12$, soit 9.

Pour Jean, on a : $Q_1 = 8$, $Q_3 = 12$ et $Q_3 - Q_1 = 4$.

Pour Anne, on a : $Q_1 = 9$, $Q_3 = 11$ et $Q_3 - Q_1 = 2$.

b. Ayant la plus petite étendue et le plus petit écart interquartile, **Anne** est l'élève la plus régulière : ses résultats sont « moins dispersées » que ceux de Jean.

Stratégies

1. ● On calcule la moyenne de chacun en divisant la somme des notes par 12, le nombre de notes.

● Pour déterminer la médiane de chacune des séries, on commence par ordonner la série, puis l'effectif étant pair, on calcule la moyenne des deux valeurs centrales.

2. a. ● L'étendue s'obtient par différence entre la plus grande valeur et la plus petite.

● On détermine les rangs de Q_1 et Q_3, puis leurs valeurs en utilisant les séries ordonnées.

b. ● Plus les résultats pour les caractéristiques de dispersion sont faibles, plus les valeurs de la série sont « regroupées ».

11 Simuler une expérience sur tableur

En lançant deux pièces de monnaie correctement équilibrées, on peut obtenir :
● deux côtés Pile ● deux côtés Face ● un côté Pile et un côté Face.

Pierre émet l'hypothèse qu'en effectuant un grand nombre de fois l'expérience, la fréquence d'obtenir deux côtés Pile est proche de 1/3.

On souhaite simuler cette expérience à l'aide d'un tableur et vérifier si l'hypothèse semble correcte ou si elle doit être rejetée.

1. La fonction **ALEA()** fournit un nombre aléatoire entre 0 et 1.

La fonction **ARRONDI(nombre;0)** fournit l'arrondi du nombre à l'entier le plus proche.

La fonction **NB.SI(plage;critère)** fournit le nombre de cellules de la plage dont le contenu est égal au critère.

a. Écrire une instruction qui donne un nombre aléatoire qui vaut 0 ou 1.

b. Quelle instruction permet d'obtenir la somme des nombres situés dans les cellules A1 et B1 ?

c. Écrire une instruction qui permet d'avoir le nombre de cellules de contenu égal à 0 dans la plage C1:C100, dans la plage C1:C500, dans la plage C1:C1000.

2. Pour effectuer la simulation, on assimile le côté Pile au nombre 0 et le côté Face au nombre 1.

a. À quelle somme correspond « obtenir deux côtés Pile » ?

b. Mettre en place une feuille de calcul comme celle représentée ci-dessous avec :

• dans les colonnes A et B et sur 1 000 lignes, des nombres aléatoires 0 ou 1 ;

• dans la colonne C la somme par ligne des colonnes A et B ;

• dans les cellules E2, F2 et G2, le nombre de fois où le nombre 2 figure dans les 100, 500 ou 1 000 premières lignes de la colonne C ;

• dans les cellules E3, F3 et G3, les fréquences correspondantes.

3. a. Avec la fréquence obtenue pour $n = 100$, déterminer la fourchette $I = \left[f - \dfrac{1}{\sqrt{n}} ; f + \dfrac{1}{\sqrt{n}} \right]$.

On considère qu'il y a 95 % de chance que la fréquence théorique soit comprise dans I.
Peut-on conclure que la conjecture de Pierre est bonne ?

b. Reprendre la question a. pour $n = 500$, puis pour $n = 1000$.

	A	B	C	D	E	F	G
1	1	1	2	nombre d'épreuves	100	500	1000
2	1	0	1	Effectif de Pile-Pile	27	128	247
3	1	0	1	Fréquence de Pile-Pile	0,27	0,256	0,247
4	1	0	1				
5	1	0	1				
6	0	0	0				

Solution

1. a. Une instruction possible est : =ARRONDI(ALEA();0).

b. Une instruction possible est : =A1+B1.

c. Pour la plage C1:C100, l'instruction est : =NB.SI(C1:C100;2).
Pour la plage C1:C500, l'instruction est : =NB.SI(C1:C500;2).
Pour la plage C1:C1000, l'instruction est : =NB.SI(C1:C1000;2).

2. a. Comme Pile correspond au nombre 0, « obtenir deux côtés Pile » correspond à une somme de 0.

b. Mettre l'instruction =ARRONDI(ALEA();0) dans A1, puis la recopier sur la plage A1:A1000.

Mettre l'instruction =A1+B1 dans la cellule C1 et la recopier dans les cellules C2 à C1000.

Mettre les instructions =NB.SI(C1:C100;2), =NB.SI(C1:C500;2) et =NB.SI(C1:C1000;2) dans les cellules E2 à G2.

Mettre l'instruction =E2/E1 dans la cellule E3 et la recopier dans les cellules F3 et G3.

3. a. Avec les données de la simulation ci-dessus, on a :
$$I = \left[0,25 - \frac{1}{\sqrt{100}} ; 0,25 + \frac{1}{\sqrt{100}} \right] = [0,15 ; 0,35].$$

Comme $\dfrac{1}{3}$ appartient à I, la conjecture de Pierre peut être validée par cette simulation de taille 100.

b. Pour 500 expériences, on a $I' = [0,189 ; 0,278]$ et pour 1 000 expériences, on a $I'' = [0,216 ; 0,280]$. Comme $\dfrac{1}{3}$ n'appartient ni à I' ni à I'', la conjecture de Pierre n'est pas validée par les simulations de taille 500 et de taille 1 000.

Stratégies

1. a. ● Sur tableur, une instruction de calcul commence par « = ».

b. ● Lorsqu'on recopie une instruction faisant référence à des cellules, celle-ci est modifiée en tenant compte de la position relative des cellules. Ainsi en mettant « =A1+B1 » dans la cellule C1 et en recopiant cette instruction vers le bas, on obtient :

« =A2+B2 » dans C2,

« =A3+B3 » dans C3, ...

3. b. ● La fiabilité d'une fourchette due à une simulation croît avec le nombre d'expériences réalisées.

Organiser une recherche

Énoncé

Dans une affaire criminelle, on dispose de six suspects, que l'on désigne par les numéros 1, 2, 3, 4, 5, 6.

Quatre témoins affirment avoir vu l'auteur des faits. Chacun d'eux participe à une séance d'identification et désigne à chaque fois un seul suspect. Deux témoins sur quatre désignent le suspect n°1.

L'avocat du suspect n°1 réagit alors : « Cela ne prouve rien, même si les témoins ont répondu au hasard, il y a plus de 70 % de chances pour qu'au moins d'eux d'entre eux désignent le même suspect ! Il faut relâcher immédiatement mon client ». Le commissaire intervient : « Cher maître, au contraire l'étau se resserre autour de votre client, si les témoins avaient répondu au hasard, il y aurait eu moins de 15 % de chances pour qu'au moins deux d'entre eux désignent le suspect n°1.» Peut-on trancher entre ces deux affirmations ?

Analyse de la situation

1. Tester une première modélisation « à la main »

a. En utilisant un dé à six faces (ou la calculatrice), simuler le choix par chacun des quatre témoins d'un suspect « au hasard ». Effectuer au moins 50 fois cette opération.

b. Recopier le tableau ci-contre et y regrouper les résultats.

	Un suspect est désigné par au moins deux témoins	Le suspect n° 1 est désigné par au moins deux témoins
Effectif		
Fréquence		

c. Analyser les résultats. Comment départager les deux affirmations ?

2. Augmenter le nombre de simulations : simuler avec un tableur

a. Préparer une feuille de calcul, en référençant les deux premières lignes comme sur l'image ci-dessous.

Dans la cellule A3, entrer la formule **=ENT(6*ALEA()+1)** et recopier jusqu'en D3.

Dans la cellule F3, entrer la formule **=SI(NB.SI($A2:$D2;F$2)>=2;1;0)** et recopier jusqu'en K3.

Dans la cellule L3, entrer la formule **=SI(SOMME(F2:K2)=0;0;1)**.

	A	B	C	D	E	F	G	H	I	J	K	L
1	Témoin A	Témoin B	Témoin C	Témoin D		suspect n°1	suspect n°2	suspect n°3	suspect n°4	suspect n°5	suspect n°6	Doublé?
2						1	2	3	4	5	6	
3	5	6	2	5		0	0	0	0	1	0	1
4	2	5	1	1		1	0	0	0	0	0	1
5	1	2	3	2		0	1	0	0	0	0	1
6	3	6	1	2		0	0	0	0	0	0	0
7	1	5	2	2		0	1	0	0	0	0	1

b. À quoi correspondent les formules entrées en a. ?

Compléter la feuille de calcul pour pouvoir simuler 10 000 choix de suspects par des témoins, puis effectuer les calculs de fréquence du type de ceux réalisés au **1**.

Analyser les résultats.

Ébauche d'une solution

Les résultats des simulations sur tableur ou ceux d'un échantillon de 10 000 choix de témoins, donnés ci-contre, vont permettre de déterminer, dans chaque cas, la fourchette encadrant la probabilité théorique, puis de conclure.

	Fréquence
Un suspect est désigné par au moins deux témoins	0,72
Le suspect n° 1 est désigné par au moins deux témoins	0,13

Rédaction d'une solution

À l'aide des deux parties précédentes, rédiger une solution du problème étudié.

Prendre des initiatives

12 Parier ou ne pas parier ?

D'après un problème posé par D'Alembert (1717-1783).

On dispose de trois coffres. Le premier contient deux pièces d'or, le deuxième une pièce d'or et une pièce d'argent et le dernier deux pièces d'argent. Ismaël a choisi un coffre au hasard parmi les trois, puis une pièce dans ce coffre.

Cette pièce est en or. On propose de parier sur le métal de l'autre pièce du coffre.

Jennifer refuse de parier, car elle pense qu'il y a autant de chances que la pièce soit en or qu'en argent.

Voici son raisonnement :

« Seuls deux coffres contiennent au moins une pièce d'or. Or, pour l'un des deux, la seconde pièce est en or, et pour l'autre, elle est en argent. Il y a donc autant de chances pour chacune des deux possibilités ».

Proposer une modélisation, simuler et tester l'hypothèse de Jennifer.

13 Un jeu mystérieux

On dispose de l'algorithme suivant, écrit en langage Scilab.

Décrire le jeu modélisé par cet algorithme. Le jeu est-il équitable pour les deux joueurs ?

```
a =0;b=0;r=0;
while a<6 & b<6
r=floor(6*rand()+1);
if r==6 then a=a+6;
else b=b+1;
end
end
if a==6 disp('le joueur 1 gagne')
else disp('le joueur 2 gagne')
end
```

14 Les petits films

On s'intéresse aux films projetés le dernier week-end d'août aux USA et ayant fait moins de 10 000 $ de recette.

Comparer les résultats obtenus à un an d'intervalle. Choisir des indicateurs, des représentations graphiques...

Recettes en dollars des films en exploitation pendant le week-end du 28/08/2008					
253	1 082	2 100	3 232	4 002	5 561
253	1 083	2 470	3 519	4 019	5 679
264	1 154	2 533	3 682	4 325	6 705
330	1 206	2 682	3 768	4 394	6 788
388	1 264	2 711	3 850	4 401	7 682
462	1 347	2 845		4 446	8 014
529	1 388	2 882			8 171
583	1 537	2 936			8 280
586	1 607				8 290
748	1 623				8 887
810	1 770				9 545
844	1 807				9 580
1 000					9 676

Recettes en dollars des films en exploitation pendant le week-end du 29/08/2009					
51	1 167	2 356	3 131	4 694	5 763
66	1 348	2 388	3 596	4 700	6 047
362	1 572	2 472	3 858	4 777	6 670
372	1 580	2 709	3 980	4 824	6 924
457	1 754	2 831			7 100
522					7 515
584					8 576
614					9 054
816					9 093
855					9 646
887					9 968
929					
932					
980					

Savoir...	Comment faire ?
Calculer la fréquence d'une valeur du caractère.	La fréquence f_i d'une valeur x_i d'effectif n_i dans une série statistique d'effectif total N est $f_i = \dfrac{n_i}{N}$.
Calculer un effectif cumulé croissant dans une série quantitative.	L'effectif cumulé croissant d'une valeur x_i est la somme des effectifs de toutes les valeurs du caractère inférieures ou égales à x_i.
Calculer la moyenne d'une série quantitative	• **Moyenne simple** Si la série est connue par l'ensemble des valeurs x_i, on calcule la somme de toutes les valeurs et on divise par le nombre N de valeurs : $$\overline{x} = \frac{x_1 + x_2 + x_3 + \ldots + x_N}{N}.$$ • **Moyenne pondérée** Si la série est connue par l'ensemble des valeurs x_i et de leurs effectifs n_i : – on calcule le produit de chaque valeur par son effectif : $n_i \times x_i$; – on effectue la somme de tous ces produits ; – on divise cette somme par la somme N des effectifs : $$\overline{x} = \frac{n_1 x_1 + n_2 x_2 + \ldots + n_p x_p}{N},$$ où $N = n_1 + n_2 + \ldots + n_p$. • Si la série est regroupée en classes, on calcule le centre de chaque classe et on calcule la moyenne de ces centres pondérés par les effectifs des classes. Si la série est regroupée en classes, on obtient alors en général une valeur approchée de la moyenne de la série.
Déterminer la médiane d'une série quantitative.	On range les N valeurs de la série par ordre croissant. • Si N est impair, alors la médiane est la valeur de rang $\dfrac{N+1}{2}$. • Si N est pair, alors la médiane est la moyenne des valeurs de rang $\dfrac{N}{2}$ et de rang $\dfrac{N}{2} + 1$.
Déterminer les quartiles Q_1 et Q_3 d'une série quantitative.	On range les N valeurs de la série par ordre croissant. • Q_1 est la valeur du caractère de rang $0,25\,N$, arrondi si nécessaire par excès. • Q_3 est la valeur du caractère de rang $0,75\,N$, arrondi si nécessaire par excès.
Simuler le tirage d'un nombre aléatoire.	• Sur la calculatrice, la fonction **random** donne un nombre aléatoire dans l'intervalle $[0\,;1]$. (▶) Voir p. 352 et p. V Pour simuler le tirage d'un nombre entier compris entre 1 et n, on utilise : **Int (rand × n) +1**. • Sur un tableur, la fonction **ALEA()** donne un nombre aléatoire dans l'intervalle $[0\,;1[$. Pour simuler le tirage d'un nombre entier compris entre 1 et n, on utilise : **ENT(n*ALEA()+1)**.

QCM

Pour chacune des questions, une seule réponse est correcte.

A Dans un village, on a dénombré le nombre de foyers selon le nombre d'enfants.
Les résultats sont donnés dans le tableau ci-dessous.

Nombre d'enfants	0	1	2	3	4	5	6
Nombre de foyers	50	27	40	23	15	4	1

1. Le caractère étudié par cette statistique est :	**a.** qualitatif	**b.** le nombre d'enfants par foyer	**c.** le nombre de foyers sans enfant
2. La fréquence des foyers ayant trois enfants est :	**a.** 23	**b.** $\dfrac{1}{6}$	**c.** $\dfrac{23}{160}$
3. L'effectif cumulé croissant de la valeur 3 est :	**a.** 4	**b.** 117	**c.** 140
4. La fréquence du nombre de foyers ayant au plus trois enfants est :	**a.** 0,25	**b.** 0,875	**c.** 140

Corrigé p. 339

B On reprend les données du QCM précédent.

1. Le nombre moyen d'enfants par foyer est :	**a.** 3,5	**b.** environ 1,64	**c.** 1
2. Le nombre médian d'enfants par foyer est :	**a.** 3	**b.** 23	**c.** 2
3. L'étendue du nombre d'enfants par foyer est :	**a.** 49	**b.** 6	**c.** 50
4. Le nombre de foyers ayant au moins 3 enfants est :	**a.** 20	**b.** 117	**c.** 43

Corrigé p. 339

Vrai ou faux ?

Préciser si les affirmations suivantes sont vraies ou fausses.

C On considère une série statistique de 200 valeurs.

1. Soit $\bar{x}$ la moyenne et Me la médiane.	**a.** On a nécessairement $\bar{x} < Me$.	**b.** On a nécessairement $\bar{x} = Me$.	**c.** On a nécessairement $\bar{x} > Me$.
2. Soit Q_1 le premier quartile.	**a.** Il y a exactement 50 valeurs inférieures ou égales à Q_1.	**b.** Il y a au moins 50 valeurs inférieures ou égales à Q_1.	**c.** Au moins 150 valeurs sont supérieures ou égales à Q_1.
3. Soit Q_3 le troisième quartile.	**a.** Il y a au moins 50 valeurs supérieures ou égales à Q_3.	**b.** On a toujours $Q_1 \neq Q_3$.	**c.** L'écart interquartile est $Q_3 - Q_1$.

Corrigé p. 339

D

1. Pour obtenir un nombre aléatoire entre 0 et 10, on utilise l'instruction **rand + 10**.

2. L'instruction **rand × 5** fournit un nombre aléatoire compris entre 0 et 5.

3. Pour simuler le lancer d'un dé cubique, on peut utiliser l'instruction **Int (rand × 6)+1**.

4. Pour simuler la somme de deux dés cubiques, on peut utiliser l'instruction **2 × (Int (rand × 6)+1)**.

Corrigé p. 339

 Pour s'auto-évaluer : des QCM et Vrai-Faux complémentaires

7 ! Exercices

▶ Les exercices portant un numéro orange sont corrigés à la fin du manuel, page 330.

Applications directes

1 Effectifs et fréquences

15 QCM

1. Quel est l'effectif cumulé croissant de la valeur 14 ?

Âge	17	16	15	14	13	12
Effectif	8	10	7	11	5	8

a. 11   **b.** 13   **c.** 24   **d.** 36

2. Quelle est la fréquence cumulée croissante de la valeur 3 ?

Valeur	1	2	3	4	5
Effectif	7	5	2	5	1

a. 0,1   **b.** 0,7   **c.** 2   **d.** 14

3. Quelle est l'affirmation vraie ?

Note	0	5	10	15	20
ECC	2	8	13	19	25

ECC : Effectif cumulé croissant.

a. Exactement 13 élèves n'ont pas la moyenne.

b. 25 élèves ont obtenu 20.

c. Les élèves qui ont 15 sont plus nombreux que ceux qui ont 5.

d. Au moins 12 élèves ont la moyenne.

16 Vrai ou faux ?

Justifier chaque réponse.

On considère la série statistique suivante :

Note	5	6	10	13	15	19
Effectif	1	1	4	3	4	2

1. L'effectif total est 6.

2. La fréquence de la note 13 est 0,2.

3. L'effectif cumulé croissant de la note 13 est 6.

4. La fréquence cumulée croissante de la note 10 est 6.

17 On donne le nombre de personnes par foyer dans 75 foyers d'une même rue.

3	2	2	3	4	2	4	1	4	3	1	4	4	2	2
3	2	1	3	3	5	2	3	5	2	2	3	4	3	3
4	4	4	2	2	3	3	6	5	2	3	4	2	3	4
3	3	3	2	2	1	4	3	2	2	3	5	3	2	4
3	5	4	4	5	4	3	3	2	4	1	2	4	1	2

Dépouiller ces données et établir la distribution des fréquences.

18 D'après le recensement de 1999, il y avait 58,9 millions d'habitants, en France. La fréquence des personnes âgées de 0 à 19 ans était de 25,1 %, celle des personnes âgées de 20 à 39 ans était de 28,2 %. Il y avait aussi 26,1 % de personnes âgées de 40 à 59 ans.

1. Déterminer la fréquence des personnes âgées de 60 ans ou plus.

2. Présenter ces données dans un tableau où figureront les quatre catégories d'âge, les effectifs en millions à 0,1 million près, les fréquences et les fréquences cumulées croissantes (en %).

3. Quel est le pourcentage de la population âgée de moins de 40 ans ? d'au moins 40 ans ?

19 Dans un magasin, durant 80 jours, on observe la recette journalière sur un produit.

Trier les données par classe d'amplitude 100 € en commençant par la classe [0 ; 100[.

Établir la distribution des effectifs, puis calculer les fréquences cumulées croissantes.

542	562	73	502	290	569	603	192
207	207	72	52	526	550	57	573
274	175	72	287	480	314	128	223
230	77	495	385	285	457	292	458
193	449	415	317	496	424	328	584
337	587	461	598	426	442	601	612
684	76	58	541	60	412	560	668
234	508	342	275	589	356	401	301
397	498	313	314	436	195	515	556
617	368	567	298	645	189	460	360

20 Le tableau suivant provient du recueil de données effectué pendant trois ans par sept hôpitaux français.

Il s'agit d'admissions consécutives à des accidents de roller.

Âge \ Sexe	Hommes	Femmes	Total
9 ans et moins	160	183	343
10 à 14 ans	694	312	1 006
15 à 19 ans	229	47	276
20 à 34 ans	174	127	301
35 ans et plus	73	76	149
Total	1 330	745	2 075

On arrondira les résultats à 0,01 près

1. Parmi les personnes hospitalisées suite à un accident de roller, déterminer le pourcentage d'hommes.

2. Parmi l'ensemble des personnes hospitalisées suite à un accident de roller, quelle est la fréquence des hommes âgés d'au moins 20 ans ?

3. a. Parmi les hommes hospitalisés suite à un accident de roller, déterminer le pourcentage de personnes âgées de moins de 20 ans.

b. En déduire, parmi les hommes hospitalisés suite à un accident de roller, le pourcentage de personnes âgées d'au moins 20 ans.

2 Représentation d'une série statistique

21 QCM

Le diagramme ci-dessous donne la répartition par âge des élèves d'une classe de Seconde.
Que peut-on affirmer ?

■ 16
■ 15
□ 14
■ 17

a. Il y a quatre élèves.
b. Les élèves de 16 ans sont les plus nombreux.
c. Un quart des élèves a 16 ans.
d. Il y a autant d'élèves de 15 ans que de 14 ans.

22 Vrai ou faux ?

Justifier chaque réponse.
On considère les élèves d'une classe de Seconde.

1. On étudie la pointure. Pour représenter la distribution des effectifs, le diagramme le plus adapté est le diagramme circulaire.

2. On étudie la taille, regroupée en classes de 5 cm d'amplitude. Pour représenter la distribution des fréquences, le diagramme le plus adapté est le diagramme à bâtons.

3. On étudie le nombre de frères ou sœurs.
Le diagramme à bâtons des effectifs est le plus adapté.

4. On étudie le temps de connexion sur Internet durant le mois précédent. Le diagramme le plus adapté est l'histogramme.

23
On donne la répartition par âge des élèves de Seconde, âge révolu au 1er janvier.

Âge	14	15	16	17	18
Effectif	8	34	48	25	5

1. Calculer les fréquences, puis les fréquences cumulées croissantes.

2. Représenter cette série statistique par un diagramme à bâtons.

24
Pierre possède 4 billes bleues, 5 rouges et 3 vertes.

1. Présenter ces données dans un tableau avec les effectifs et les angles permettant de représenter la répartition par un diagramme semi-circulaire.

2. Réaliser un tel diagramme.

25
Le tableau ci-dessous présente la répartition en pourcentage du mode de vie des personnes de 25 à 29 ans :

	Hommes	Femmes
Chez les parents	29,1	15
Seul	18	15,4
En couple sans enfant	25,6	27,3
En couple avec enfants	19,6	32,7
Autres	7,7	9,6

Représenter ces deux séries par un diagramme circulaire et commenter.

26
On connaît la distribution des fréquences pour 57 mesures de longueur (en m), correspondant aux performances réalisées au cours d'une épreuve sportive :

Longueur	$[0\,;2[$	$[2\,;4[$	$[4\,;6[$	$[6\,;8[$	$[8\,;10]$
Fréquence	0,14	0,26	0,32	0,23	0,05

Établir la répartition en effectif arrondi à 1 près, puis construire l'histogramme correspondant.

27
Le diagramme à bâtons ci-dessous illustre une enquête faite sur l'âge des 30 adhérents d'un club de badminton, mais le rectangle correspondant aux adhérents de 16 ans a été effacé.

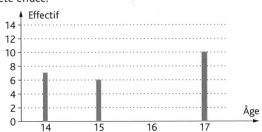

1. Calculer le nombre d'adhérents ayant 16 ans.

2. Quel est le pourcentage du nombre d'adhérents ayant 15 ans ?

3. Quel est l'âge moyen des adhérents du club ?
Donner la valeur arrondie au dixième.

4. Reproduire et compléter le tableau ci-dessous pour réaliser un diagramme semi-circulaire représentant la répartition des adhérents selon leur âge (on prendra un rayon de 4 cm).

Âge	14 ans	15 ans	16 ans	17 ans	Total
Nombre d'adhérents	7	6		10	30
Mesure de l'angle (en degrés)					180

3 Moyenne, médiane, quartiles

28 **QCM**

Déterminer l'**unique** bonne réponse.

1. Soit la série :

| 12 | 14 | 6 | 18 | 9 | 11 | 5 | 15 |

La moyenne de la série ci-dessus est :

a. 11,5 **b.** 11,25 **c.** 11 **d.** 10

2. Soit la série :

x_i	4	6	7	9	10	12
e_i	1	8	12	20	14	5

La moyenne pondérée de la série ci-dessus est :

a. 8 **b.** 8,4 **c.** 8,6 **d.** 9

3. Dans une entreprise, le salaire moyen des 12 cadres est de 2 500 € et le salaire moyen des 28 ouvriers est de 1 500 €.

Le salaire moyen de l'entreprise est de :

a. 2 000 €. **b.** 1 750 €.

c. 1 800 €. **d.** 1 825 €.

29 **Vrai ou faux ?**

Justifier la réponse.

Dans une classe de 36 élèves, on étudie les notes du dernier contrôle d'anglais.

1. La note moyenne indique que la moitié de la classe a plus que cette note.

2. La note moyenne est la demi-somme des notes extrêmes.

3. Si on veut connaître la somme des notes, on multiplie la moyenne par 36.

4. Si on augmente toutes les notes de 2 points, la moyenne est augmentée de 2 points.

5. Si la plus haute note passe de 14 à 18,5, la moyenne augmente de 0,125 point.

30 Calculer la moyenne de chacune des séries suivantes.

a.

3	2	3	3	1	5	4	3	1	5
2	1	4	3	3	0	1	3	3	1
2	4	2	4	0	0	2	2	3	2

b.

102,6	102,3	106,8	101,8	107,4
100,9	104,3	101,8	103,1	102,1
101,5	103	100	108,5	102,6
108,5	107,4	109,2	101,7	104,5

31 Calculer la moyenne d'un test noté sur 5.

Note	1	2	3	4	5
Effectif	12	27	33	18	10

32 Une étude porte sur les familles d'une commune et le nombre d'enfants par famille (enfants de moins de 25 ans et à charge).

Calculer le nombre moyen d'enfants par famille.

Nombre d'enfants	0	1	2	3	4	5
Nombre de familles	136	77	64	28	12	3

33 Dans une entreprise, on a, ci-dessous, la répartition des salaires :

Salaire S (en €)	Effectif
$1000 \leqslant S < 1200$	3
$1200 \leqslant S < 1400$	7
$1400 \leqslant S < 1600$	2

Déterminer une estimation du salaire moyen.

34 Pour chacune des séries suivantes, déterminer la médiane.

a.

1	1	2	3	4	4	5	5
6	6	6	7	7	8	9	9

b.

0	1	1	2	3	4	4	5	5
6	6	6	7	7	8	9	9	

c.

0	1	1	2	3	4	4	5	5
6	6	6	7	7	8	9	9	10

35 **1.** Pour chacune des deux séries, déterminer la médiane et les quartiles Q_1 et Q_3.

Série 1 :

1,9	2	2,3	2,4	2,5	2,5	2,5
2,6	3	3	3	3,5	4,1	4,4
4,8	4,8	5,2	5,8	5,8	5,8	6,1
6,4	6,4	6,8	6,9	7	7,1	7,5
7,6	7,8	7,8	8,2	8,3	8,5	8,9

Série 2 :

| 4,4 | 4,8 | 4,8 | 5,2 | 5,8 | 5,8 | 5,8 | 6,1 | 6,4 |

2. Comment se situe la série 2 par rapport à la série 1 ?

36 **1.** Soit la série :

x_i	0	1	2	3	4	5
n_i	18	21	22	9	5	2

Recopier et compléter le tableau par les effectifs cumulés croissants. En déduire la médiane et les quartiles Q_1 et Q_3.

2. Faire de même pour la série :

x_i	0	1	2	3	4	5
n_i	17	21	22	9	5	2

37 Graphique, médiane et quartiles

Lors d'une expérience, on a relevé le nombre d'heures de sommeil de 101 personnes.

Le graphique ci-contre représente les effectifs cumulés croissants (ECC).

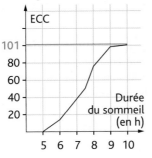

1. a. À quel effectif cumulé croissant correspond la médiane des durées de sommeil ?

b. Déterminer graphiquement une valeur approchée de la médiane.

2. a. Expliquer comment on peut déterminer graphiquement des valeurs approchées des quartiles Q_1 et Q_3.

b. Donner les valeurs de ces quartiles et de l'écart interquartile.

38 Les Français et la télévision

On a interrogé en 2008 un échantillon représentatif de 4 812 Français sur leurs loisirs.

Voici le résultat de l'enquête concernant la durée hebdomadaire d'écoute de la télévision (en heures).

Durée	[0 ; 10[	[10 ; 15[	[15 ; 20[	[20 ; 30[	Plus de 30
Effectif	972	924	826	1069	1 021
Fréquence en %					
Fréquence cumulée croissante					

1. Quelle donnée importante manque-t-il pour calculer une approximation de la moyenne ?

2. a. Compléter les deux dernières lignes, puis tracer la courbe des fréquences cumulées croissantes.

b. En déduire le temps médian d'écoute de la télévision.

3. En fait, l'enquête donne un temps moyen de 21 h et un temps médian de 18 h.

Comment expliquer cet écart ?

4. Pour aller plus loin

On veut affiner les résultats de l'étude précédente en comparant les pratiques des 15-19 ans et celles des 65 ans et plus.

Déterminer, dans chaque cas, la moyenne, la courbe des fréquences cumulées croissantes, la médiane, le premier et le troisième quartiles.

Durée	[0 ; 10[	[10 ; 15[	[15 ; 20[	[20 ; 30[	Plus de 30
15-19 ans	148	63	53	46	39
65 ans et plus	778	127	146	272	350

4 Échantillonnage

39

Deux fleuristes doivent livrer des compositions florales constituées uniquement de fleurs jaunes et blanches, avec la condition suivante :

La couleur de chaque fleur doit être choisie au hasard, avec une même probabilité d'avoir une fleur jaune qu'une fleur blanche.

Le premier fleuriste livre une composition de 100 fleurs, dont 43 jaunes.

Le deuxième livre une composition de 2 500 fleurs, dont 1 150 jaunes.

1. Calculer, dans chaque cas, la proportion de fleurs jaunes. À première vue, lequel des deux fleuristes a le mieux respecté le contrat ?

2. Calculer l'intervalle de fluctuation dans chacun des deux cas. Conclure.

40 Quelle taille ?

Le document suivant a été retrouvé, incomplet :

Le test a donné les résultats suivants, pour une probabilité théorique de sortie du vert de $p = 0,8$.

Couleur	Rouge	Vert
Fréquence (à 0,01 près)	0,25	0,75

Étant donné que l'intervalle de fluctuation est $I = \ldots$, on décide donc de ne pas homologuer la machine.

Quelle a dû être la taille minimale de l'échantillon pour que la conclusion soit ainsi négative ?

41 Temps d'attente du 6

On s'intéresse à la question suivante.

Quel est le nombre de coups nécessaires pour obtenir 6 en lançant un dé ?

1. Procéder à une série de 50 expériences, en notant à chaque fois le nombre de coups nécessaires.

2. a. Regrouper les résultats dans un tableau de la forme :

Nombre de coups nécessaires	1	2	3	...
Effectif				

b. Déterminer l'étendue, la moyenne, la médiane, le premier et le troisième quartiles de la série.

c. Comparer les résultats obtenus dans la classe. Comment expliquer ces écarts ? Que pourrait-on faire pour obtenir des résultats plus proches ?

3. À la maison : effectuer, cette fois, 1 000 expériences (à étaler sur deux semaines) et noter les résultats obtenus. Comparer à nouveau.

42 Vanille ou chocolat ?

Un sondage effectué auprès d'un échantillon de clients d'une chaîne de restauration rapide dans un grand magasin révèle que 54 % préfèrent les glaces à la vanille et 46 % les glaces au chocolat. Que peut-on conclure de ce sondage :

a. si on a interrogé 100 personnes ?

b. si on interrogé 400 personnes ?

c. si on a interrogé 1 000 personnes ?

43 Comparaison de deux populations

Répondre aux questions suivantes en utilisant le tableau statistique ci-après sur la population.

Les effectifs de ce tableau sont arrondis au millier.

1. La population martiniquaise a-t-elle augmenté de 2001 à 2002 ? Et celle des femmes martiniquaises ?

2. Combien y avait-il de femmes de moins de 20 ans en Martinique en 2002 ?

Combien y avait-il d'hommes de moins de 60 ans en Martinique en 2001 ?

3. Quel pourcentage de la population martiniquaise représentaient les personnes de 75 ans et plus en 2001 ? (Arrondir le résultat au dixième.)

4. Peut-on dire que, en 2002, la population métropolitaine est plus de 150 fois plus importante que celle de la Martinique ?

Estimations de population par sexe et par âge au 1er janvier

	Martinique	Martinique	France métropolitaine
	2001	2002	2002
Ensemble	**386**	**388**	**59 342**
0 à 19 ans	118	118	14 988
20 à 39 ans	112	110	16 371
40 à 59 ans	93	96	15 758
60 à 74 ans	42	43	7 727
75 ans et plus	21	22	4 499
Hommes	**180**	**183**	**28 830**
0 à 19 ans	57	59	7 666
20 à 39 ans	53	51	8 191
40 à 59 ans	43	45	7 796
60 à 74 ans	19	19	3 564
75 ans et plus	8	8	1 613
Femmes	**206**	**205**	**30 512**
0 à 19 ans	61	58	7 322
20 à 39 ans	59	58	8 179
40 à 59 ans	50	52	7 692
60 à 74 ans	23	23	4 163
75 ans et plus	13	13	2 886

Source : *INSEE – Estimations localisées de population.*

44 Modélisation des tomates

Pour commercialiser des tomates, une coopérative les calibre en fonction du diamètre. On a relevé, ci-dessous, le diamètre de 30 tomates (en millimètres).

49	52	59	57	51	55	50	56	49	48
58	49	52	51	53	56	49	56	55	50
52	56	57	54	53	49	51	55	56	59

1. Reproduire et compléter le tableau suivant :

Diamètre	Effectif	Centre des classes
$[48 ; 51[$	8	
$[51 ; 54[$		52,5
$[54 ; 57[$		
$[57 ; 60[$		

2. À partir de ce tableau des effectifs, vérifier que le diamètre moyen d'une tomate, arrondi à l'unité, est 54 mm. Déterminer le volume (en mm^3) d'une tomate de diamètre moyen, modélisée comme une boule. Arrondir à l'unité.

On rappelle que le volume d'une boule de rayon R est $\frac{4}{3}\pi R^3$.

45 Calcul rapide de la moyenne (1)

On se propose de calculer de tête la moyenne de la série statistique suivante :

121	128	117	116	120	124	123	118

a. Enlever 120 à chaque valeur et calculer la moyenne $\overline{y}$ de la nouvelle série.

b. En déduire la moyenne de la série de départ.

46 Calcul rapide de la moyenne (2)

Maud veut calculer rapidement sa moyenne.

Ses notes sont :

$$10 – 12 – 14 – 7,5 – 13 – 9,5 – 11 – 15.$$

Maud enlève 10 à chaque note ; elle calcule la moyenne $\overline{y}$ des notes obtenues, puis ajoute 10 pour obtenir sa moyenne.

1. Effectuer le calcul de Maud.

2. Calculer de même la moyenne de Valentin dont les notes sont :

$$9 – 8,5 – 16 – 7,5 – 12 – 10,5$$

et celle de Justine :

$$11,5 – 14 – 17 – 12,5 – 6 – 8 – 7.$$

47 Le quinzième magasin

En une semaine, quatorze des quinze magasins d'une galerie marchande ont fait un chiffre d'affaires moyen de 37 400 euros par magasin.

La même semaine, le quinzième magasin a fait un chiffre d'affaires de 80 900 euros.

Quel est le chiffre d'affaires moyens des quinze magasins ?

48 Moyennes élaguées

1. Dans la série statistique, ci-dessous, calculer la moyenne $\bar{x}$, puis la moyenne élaguée des valeurs maximale et minimale :

12,4 – 15,8 – 15,9 – 16 – 16,1 – 16,3

16,3 – 16,5 – 16,6 – 16,9 – 17,5

2. La moyenne d'une série ayant 240 valeurs est 3,75. Il existe 5 valeurs très basses de somme 3.

Calculer la moyenne de la série élaguée de ces 5 valeurs.

49 La construction européenne

1. Le 25 mars 1957, six pays signèrent le Traité de Rome qui créa la Communauté Économique Européenne (C.E.E.).

Pays	Drapeau	Superficie en km²
Allemagne		356 718
Belgique		30 518
France		543 965
Italie		301 316
Luxembourg		2 586
Pays-Bas		41 029

Déterminer la superficie médiane des six états fondateurs.

2. En janvier 1973, trois autres pays entrent dans la C.E.E.

Danemark		43 080
Irlande		68 895
Royaume-Uni		241 751

a. Ranger la superficie des neuf pays dans l'ordre croissant.

b. Quel est le pays dont la superficie S est la médiane ?

3. En janvier 1981, la Grèce a rejoint la C.E.E. suivie en janvier 1986 de l'Espagne et du Portugal. En janvier 1995, la C.E.E. devenue U.E. (Union européenne) en 1993 s'est élargie avec l'Autriche, la Finlande et la Suède.

Grèce		131 626
Espagne		504 790
Portugal		91 906
Autriche		83 859
Finlande		338 147
Suède		410 934

Déterminer la superficie médiane de la C.E.E. en 1986, puis celle de l'U.E. en 1995.

4. En faisant les recherches nécessaires sur Internet, déterminer la superficie médiane actuelle des pays de l'Union européenne.

50 Qualité de l'eau : l'alarme des sept points

Une société doit contrôler la qualité d'une eau minérale, dont la teneur en calcium est de 80 mg par litre. Elle prélève régulièrement des échantillons et garde la trace de toutes ses mesures. Elle dispose de deux critères d'alerte :

• si une mesure donne une concentration supérieure à 100 mg ou inférieure à 60 mg ;

• si sept mesures consécutives donnent des mesures toutes situées du même côté de 80 mg.

Le but de l'exercice est de comprendre comment fonctionne ce second critère. On s'intéresse donc au problème suivant :

On lance un dé équilibré à six faces pièces équilibrées et on décide qu'il y a « alerte » si on obtient sept fois de suite un nombre strictement supérieur à trois ou sept fois de suite un nombre inférieur à 3.

1. Effectuer une simulation de 100 lancers à la main ou à l'aide de la calculatrice. Comparer avec les résultats de vos camarades de classe.

2. On veut vérifier ce phénomène sur un grand nombre de lancers. On crée donc une feuille de tableur :

	A	B	C	D	E
1		Sup à 3 ?	Inf à 3 ?	Alerte sup	Alerte inf
2	3	0	0	0	0
3	3	0	0	0	0
4	5	1	0	0	0
5	2	0	1	0	0
6	2	0	1	0	0
7	3	0	0	0	0
8	3	0	0	0	0
9	3	0	0	0	0
10	3	0	0	0	0

a. Dans la cellule A2, on a entré la formule :

=ENT(6*ALEA()+1)

Que simule cette formule ?

b. Dans la cellule B2, on a entré la formule **=SI(A2>3;1;0)**

Expliquer cette formule.

Que faut-il entrer en C3 ?

c. En D2, on a entré la formule **=PRODUIT(B2:B8)**

Quand ce produit est-il égal à 1 ?

Que va-t-il se passer quand on va recopier la formule vers le bas ? Que faut-il entrer en E2 ?

d. On recopie la ligne 2 jusqu'à la ligne 10 001, et on cumule le nombre de 1 obtenus dans les colonnes D et E.

On effectue 10 simulations qui donnent les résultats suivants (nombre de 1 dans D et E) : 72 ; 94 ; 61 ; 98 ; 75 ; 94 ; 106 ; 68 ; 65 ; 98.

Commenter. Justifier l'utilisation de la méthode des sept points.

51 L'aléatoire dans l'art

De nombreux artistes, depuis les années 50, utilisent des éléments aléatoires dans leurs créations artistiques.

François Morellet,
Répartition aléatoire de 40 000 carrés suivant les chiffres pairs et impairs d'un annuaire du téléphone, 50 % noir, 50 % bleu nuit, 1961.

1. Comment pourrait-on expliquer la manière dont ce tableau a été conçu (photo de gauche) ?

2. Un riche amateur d'art a commandé à un artiste un tableau qui correspond au titre suivant : *Répartition aléatoire, 30 % or, 70 % argent* (photo de droite).
L'artiste propose à l'amateur d'art le tableau de droite :
Peut-on estimer que la commande est respectée ?

52 Cryptage de César (1)

Jules César

Une des premières méthodes de cryptage connue consistait à remplacer chaque lettre par une lettre située *n* places plus loin dans l'alphabet, le nombre *n* étant la clef secrète. Jules César (100-44 av. J.-C.) fut un des premiers à l'utiliser pour communiquer avec ses légions.

1. a. En français, quelle est la lettre la plus fréquente ?

b. Quelle méthode de décodage peut-on proposer pour un message suffisamment long ?

c. Pourquoi cette méthode ne convient-elle pas pour des messages courts ?

2. Appliquer la méthode du **1.** au texte suivant, issu d'un roman de George Perec, et commenter le résultat.

```
grqqd vrq urpdq vxu vrq olwc Lo dood c vrq odyderc
lo prxlood xq jdqw txclo sdvvd vxu vrq iurqwc vxu vrq
frxc Vrq srxov edwwdlw wurs iruwc Lo dydlw fkdxgc
Lo rxyulw vrq ydvlvwdvc vfuxwd od qxlwc Lo idlvdlw
grxac Xq euxlw lqglvwlqfw prqwdlw gx idxerxujc Xq
fduloorqc soxv orxug txcxq jodvc soxv vrxug txcxq
wrfvlqc soxv surirqg txcxq erxugrqc qrq orlqc vrqqd
wurlv frxsvc Gx fdqdo VdlqwcPduwlqc xq fodsrwlv
sodlqwli vljqdodlw xq fkdodqg txl sdvvdlwc Vxu
ocdedwwdqw gx ydvlv
```

53 🖳 Cryptage de César (2)

La faiblesse du cryptage de César résidait entre autres dans le fait qu'il suffisait de décoder une seule lettre pour décoder tout le message.

Une version plus subtile consiste à remplacer chaque lettre par une autre lettre ou un symbole tenu secret : il y a donc cette fois 26 symboles à décrypter ! La stratégie va consister à étudier de manière précise les fréquences d'apparition des symboles présents dans le message codé.

A. Première phase : analyse des fréquences d'un texte en français

Pour réaliser l'analyse des fréquences du texte de présentation de cet exercice (« La faiblesse du cryptage ... le message codé »), on peut utiliser un tableur.

1. a. Préparer la feuille de calcul comme ci-dessus en complétant les colonnes P et Q jusqu'aux valeurs respectives 26 et z.

b. Dans la colonne A, écrire chaque mot du texte de présentation de cet exercice en supprimant les accents et en écrivant toutes les lettres en minuscule. Le premier mot « la » est dans A2, le second « faiblesse » dans A3.

c. Pour découper le texte en lettres, entrer la formule =STXT($A2;B$1;1) dans la cellule B2 et la recopier à l'aide de la poignée de remplissage dans les cellules de la plage B2:N500.

d. Le nombre de mots s'obtient avec la formule =NBVAL(A:A) dans la cellule R1.

e. La formule =13*R1-NB.VIDE(INDIRECT(«$B$2:$N»&(R1+1))) dans la cellule R2 permet d'obtenir le nombre total de lettres du message.

f. Afin de dénombrer l'effectif et la fréquence de la lettre « a » dans le texte, écrire les formules =NB.SI(INDIRECT(«$B$2:N»&(R$1+1));Q5) et =R5/$R$2 dans les cellules R5 et S5. Les recopier à l'aide de la poignée de remplissage jusqu'à la ligne 30 pour obtenir les effectifs et les fréquences des autres lettres.

2. a. Donner les six lettres ayant les plus grandes fréquences dans ce texte étudié ainsi que leurs fréquences respectives.
On sait que, dans la langue française, les lettres les plus utilisées sont E, S, A, I, N, T, U, R, L et O.
On peut considérer que les fréquences en pourcentages de ces lettres sont :

E	S	A	I	N	T	U	R	L	O
17,7	8,5	7,5	7,4	7,2	7,1	6,8	6,3	5,7	5,4

b. Compléter le tableau avec les résultats obtenus à la question **2.a.**

c. Quelles sont les lettres que l'on peut identifier ainsi en respectant l'ordre des fréquences.

B. Deuxième phase : décryptage du texte codé

On souhaite décoder le texte suivant qui a été crypté par permutation des lettres :

> smqzpozmzp dgwi oz imdof miiof ngwb hoajqvvob loi soiimcoi aghoi nmb nobswpmpqgz hoi loppboi dgwi opoi hgza amnmtlo ho vmqbo wzo mzmlyio hoi vbouwozaoi ngwb agsnbozhbo ao soiimco oz pgpmlqpo

1. Utiliser le tableau de la première phrase, pour déterminer les fréquences des différentes lettres.

2. a. Identifier les trois lettres ayant la plus grande fréquence. En déduire leur signification en clair.

b. Recopier le message codé en écrivant une ligne sur deux ; sous chacune des trois lettres codées identifiées à la question précédente, écrire la lettre correspondante dans le message en clair.

c. Déterminer la dernière lettre du cinquième mot, puis la troisième lettre du troisième mot. Cela permet de deviner le second mot du message. Recopier sous le message codé, les nouvelles lettres décodées.

d. En identifiant ainsi peu à peu des mots, décoder la totalité de ce message.

> **Remarques**
>
> • Pour utiliser cette technique, il faut connaître la langue d'origine du message et les fréquences d'apparition des lettres dans cette langue.
> • Les techniques de cryptage ont beaucoup évolué, mais les outils statistiques restent des armes indispensables pour les décrypteurs !

---

54 algo 💻 **Un coup de dés jamais n'abolira le hasard**

Cette phrase énigmatique est le titre d'un poème de Stéphane Mallarmé, publié en 1914, dont la dernière page est reproduite à la fin de l'énoncé. Elle semble reproduire le lancer d'un dé.

En hommage au poète, Ivan propose à Samira le jeu suivant : on lance un dé jusqu'à ce que le 6 sorte.

« S'il sort avant le 4e coup, je gagne sinon, tu gagnes. »

On voudrait déterminer une estimation de la probabilité p qu'Ivan gagne.

1. Simulation d'une partie

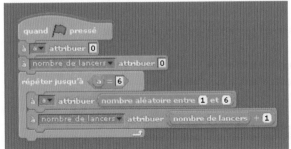

a. Quelle instruction correspond au lancer de dé ?

b. Quel est le rôle de la variable *Nombre de lancers* ?

c. Quelle est sa valeur lorsque l'algorithme se termine ?

2. Simulation de 100 parties

On modifie l'algorithme de la façon suivante :

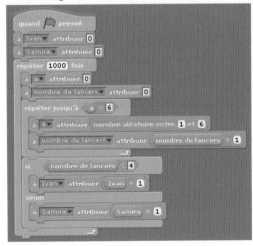

a. Quelle ligne permet de tester qui a gagné ?

b. Quel est le rôle des variables Ivan et Samira ?

c. En simulant 100 parties, on obtient le résultat suivant : 45 parties gagnées par Ivan et 55 gagnées par Samira.

Au risque de 5 % d'erreur, quel encadrement peut-on en déduire pour p ? Peut-on penser que le jeu est équitable ?

3. En effectuant 1 000 parties, on obtient le résultat suivant : 420 parties gagnées par Ivan et 580 gagnée par Samira.

Au même risque d'erreur, quel nouvel encadrement obtient-on ?

> fusionne avec au delà
> hors l'intérêt
> quant à lui signalé
> en général
> selon telle obliquité par telle déclivité
> de feux
> vers
> ce doit être
> le Septentrion aussi Nord
> UNE CONSTELLATION
> froide d'oubli et de désuétude
> pas tant
> qu'elle n'énumère
> sur quelque surface vacante et supérieure
> le heurt successif
> sidéralement
> d'un compte total en formation
> veillant
> doutant
> roulant
> brillant et méditant
> avant de s'arrêter
> à quelque point dernier qui le sacre
>
> Toute Pensée émet un Coup de Dés.

Partir d'un bon pied

1 Reconnaître une probabilité

QCM Pour chacune des questions suivantes, trouver l'unique bonne réponse.

1. Une probabilité peut être égale :

a. à une fréquence	b. à un effectif
c. au nombre 2,3	d. à un nombre strictement négatif

2. Une urne contient quatre jetons bleus, cinq rouges et trois verts.
On tire un jeton au hasard. La probabilité qu'il soit vert est :

a. 3	b. 12	c. $\dfrac{1}{3}$	d. $\dfrac{1}{4}$

3. Lorsque l'on fait tourner la roue de loterie équilibrée ci-contre, la probabilité que la flèche indique la région R est :

a. 0	b. 90	c. $\dfrac{1}{4}$	d. 0,5

4. En considérant cette même roue de loterie, la probabilité que la flèche n'indique pas la région R est :

a. 1,25	b. 0,25	c. 270	d. 0,75

2 Revoir le vocabulaire

QCM Pour chacune des questions suivantes, trouver l'unique bonne réponse.

1. On lance deux dés à six faces, l'un bleu, l'autre rouge. L'événement « obtenir 3 sur le dé bleu et 6 sur le dé rouge » et l'événement « obtenir 6 sur le dé bleu et 3 sur le dé rouge » sont :

a. impossibles	b. aussi probables l'un que l'autre	c. certains

2. On lance les deux dés à six faces.
De l'événement « obtenir le même nombre sur les deux dés », on peut dire que :

a. il est impossible	b. il est peu probable	c. il a une chance sur deux de se produire	d. il est certain

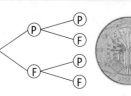

3. En lançant successivement deux fois une pièce de monnaie correctement équilibrée, la probabilité d'avoir deux fois le côté pile vaut :

a. 0	b. 0,25	c. 0,5	d. 1

3 Comparer des probabilités

Aline, Bernard et Claude possèdent chacun un sac contenant les billes suivantes :
– sac d'Aline : 5 billes rouges ;
– sac de Bernard : 10 billes rouges et 30 billes noires ;
– sac de Claude : 100 billes rouges et 3 billes noires.

1. Chacun tire une bille de son sac. Laquelle de ces personnes a la probabilité la plus grande de tirer une bille rouge ?

2. On souhaite qu'Aline ait la même probabilité que Bernard de tirer une bille rouge.
Avant le tirage, combien de billes noires faut-il alors ajouter dans le sac d'Aline ?

 Pour réviser : des rappels de cours et des tests dans les **Techniques de base**

Probabilités

Des maths partout !

Le Backgammon est un jeu de hasard qui se joue avec des dés. C'est le premier jeu classique où l'ordinateur a pu battre (en juillet 1979) le champion du monde Luigi Villa en utilisant en particulier le calcul des probabilités pour élaborer une stratégie gagnante.

« *TOUTE CERTITUDE QUI N'EST PAS DÉMONSTRATION MATHÉMATIQUE N'EST QU'UNE EXTRÊME PROBABILITÉ.* »

Voltaire (1694-1778).

L'objectif de ce chapitre est d'étudier et modéliser des expériences relevant de l'équiprobabilité et de mener à bien des calculs de probabilités.

Blaise Pascal (1623-1662).

AU FIL DU TEMPS

Au début du XVIe siècle, l'Italien **Jérôme Cardan** (1501-1576) écrit un traité « *de Ludo Alea* » relatif aux jeux de dés. Au XVIIe siècle, l'étude des problèmes de dés se poursuit avec l'Italien **Galilée** (1564-1642) et le Français Antoine Gombaud, appelé le **Chevalier de Méré** (1607-1684), qui soumet de nombreux problèmes à **Blaise Pascal** (1623-1662). C'est ce dernier qui introduit le concept de probabilité dans sa correspondance avec **Pierre Fermat** (1601-1655).

Au XVIIIe siècle, de nombreux mathématiciens tels que le Français **Abraham de Moivre** (1667-1754), l'Allemand **Gottfried Leibniz** (1646-1716) ou l'Anglais **Thomas Bayes** (1702-1761) poursuivent la mise au point des concepts de probabilités, ainsi que les Russes **Andreï Markov** (1856-1922) et **Pafnouti Tchebychev** (1821-1894) ou l'Anglais **Francis Galton** (1822-1911) au XIXe siècle.

Ce n'est qu'en 1933 que le Russe **Andreï Kolmogorov** (1903-1987) met en place une théorie mathématique des probabilités.

1 Propriétés des fréquences

Une enquête menée en France sur un échantillon de 10 000 foyers, à propos du nombre d'enfants par ménage (individus de moins de 25 ans encore à charge de leurs parents), a donné les résultats suivants :

Enfant	0	1	2	3	4	5	6
Foyer	4 200	2 400	2 200	900	150	100	50

1. Calculer la fréquence de chacun des résultats possibles.

Que vaut la somme des sept fréquences obtenues ?

2. Calculer la fréquence des ménages ayant quatre enfants ou plus, puis celle des ménages ayant un ou deux enfants. De façon générale, comment obtient-on une fréquence regroupant plusieurs résultats possibles ?

3. Comment peut-on calculer la fréquence des ménages ayant au moins un enfant ?

2 Simulation, fréquence et probabilité

1. La fonction ALEA( )

En utilisant la fonction ALEA( ) d'un tableur, on provoque le tirage au hasard d'un nombre appartenant à l'intervalle $[0 ; 1]$. Réaliser vingt simulations de tirage d'un nombre au hasard dans $[0 ; 1]$.

Dénombrer ceux qui parmi eux sont supérieurs à 0,5. Est-ce un résultat « attendu » ou « prévisible » ?

2. Simulation de tirage de nombres au hasard

• La fonction ENT du tableur donne, pour les nombres positifs, la valeur du plus grand entier naturel inférieur au nombre considéré (appelé la « partie entière » du nombre considéré).

a. Préciser les valeurs de : ENT(5,56), ENT (0,667), ENT(15) et ENT(π).

• Lorsque l'on veut simuler sur tableur le tirage de nombres entiers au hasard, on utilise une combinaison des fonctions ENT et ALEA( ).

b. Expliquer pourquoi, pour simuler le lancer d'un dé équilibré à six faces numérotées de 1 à 6, on peut utiliser la fonction : ENT(6*ALEA( )) +1.

c. Sur la copie d'écran ci-contre ①, on a simulé vingt fois le lancer d'un dé à six faces.

Combien de fois le 5 est-il sorti ? Est-ce un résultat « attendu » ou « prévisible » ?

3. Fréquence et probabilité

a. Sur la copie d'écran ci-contre ②, on a mis en place en colonne C un « compteur ».

Les cellules de la colonne B sont toutes composées de l'instruction : ALEA( ).

En analysant le contenu de la cellule C1, expliquer ce que le compteur permet de repérer.

①   ②

fx	=ENT(6*ALEA())+1
	B
	6
	2
	3
	6
	5
	1
	4
	3
	6
	6
	4
	4
	6
	2
	1
	6
	3
	6
	2
	1

fx	=SI(ENT(2*B1)=0;0;1)	
	B	**C**
	0,34053675	0
	0,32007766	0
	0,69405851	1
	0,55999197	1
	0,89242408	1
	0,70822525	1
	0,69153346	1
	0,76140296	1
	0,9497502	1
	0,70807119	1
	0,17849936	0
	0,25351819	0
	0,01351507	0
	0,94278343	1
	0,28736669	0
	0,43956882	0
	0,21670948	0
	0,51509479	1
	0,9572701	1
	0,560954	1

b. Réaliser la simulation d'un lancer de dé à six faces numérotées de 1 à 6.

Installer un compteur qui permet de repérer la sortie du résultat 6.

Répéter la simulation 500 fois par copie des cellules et totaliser le compteur des sorties du 6.

Calculer la fréquence de sortie du 6, et la comparer avec la probabilité de sortie du 6 pour un dé équilibré.

On admet que, lorsque le nombre de simulations augmente, la fréquence (résultat d'une expérience) de sortie du 6 a tendance à se rapprocher de $\frac{1}{6}$, qui est la probabilité (théorique) de sortie du 6.

3 ▸ Vocabulaire des événements

On dispose de deux urnes représentées ci-dessous.

Un jeu consiste à choisir une 1re boule dans l'urne ①, puis une 2de boule dans l'urne ②.

On note les différents résultats de ce jeu par un couple de couleurs.

Par exemple, le résultat (j ; r) signifie que la 1re boule tirée est jaune, et que la 2de boule tirée est rouge.

1. a. Écrire une phrase décrivant le résultat $(r ; b)$.

b. Déterminer l'ensemble des résultats possibles que l'on appelle aussi **issues**.

2. Écrire sous la forme d'ensembles, c'est-à-dire en faisant la liste des résultats qui les composent, les événements suivants :

• A « obtenir une boule jaune au 1er tirage » ;

• B « obtenir une boule bleue exactement » ;

• C « obtenir au plus une boule rouge » ;

• D « obtenir au moins une boule jaune ».

3. a.

> L'ensemble des issues communes aux événements A et B s'appelle l'événement « A **et** B » ou encore « A ∩ B » (se lit « A inter B »).
>
> Il s'agit de l'**intersection de A et de B**.

Déterminer l'ensemble des issues composant l'événement A ∩ B.

b.

> L'ensemble des issues appartenant à l'un au moins des deux événements A ou B s'appelle l'événement « A **ou** B » ou encore « A ∪ B » (se lit « A union B »).
>
> Il s'agit de la **réunion de A et de B**.

Déterminer l'ensemble des issues composant l'événement A ∪ B.

4 ▸ Probabilité de l'intersection et de la réunion

Dans un groupe de 500 élèves, 350 pratiquent un sport et 200 font de la musique ; 100 élèves pratiquent les deux activités. On choisit un élève au hasard dans le groupe. On considère les événements :

• A : « l'élève choisi fait du sport » ;   • B : « l'élève choisi fait de la musique ».

1. Déterminer les probabilités de chacun des événements A et B.

2. Écrire une phrase décrivant l'événement A ∩ B, puis en déterminer la probabilité.

3. On souhaite déterminer la probabilité de l'événement A ∪ B.

a. Écrire une phrase décrivant l'événement.

b. Matthieu détermine la probabilité de l'événement A ∪ B et propose :

Commenter la démarche de Matthieu.

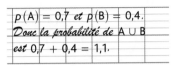

$p(A) = 0{,}7$ *et* $p(B) = 0{,}4$.
Donc la probabilité de A ∪ B
est $0{,}7 + 0{,}4 = 1{,}1$.

c. Recopier, puis compléter le diagramme ci-contre en remplaçant les points d'interrogation par les effectifs de chaque groupe d'élèves correspondant.

d. Proposer une solution pour le calcul de la probabilité $p(A ∪ B)$ de l'événement A ∪ B.

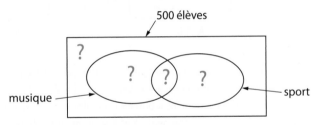

500 élèves

musique

sport

Les activités TICE corrigées animées

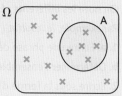
1 Vocabulaire des événements

a. Univers, événements

> **Définitions**
>
> • Une **issue** d'une expérience aléatoire est un résultat possible pour cette expérience.
>
> • L'ensemble de toutes les issues d'une expérience aléatoire est appelé l'**univers** associé à cette expérience. On le note souvent Ω.
>
> • Un **événement** A est un sous-ensemble (une partie) de l'ensemble Ω.
> On dit qu'une issue **réalise** un événement A lorsque cette issue est un résultat appartenant à la partie A.

Événements particuliers

• L'événement **impossible** est l'ensemble vide noté $\varnothing$: aucune issue ne le réalise.

• L'événement **certain** est l'univers Ω : toutes les issues le réalisent.

• Un événement **élémentaire** est un événement formé d'une seule issue.

> Le symbole Ω se lit « omega ».

Exemples

Une expérience aléatoire consiste à lancer un dé à 6 faces et noter le nombre qui apparaît sur la face supérieure. L'ensemble des issues possibles est $\Omega = \{1\,;2\,;3\,;4\,;5\,;6\}$.

L'événement A « obtenir un multiple de 3 » est la partie de Ω : A $= \{3\,;6\}$.

L'issue 3 réalise l'événement A (car $3 \in$ A), mais l'issue 5 ne réalise pas A (car $5 \notin$ A).

L'événement B « obtenir le 1 » est un événement élémentaire : B $= \{1\}$.

b. Intersection, réunion, événement contraire

> **Définitions**   Soient A et B deux événements.
>
> • L'**intersection de A et de B**, notée $A \cap B$ ou **A et B**, est l'événement constitué des issues réalisant A **et** B en même temps.
>
> • Dans le cas où A et B ne peuvent pas être réalisés en même temps, c'est-à-dire si $A \cap B = \varnothing$, on dit que A et B sont **incompatibles** ou **disjoints**.
>
> • La **réunion de A et de B**, notée $A \cup B$ ou **A ou B**, est l'événement constitué des issues réalisant A **ou** B, c'est-à-dire au moins l'un des deux.
>
> • L'**événement contraire de A**, noté $\overline{A}$, est constitué de toutes les issues de Ω ne réalisant pas A.

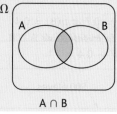

$A \cap B$

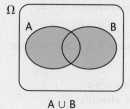

$A \cup B$

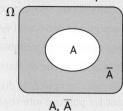

A, $\overline{A}$

Exemples

On reprend l'exemple précédent avec l'univers Ω tel que $\Omega = \{1\,;2\,;3\,;4\,;5\,;6\}$. Soit l'événement C « obtenir un nombre inférieur ou égal à 4 ». On a : C $= \{1\,;2\,;3\,;4\}$.

• $A \cap C$ est l'événement « obtenir un multiple de 3 qui est inférieur à 4 ». On a $A \cap C = \{3\}$;

• $A \cap B = \varnothing$, les événements A et B sont incompatibles ;

• $A \cup C$ est l'événement « obtenir un multiple de 3 ou un nombre inférieur ou égal à 4 ». On a : $A \cup C = \{1\,;2\,;3\,;4\,;6\}$;

• $\overline{C}$ est l'événement « obtenir un nombre strictement supérieur à 4 ». On a : $\overline{C} = \{5\,;6\}$.

Énoncé

Une urne contient deux boules rouges marquées R_1 et R_2, et deux boules jaunes marquées J_2 et J_3.

On tire au hasard une première boule dans l'urne, puis sans la remettre, on tire au hasard une deuxième boule. On note à chaque tirage la couleur et le numéro tirés.

1. Quel est l'ensemble des issues possibles ?

2. Écrire sous forme d'ensembles les événements suivants :
• A « obtenir deux boules de même couleur ou de même numéro » ;
• B « obtenir deux boules portant des numéros ayant un écart de 1 ».

3. Déterminer l'événement « obtenir A et B ».

Solution rédigée

1. On construit un arbre pour représenter la situation (point ❶).

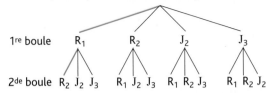

| 1re boule | R_1 | R_2 | J_2 | J_3 |

| 2de boule | R_2 J_2 J_3 | R_1 J_2 J_3 | R_1 R_2 J_3 | R_1 R_2 J_2 |

Les tirages se lisent en notant les différentes boules sur un chemin.
Ainsi le chemin rouge représente le tirage d'abord de R_1, puis de R_2, qui est noté par le couple $(R_1 ; R_2)$.
On lit sur l'arbre l'ensemble des 12 issues possibles :
$\Omega = \{(R_1 ; R_2) ; (R_1 ; J_2) ; (R_1 ; J_3) ; (R_2 ; R_1) ; (R_2 ; J_2) ; (R_2 ; J_3) ; \dots (J_3 ; J_2)\}$.

2. La lecture de l'arbre permet de déterminer les issues qui réalisent l'événement A (point ❷) :
$A = \{(R_1 ; R_2) ; (R_2 ; R_1) ; (R_2 ; J_2) ; (J_2 ; R_2) ; (J_2 ; J_3) ; (J_3 ; J_2)\}$.
De même :
$B = \{(R_1 ; R_2) ; (R_1 ; J_2) ; (R_2 ; R_1) ; (R_2 ; J_3) ; (J_2 ; R_1) ; (J_2 ; J_3) ; (J_3 ; R_2) ; (J_3 ; J_2)\}$.

3. L'événement « obtenir A et B » correspond à l'intersection des événements A et B (point ❸) :
$A \cap B = \{(R_1 ; R_2) ; (R_2 ; R_1) ; (J_2 ; J_3) ; (J_3 ; J_2)\}$.

Points méthode

❶ Pour déterminer toutes les issues d'une expérience aléatoire, on peut utiliser un arbre, un tableau, etc.

❷ Pour déterminer les issues qui réalisent un événement, on suit tous les chemins qui respectent la condition définissant cet événement.

❸ Pour déterminer l'intersection de deux événements A et B, on fait la liste des issues communes à A et à B.

POUR S'EXERCER

❶ À chaque lancer d'une pièce, le résultat est soit P (pile), soit F (face).
Une expérience consiste à lancer trois fois de suite une pièce : l'issue est un triplet.
Par exemple, PPF signifie obtenir pile au premier lancer, pile au second lancer et face au troisième lancer.

1. Déterminer l'ensemble Ω des issues possibles à l'aide d'un arbre.

2. Écrire l'événement A « pile est apparu plus souvent que face » sous forme d'un ensemble.

3. B est l'événement « pile est apparu au second lancer ». Écrire sous forme d'ensemble l'événement B, puis l'événement $A \cap B$.

❷ Une expérience aléatoire consiste à tirer une carte au hasard dans un jeu de 32 cartes.
Soient A et B les événements :
• A « la carte est un cœur » ;
• B « la carte est un roi ».
1. Écrire A et B sous forme d'ensembles.
2. a. Décrire par une phrase l'événement $A \cap B$, puis l'écrire sous forme d'ensemble.
b. Procéder de même avec $A \cup B$.
3. a. Décrire par une phrase l'événement $\bar{A}$.
b. Combien d'issues réalisent $\bar{A}$?

▶ Voir exercices 16 à 33

2 Probabilité d'un événement sur un ensemble fini

a. Lois de probabilité

Définitions Soit une expérience aléatoire d'univers Ω fini, avec $\Omega = \{e_1 ; e_2 ; \ldots ; e_n\}$.

• **Définir une loi de probabilité sur** Ω, c'est associer à chaque issue e_i un réel positif ou nul p_i, ces réels vérifiant la relation : $p_1 + p_2 + \ldots + p_n = 1$.

• Le nombre p_i est appelé **probabilité de l'événement élémentaire** $\{e_i\}$. On note $p_i = p(\{e_i\})$.

• La **probabilité d'un événement A**, notée $p(A)$, est la somme de toutes les probabilités associées aux issues qui réalisent A.

Exemple : On lance un dé pipé, c'est-à-dire mal équilibré. La loi de probabilité correspondant au lancer de ce dé est décrite par le tableau ci-contre :

Soit A l'événement « obtenir au moins 4 ». On a : $A = \{4 ; 5 ; 6\}$
et $p(A) = p_4 + p_5 + p_6 = 0,05 + 0,1 + 0,1 = 0,25$.

e_i	1	2	3	4	5	6
p_i	0,3	0,3	0,15	0,05	0,1	0,1

Propriétés

• La probabilité de l'événement certain Ω vaut 1 : $p(\Omega) = 1$.

• La probabilité de l'événement impossible $\varnothing$ vaut 0 : $p(\varnothing) = 0$.

• Pour tout événement A, on a : $0 \leqslant p(A) \leqslant 1$.

b. Lien avec les fréquences

Propriétés

Si l'on effectue une expérience aléatoire n fois de suite dans les mêmes conditions, **la fréquence** de réalisation d'un événement **se stabilise** lorsque que n devient très grand **et se rapproche d'un nombre fixe** qui est égal à la probabilité de cet événement.

Exemple : On lance un dé à six faces, non pipé, comportant une face numérotée 1, deux faces numérotées 2 et trois faces numérotées 3.

On considère l'événement A : « la face supérieure est 3 ».

On simule sur tableur plusieurs séries de lancers de ce dé : on obtient une fréquence de réalisation de l'événement A de 0,42 sur 100 lancers, et de 0,5008 sur 5 000 lancers. Elle s'approche ainsi de 0,5 (la probabilité de l'événement A).

F	G	H	I
Face supérieure du dé	1	2	3
fréquence sur 100 lancers	0,2	0,38	0,42
fréquence sur 1000 lancers	0,147	0,366	0,487
fréquence sur 5000 lancers	0,1610	0,3382	0,5008

Généralisation

Pour une expérience donnée, modélisée par un univers (ensemble des issues e_i) et une loi de probabilité, **la distribution des fréquences** de réalisation de chaque issue e_i, calculées sur n expériences, **se rapproche de la loi de probabilité** quand n devient très grand.

Conséquence : **Le calcul des fréquences sur un grand nombre d'expériences identiques permet, sous certaines conditions, de valider ou de rejeter le modèle choisi.**

L'exemple précédent ne permettrait pas de valider le modèle défini par la loi : $p_1 = p_2 = p_3 = \dfrac{1}{3}$.

En revanche, le modèle défini par la loi $p_1 = \dfrac{1}{6}$, $p_2 = \dfrac{1}{3}$, $p_3 = \dfrac{1}{2}$, paraît validé.

Énoncé

On lance un dé à six faces déséquilibré. On note p_i la probabilité d'obtenir la face marquée i.

La loi de probabilité correspondant au lancer de ce dé est donnée par le tableau ci-dessous où la probabilité p_5 d'obtenir la face marquée 5 est inconnue.

i	1	2	3	4	5	6
p_i	0,3	0,1	0,1	0,15	p_5	0,07

1. Déterminer la probabilité p_5.

2. On note A l'événement « obtenir une face marquée d'un nombre pair ». Calculer $p(A)$.

Solution rédigée

1. L'expérience a six issues, donc on a :
$$p_1 + p_2 + p_3 + p_4 + p_5 + p_6 = 1 \text{ (point ❶)},$$
soit : $0,3 + 0,1 + 0,1 + 0,15 + p_5 + 0,07 = 1$.

On obtient : $p_5 + 0,72 = 1$,

soit $p_5 = 0,28$.

2. On a : $A = \{2\,;4\,;6\}$,

donc : $p(A) = p_2 + p_4 + p_6 = 0,1 + 0,15 + 0,07$ (point ❷).

On obtient : $p(A) = 0,32$.

Points méthode

❶ Dans un univers, la somme des probabilités des événements élémentaires vaut 1.
Cela permet d'écrire une équation pour déterminer la probabilité inconnue.

❷ Pour calculer la probabilité d'un événement, on calcule la somme des probabilités des événements élémentaires dont il est la réunion.

POUR S'EXERCER

3 On dispose d'un dé cubique pipé.

La loi de probabilité correspondant au lancer de ce dé est donnée par le tableau ci-dessous, où p est un réel de l'intervalle $[0\,;1]$:

1	2	3	4	5	6
p	p	$2p$	$3p$	p	$4p$

1. Déterminer p.

2. En déduire la probabilité d'obtenir un résultat impair en lançant ce dé.

4 Une roue de loterie est formée de cinq secteurs. La loi de probabilité est donnée par le tableau suivant :

Secteur	1	2	3	4	5
Loi	0,2	0,25	0,1	p_4	p_5

1. Déterminer p_4 et p_5 sachant que p_5 est le double de p_4.

2. On lance cette roue, puis on attend l'arrêt.

a. Quelle est la probabilité que la flèche indique un multiple de 2 ?

b. Quelle est la probabilité que la flèche indique un secteur avec un numéro inférieur ou égal à 3 ?

5 On lance deux dés équilibrés à quatre faces numérotées 1, 2, 3 et 4 et on s'intéresse à la somme obtenue.

Trois lois de probabilités sont proposées pour modéliser cette expérience.

Somme	2	3	4	5	6	7	8
Loi 1	$\frac{1}{7}$	$\frac{1}{7}$	$\frac{1}{7}$	$\frac{1}{7}$	$\frac{1}{7}$	$\frac{1}{7}$	$\frac{1}{7}$
Loi 2	$\frac{1}{16}$	$\frac{1}{8}$	$\frac{3}{16}$	$\frac{1}{4}$	$\frac{3}{16}$	$\frac{1}{8}$	$\frac{1}{16}$
Loi 3	0,05	0,15	0,2	0,2	0,2	0,15	0,05

Une et une seule de ces trois lois modélise l'expérience.
En utilisant les résultats ci-contre, obtenus par simulation de 10 000 lancers sur une calculatrice, préciser la loi de probabilité qui convient.

L1	L2	L3
2	636	.0636
3	1271	.1271
4	1882	.1882
5	2500	.25
6	1851	.1851
7	1211	.1211
8	649	.0649

L3 = L2/sum(L2)

▶ Voir exercices 34 à 48

3 Calculs de probabilité

a. Équiprobabilité sur un ensemble fini

Définition et propriété

• Lorsque tous les événements élémentaires d'un univers Ω ont la même probabilité, on dit qu'on est dans une **situation d'équiprobabilité** sur Ω.

• En situation d'équiprobabilité, en notant n le nombre d'issues de Ω, chaque événement élémentaire a pour probabilité $\dfrac{1}{n}$.

Par convention, les expressions telles que « dés équilibrés », « tirage au hasard », « jetons indiscernables au toucher » indiquent que le modèle choisi est celui de l'équiprobabilité, qui ne privilégie aucune issue par rapport à une autre.

Propriété

En cas d'équiprobabilité sur un univers Ω ayant n issues, la probabilité d'un événement A est :

$$p(A) = \frac{\text{nombre d'issues réalisant A}}{n}.$$

Exemple : Une expérience aléatoire consiste à lancer un dé cubique bien équilibré et on note A l'événement « le résultat est 3 ou 6 ».

On a : $\Omega = \{1\,;2\,;3\,;4\,;5\,;6\}$ et $A = \{3\,;6\}$.

On obtient : $p(A) = \dfrac{2}{6} = \dfrac{1}{3}$.

b. Réunion, intersection et événement contraire

Propriétés

• **Dans le cas où les événements A et B sont incompatibles**, $p(A \cup B) = p(A) + p(B)$.

• Pour tous les événements A et B, $p(A \cup B) = p(A) + p(B) - p(A \cap B)$.

• Pour tout événement A, $p(A) + p(\overline{A}) = 1$, c'est-à-dire $p(\overline{A}) = 1 - p(A)$.

Démonstrations

• Si A et B sont incompatibles, une issue réalisant $A \cup B$ réalise ou bien A ou bien B. La somme des probabilités des issues réalisant $A \cup B$ est donc égale à $p(A) + p(B)$.

• Si $A \cap B \neq \varnothing$, dans le calcul de $p(A) + p(B)$, les p_i correspondants aux issues de $A \cap B$ apparaissent deux fois : une fois dans $p(A)$, une autre fois dans $p(B)$.

Pour obtenir $p(A \cup B)$, il faut donc retrancher chacun d'eux une fois, ce qui revient à retrancher $p(A \cap B)$ à $p(A) + p(B)$.

Ainsi on trouve : $p(A \cup B) = p(A) + p(B) - p(A \cap B)$.

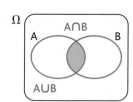

• Soit A un événement d'un univers Ω muni d'une loi de probabilité p et $\overline{A}$ l'événement contraire de A.

On a $\Omega = A \cup \overline{A}$, car toute issue de Ω appartient soit à A, soit à $\overline{A}$.

Or A et $\overline{A}$ sont incompatibles, donc $p(A) + p(\overline{A}) = p(A \cup \overline{A}) = p(\Omega) = 1$.

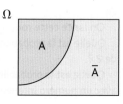

Remarque : La relation $p(A \cup B) = p(A) + p(B) - p(A \cap B)$, permet de calculer par différence l'un quelconque des quatre termes connaissant les trois autres.

Énoncé

Une urne contient 100 boules indiscernables au toucher.
- 25 boules sont rouges et numérotées 1 ; • 15 sont rouges et numérotées 2 ;
- 20 sont vertes et numérotées 2 ; • 20 sont bleues et numérotées 1 ;
- 10 sont jaunes et numérotées 1 ; • 10 sont jaunes et numérotées 2.

On tire une boule au hasard de l'urne. Soient A et B les événements :
- A « la boule tirée est rouge » ;
- B « la boule tirée porte un numéro 2 ».

1. Déterminer $p(A)$ et $p(B)$ les probabilités de chacun des événements A et B.

2. Définir par une phrase l'événement $A \cap B$ et calculer sa probabilité.

3. Déduire des questions précédentes $p(\overline{A})$ et $p(A \cup B)$.

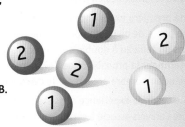

Solution rédigée

1. Les boules sont indiscernables au toucher et on tire au hasard une boule, donc on est dans une situation d'équiprobabilité (point ❶).

Parmi les 100 boules, il y a 25 + 15 boules rouges, soit 40. On peut écrire :

$p(A) = \dfrac{\text{nombre de boules rouges}}{100}$ (point ❷), soit $p(A) = \dfrac{40}{100} = 0,4$.

Parmi les 100 boules, il y a 15 + 20 + 10 boules numérotées 2, soit 45. On peut écrire :

$p(B) = \dfrac{\text{nombre de boules numérotées 2}}{100}$ (point ❷), soit $p(B) = \dfrac{45}{100} = 0,45$.

2. L'événement $A \cap B$ est : « la boule tirée est rouge et numérotée 2 ».

$p(A \cap B) = \dfrac{15}{100}$ (point ❷), soit $p(A \cap B) = 0,15$.

3. On a $p(\overline{A}) = 1 - p(A) = 1 - 0,4$ (point ❸), donc $p(\overline{A}) = 0,6$.
On a aussi $p(A \cup B) = p(A) + p(B) - p(A \cap B)$ (point ❸), ce qui donne :
$p(A \cup B) = 0,4 + 0,45 - 0,15$, ou encore $p(A \cup B) = 0,85 - 0,15$.
On obtient : $p(A \cup B) = 0,7$.

Points méthode

❶ Reconnaître les termes de l'énoncé qui indiquent une situation d'équiprobabilité : ici, boules « indiscernables au toucher ».

❷ On utilise la formule qui permet de calculer une probabilité dans une situation d'équiprobabilité.

❸ On utilise les formules du cours avec $\overline{A}$ ou avec $A \cup B$.

Pour s'exercer

6 Soient A et B deux événements d'un univers muni d'une probabilité p, tels que :
$$p(A) = 0,3, \quad p(B) = 0,5 \text{ et } p(A \cap B) = 0,1.$$
Calculer $p(A \cup B)$, $p(\overline{A})$ et $p(\overline{B})$.

7 Dans un jeu de 52 cartes, on tire une carte au hasard. On considère les deux événements suivants :
- A « la carte tirée est un carreau » ;
- B « la carte tirée ne figure pas dans un jeu de 32 cartes ».
1. Définir l'événement $\overline{A}$. Calculer $p(\overline{A})$.
2. a. Définir l'événement $A \cap B$.
b. Calculer $p(A \cap B)$.
3. a. Définir l'événement $A \cup B$.
b. Calculer $p(A \cup B)$.

8 Pierre vient de compter ses billes et il a rempli le tableau suivant :

Couleur	rouge	bleu	vert	mauve
Effectif	13	3	5	2

1. Pierre met ses billes dans un sac et en tire une au hasard. On note R l'événement « la bille tirée est rouge » et V l'événement « la bille tirée est verte ».
Calculer $p(R)$ et $p(V)$.
2. a. Comment qualifie-t-on les événements R et V ?
b. Que vaut $p(R \cap V)$?
c. Calculer $p(R \cup V)$.

▶ Voir exercices 49 à 62

9 Utiliser un tableau à double entrée

On dispose de deux dés tétraédriques non truqués, l'un bleu et l'autre rouge.

On lance les deux dés en même temps.

1. Une première expérience aléatoire consiste à prendre comme résultat le couple (nombre amené par le dé bleu ; nombre amené par le dé rouge).

a. Dans un tableau à double entrée, écrire les 16 couples de résultats possibles.

b. Déterminer la probabilité de l'événement A « le nombre amené par le dé bleu est strictement supérieur au nombre amené par le dé rouge ».

2. Une seconde expérience consiste à prendre comme résultat l'écart entre les deux nombres.

a. Écrire l'univers associé à cette expérience sous forme d'ensemble, ainsi que l'événement B « l'écart est inférieur ou égal à 1 ».

b. À l'aide d'un tableau, déterminer la probabilité de B.

Sur la photo ci-dessus, le résultat est 1 pour le dé rouge et 3 pour le dé bleu.

Solution

1. a. Les couples possibles sont :

	1	2	3	4
1	(1 ; 1)	(2 ; 1)	(3 ; 1)	(4 ; 1)
2	(1 ; 2)	(2 ; 2)	(3 ; 2)	(4 ; 2)
3	(1 ; 3)	(2 ; 3)	(3 ; 3)	(4 ; 3)
4	(1 ; 4)	(2 ; 4)	(3 ; 4)	(4 ; 4)

b. L'univers est composé de 16 issues équiprobables.
Parmi elles, 6 réalisent l'événement A.
On a : $p(A) = \dfrac{6}{16}$, soit $p(A) = \dfrac{3}{8}$.

2. a. L'univers Ω est $\{0 ; 1 ; 2 ; 3\}$ et $B = \{0 ; 1\}$.

b.

	1	2	3	4
1	0	1	2	3
2	1	0	1	2
3	2	1	0	1
4	3	2	1	0

Parmi les 16 issues équiprobables du tableau, 10 réalisent l'événement B.

On a : $p(B) = \dfrac{10}{16}$, soit $p(B) = \dfrac{5}{8}$.

Stratégies

1. a. On réalise un tableau à double entrée : la ligne supérieure indique le résultat possible du dé bleu et la colonne de gauche celui du dé rouge. On écrit le couple résultat dans chacune des cases.

b. Comme les dés ne sont pas truqués, pour chacun d'entre eux, les faces ont toutes la même probabilité d'apparition et les 16 cases du tableau sont équiprobables. On peut alors utiliser :

$$p(A) = \frac{\text{nombre d'issues réalisant A}}{16}.$$

2. L'univers $\Omega = \{0 ; 1 ; 2 ; 3\}$ n'est pas muni de l'équiprobabilité. La réalisation d'un tableau à double entrée donnant l'écart (différence positive) entre les deux nombres permet de retrouver une situation d'équiprobabilité.

---

10 Représenter les données par un diagramme et exploiter le diagramme

Dans une classe de 25 élèves, 12 étudient l'allemand, 20 étudient l'anglais et 12 étudient l'espagnol.

10 élèves étudient l'anglais et l'allemand et parmi eux 1 élève étudie aussi l'espagnol.

Aucun élève n'étudie l'allemand et l'espagnol sans étudier l'anglais et seulement 3 élèves n'étudient que l'espagnol.

1. Représenter ces données par un diagramme.

2. On rencontre au hasard un élève de cette classe.

a. Quelle est la probabilité qu'il étudie l'allemand ?

b. Quelle est la probabilité qu'il étudie exactement deux langues vivantes ?

1. allemand

anglais

espagnol

1. On représente chaque groupe de langue par un ensemble. On remplit les effectifs en commençant par les parties communes, **1** élève étudie les trois langues, **aucun** en allemand et espagnol sans anglais, etc.

On termine par les parties concernant une seule langue en déterminant leurs effectifs par différence (par exemple en allemand, on a $12 - 9 - 1 - 0$).

2. La rencontre s'effectue au hasard, donc il y a équiprobabilité.

a. 12 élèves étudient l'allemand, donc la probabilité est $\frac{12}{25}$, soit 0,48.

b. $9 + 8$ élèves étudient exactement deux langues vivantes, donc la probabilité est $\frac{17}{25}$, soit 0,68.

2. On précise qu'il y a équiprobabilité et on utilise la formule :

$$p(A) = \frac{\text{nombre d'issues réalisant A}}{n}.$$

---

11 Utiliser un arbre pondéré

On dispose d'une pièce déséquilibrée. On sait que la probabilité d'obtenir pile est supérieure de 0,2 à celle d'obtenir face.

1. Déterminer la probabilité d'obtenir pile en un lancer. En déduire la probabilité d'obtenir face en un lancer.

2. Une expérience aléatoire consiste à lancer trois fois de suite cette pièce et à noter dans l'ordre d'apparition les 3 côtés, pile ou face, obtenus.

a. À l'aide d'un arbre, déterminer l'univers Ω et préciser la probabilité de chacune des issues.

b. Soit A l'événement « on obtient plus de fois pile que face ». Déterminer $p(A)$.

1. Soit x la probabilité d'obtenir pile. La probabilité d'obtenir face est $x - 0,2$.

On a : $p(\text{pile}) + p(\text{face}) = 1 \Leftrightarrow x + x - 0,2 = 1 \Leftrightarrow 2x = 1,2 \Leftrightarrow x = 0,6$.

La probabilité d'obtenir pile est 0,6.

On a $0,6 - 0,2 = 0,4$: la probabilité d'obtenir face est donc égale à 0,4.

2. a.

lancer 1	lancer 2	lancer 3	résultat	probabilité
		0,6 P	PPP	0,216
	0,6 P	0,4 F	PPF	0,144
P	0,4 F	0,6 P	PFP	0,144
0,6		0,4 F	PFF	0,096
	0,6 P	0,6 P	FPP	0,144
0,4		0,4 F	FPF	0,096
F	0,4 F	0,6 P	FFP	0,096
		0,4 F	FFF	0,064

On a : $\Omega = \{PPP\,; PPF\,; PFP\,; PFF\,; FPP\,; FPF\,; FFP\,; FFF\}$;

On obtient : $p(PPP) = 0,6 \times 0,6 \times 0,6 = 0,216$.

b. On a $A = \{PPP\,; PPF\,; PFP\,; FPP\}$.

$p(A) = p(PPP) + p(PPF) + p(PFP) + p(FPP)$
$= 0,216 + 0,144 + 0,144 + 0,144 = 0,648$.

La probabilité de l'événement A est 0,648.

1. On désigne par x la probabilité d'obtenir pile, puis, à l'aide de cette inconnue, on exprime la probabilité d'obtenir face.

● Sur un lancer, « obtenir face » est l'événement contraire d'« obtenir pile ». En écrivant que la somme des probabilités vaut 1, on obtient une équation qui permet de trouver x.

2. a. Effectuant trois lancers consécutifs, on construit un arbre à trois niveaux.

● Sur chaque branche on porte la probabilité du lancer correspondant à cette branche.

● Pour obtenir la probabilité d'une issue, on multiplie les probabilités des branches qui conduisent à cette issue.

Organiser une recherche

Énoncé

Le jeu du franc carreau consiste à lancer des jetons ronds de rayon 2 cm dans une boîte carrée de côté 20 cm. Le lancer est « réussi » si le jeton ne touche pas une des lignes vertes situées à 2 cm des bords de la boîte.

Sur la figure ci-contre, le jeton bleu correspond à un lancer réussi et le jeton rouge correspond à un lancer non réussi.

1. En simulant ce jeu sur un tableur, conjecturer une valeur approchée de la probabilité de réussir un lancer effectué au hasard.

2. En écrivant la probabilité d'avoir un lancer réussi comme quotient de 2 aires, calculer cette probabilité et la comparer avec celle conjecturée à la question **1.**

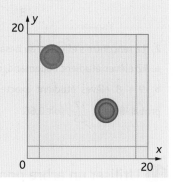

Analyse de la situation

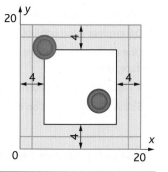

C'est la position du jeton et donc de son centre qui permet de savoir si un lancer est réussi ou non.

Le rayon du jeton étant de 2 cm, le centre du jeton est **toujours à l'intérieur** (bords inclus) du carré à bords verts.

Pour que le lancer soit réussi, le centre du jeton doit être à plus de 2 cm des traits en vert, donc à l'intérieur du carré blanc ci-contre, dont les bords sont à 4 cm des bords de la boîte.

Simulation à l'aide d'un tableur

En utilisant le repère de la figure, on simule le lancer d'un jeton par le choix au hasard de deux réels x et y, donnant les coordonnées $(x ; y)$ du centre du jeton.

1. Quelles sont les valeurs possibles de x et de y ?

2. Quelles conditions sur x et sur y doit-on avoir pour qu'un lancer soit réussi ?

3. Mettre en place la feuille de calcul suivante et simuler 500 lancers.

4. Étudier l'évolution de la fréquence des lancers réussis quand le nombre de lancers augmente.

	A	B	C	D	E
1	Numéro du lancer	Abscisse x du centre	Ordonnée y du centre	Lancer "réussi" ?	Fréquence cumulé de OUI
2	1	4,85	16,79	NON	0,00
3	2	12,33	9,00	OUI	0,50
4	3	6,58	16,58	NON	0,33
5	4	6,10	9,07	OUI	0,50
6	5	4,49	2,19	NON	0,40
7	6	8,58	8,01	OUI	0,50
8	7	17,46	7,12	NON	0,43
9	8	8,97	9,37	OUI	0,50
10	9	6,20	6,34	OUI	0,56
11	10	5,85	17,91	NON	0,50
12	11	14,97	18,00	NON	0,45

Ébauche d'une solution

● Avec le repère donné sur la figure, pour tout lancer, on a $2 \leqslant x \leqslant 18$ et $2 \leqslant y \leqslant 18$.

Un lancer est réussi si, et seulement si, on a $4 \leqslant x \leqslant 16$ et $4 \leqslant y \leqslant 16$.

La simulation de 500 ou 1 000 lancers permet de conjecturer une valeur approchée de la probabilité de réussite d'un lancer (voir le cours, page 192, « lien avec les fréquences »).

● **Calcul théorique :** Lors d'un lancer quelconque, le centre du jeton tombe dans le carré vert, alors qu'un lancer est réussi lorsque le centre du jeton tombe à l'intérieur du carré blanc.

La probabilité d'obtenir un lancer réussi est donc le quotient de l'aire du carré blanc par l'aire du carré à bords verts.
Il reste à calculer chacune de ces aires.

Rédaction d'une solution

À l'aide des trois parties précédentes, rédiger une solution du problème étudié.

Prendre des initiatives

12 Problème du Grand Duc de Toscane

Le problème du Grand Duc était fondé sur l'étude du jeu de « passe-dix » en vogue à la cour de Florence au début du XVIIᵉ siècle. Ce jeu de dés consistait à lancer trois dés cubiques équilibrés et à faire la somme des nombres portés par les trois faces supérieures.

Le Grand Duc observa qu'« obtenir une somme égale à 10 » avait tendance à apparaître plus souvent qu'« obtenir une somme égale à 9 », alors qu'il y a autant de possibilités d'écrire 9 ou 10 comme la somme de trois nombres :

• $6 + 3 + 1 = 6 + 2 + 2 = 5 + 4 + 1 = 5 + 3 + 2 = 4 + 4 + 2 = 4 + 3 + 3 = 10$;

• $6 + 2 + 1 = 5 + 3 + 1 = 5 + 2 + 2 = 4 + 4 + 1 = 4 + 3 + 2 = 3 + 3 + 3 = 9$.

Élaborer une stratégie pour prouver que l'observation faite par le Grand Duc de Toscane est fondée.

13 Analyser et critiquer une démarche

On dispose d'une pièce de monnaie bien équilibrée.

On propose deux jeux :

• **Jeu 1** : On lance la pièce deux fois de suite : on gagne si on obtient exactement une fois pile.

• **Jeu 2** : On lance la pièce quatre fois de suite : on gagne si on obtient exactement deux fois pile.

Maryse pense qu'elle a plus de chance de gagner en jouant au second jeu.

A-t-elle raison ? Argumenter en simulant plusieurs parties de chacun des jeux, puis en élaborant une stratégie permettant de confirmer ou d'infirmer l'hypothèse de Maryse.

14 Atteindre une cible

Sur une planche carrée de côté 1 m, on colorie en jaune le quart de disque comme sur la figure ci-contre :

Cette planche devient la cible sur laquelle Mehdi envoie des fléchettes au hasard et de façon aléatoire (on suppose qu'il ne rate jamais la planche).

On souhaite estimer la probabilité que Mehdi atteigne la zone colorée en jaune.

1. On se place dans le repère orthonormé donné sur la figure.

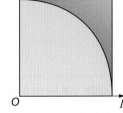

On choisit de simuler un lancer par le choix au hasard de deux réels x et y dans $[0 ; 1]$.
Le point d'impact de la fléchette sera repéré par les coordonnées $(x ; y)$.

a. Donner un critère sur x et y permettant de savoir si la zone colorée en jaune a été atteinte ou non.

b. Simuler plusieurs lancers à l'aide d'une calculatrice, d'un tableur ou d'un logiciel de programmation, puis estimer la probabilité que Mehdi atteigne la zone colorée en jaune.

2. En écrivant la probabilité cherchée comme le quotient de deux aires, calculer la valeur exacte de la probabilité pour que Mehdi atteigne la zone colorée en jaune.

15 Obtenir le 6 à tout prix : jouer ou pas ?

Un jeu consiste à lancer au plus six fois un dé cubique bien équilibré.

Dès que le joueur obtient un 6, il est gagnant et le jeu s'arrête. Si aucun 6 n'apparaît au cours des six lancers, le joueur est perdant.

On souhaite savoir si le jeu est « à l'avantage du joueur » ou non.

1. Élaborer une démarche permettant de simuler N parties, où N est un entier, et programmer à l'aide d'un tableur ou d'un logiciel de programmation.

2. En justifiant la réponse, indiquer si le jeu paraît avantageux pour le joueur, c'est-à-dire si la probabilité qu'il gagne est supérieure à 0,5.

Savoir...	Comment faire ?
Déterminer l'univers associé à une expérience aléatoire.	• Trouver l'ensemble de toutes les issues possibles pour cette expérience aléatoire • Construire un diagramme, un tableau à double entrée, un arbre, ou un arbre pondéré, en faisant attention aux conditions de l'expérience décrite par l'énoncé. Par exemple, tirages simultanés ou tirages successifs (avec ou sans remise).
Décrire un événement sous forme d'ensemble.	Repérer dans l'ensemble des issues possibles celles qui réalisent l'événement, en faire la liste (l'ordre n'important pas).
Déterminer une intersection ou une réunion d'événements A et B d'un univers Ω.	• Pour l'intersection $A \cap B$ de A et de B, lister les issues réalisant à la fois A et B : c'est la partie commune à A et à B. • Pour la réunion $A \cup B$ de A et de B, lister les issues réalisant A ou B, y compris celles réalisant A et B en même temps, c'est-à-dire la « fusion » de A et de B.
Déterminer l'événement contraire d'un événement A.	Lister les issues ne réalisant pas A dans l'ensemble des issues possibles.
Valider une loi de probabilité.	• La somme des probabilités de tous les événements élémentaires doit être égale à 1. • Par simulation par exemple, vérifier que les fréquences trouvées lors de la répétition de l'expérience aléatoire un grand nombre de fois s'approchent de la probabilité de chaque événement élémentaire.
Reconnaître une situation d'équiprobabilité.	Lorsque tous les événements élémentaires d'un univers ont même probabilité, on dit qu'il y a équiprobabilité. Si les conditions de l'expérience décrites par l'énoncé montrent qu'aucune issue n'est privilégiée (tirage **au hasard** de billes **indiscernables au toucher**, lancer de dés **bien équilibrés**, de pièces **non pipées)**, elles permettent d'identifier une situation d'équiprobabilité.
Calculer la probabilité d'un événement A.	• Faire la somme des probabilités des issues qui réalisent l'événement A ; • En cas d'équiprobabilité, utiliser la formule : $$p(A) = \frac{\text{nombre d'issues réalisant A}}{n}$$ où n est le nombre d'issues possibles de l'expérience aléatoire. • Utiliser les formules : $$p(A \cup B) = p(A) + p(B) - p(A \cap B)$$ $$\text{et } p(A) + p(\overline{A}) = 1.$$

Pour chaque question, il peut y avoir plusieurs affirmations exactes.

A On lance un dé cubique truqué dont la loi de probabilité est décrite par le tableau ci-dessous :

N°	1	2	3	4	5	6
Probabilité	0,1	0,1	0,3	0,25	0,15	0,1

1. L'événement « obtenir un numéro pair » :	**a.** est $\{2\,;4\,;6\}$	**b.** a pour probabilité $\dfrac{1}{2}$	**c.** a pour probabilité 0,45
2. L'événement « obtenir un entier diviseur de 6 » :	**a.** est $\{1\,;3\}$	**b.** est $\{1\,;3\,;6\}$	**c.** a une probabilité strictement supérieure à 0,5
3. L'événement « obtenir au plus 2 » :	**a.** est l'événement contraire de « obtenir au moins 3 »	**b.** est l'événement contraire de « obtenir au moins 2 »	**c.** a pour probabilité 0,2

Corrigé p. 340

B Une urne contient cinq boules numérotées **indiscernables au toucher** : trois boules rouges R_1, R_2 et R_3 ; deux boules vertes V_1 et V_2.
On tire au hasard successivement sans remise deux boules dans l'urne.
Un résultat est noté sous forme d'un couple (boule tirée au 1er tirage ; boule tirée au 2nd tirage).
On considère les événements A « obtenir deux boules rouges » et B « la 1re boule tirée est numérotée 1 ».

1. Le nombre d'issues possibles est :	**a.** 9	**b.** 10	**c.** 20	**d.** 25
2. L'événement A :	**a.** est $\{(R_1\,;R_2)\,;(R_1\,;R_3)\}$	**b.** contient six issues	**c.** a pour probabilité $\dfrac{3}{10}$	**d.** est impossible
3. L'événement contraire de B :	**a.** est « la 2de boule est numérotée 1 »	**b.** a pour probabilité $1 - p(B)$	**c.** a pour probabilité 0,6	**d.** contient 12 issues
4. L'événement $A \cup B$:	**a.** a pour probabilité $p(A) + p(B) - p(A \cap B)$	**b.** est l'événement « obtenir deux boules rouges dont la 1re est R_1 »	**c.** a pour probabilité 0,8	**d.** a pour probabilité 0,7

Corrigé p. 340

Vrai ou faux ?

Préciser si les affirmations suivantes sont vraies ou fausses.

C On tire au hasard une carte dans un jeu de 32 cartes. On considère les événements :
A « obtenir un carreau »   et   B « obtenir une dame ».

1. Les événements A et B sont incompatibles.	**2.** L'événement $A \cap B$ est l'événement « obtenir la dame de carreau ».
3. La probabilité de l'événement $A \cup B$ est égale à $\dfrac{11}{32}$.	**4.** L'événement $\overline{A}$ a pour probabilité $\dfrac{1}{2}$.

Corrigé p. 340

D On lance deux fois un dé cubique équilibré, en notant le résultat à chaque lancer pour former un couple.

1. La probabilité de chaque issue est égale à $\dfrac{1}{36}$.	**2.** La probabilité des événements « obtenir un 3 au 1er lancer » et « obtenir un 6 au 2nd lancer » sont égales.
3. La probabilité de l'événement « la somme des résultats est 4 » est égale à $\dfrac{1}{12}$.	

Corrigé p. 340

Pour s'auto-évaluer : des QCM et Vrai-Faux complémentaires

8. Exercices

▶ Les exercices portant un numéro orange
sont corrigés à la fin du manuel, page 330.

Applications directes

1 Vocabulaire des événements

16 **Vrai ou faux ?**

Une urne contient cinq boules numérotées de 1 à 5.
Les boules 1 et 2 sont rouges, les autres sont jaunes.
On tire une 1re boule puis, **sans la remettre**, on tire une
2de boule. Les résultats sont les couples $(a\,;b)$ où a est le
numéro de la 1re boule tirée et b est celui de la 2de boule.

1. L'événement A « obtenir deux numéros différents » est
certain.

2. L'issue $(2\,;3)$ réalise l'événement B « obtenir des boules
de couleurs différentes ».

3. L'événement C « obtenir deux boules rouges » est
C = $\{(1\,;2)\}$.

4. L'événement D « la somme des numéros est 10 » est
impossible.

17 **Vrai ou faux ?**

On lance simultanément deux pièces de monnaie.

1. L'ensemble de toutes les issues possibles est :
$$\Omega = \{PP\,;PF\,;FF\}.$$

2. L'événement A « obtenir deux faces différentes » est
A = $\{PF\}$.

3. L'événement B « ne pas obtenir des faces identiques »
est B = $\{PP\,;FF\}$.

4. L'événement C « obtenir au moins une fois face » est
C = $\{PF\}$.

18 **QCM**

Pour chacune des questions
suivantes, une seule réponse
est correcte.

On tire une carte dans un
jeu de 32 cartes. Soient les
événements : A « la carte
tirée est un carreau » et B « la
carte tirée est une figure ».

1. Le nombre d'issues de A est :

a. 4   **b.** 8   **c.** 16

2. L'événement A ∩ B est :

a. « la carte tirée est une figure de carreau »

b. « la carte tirée est une figure ou un carreau »

c. « la carte tirée n'est ni une figure, ni un carreau »

3. Le nombre d'issues de A ∩ B est :

a. 3   **b.** 8   **c.** 12   **d.** 14

4. Le nombre d'issues de A ∪ B est :

a. 3   **b.** 12   **c.** 17   **d.** 20

19 **Vrai ou faux ?**

Une urne contient 10 boules numérotées de 1 à 10.
On tire successivement **avec remise** deux boules dans
l'urne, en notant à chaque fois le numéro tiré.
Les résultats sont les couples $(a\,;b)$ où a est le résultat du
1er tirage et b est le résultat du 2nd tirage.
Soient les événements :
A « les deux boules portent le même numéro » ;
B « la 1re boule tirée porte le numéro 4 ».

1. L'événement A ∩ B est l'ensemble $\{(4\,;4)\}$.

2. L'événement « A ou B » est l'événement « les deux
boules portent le même numéro, mais pas le 4 ».

3. L'événement $\overline{A}$ est l'événement « les deux numéros
tirés sont différents ».

4. L'événement contraire de B est « la 2de boule tirée
porte le numéro 4 ».

> **Pour info**
>
> Un **tirage successif avec remise** de deux boules consiste
> à tirer une 1re boule, noter son numéro et la remettre dans
> l'urne, puis tirer une 2de boule et noter son numéro.

Description d'une expérience aléatoire

20 Déterminer l'ensemble des issues possibles associées à chacune des expériences
aléatoires suivantes utilisant des dés cubiques, dont les 6 faces portent les nombres
entiers de 1 à 6 :

1. on lance un dé à 6 faces et on note le nombre obtenu ;

2. on lance deux dés à 6 faces et on note le plus grand des
nombres obtenus ;

3. on lance deux dés à 6 faces et on note la somme des deux
nombres obtenus ;

4. on lance deux fois de suite un dé à 6 faces, en notant à
chaque lancer le nombre obtenu.

21 Une urne contient 10 boules numérotées de 1 à 10. Les boules paires sont bleues, les autres sont vertes.
Déterminer l'univers associé à chacune des expériences aléatoires suivantes :
1. on tire une boule et on note sa couleur ;
2. on tire une boule et on note son numéro ;
3. on tire simultanément deux boules et on note l'écart entre les numéros obtenus ;
4. on tire successivement avec remise deux boules et on note la somme des numéros obtenus.

22 On dispose de six cartes sur lesquelles sont écrites les lettres C, A, R, T, O et N. Les cartes sont retournées sur une table. Déterminer l'univers associé à chacune des expériences aléatoires suivantes :
1. on prend une carte ;
2. on prend successivement **avec remise** deux cartes ;
3. on prend successivement **sans remise** deux cartes ;
4. on prend simultanément deux cartes.

> **Pour info**
>
> Dans des **tirages successifs sans remise**, on prend une première carte, on note ce résultat, puis on prend une deuxième carte sans remettre la première dans le paquet, qui comporte donc une carte de moins au second tirage !

23 Un médecin prescrit à un malade un sirop et un antidouleur. Il a le choix entre deux sirops différents (S_1 et S_2) et trois antidouleurs différents (A_1, A_2 et A_3).
En s'aidant d'un arbre, décrire l'ensemble des prescriptions possibles :
a. dans le cas où tous les médicaments sont compatibles entre eux ;
b. dans le cas où le sirop S_1 et l'antidouleur A_2 ne sont pas compatibles, ainsi que le sirop S_2 et l'antidouleur A_3.

Détermination d'événements

24 Sur le quadrillage ci-dessous, on se rend du point *A* au point *B*. Les « pas » autorisés sont de taille 1, soit vers la droite, codés « *d* », soit vers le haut, codés « *h* ».
On a visualisé en rouge le trajet « *hhdd* ».

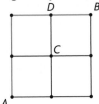

1. Déterminer l'ensemble des trajets possibles.
2. Écrire sous forme d'ensemble les événements :
a. E_1 « le trajet passe par le point *C* » ;
b. E_2 « le trajet passe par le point *D* » ;
c. E_3 « le trajet ne passe pas par *C* » ;
d. E_4 « le trajet ne passe ni par *C*, ni par *D* ».

25 On lance trois fois de suite une pièce de monnaie, en notant le résultat à chaque lancer.
1. Déterminer l'univers (on s'aidera d'un arbre).
2. Déterminer les événements suivants :
a. A « on obtient pile au 1er lancer » ;
b. B « on obtient deux pile en tout ».
c. C « on obtient au moins un pile » ;
d. D « on n'obtient pas de pile ».

26 Un sac contient 20 billes : 10 bleues, 7 rouges et 3 jaunes. Une bille jaune rapporte 5 points, une bille rouge rapporte 1 point, une bille bleue retire 1 point.
On tire simultanément deux billes du sac. On note les couleurs des billes obtenues.
1. Déterminer l'ensemble des issues possibles.
2. Écrire sous forme d'ensemble les événements :
a. A « les billes ont la même couleur » ;
b. B « aucune bille bleue n'a été tirée ».
c. C « les billes rapportent au moins 4 points » ;
d. D « les billes rapportent au plus 3 points ».

27 Une petite entreprise dispose de quatre places de parking. Les employés, au nombre de quatre, viennent au travail avec trois voitures A, B et C.
Combien y a-t-il de dispositions où les voitures A et B sont côte à côte ?

Intersection, réunion, événement contraire

28 On dispose de quatre cartons sur lesquels on a noté les lettres M, A, T et H. On forme un « mot » de deux lettres en choisissant au hasard **successivement et sans remise** deux cartons. Ici « mot » désigne tout assemblage ayant un sens ou non, par exemple « TH ».
1. Déterminer l'ensemble de tous les mots possibles (on pourra s'aider d'un arbre).
2. Écrire sous forme d'ensembles les événements :
a. E_1 « le mot contient la lettre M » ;
b. E_2 « le mot contient la lettre A ».
3. On considère l'événement « le mot contient la lettre M ou la lettre A ». Décrire cet événement à l'aide de E_1 et E_2, puis l'écrire sous la forme d'un ensemble.
4. Reprendre la question **3.** avec l'événement « le mot contient la lettre M et la lettre A ».

29 On lance simultanément deux dés cubiques. On note l'issue *pq* avec $p \leqslant q$ où *p* et *q* sont les numéros obtenus sur les deux faces. On considère les événements :
A « la somme $p + q$ est 6 » ;
B « l'écart entre les deux numéros est 2 ».
1. Décrire par une phrase les événements A ∩ B et A ∪ B.
2. Écrire sous forme d'ensembles A, B, A ∩ B et A ∪ B.

30 Dans une classe de 35 élèves de Seconde, 20 élèves jouent au foot, 15 font du judo. 3 pratiquent les deux sports. On interroge un élève au hasard parmi les 35 élèves de la classe.

On note F l'événement « l'élève interrogé joue au foot » et J l'événement « l'élève interrogé fait du judo ».

1. Décrire par une phrase les événements $F \cap J$, $F \cup J$, $\overline{F}$ et $\overline{F \cup J}$.

2. En s'aidant du diagramme ci-dessous, indiquer combien d'issues réalisent chacun des événements précédents.

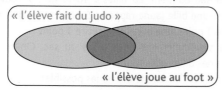

31 On lance simultanément trois pièces de monnaie. L'issue « obtenir deux pile et une face » sera notée PPF.

1. Donner l'ensemble des issues possibles.

2. On considère les événements :
- A « obtenir au moins un pile » ;
- B « obtenir au plus un pile ».

a. Écrire sous forme d'ensembles les événements A et B. Les événements A et B sont-ils incompatibles ?

b. Décrire par une phrase l'événement $\overline{A}$, puis l'écrire sous la forme d'un ensemble.

c. Décrire par une phrase l'événement $A \cap B$, puis l'écrire sous la forme d'un ensemble.

d. Décrire par une phrase l'événement $A \cup B$, puis l'écrire sous la forme d'un ensemble.

32 Une urne contient deux boules rouges, trois boules vertes et cinq boules bleues. On tire successivement **avec remise** deux boules dans l'urne.

1. Déterminer l'ensemble des issues possibles (on pourra s'aider d'un arbre)

2. On considère les événements :
- A « la 1re boule tirée est bleue » ;
- B « la 2de boule tirée est verte » ;
- C « les boules tirées ont la même couleur ».

a. Écrire sous forme d'ensembles les événements A, B et C.

b. Décrire par une phrase l'événement contraire de A, puis l'écrire sous forme d'ensemble.

c. Décrire par une phrase l'événement $A \cup B$, puis l'écrire sous forme d'ensemble.

d. Décrire par une phrase l'événement $A \cap B$, puis l'écrire sous forme d'ensemble.

e. Décrire par une phrase l'événement contraire de C, puis l'écrire sous forme d'ensemble.

33 Sondage

Lors du Mondial de l'automobile en octobre 2008, un sondage a été effectué auprès de 800 visiteurs intéressés par l'achat d'une voiture.

Ce sondage portait sur le choix du type de moteur lors de l'achat d'un véhicule neuf.

Les résultats sont les suivants :
- 300 visiteurs possèdent actuellement un véhicule essence. Parmi eux, 30 % recherchent un véhicule diesel, la moitié un véhicule essence et le reste préfère un véhicule électrique.
- Quant aux autres visiteurs qui possèdent actuellement un véhicule diesel, les 3/5e recherchent un véhicule diesel, 160 recherchent un véhicule essence, et le reste préfère un véhicule électrique.

1. Justifier les affirmations suivantes :

a. 90 visiteurs possèdent actuellement un véhicule essence et recherchent un véhicule diesel ;

b. 60 visiteurs possèdent actuellement un véhicule essence et recherchent un véhicule électrique.

2. a. Recopier et compléter le tableau suivant :

Visiteurs possédant actuellement un véhicule...	... et recherchant un véhicule			Total
	diesel	essence	électrique	
essence	90		60	300
diesel				
Total				800

b. On rencontre un visiteur au hasard parmi les 800. Quel est l'ensemble des issues possibles ?

3. On considère les événements suivants :
A « le visiteur possède un véhicule diesel » ;
B « le visiteur est intéressé par un véhicule diesel ».

a. Décrire par une phrase l'événement $A \cap B$. Combien d'issues réalisent cet événement ?

b. Décrire par une phrase l'événement $A \cup B$. Combien d'issues réalisent cet événement ?

c. Décrire par une phrase l'événement $\overline{B}$. Combien d'issues réalisent cet événement ?

2 Probabilité d'un événement sur un ensemble fini

34 QCM

Donner **toutes** les bonnes réponses.

On lance une pièce de monnaie non truquée trois fois de suite.

1. La probabilité de l'événement « pile sort les trois fois » est :

a. la même probabilité que celle de l'événement « face sort les trois fois »

b. $\dfrac{1}{2}$ **c.** $\dfrac{1}{8}$

2. On a obtenu à chaque fois un pile. On lance la pièce une quatrième fois. Que peut-on dire sur la sortie de pile pour ce 4e lancer ?

a. pile est déjà beaucoup apparu, donc il a moins de 1 chance sur 2 d'apparaître une 4e fois ;

b. pile a exactement 1 chance sur 2 d'apparaître lors de ce 4e lancer ;

c. pile est déjà beaucoup apparu, donc il a plus de 1 chance sur 2 d'apparaître une 4e fois.

Le Français Jean le Rond d'Alembert (1717-1783) donne plusieurs interprétations de ce problème dans l'*Encyclopédie*, également baptisée « *Dictionnaire raisonné des sciences, des arts et des métiers* ».

35 QCM

Donner **toutes** les bonnes réponses.
Une urne contient des boules rouges, bleues et jaunes. On tire une boule dans l'urne et on note la couleur obtenue. Selon la répartition des couleurs dans l'urne, on propose plusieurs lois de probabilité.
Préciser lesquelles ne sont pas possibles.

a.

Couleur	rouge	bleue	jaune
Probabilité	0,3	0,6	0,2

b.

Couleur	rouge	bleue	jaune
Probabilité	0,8	0,1	0,1

c.

Couleur	rouge	bleue	jaune
Probabilité	0,3	0,25	0,45

d.

Couleur	rouge	bleue	jaune
Probabilité	− 0,1	0,5	0,6

36 Vrai ou faux ?

On lance un dé cubique truqué pour lequel la probabilité d'obtenir le nombre 6 est double de la probabilité d'apparition de chacun des autres nombres.

1. La probabilité d'obtenir le 6 est $\frac{1}{2}$.

2. La probabilité d'obtenir le 1 est $\frac{1}{7}$.

3. La probabilité d'obtenir le 2 ou le 3 est $\frac{2}{7}$.

4. La probabilité d'obtenir un nombre pair est $\frac{3}{7}$.

Loi de probabilité

37 Une pièce de monnaie truquée est telle que la probabilité d'obtenir pile est le double de la probabilité d'obtenir face.
Quelle est la probabilité d'obtenir pile ?

38 Le cycle d'allumage d'un feu tricolore est le suivant : le feu vert dure 45 s, le feu orange dure 5 s et le feu rouge dure 20 s.
Un véhicule arrive devant un feu tricolore.
1. Déterminer la probabilité de chaque couleur possible du feu tricolore.
2. Déterminer la probabilité que le conducteur s'arrête au feu.
On rappelle que le code de la route demande au conducteur d'arrêter son véhicule lorsque le feu est au rouge ou à l'orange.

39 Une cible est formée de trois zones concentriques numérotées 1, 2 et 3. Les cercles limitant ces zones ont pour rayons respectifs 10 cm, 20 cm et 30 cm.
Un joueur débutant lance une fléchette vers la cible. Elle atteint la cible et on suppose que la probabilité d'atteindre une zone est proportionnelle à l'aire de cette zone.
Déterminer la loi de probabilité modélisant cette expérience aléatoire.*

* Conseil
On rappelle que l'aire d'un disque de rayon R est : $\pi \times R^2$.

40 Logique

1. On lance un dé à 6 faces. On note p la loi de probabilité associée à cette expérience aléatoire.
On considère les événements A « obtenir un numéro pair » et B « obtenir le 4 ».
a. Indiquer, en justifiant, laquelle des affirmations suivantes est vraie :
« A est une partie de B » ou « B est une partie de A ».
b. Indiquer, en justifiant, laquelle des affirmations suivantes est vraie :
« $p(A) \leqslant p(B)$ » ;
« $p(A) \geqslant p(B)$ » ;
« on ne peut pas comparer $p(A)$ et $p(B)$ ».
2. D'une façon générale, on considère une expérience aléatoire modélisée par une loi de probabilité p.
a. Soient A et B deux événements tels que B est inclus dans A. Dire laquelle des affirmations suivantes est vraie :
« $p(A) \leqslant p(B)$ » ;
« $p(A) \geqslant p(B)$ » ;
« on ne peut pas comparer $p(A)$ et $p(B)$ ».
Argumenter.
b. Réciproquement, soient deux événements A et B tels que $p(B) \leqslant p(A)$.
Peut-on affirmer que B est inclus dans A ? Argumenter.

> **« L'inclusion »**
> Lorsqu'un ensemble F est une partie d'un ensemble E, on dit que F « est **inclus** dans E ». On note $F \subset E$.

41 Une roue de loterie est formée de six secteurs A, B, C, D, E et F associés aux angles au centre dont on donne les mesures ci-dessous :

Secteur	A	B	C	D	E	F
Mesure (en °)	90	60	30	120	15	45

On lance la roue et on attend son arrêt. On admet que la probabilité que la flèche désigne un secteur est proportionnelle à l'angle au centre de ce secteur.

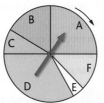

1. Déterminer la loi de probabilité modélisant cette expérience aléatoire.

2. Déterminer la probabilité de chacun des événements suivants :

a. E_1 « la flèche ne désigne pas le secteur D » ;

b. E_2 « la flèche désigne le secteur C ou le secteur F » ;

c. E_3 « la flèche désigne l'un des secteurs de B à E ».

Lien avec les fréquences

42 On interroge un échantillon représentatif de personnes âgées de 15 à 25 ans sur le nombre de SMS envoyés en moyenne par heure à des amis.

On obtient les résultats suivants :

Nombre moyen de SMS envoyés par heure	0	1	2	3 ou plus
Fréquence	10 %	17 %	53 %	20 %

On rencontre une personne âgée de 15 à 25 ans.

Déterminer la probabilité des événements suivants :

• A « la personne envoie en moyenne un SMS par heure » ;

• B « la personne envoie en moyenne au moins deux SMS par heure » ;

• C « la personne envoie en moyenne au plus deux SMS par heure ».

43 On relève le 1er chiffre des prix d'un épais catalogue de vente par correspondance. On obtient la répartition suivante des chiffres de 1 à 9 :

Prix commençant par :	1	2	3	4	5	6	7	8	9
Fréquence (en %)	30,1	17,6	12,5	9,7	7,9	6,7	5,8	5,1	4,6

On choisit au hasard un prix dans le catalogue et on note son 1er chiffre.

Calculer la probabilité des événements suivants :

• A « le 1er chiffre est un multiple de 3 » ;

• B « le 1er chiffre est un carré » ;

• C « le 1er chiffre est strictement supérieur à 5 ».

> **Le saviez-vous ?**
>
> Cette répartition surprenante des premiers chiffres dans une liste de données statistiques se vérifie expérimentalement, par exemple pour les impôts sur le revenu. On l'appelle la loi de Benford. Elle est notamment utilisée pour détecter des fraudes fiscales.

44 Au cours d'une période de plusieurs mois, on a relevé le nombre d'appels reçus simultanément par un standard téléphonique durant la tranche horaire 10 h − 12 h.

On obtient les résultats suivants :

Nombre d'appels simultanés	0	1	2	3	4	5	6	7	8
Fréquence (en %)	2,3	8,3	15,7	19,5	21,5	16,6	11,6	3	1,5

1. On se place dans la tranche horaire 10 h − 12 h.

Déterminer la probabilité des événements :

• A « obtenir deux appels simultanés » ;

• B « obtenir quatre appels simultanés » ;

• C « obtenir au plus deux appels simultanés ».

2. On suppose que le standard possède quatre lignes téléphoniques. On considère que le standard est encombré lorsqu'il reçoit au moins 5 appels simultanés.

Quelle est la probabilité d'encombrement du standard ?

3. La direction du standard doit choisir le nombre de lignes téléphoniques à prévoir de façon à satisfaire au mieux les consommateurs, tout en essayant de faire des économies.

a. Quel est le nombre moyen N d'appels simultanés ? Arrondir à l'unité.

Lorsque le standard possède N lignes téléphoniques, la probabilité d'encombrement du standard est-elle inférieure à 1 chance sur 4 ?

b. Pour affirmer son image de marque sur le marché, la direction du standard estime que la probabilité d'encombrement du standard ne doit pas dépasser 0,05. Quel est le nombre minimal de lignes téléphoniques à prévoir ?

Simulations et choix d'un modèle

45 Dans une urne opaque, on sait qu'il y a un très grand nombre de billes rouges, bleues ou jaunes. On tire une bille de l'urne, on note sa couleur, et on la remet dans l'urne.
On ne connaît pas la loi de probabilité, mais on a réalisé l'expérience un très grand nombre de fois :

	Nombre d'expériences réalisées			
	1 000	2 000	5 000	10 000
Nombre de billes rouges obtenues	344	653	1 658	3 332
Nombre de billes bleues obtenues	484	1 007	2 546	5 005
Nombre de billes jaunes obtenues	172	340	796	1 663

On propose trois lois de probabilité.

Couleurs	rouge	bleue	jaune
Loi ①	$\frac{1}{3}$	$\frac{1}{3}$	$\frac{1}{3}$
Loi ②	0,3	0,5	0,2
Loi ③	$\frac{1}{3}$	$\frac{1}{2}$	$\frac{1}{6}$

Justifier qu'une seule de ces trois lois est compatible avec l'expérience aléatoire.

46 **Somme de deux dés (partie 1)**
On dispose de deux dés tétraédriques (quatre faces en forme de triangles équilatéraux numérotées de 1 à 4) bien équilibrés. On les note **dé 1** et **dé 2**.
On les lance et on note la somme des résultats obtenus. Les sommes possibles sont donc : 2, 3, 4, 5, 6, 7 et 8.
On s'intéresse à la probabilité de chaque somme.
1. On simule plusieurs fois l'expérience à l'aide d'un tableur et on obtient les résultats ci-contre :
Peut-on affirmer que les sept valeurs possibles de la somme sont équiprobables ? Expliquer.

A2	▾	
	A	B	C
1	dé 1	dé 2	somme
2	1	4	5
3	3	1	4
4	3	4	7
5	3	1	4
6	1	2	3

f_x	=ENT(4*ALEA())+1						
	D	E	F	G	H	I	J	K
somme possible	2	3	4	5	6	7	8
fréquence sur 10 lancers	0	0,2	0,2	0,3	0,1	0,2	0
fréquence sur 100 lancers	0,02	0,13	0,27	0,17	0,14	0,19	0,08
fréquence sur 1000 lancers	0,054	0,128	0,191	0,24	0,203	0,124	0,063

2. a. Mettre en place la feuille de calcul précédente.*
b. Estimer la probabilité de chaque somme possible. Expliquer la démarche.

* **Conseil :** *Utiliser la fonction NB.SI pour calculer les effectifs de chaque somme possible, et la touche F9 pour effectuer plusieurs simulations.*

47 **algo** 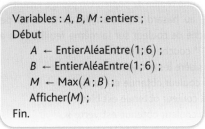 **Maximum (partie 1)**
On lance deux dés à six faces équilibrés et on note le plus grand des deux nombres obtenus. Les résultats possibles sont donc 1, 2, 3, 4, 5 ou 6.
On s'intéresse à la probabilité de chaque résultat.
1. a. Vérifier que l'algorithme suivant permet de simuler l'expérience :

```
Variables : A, B, M : entiers ;
Début
    A ← EntierAléaEntre(1 ; 6) ;
    B ← EntierAléaEntre(1 ; 6) ;
    M ← Max(A ; B) ;
    Afficher(M) ;
Fin.
```

Programmer cet algorithme à l'aide d'une calculatrice, d'un tableur ou d'un logiciel de programmation.
b. Simuler 10 fois l'expérience en notant chaque fois le résultat obtenu.
c. Reprendre la question précédente avec 20 simulations.
d. Les valeurs possibles du maximum sont-elles équiprobables ? Expliquer.
2. a. Pour un entier N, on souhaite maintenant simuler N fois l'expérience, et obtenir la fréquence de chaque résultat possible pour la valeur du maximum sur l'échantillon obtenu.
Modifier l'algorithme de la question **1**.
Puis programmer à l'aide d'une calculatrice, d'un tableur ou d'un logiciel.
b. À l'aide du programme, estimer la loi de probabilité associée à l'expérience aléatoire.
c. Quel est le maximum le plus probable ? Expliquer.

48 **algo** 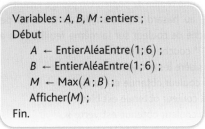 **Famille de trois enfants (partie 1)**
En France, la proportion de naissances de garçons est 51,2 %.
Parmi les familles de trois enfants sans jumeaux, on choisit au hasard une famille. On souhaite estimer la probabilité que cette famille ait au moins deux garçons.
1. Pour simuler le choix d'une famille, on propose la feuille de calcul suivante :

A2	▾	f_x =SI(ALEA()<0,512;"G";"F")							
	A	B	C	D	E	F	G	H	I
1	aîné	cadet	benjamin		nb de garçons	0	1	2	3
2	G	F	F	1	sur 100 simulations				
3	G	G	G	3	sur 500 simulations				
4	F	G	F	1	sur 1000 simulations				
5	G	G	F	2					
6	G	F	G	2					

Expliquer la formule mise en A2, puis mettre en place la feuille de calcul pour avoir 1 000 simulations.*
2. Estimer la probabilité qu'une famille de trois enfants ait au moins deux garçons. Expliquer la démarche.

* **Conseil :** *Utiliser la fonction NB.SI pour calculer les fréquences dans les cellules F2 à I2, et la touche F9 pour effectuer plusieurs simulations.*

3 Calculs de probabilités

49 Vrai ou faux ?

Sur une table sont posés deux pots de peinture : un contient de la peinture bleue, l'autre de la peinture jaune. On plonge au hasard un pinceau dans l'un des pots, puis on peint une feuille de papier. On plonge ensuite un autre pinceau au hasard dans l'un des pots et on peint une 2de couche de couleur sur la même feuille, sans attendre que la 1re couche soit sèche.

On considère les événements suivants :
- J « la couleur obtenue est jaune » ;
- B « la couleur obtenue est bleue » ;
- V « la couleur obtenue est verte ».

1. Les événements J, B et V sont équiprobables.
2. $p(J) = 2 \times p(V)$.
3. La probabilité de l'événement $\bar{B}$ est $\frac{3}{4}$.
4. La probabilité de l'événement B ∪ J est $\frac{1}{2}$.

50 QCM Donner **toutes** les bonnes réponses.

A et B sont deux événements associés à une même expérience aléatoire.

1. Si A et B sont incompatibles, alors :
a. A ∩ B = ∅   **b.** $p(A) = 1 - p(B)$
c. $p(A ∪ B) = p(A) + p(B)$

2. Si B est l'événement contraire de A, alors :
a. $p(A) + p(B) = 1$ **b.** $p(A) = 1 - p(B)$
c. $p(A ∪ B) = 1$

3. Si $p(A) = 0,7$; $p(B) = 0,1$ et $p(A ∩ B) = 0,05$, alors $p(A ∪ B)$ est égal à :
a. 0,85   **b.** 0,80   **c.** 0,75

Équiprobabilité

51 Somme de deux dés (partie 2)

On lance deux dés tétraédriques bien équilibrés, **dé 1** et **dé 2**.

L'issue d'un lancer est la somme des nombres obtenus lors du lancer.

1. a. Recopier et compléter le tableau avec les sommes obtenues :

dé 2 \ dé 1	1	2	3	4
1				
2				
3				
4				

b. Déterminer la probabilité de chaque valeur possible de la somme.

2. En déduire les probabilités des événements suivants :
- A « la somme est 3 » ;
- B « la somme est strictement supérieure à 4 » ;
- C « la somme est paire ».

52 Maximum (partie 2)

On lance deux dés à 6 faces bien équilibrés, **dé 1** et **dé 2**. L'issue d'un lancer est le plus grand des deux nombres obtenus lors du lancer.

1. Recopier et compléter le tableau ci-dessous, donnant le plus grand des deux nombres obtenus :

dé 2 \ dé 1	1	2	3	4	5	6
1						
2						
3						
4						
5						
6						

2. En déduire la probabilité de chaque valeur possible.
3. Déterminer la probabilité de l'événement « le plus grand des deux nombres obtenus est au plus 3 ».
4. Que peut-on dire de l'événement « le plus grand des deux nombres obtenus est au plus 6 » ? Vérifier par un calcul.

53 On tire une carte au hasard dans un jeu de 32 cartes.

Déterminer la probabilité des événements :
- A « la carte tirée est un Roi » ;
- B « la carte tirée est un carreau » ;
- C « la carte tirée est un Valet ou une Dame » ;
- D « la carte tirée est un Valet, mais pas de trèfle » ;
- E « la carte tirée est un Roi ou un pique » ;
- F « la carte tirée n'est pas un carreau ».

Tableaux à double entrée

54 Une étudiante fabrique chaque semaine un petit stock de bijoux fantaisie qu'elle vend en fin de semaine afin de s'assurer quelques revenus.

Sa production hebdomadaire de bijoux se répartit comme suit : 20 % de boucles d'oreilles, 40 % de colliers et 40 % de bracelets. Chaque bijou est réalisé soit en métal argenté, soit en métal doré. 60 % des bijoux fabriqués sont argentés. Elle fabrique autant de colliers argentés que de colliers dorés. 75 % des bracelets sont argentés.

1. Reproduire et compéter le tableau de fréquences (en %) par rapport à l'ensemble de la production suivant :

	Colliers	Bracelets	Boucles d'oreille	Total
Argentés				60
Dorés				
Total			20	100

2. Pour se rendre sur le lieu de vente, elle range en général sa production en vrac dans une mallette. Elle prend au hasard un bijou dans la mallette. On suppose que tous les choix possibles sont équiprobables.

a. Calculer les probabilités des événements suivants :

• A « le bijou pris est argenté » ;

• B « le bijou pris est un bracelet ».

b. Décrire par une phrase l'événement A ∩ B et calculer sa probabilité.

c. Décrire par une phrase l'événement A ∪ B et calculer sa probabilité.

d. Décrire par une phrase l'événement $\overline{A}$ et calculer sa probabilité.

3. Il lui arrive parfois de ranger séparément les bijoux argentés et les bijoux dorés. C'est le cas cette fois-ci. Elle prend, toujours au hasard, un objet dans la mallette contenant les bijoux **dorés**.

a. Quelle est la probabilité p_1 que le bijou pris soit un bracelet ?

b. Quelle est la probabilité p_2 que le bijou pris ne soit pas un collier ?

55 Une enquête portant sur 5 000 clients d'une société spécialisée en informatique a montré que 80 % des clients avaient bénéficié des conseils d'un vendeur. De plus, 70 % des clients qui ont bénéficié des conseils d'un vendeur ont effectué un achat, alors que 20 % seulement des clients qui n'ont pas bénéficié des conseils d'un vendeur ont effectué un achat.

1. a. Combien de clients ont bénéficié des conseils d'un vendeur ?

b. Montrer que 2 800 clients ont bénéficié des conseils d'un vendeur et ont effectué un achat.

c. Recopier et compléter le tableau suivant :

	Ont effectué un achat	N'ont pas effectué d'achat	Total
Ont bénéficié des conseils d'un vendeur	2 800		4 000
N'ont pas bénéficié des conseils d'un vendeur			
Total			5 000

2. On interroge au hasard un des clients sur lesquels a porté l'enquête et on admet qu'il y a équiprobabilité des choix.

On considère les événements suivants :

• A « le client a bénéficié des conseils d'un vendeur » ;

• B « le client a effectué un achat ».

a. Déterminer la probabilité de l'événement A, puis celle de l'événement B.

b. Décrire par des phrases les événements A ∩ B et A ∪ B.

c. Calculer les probabilités $p(A ∩ B)$ et $p(A ∪ B)$.

3. On interroge au hasard un des clients qui a effectué un achat et on admet qu'il y a équiprobabilité des choix.

Quelle est la probabilité qu'il ait bénéficié des conseils d'un vendeur ?

Utiliser un arbre

56 Un examinateur doit interroger, dans un certain ordre, quatre candidats : Arthur, Béatrice, Chloé et David. Il doit donc établir une liste ordonnée de quatre noms.

1. À l'aide d'un arbre, déterminer le nombre de listes possibles.

2. On suppose que l'examinateur tire la liste ordonnée des quatre noms au hasard, chaque liste possible ayant la même probabilité.

Déterminer la probabilité de chacun des événements suivants :

• E « Béatrice est interrogée en premier » ;

• F « Chloé est interrogée en dernier » ;

• G « David est interrogé avant Béatrice ».

3. Décrire par une phrase l'événement E ∩ F et en donner la probabilité.

4. Décrire par une phrase l'événement E ∪ F et en donner la probabilité.

57 Dans le cadre d'une campagne publicitaire, une grande surface organise une loterie.

Le candidat sélectionné pour la phase finale doit tirer au sort, **successivement et sans remise**, deux jetons dans une boîte.

La boîte contient trois jetons blancs, notés B_1, B_2 et B_3 et un jeton rouge, noté R.

Tous les choix sont équiprobables.

1. À l'aide d'un arbre, déterminer l'ensemble des couples différents que l'on peut obtenir.

2. Le règlement de la loterie est le suivant :

• le finaliste gagne le voyage s'il tire le jeton blanc B_1 en premier ;

• le finaliste gagne l'ordinateur s'il tire deux jetons de couleurs différentes ;

Ces deux lots sont cumulables : ainsi le tirage $(B_1 ; R)$ permet de gagner à la fois le voyage et l'ordinateur.

Enfin, si le client ne gagne ni le voyage ni l'ordinateur, il reçoit un bon d'achat de 200 €.

On considère les événements suivants :

• V « le finaliste gagne le voyage » ;

• O « le finaliste gagne l'ordinateur » ;

• A « le finaliste gagne le bon d'achat ».

a. Calculer $p(V)$, $p(O)$ et $p(V ∩ O)$.

b. Définir par une phrase l'événement V ∪ O, puis calculer $p(V ∪ O)$.

c. Définir par une phrase l'événement contraire de V ∪ O, puis calculer sa probabilité.

58 Un jeu consiste à gratter trois cases placées côte à côte. Sur chacune de ces cases peut apparaître un et un seul des symboles suivants : ♥, ♦ et ♠.

On appellera « figure » le triplet obtenu après grattage.

1. En s'aidant d'un arbre, montrer que le nombre de « figures » possibles est 27.

2. a. Quel est le nombre de « figures » où les trois symboles sont identiques ?

b. Quel est le nombre de « figures » où les trois symboles sont tous différents ?

3. On admet que les « figures » apparaissent avec la même probabilité. Calculer la probabilité de chacun des événements suivants :

• A « les trois cases portent le symbole ♥ » ;

• B « les trois cases portent le même symbole » ;

• C « les trois cases portent des symboles tous différents » ;

• D « exactement deux des cases portent des symboles identiques » ;

• E « deux au moins des cases portent des symboles identiques ».

59 On lance trois fois de suite une pièce bien équilibrée.

1. Déterminer l'ensemble des résultats possibles.

2. On s'intéresse aux événements P_i « obtenir pile pour la première fois au i^e lancer ».

a. Déterminer la probabilité de P_1, de P_2 et de P_3.

b. A-t-on $p(P_1) + p(P_2) + p(P_3) = 1$? Expliquer.

Utiliser un arbre pondéré

60 Sophie a mis des dragées dans une boîte, les unes contiennent une amande, les autres n'en contiennent pas. On sait que :

• 30 % des dragées contiennent une amande ;

• 40 % des dragées avec amande sont bleues, les autres sont roses ;

• 75 % des dragées sans amande sont bleues, les autres sont roses.

Sophie choisit au hasard une dragée dans la boîte. On admet que toutes les dragées ont la même probabilité d'être choisies.

On considère les événements :

• A : « la dragée choisie contient une amande » ;

• B : « la dragée choisie est bleue ».

1. Recopier et compléter l'arbre des fréquences donné ci-contre.

2. Quelle est la proportion de dragées bleues contenant une amande dans la boîte ?

3. Décrire l'événement $A \cap B$ par une phrase. Montrer que sa probabilité est égale à 0,12.

4. Calculer la probabilité de l'événement B.

5. Décrire l'événement $A \cup B$ par une phrase, puis calculer sa probabilité.

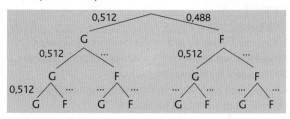

61 Un jeu consiste à faire tourner une roue, attendre son arrêt, puis à lancer un dé équilibré à six faces. La roue ci-contre est bien équilibrée : la probabilité que la flèche indique un secteur est proportionnelle à l'angle au centre de ce secteur.

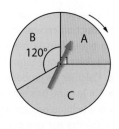

La règle du jeu est la suivante :

– si la flèche indique le secteur A et si le dé sort un 6, le joueur gagne le gros lot ;

– si la flèche indique le secteur B et si le dé sort un nombre impair, le joueur gagne le lot moyen ;

– dans tous les autres cas, le joueur perd.

1. Déterminer, pour chacun des secteurs A, B ou C, la probabilité que la flèche indique ce secteur.

2. Recopier et compléter l'arbre donné ci-dessous.

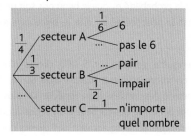

3. En utilisant l'arbre :

a. déterminer la probabilité de gagner le gros lot ;

b. déterminer la probabilité de gagner un lot ;

c. déterminer la probabilité de perdre.

62 Famille de trois enfants (partie 2)

En France, la proportion de naissances de garçons est de 51,2 %. On s'intéresse aux familles de trois enfants sans jumeaux.

On codera une famille par un triplet. Par exemple, pour la famille (F ; G ; F), l'aîné est une fille, le cadet est un garçon, et le benjamin est une fille.

1. Recopier et compléter l'arbre donné ci-dessous :

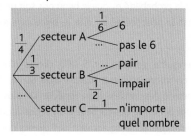

2. On choisit au hasard une famille de trois enfants sans jumeaux.

a. Déterminer la probabilité que cette famille ait trois garçons.

b. Déterminer la probabilité que cette famille ait exactement deux garçons.

c. Déterminer la probabilité que cette famille ait au moins deux garçons.

Problèmes

63 En lien avec la SVT – Système ABO

Les différents groupes sanguins sont classés selon la présence ou non d'antigènes A ou B à la surface des globules rouges. Ainsi, les globules rouges du groupe A (resp. B) possèdent des antigènes A (resp. B). Ceux du groupe AB possèdent des antigènes A et des antigènes B, alors que ceux du groupe O ne possèdent aucun antigène du type A, ni du type B.

	Groupe A	Groupe B	Groupe AB	Groupe O
Globule Rouge	A	B	AB	O

Voici la répartition en France des différents groupes sanguins :

Groupes sanguins	A	B	AB	O
Fréquences	45 %	9 %	3 %	43 %

On rencontre une personne au hasard.

1. Quelle est la probabilité que les globules rouges de cette personne ne possèdent que des antigènes A ?

2. Quelle est la probabilité que les globules rouges de cette personne possèdent des antigènes A ?

3. Quelle est la probabilité que les globules rouges de cette personne ne possèdent ni d'antigène A ni de B ?

4. Quelle est la probabilité que les globules rouges de cette personne possèdent des antigènes A ou B ?

> **Le saviez-vous ?**
>
> Le système ABO fut introduit par l'allemand Karl Landsteiner en 1900 lors de ses recherches sur les compatibilités donneur-receveur lors d'une transfusion sanguine. Il ne faut surtout pas transfuser une personne avec du sang dont les globules rouges possèdent un antigène que celle-ci ne possède pas. Ainsi une personne du groupe A peut recevoir du sang du groupe A ou O, mais pas de groupe B ou AB. Une personne du groupe AB peut recevoir n'importe quel groupe sanguin : on dit que le groupe AB est receveur universel.

64 📱 Gestion d'un bassin de pisciculture

Une entreprise piscicole gère deux bassins.
Le bassin A contient 100 poissons dont exactement 20 gardons.
Le bassin B contient x gardons et 100 poissons autres que des gardons (x est un nombre entier compris entre 1 et 30).
On admet que, dans chaque bassin, tous les poissons ont la même probabilité d'être pêchés.

1. Un poisson est pêché dans le bassin A.
Quelle est la probabilité p_A que ce soit un gardon ?

2. Un poisson est pêché dans le bassin B.
Exprimer en fonction de x la probabilité p_B que ce soit un gardon.

3. On souhaite déterminer le nombre minimal de gardons à prévoir dans le bassin B de façon à ce que p_B soit supérieure à p_A.

a. Construire dans un repère, en s'aidant de la calculatrice*, la courbe représentative de la fonction f définie sur $[1 ; 30]$ par $f(x) = \dfrac{x}{x + 100}$, en prenant comme unités graphiques :

• 0,5 cm pour 1 unité sur l'axe des abscisses ;
• 1 cm pour 0,05 unité sur l'axe des ordonnées.

b. Résoudre à l'aide du graphique le problème posé à la question **3.a.**

* Conseil : Utiliser le menu TABLE de la calculatrice pour tracer point par point la courbe représentative de la fonction f.

65 Les cafés KAWA sont vendus en paquets de 250 grammes.

Les masses exactes des paquets d'un échantillon de 100 paquets donnent la courbe des effectifs cumulés suivante :

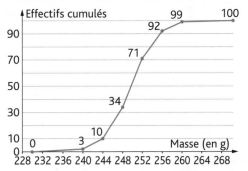

1. Recopier et compléter le tableau suivant :

Masse (en g)	Effectifs cumulés	Effectifs
[230 ; 240[	3	3
[240 ; 244[	10	7
[… ; …[		24
[… ; …[		
[… ; …[	92	
[… ; …[		
[… ; 270]	100	

On prend au hasard un paquet de cet échantillon.

2. Déterminer la probabilité des événements :

• A « la masse du paquet est comprise entre 248 g et 256 g » ;
• B « la masse du paquet est inférieure à 252 g » ;
• C « la masse du paquet est supérieure à 256 g ».

3. On considère que la chaîne de fabrication doit être réglée lorsque plus de 10 % de la production n'a pas une masse comprise entre 245 g et 255 g.

En considérant l'échantillon comme représentatif, doit-on régler la chaîne ?

66 Deux joueurs possèdent chacun un sac contenant trois pions de couleurs différentes : un noir, un blanc et un rouge. Le premier joueur pose devant lui un pion tiré au hasard dans son sac, puis le second joueur effectue le même geste. Un joueur gagne s'il est seul à avoir posé un pion noir.

1. On note N_1, B_1, R_1 les pions respectivement noir, blanc et rouge du premier joueur, et de même N_2, B_2, R_2 ceux du second joueur.

Décrire par un arbre tous les résultats possibles de ce jeu, en indiquant pour chacun d'eux le gagnant éventuel.

2. En utilisant cet arbre, déterminer les probabilités de chacun des événements :

• A « aucun joueur ne gagne » ;

• B « le second joueur gagne » ;

• C « le premier joueur pose son pion noir et il ne gagne pas ».

3. Ce jeu admet-il un gagnant dans la majorité des parties ? Argumenter.

67 Contrôle qualité

Une entreprise possède trois usines de fabrication d'alarmes : la première située à Bordeaux, la deuxième à Grenoble et la troisième à Lille. Un contrôleur qualité s'intéresse au nombre d'alarmes (défectueuses ou non) produites en mai 2010 dans chacune des trois usines.

Il a relevé les données suivantes :

	Défectueuses	En bon état	Total
Usine de Bordeaux	160		3 360
Usine de Grenoble			1 266
Usine de Lille	154		
Total	380	7 900	

1. Recopier et compléter le tableau précédent.

2. On prend une alarme au hasard dans la production du mois de mai 2010.

On considère les événements suivants :

• B « l'alarme provient de l'usine de Bordeaux » ;

• G « l'alarme provient de l'usine de Grenoble » ;

• L « l'alarme provient de l'usine de Lille » ;

• D « l'alarme est défectueuse ».

a. Calculer la probabilité de B.

b. Calculer la probabilité de D.

c. Définir par une phrase l'événement B ∩ D, puis calculer $p(B \cap D)$.

d. Calculer $p(B \cup D)$.

3. Quelle usine semble la plus efficace en terme de qualité de production ? Argumenter.

68 **algo** 💻 Répondre à un QCM

Un QCM comportant quatre questions est donné dans un devoir. À chaque question sont associées deux propositions : l'une est juste, l'autre fausse.

On les nommera :

pour la question 1, J_1 et F_1 ; pour la question 2 : J_2 et F_2, etc.

Voici le barème de l'exercice : une réponse juste rapporte 1 point ; une réponse fausse retire 0,5 point.

Un élève, n'ayant pas appris le cours, répond au hasard à *chacune* des questions. Il donne ainsi une « réponse complète » formée de quatre éléments, par exemple $(J_1 ; F_2 ; F_3 ; J_4)$.

On souhaite savoir si c'est une bonne stratégie.

1. Quel est l'ensemble des « réponses complètes » possibles pour l'élève ?

2. a. Les « réponses complètes » $(J_1 ; F_2 ; F_3 ; J_4)$ et $(F_1 ; F_2 ; J_3 ; J_4)$ aboutissent-elles à la même note finale à l'exercice ?

Indiquer un critère permettant d'affirmer que deux « réponses complètes » aboutissent à la même note finale à l'exercice.

b. Combien l'élève doit-il donner d'éléments justes dans une « réponse complète » pour que la note finale soit supérieure à 0 ?

3. a. On donne l'algorithme suivant. À quel problème répond cet algorithme ? Expliquer.

```
Variables :
    n, S, i, R₁, R₂, R₃, R₄, N : entiers ;
Début
    Entrer(n) ;
    S ← 0 ;
    Pour i allant de 1 à n faire
        R1 ← EntierAléaEntre(0 ; 1) ;
        R2 ← EntierAléaEntre(0 ; 1) ;
        R3 ← EntierAléaEntre(0 ; 1) ;
        R4 ← EntierAléaEntre(0 ; 1) ;
        N ← R₁ + R₂ + R₃ + R₄ ;
        Si N ⩾ 2 alors S ← S + 1 ; FinSi ;
    FinPour ;
    Afficher(« la fréquence est : », S/n) ;
Fin.
```

b. Programmer l'algorithme à l'aide d'une calculatrice, d'un tableur ou d'un logiciel.

c. Victor affirme que :

« *Pour que la note soit supérieure à 0, il faut 2, 3 ou 4 éléments justes. Or l'élève peut donner 0, 1, 2, 3 ou 4 éléments justes.*

Donc la probabilité que la note soit supérieure à 0 est $\frac{3}{5}$ ».

Utiliser le programme pour confirmer ou infirmer l'affirmation de Victor.

4. a. Recopier et compléter l'arbre ci-contre :

b. Que peut-on penser de la stratégie de l'élève ? Expliquer.

5. Prolongement : on suppose maintenant qu'à chacune des quatre questions du QCM sont données trois propositions : l'une juste et les deux autres fausses.

Que peut-on penser de la stratégie de l'élève qui répond au hasard à toutes les questions ?*

* Conseil : *Pondérer l'arbre de la question 4.*

69 Numérotation en base 16

Dans le système de numération en base seize, les caractères utilisés sont les chiffres de 0 à 9 et les lettres de A à F.

Un nombre de ce système de numération est une suite de plusieurs caractères de ce type. Par exemple, on peut considérer les nombres A5F, 1A, 331, AB, C81C, ...

Remarques :

• un nombre de plusieurs caractères ne peut pas commencer par zéro ;

• le nombre qui s'écrit 1A en base seize a pour valeur décimale $1 \times 16 + 10$, soit 26.

On considère les nombres de deux caractères écrits en base seize.

1. Montrer qu'il y a 240 nombres de deux caractères en base seize. On pourra s'aider de l'ébauche d'un arbre.

2. On écrit au hasard un nombre de deux caractères en base seize. On considère les événements suivants :

• E_1 « le nombre ne contient aucune lettre » ;

• E_2 « le nombre commence par 1 ».

a. Déterminer les probabilités de E_1 et de E_2.

b. Déterminer la probabilité de l'événement $E_1 \cap E_2$.

c. Déterminer la probabilité de l'événement $E_1 \cup E_2$.

d. Déterminer la probabilité pour que le nombre contienne au moins une lettre.

e. Déterminer la probabilité pour que le nombre soit formé de deux caractères différents.

Le saviez-vous ?

Le système de numération en base 16, appelé également système hexadécimal, est très utilisé en informatique : il permet notamment d'écrire de façon plus compacte les codes binaires utilisés par les ordinateurs. C'est un des modes de codage informatique des couleurs des écrans d'ordinateurs.

---

70 algo 🖥 Planche de Galton

On considère l'expérience suivante : on lâche une bille en haut de la planche ci-contre (entrée). À chaque intersection, elle a autant de chances de tomber à droite qu'à gauche. On s'intéresse au numéro de sortie de la bille en bas de la planche.

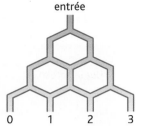

1. a. On souhaite simuler un lâcher de bille. On propose l'algorithme suivant :

```
Variables :
    a, b, c : entiers ;
Début
    a ←EntierAléaEntre(0 ; 1) ;
    b ←EntierAléaEntre(0 ; 1) ;
    c ←EntierAléaEntre(0 ; 1) ;
    Afficher(« le numéro de sortie est : », a + b + c) ;
Fin.
```

Expliquer la démarche.

---

b. Mettre en place la feuille de calcul suivante :

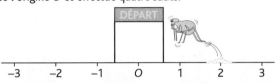

	A	B	C	D	E	F	G
1	numéro de sortie de la bille		numéro	0	1	2	3
2	2		Effectif sur 100 simulations				
3	3		Effectif sur 1000 simulations				
4	2						
5	1						

Compléter les cellules D2, E2, etc. à l'aide de la fonction NB.SI.

c. Estimer la probabilité de chaque numéro de sortie possible. Expliquer la démarche.

2. Construire un arbre décrivant tous les chemins possibles de la bille, puis calculer la probabilité de chaque numéro de sortie de la bille.

Comparer avec les résultats obtenus à la question **1.**

---

71 algo 🖥 Marche aléatoire

Une puce se déplace sur un axe gradué. À chaque pas, de façon aléatoire, elle avance ou recule d'une unité. Elle part de l'origine O et effectue quatre sauts.

1. Quelles sont les abscisses finales possibles de la puce ?

2. a. On propose l'algorithme suivant pour simuler le premier saut de la puce :

```
Variables :
    x, N : entier ;
Début :
    x ← 0 ;
    N ←EntierAléaEntre(0 ; 1) ;
    Si N = 0 alors x ← x − 1 ; sinon x ← x + 1 ;
    FinSi ;
    Afficher(« l'abscisse après un saut est », x) ;
Fin.
```

Expliquer.

b. Modifier l'algorithme de façon à simuler les quatre sauts de la puce.

3. a. Programmer à l'aide d'une calculatrice, d'un tableur ou d'un logiciel.

b. À l'aide du programme, dire si les affirmations suivantes semblent justes ou fausses (on justifiera) :

i. il existe une position finale de la puce plus probable que les autres ;

ii. la puce se trouve à la fin en O avec une probabilité de 0,5 ;

iii. la puce a autant de chance d'avoir à la fin une abscisse positive qu'une abscisse négative.

4. Construire un arbre décrivant tous les sauts possibles de la puce, puis calculer la probabilité de chaque abscisse finale possible.

Comparer avec les résultats obtenus à la question **3.**

72 Sondage avant une élection municipale

À l'approche des élections municipales, un institut de sondage procède à une enquête d'opinion dans la commune de Nouvelleville en interrogeant 1 000 personnes.

Les questions posées concernent la lecture des journaux régionaux qui sont au nombre de deux, le *Flash* et l'*Éclair*, ainsi que les intentions de vote pour l'un des deux candidats, Monsieur Lemaire et Madame Bourgmestre. Voici les résultats obtenus :

Graphique 1 : Pourcentage des lecteurs des journaux *Flash* et *Éclair* à Nouvelleville.

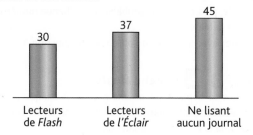

Lecteurs de *Flash*	Lecteurs de l'*Éclair*	Ne lisant aucun journal

Graphique 2 : Intentions de vote en % des personnes interrogées.

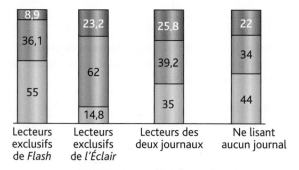

Lecteurs exclusifs de *Flash*	Lecteurs exclusifs de l'*Éclair*	Lecteurs des deux journaux	Ne lisant aucun journal

1. a. Comment peut-on expliquer que le total des pourcentages du **graphique 1** dépasse 100 % ?

b. Déterminer la proportion en pourcentage des lecteurs des deux journaux parmi les personnes interrogées.*

c. Justifier que sur les 1 000 personnes interrogées, 180 sont des lecteurs exclusifs du *Flash*.

2. Reproduire et compléter le tableau d'effectifs suivant à l'aide des pourcentages du **graphique 2** (arrondir à l'entier près).

Intentions de vote / Journaux	M. Lemaire	Mme Bourgmestre	Sans avis	Total
Flash uniquement	99			180
L'*Éclair* uniquement				250
Les deux journaux				120
Aucun des deux journaux				
Total				1 000

3. a. Parmi les 1 000 personnes ayant répondu au sondage, quel est le pourcentage d'intentions de vote pour Madame Bourgmestre ? Pour Monsieur Lemaire ?

b. Parmi les personnes ayant exprimé un avis, quel est le pourcentage d'intentions de vote pour Madame Bourgmestre ? Pour Monsieur Lemaire ?

D'après le sondage, lequel des deux candidats semble le mieux placé pour remporter les élections ?

* Conseil

Compléter un diagramme du type suivant, en faisant attention à ne pas compter deux fois les mêmes personnes.

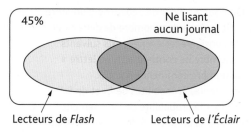

Lecteurs de *Flash*	Lecteurs de l'*Éclair*

Le saviez-vous ?

Lors de la promulgation des résultats d'une élection, les votes blancs et nuls ne sont pas pris en compte. Au 2nd tour du scrutin, un candidat est élu lorsqu'il obtient la majorité parmi les suffrages exprimés.

73 algo 💻 Rendez-vous à Vérone

Roméo et Juliette se sont donnés rendez-vous sur la place centrale de Vérone entre 20 h et 21 h.

Chacun d'eux a promis d'attendre l'autre 10 minutes si nécessaire, mais pas plus.

On suppose que Roméo et Juliette arrivent chacun au hasard entre 20 h et 21 h.

On souhaite déterminer une estimation de la probabilité que Roméo et Juliette se rencontrent.

1. a. Vérifier que l'algorithme suivant permet de simuler un rendez-vous :

```
Variables :
    R, J, D : réels ;
Début
    R ←RéelAléaEntre(0 ; 1) ;
    J ←RéelAléaEntre(0 ; 1) ;
    D ←Max(R ; J) − Min(R ; J) ;
    Si D ⩽ 1/6
    |   alors Afficher(« la rencontre a lieu ») ;
    |   sinon Afficher(« la rencontre n'a pas lieu ») ;
    FinSi ;
Fin.
```

b. Programmer l'algorithme à l'aide d'une calculatrice, d'un tableur ou d'un logiciel.

c. À l'aide du programme, simuler 10 rendez-vous en notant à chaque fois si la rencontre a lieu ou non.
Quelle est la fréquence des rencontres sur ces 10 simulations ?

d. Reprendre la question précédente avec 20 simulations.

2. a. Pour un entier N, on souhaite maintenant simuler N rendez-vous et obtenir la fréquence de rencontres sur l'échantillon obtenu. Modifier l'algorithme de la question **1**. Puis programmer à l'aide d'une calculatrice, d'un tableur ou d'un logiciel.

b. À l'aide du programme, estimer la probabilité que Roméo et Juliette se rencontrent. Expliquer la démarche.

3. On admet que la probabilité exacte que Roméo et Juliette se rencontrent est $\dfrac{11}{36}$.

Comparer avec le résultat de la question **2**.

74 aℓgo 🖥 Jouer ou pas ?

Dans une urne, on place quatre boules indiscernables au toucher : une rouge et trois vertes.
Voici les règles d'un jeu : le joueur tire une boule au hasard dans l'urne. Si elle est rouge, le joueur reçoit 10 € et le jeu s'arrête.
Sinon, sans remettre la boule tirée dans l'urne, le joueur effectue un nouveau tirage dans l'urne. Si la boule rouge n'apparaît pas, le joueur reçoit 2 € ; sinon il ne reçoit rien.
Pour pouvoir participer à ce jeu, la mise est de 2 € pour le joueur.

On souhaite savoir si le jeu est favorable au joueur, c'est-à-dire si son gain moyen est positif.

1. Quels sont les gains (algébriques) possibles ?

2. a. On souhaite simuler une partie. On propose l'algorithme suivant :

```
Variables :
    G, a, b : entiers ;
Début
    G ← − 2 ;
    a ←EntierAléaEntre(1 ; 4) ;
    Si a = 1 alors G ← G + 10 ;
    |   sinon
    |       b ←EntierAléaEntre(1 ; 3) ;
    |       Si b ≠ 1 alors G ← G + 2 ; FinSi ;
    FinSi ;
    Afficher(« le gain est » , G) ;
Fin.
```

Expliquer.

b. Modifier l'algorithme précédent de façon à simuler N parties, où N est un entier, et à afficher le gain moyen sur ces N parties.

c. Programmer l'algorithme à l'aide d'une calculatrice, d'un tableur ou d'un logiciel.

3. En expliquant la démarche, dire si le jeu paraît favorable au joueur.

75 Défi ! (d'après PISA)

Un stand à la foire de printemps propose le jeu suivant. On fait d'abord tourner une roue. Si celle-ci s'arrête sur un nombre pair, on tire une bille dans un sac. La roulette et le sac de billes sont représentés ci-dessous.

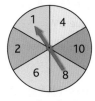

Des prix sont distribués aux joueurs tirant une bille noire. Suzy tente sa chance une fois.
Que peut-on penser de la probabilité de gain de Suzy ?

Partir d'un bon pied

1 Revoir le vocabulaire des coordonnées

Dans le repère ci-contre, les points A, B, C, D, E et F ont des coordonnées entières et l'abscisse du point A est 2.

Répondre par **vrai** ou par **faux** aux affirmations suivantes.

1. Le point E est sur l'axe des abscisses.

2. Les points C et F ont la même abscisse.

3. Le point B a pour coordonnées $(-3\,;-1)$.

4. Les points A et D ont la même abscisse.

5. Les points B, A et D ont des abscisses négatives.

6. Les points E et F ont des ordonnées positives.

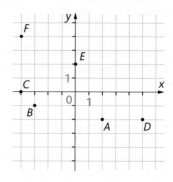

2 Changer d'unités

QCM Dans le repère ci-contre, les points A, B, C, D, E et F ont des coordonnées entières.

1. Dans ce repère, le point E a pour coordonnées :

a. $(0\,;2)$ **b.** $(1\,;0)$ **c.** $(0\,;1)$

2. Dans ce repère, le point A a pour coordonnées :

a. $(1\,;-2)$ **b.** $(2\,;-2)$ **c.** $(2\,;-1)$ **d.** $(2\,;2)$

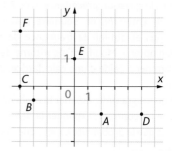

3 Utiliser le théorème de Pythagore ou sa réciproque

Répondre par **vrai** ou par **faux** aux affirmations suivantes.

1. Le triangle EFG tel que $EF = 8$, $FG = 15$ et $EG = 17$ est rectangle en F.

2. Le triangle UVW tel que $UV = 1,2$, $UW = 1,19$ et $VW = 1,7$ est un triangle rectangle.

3. La hauteur d'un triangle équilatéral de côté a est $\dfrac{a\sqrt{3}}{2}$.

4 Utiliser les théorèmes de Thalès et de Pythagore

On considère la figure ci-contre où :
- $ABCD$ est un rectangle ;
- les points A, E et F sont alignés ;
- les points B, C et F sont alignés ;
- $AE = 5$, $EF = 4,5$ et $FC = 2,7$.

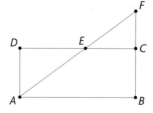

Répondre par **vrai** ou par **faux** aux affirmations suivantes, en justifiant la réponse :

1. C est le milieu du segment $[BF]$.

2. $EC = 3,6$.

3. $DE = 4$.

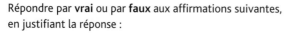
Pour réviser : des rappels de cours et des tests dans les **Techniques de base**

9

Bases
de la géométrie plane

Des maths partout !

Les planisphères et les cartes géographiques maritimes sont construits dans un repère comprenant l'axe vertical des latitudes et l'axe horizontal des longitudes.

La position d'un bateau par exemple est définie par ses coordonnées sur la carte, c'est-à-dire la longitude et la latitude.

Lorsque l'on cherche une position sur un plan de ville, on se repère également à l'aide des axes verticaux et horizontaux du plan.

Un planisphère.

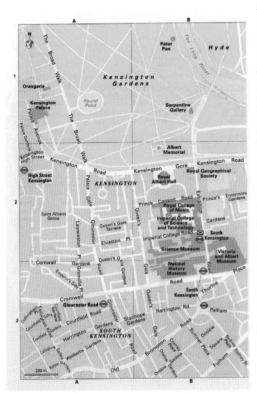

Un plan de ville.

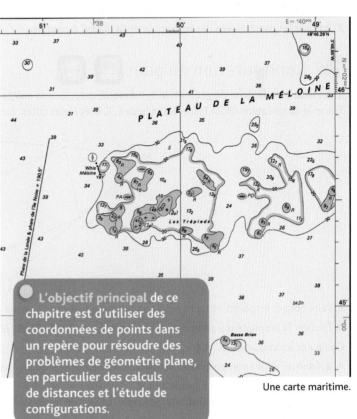

Une carte maritime.

L'objectif principal de ce chapitre est d'utiliser des coordonnées de points dans un repère pour résoudre des problèmes de géométrie plane, en particulier des calculs de distances et l'étude de configurations.

1 Avec des axes non perpendiculaires

Une fourmi se déplace sur les côtés des pièces d'un puzzle triangulaire.

Les pièces sont des triangles équilatéraux identiques.

La position initiale de la fourmi est à l'intersection des deux traits rouges, que l'on choisit comme axes en prenant pour unité le côté d'une pièce.

Pour arriver sur l'étoile ☆, la fourmi doit se déplacer **d'une unité à droite sur l'axe horizontal** et de **deux unités vers le haut sur l'axe oblique** : l'étoile a donc pour coordonnées (**1** ; **2**).

1. Préciser les coordonnées du sommet des pièces marqué par ♡.

2. Préciser les coordonnées des trois sommets *A*, *B* et *C* du puzzle.

2 Configuration du plan 💻 🌐

1. À l'aide d'un logiciel de géométrie dynamique, créer quatre points libres *A*, *B*, *C* et *D*.

Tracer le quadrilatère *ABCD*. Placer les milieux *E*, *F*, *G* et *H* des côtés, comme sur la figure ci-dessous.

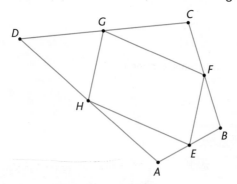

2. Faire bouger les points libres et émettre une conjecture sur la nature du quadrilatère *EFGH*.

3. Énoncer la propriété qui permet d'affirmer que les droites (*AC*) et (*EF*) sont parallèles.

Comparer les longueurs *AC* et *EF*.

4. a. Énoncer différentes propriétés permettant de démontrer qu'un quadrilatère est un parallélogramme.

b. Démontrer la conjecture de la question **2**.

Remarque : Page 223, une démonstration de cette conjecture, basée sur l'utilisation des coordonnées dans un repère est proposée.

5. À quelle condition, portant sur le quadrilatère *ABCD* obtient-on un losange pour *EFGH* ?

3 Coordonnées du milieu : conjecture

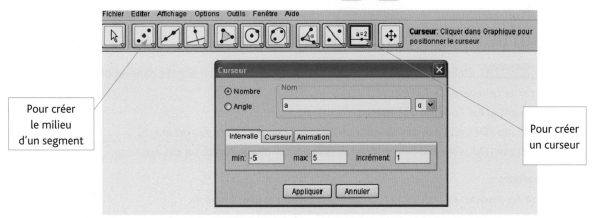

1. À l'aide du logiciel Geogebra, créer 4 curseurs a, b, c et d prenant des valeurs entières comprises entre -5 et 5.

2. Créer les points $A(a\,;b)^*$ et $B(c\,;d)$, puis le milieu C du segment $[AB]$.

3. En utilisant les curseurs et en observant les coordonnées des points A, B et C dans la fenêtre « algèbre », compléter le tableau suivant après l'avoir recopié :

A	$(4\,;2)$	$(-3\,;1)$	$(0\,;5)$	$(1\,;-3)$	$(3\,;0)$	$(-5\,;4)$	$(2\,;-2)$	$(1\,;1)$
B	$(2\,;0)$	$(-5\,;-1)$	$(1\,;-3)$	$(3\,;-1)$	$(-4\,;2)$	$(0\,;0)$	$(-2\,;2)$	$(-3\,;5)$
C								

4. Conjecturer des relations entre les coordonnées du milieu d'un segment et celles de ses extrémités.

5. Si x et y sont deux nombres réels, la « moyenne arithmétique » de x et y est le réel $\dfrac{x+y}{2}$.

Énoncer la conjecture précédente en utilisant la notion de moyenne arithmétique de deux nombres.

* Conseil

Écrire « $A = (a, b)$ » dans la ligne de saisie.

4 Calculs de distances dans un quadrillage

1. Calculer les distances AB, AC et BC en prenant comme unité le côté du quadrillage.

2. On choisit un repère orthonormé d'origine A tel que $B(4\,;-2)$.

Comparer AB et $x_B^2 + y_B^2$.

Vérifier que l'on a une relation analogue avec le point C.

3. Conjecturer une relation entre la distance BC et les coordonnées des points B et C.

Vérifier.

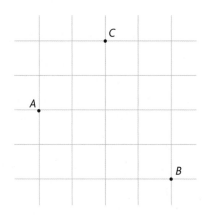

1 Coordonnées dans le plan

Définitions Définir un **repère** du plan, c'est choisir 3 points non alignés dans un ordre précis : O, I, J.
On note ce repère (O, I, J), et :

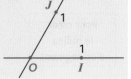

- le point O est l'**origine du repère** ;
- la droite (OI) est l'**axe des abscisses** et le point I donne l'unité sur cet axe ;
- la droite (OJ) est l'**axe des ordonnées** et le point J donne l'unité sur cet axe.

Remarques :

- L'axe des abscisses est souvent horizontal, mais ce n'est pas une obligation.
- Si le triangle OIJ est rectangle en O, le repère (O, I, J) est dit **orthogonal**. Les axes du repère sont perpendiculaires.
- Si le triangle OIJ est rectangle et isocèle en O, le repère (O, I, J) est dit **orthonormé**. Les axes du repère sont perpendiculaires et l'unité est la même sur les deux axes.

Définitions On considère un repère (O, I, J) du plan et un point quelconque M.

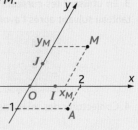

- En traçant la parallèle à (OJ) passant par M, on obtient sur l'axe (OI) l'**abscisse** x_M du point M.
- En traçant la parallèle à (OI) passant par M, on obtient sur l'axe (OJ) l'**ordonnée** y_M du point M.
- Le couple de réels $(x_M \; ; \; y_M)$ est le couple des **coordonnées** du point M dans le repère (O, I, J).

Exemple : Sur la figure ci-dessus, le point A a pour coordonnées $(2 \; ; -1)$ dans le repère (O, I, J).

2 Calcul de distances dans un repère orthonormé

Propriété

On considère dans le plan muni d'un repère orthonormé (O, I, J) les points $A(x_A \; ; \; y_A)$ et $B(x_B \; ; \; y_B)$.
La distance entre les points A et B est :

$$AB = \sqrt{(x_B - x_A)^2 + (y_B - y_A)^2},$$

l'unité de longueur étant l'unité commune aux deux axes.

Remarque : Dans la formule ci-dessus $(x_B - x_A)^2$ peut être remplacé par $(x_A - x_B)^2$, car les nombres $x_B - x_A$ et $x_A - x_B$ sont opposés et ont par conséquent le même carré. De même, pour le terme en y.

Démonstration : On raisonne avec le cas $x_A < x_B$ et $y_A > y_B$.
On place le point E ayant même abscisse que A et même ordonnée que B. Les axes du repère étant perpendiculaires, le triangle AEB est rectangle en E.
D'après le théorème de Pythagore, $AB^2 = AE^2 + BE^2$.
Or $BE = x_B - x_A$ et $AE = y_A - y_B$.
D'où : $AB^2 = (x_B - x_A)^2 + (y_B - y_A)^2$.
Une distance étant positive, on obtient :
$$AB = \sqrt{(x_B - x_A)^2 + (y_B - y_A)^2}.$$

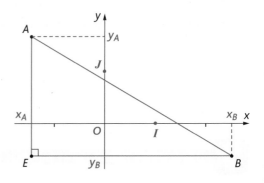

Énoncé

Dans un repère orthonormé (O, I, J), placer les points $A(1\,;2)$, $B(2\,;-1)$ et $C(3\,;1)$. Puis tracer le cercle $\mathscr{C}$ de centre O passant par A et la médiatrice $\mathscr{D}$ du segment $[AB]$.

Camille affirme en regardant son dessin : « Le cercle $\mathscr{C}$ passe par B et $\mathscr{D}$ est la droite (OC). »

Son professeur rétorque : « Ce ne sont que des conjectures ! Il faut justifier ces affirmations. »

Aider Camille à montrer que $B \in \mathscr{C}$ et que $\mathscr{D} = (OC)$.

Solution rédigée

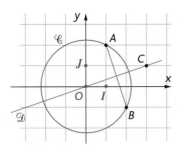

- $OA = \sqrt{1^2 + 2^2} = \sqrt{5}$ et $OB = \sqrt{2^2 + (-1)^2} = \sqrt{5}$.
Ainsi $OA = OB$, ce qui permet d'affirmer d'une part que $B \in \mathscr{C}$ (point ❶) et d'autre part que $O \in \mathscr{D}$ (point ❷).
- $CA = \sqrt{(1-3)^2 + (2-1)^2} = \sqrt{4+1} = \sqrt{5}$.
$CB = \sqrt{(2-3)^2 + (-1-1)^2} = \sqrt{1+4} = \sqrt{5}$.
Ainsi $CA = CB$, donc $C \in \mathscr{D}$ (point ❷).
- O et C appartiennent à $\mathscr{D}$, donc $\mathscr{D} = (OC)$ (point ❸).

Points méthode

❶ Le cercle $\mathscr{C}$ de centre O passant par A est l'ensemble des points M du plan vérifiant $OM = OA$. Il suffit donc de calculer les longueurs OA et OB pour savoir si $B \in \mathscr{C}$.

❷ La médiatrice d'un segment est la droite constituée des points situés à égale distance des extrémités de ce segment.

❸ Il existe une unique droite passant par deux points distincts donnés.

POUR S'EXERCER

1 Placer les points O, I et J comme sur le quadrillage de la figure ci-contre.

Placer ensuite dans le repère (O, I, J) les points :

$A(3\,;1)$, $B(-2\,;2)$, $C(-3\,;-1)$, $D(0\,;-2)$ et $E(4\,;0)$.

2 Les points A et B de la figure ci-dessous ont pour coordonnées respectives $(3\,;-1)$ et $(-1\,;1)$ dans un repère. Retrouver les axes du repère, l'origine, et les unités sur chaque axe.

3 Dans un repère orthonormé du plan, placer les points :

$A(3\,;-2)$, $B(-2\,;4)$, $E(0\,;5)$ et $F(3\,;4)$.

Le triangle ABE est-il rectangle ?

Même question pour le triangle ABF.

4 Dans un repère orthonormé du plan, placer les points :

$A(-2\,;6)$, $E(1\,;5)$ et $F(-5\,;-3)$.

Montrer que les droites (AE) et (AF) sont perpendiculaires.

5 Dans un repère orthonormé du plan, $\mathscr{C}$ est le cercle de centre $E(3\,;2)$ passant par $A(5\,;-1)$.

1. Calculer le rayon de $\mathscr{C}$.

2. On considère un point $M(0\,;y)$. Montrer que :
$$EM^2 = y^2 - 4y + 13.$$

3. En déduire les points d'intersection de $\mathscr{C}$ avec l'axe des ordonnées.

▶ Voir exercices 22 à 36

3 Coordonnées du milieu d'un segment

Propriété

On considère dans le plan muni d'un repère (O, I, J) les points $A(x_A ; y_A)$ et $B(x_B ; y_B)$.

Alors le milieu du segment $[AB]$ a pour coordonnées $\left(\dfrac{x_A + x_B}{2} ; \dfrac{y_A + y_B}{2} \right)$.

Remarque : Les coordonnées du milieu d'un segment correspondent à la moyenne arithmétique des coordonnées des extrémités de ce segment.

Exemple : Dans un repère du plan on considère les points :
$$A(1 ; -2), \quad B(-3 ; 0) \quad \text{et} \quad C(-1 ; 2).$$

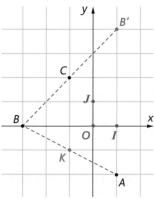

• **Le milieu K du segment $[AB]$ a pour coordonnées :**
$$x_K = \frac{x_A + x_B}{2} = \frac{1 + (-3)}{2} = \frac{-2}{2} = -1$$
$$\text{et} \quad y_K = \frac{y_A + y_B}{2} = \frac{-2 + 0}{2} = -1,$$

d'où les coordonnées du point $K : (-1 ; -1)$.

• **Le symétrique B' de B par rapport à C**, est tel que C est le milieu du segment $[BB']$. Ses coordonnées $(x' ; y')$ vérifient donc :
$$\frac{x' + x_B}{2} = x_C \quad \text{et} \quad \frac{y' + y_B}{2} = y_C.$$

D'où $x' = 2x_C - x_B = -2 - (-3) = 1$ et $y' = 2y_C - y_B = 4$.
On trouve ainsi les coordonnées du point $B' : (1 ; 4)$.
La démonstration fait l'objet de l'exercice 55, page 235.

4 Configurations du plan

Les propriétés des triangles, des quadrilatères, des cercles et des symétries vues au collège seront réinvesties en exercice.

▶ Voir le mémento, page 324

L'utilisation des coordonnées est un outil supplémentaire pour les démonstrations.
Souvent, pour résoudre un problème de géométrie, on est conduit à choisir un repère dans la figure étudiée.

Quelques idées pour « bien » choisir un repère dans une figure :
❶ faire en sorte que le plus grand nombre possible de points aient des coordonnées connues ;
❷ nommer par des lettres a, b, etc. les coordonnées inconnues ;
❸ prendre obligatoirement un repère orthonormé si on veut calculer des distances.

Exemple

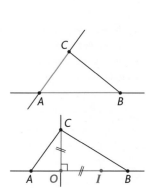

• Pour un triangle ABC, le choix du repère (A, B, C) permet d'avoir des coordonnées très simples pour les sommets du triangle.
En effet, dans ce repère on a : $A(0 ; 0)$, $B(1 ; 0)$ et $C(0 ; 1)$.

• En revanche, le repère précédent est inutilisable si on a besoin de calculer des distances.
On peut alors par exemple choisir le repère orthonormé (O, I, C) où O est le pied de la hauteur issue de C, et I appartient à (AB) avec $OI = OC$.
Deux lettres seulement sont nécessaires pour écrire les coordonnées des sommets :
$A(a ; 0)$, $B(b ; 0)$ et $C(0 ; 1)$.

Énoncé

On considère un quadrilatère quelconque *ABCD* et les milieux respectifs *E*, *F*, *G* et *H*
des côtés $[AB]$, $[BC]$, $[CD]$ et $[DA]$.
Montrer que le quadrilatère *EFGH* est un parallélogramme.

Solution rédigée

On considère le repère (A, B, D) dans lequel :
$A(0\,;0)$, $B(1\,;0)$ et $D(0\,;1)$ (point ❶).
On note $(a\,;b)$ les coordonnées du point *C*.
On réalise une figure (point ❷).
Les formules donnant les coordonnées du
milieu d'un segment permettent de calculer
les coordonnées des points *E*, *F*, *G* et *H* :

$$E\left(\frac{1}{2}\,;0\right), \quad F\left(\frac{1+a}{2}\,;\frac{b}{2}\right),$$

$$G\left(\frac{a}{2}\,;\frac{1+b}{2}\right) \quad \text{et} \quad H\left(0\,;\frac{1}{2}\right).$$

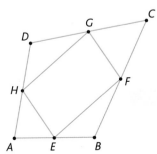

On calcule les coordonnées du milieu du segment $[EG]$:

$$\frac{x_E + x_G}{2} = \frac{1}{2}\left(\frac{1}{2} + \frac{a}{2}\right) = \frac{1+a}{4}$$

et $\quad \dfrac{y_E + y_G}{2} = \dfrac{1}{2}\left(0 + \dfrac{1+b}{2}\right) = \dfrac{1+b}{4}$.

On calcule les coordonnées du milieu du segment $[HF]$:

$$\frac{x_H + x_F}{2} = \frac{1}{2}\left(0 + \frac{1+a}{2}\right) = \frac{1+a}{4}$$

et $\quad \dfrac{y_H + y_F}{2} = \dfrac{1}{2}\left(\dfrac{1}{2} + \dfrac{b}{2}\right) = \dfrac{1+b}{4}$.

Les coordonnées des milieux étant les mêmes, on en déduit que les segments
$[EG]$ et $[HF]$ ont le même milieu et, par conséquent, que le quadrilatère *EFGH*
est un parallélogramme (point ❸).

Points méthode

❶ Pour avoir des coordonnées
simples, on choisit un repère
avec trois des quatre sommets
du quadrilatère *ABCD*.

❷ On réalise de préférence une
figure en plaçant les points de façon
à visualiser facilement le repère :
l'axe (AB) est horizontal.

❸ Un quadrilatère est un
parallélogramme si, et seulement si,
ses diagonales ont le même milieu.

Attention : le repère n'est pas
orthonormé, il ne faut pas
utiliser la caractérisation d'un
parallélogramme par l'égalité des
longueurs des côtés opposés.

POUR S'EXERCER

6 Dans un repère orthonormé du plan, placer les points
$A(3\,;3)$, $B(1\,;-2)$, $D(-1\,;1)$ et $E(5\,;0)$.

1. Montrer que le quadrilatère *AEBD* est un parallélogramme.

2. Ce parallélogramme est-il un rectangle ?
Est-il un losange ?

7 Dans un repère (O, I, J) du plan, on considère les
points $A(-2\,;1)$, $B(-1\,;-3)$ et $C(0\,;-1)$.

1. Calculer les coordonnées du point *D* symétrique de *B* par
rapport à *C*.

2. Calculer les coordonnées du point *E* tel que le quadrilatère
ABED soit un parallélogramme.

8 Dans un repère (O, I, J) du plan, on considère les
points $A(1\,;-1)$, $B(-2\,;2)$, $C(3\,;3)$ et $D(2\,;1)$.

1. Calculer les coordonnées du milieu *E* de $[BC]$.

2. Montrer que les droites (AB) et (DE) sont parallèles.

9 On considère un parallélogramme *ABCD*.

1. Donner les coordonnées des
points *A*, *B*, *C* et *D* dans le repère
(A, B, D).

2. Calculer les coordonnées du milieu de $[AC]$ et celles du
milieu de $[BD]$.

3. Énoncer le théorème que l'on vient de prouver.

▶ Voir exercices 37 à 43

10 Démontrer en calculant des distances

Dans le repère orthonormé (O, I, J), on place les points :

$$A(3 ; -2), \ B(-2 ; -1) \text{ et } C(0 ; -3).$$

Le dessin nous permet de conjecturer que :

1. Le triangle AJB est rectangle en J.

2. Le quadrilatère $AIBC$ est un parallélogramme.

3. Les points A, I et J sont alignés.

Démontrer ces conjectures en utilisant des calculs de distance.

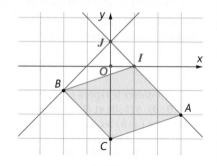

Solution

1. Vérifions l'égalité de Pythagore :

$JA^2 + JB^2 = AB^2$.

$JA^2 = (3 - 0)^2 + (-2 - 1)^2 = 3^2 + (-3)^2 = 9 + 9 = 18$.

$JB^2 = (-2 - 0)^2 + (-1 - 1)^2 = (-2)^2 + (-2)^2 = 4 + 4 = 8$.

$AB^2 = (-2 - 3)^3 + (-1 + 2)^2 = (-5)^2 + 1^2 = 25 + 1 = 26$.

Or $18 + 8 = 26$, donc $JA^2 + JB^2 = AB^2$.

On peut en conclure que le triangle AJB est rectangle en J.

2. Calculons les longueurs des deux côtés opposés IA et BC :

$IA = \sqrt{(3 - 1)^2 + (-2 - 0)^2} = \sqrt{4 + 4} = \sqrt{8}$ et

$BC = \sqrt{(0 + 2)^2 + [-3 - (-1)]^2} = \sqrt{2^2 + (-2)^2} = \sqrt{8}$; donc $IA = BC$.

De même pour IB et AC :

$IB = \sqrt{(-2 - 1)^2 + (-1 - 0)^2} = \sqrt{9 + 1} = \sqrt{10}$

et $AC = \sqrt{(0 - 3)^2 + (-3 + 2)^2} = \sqrt{9 + 1} = \sqrt{10}$; donc $IB = AC$.

Les côtés opposés sont deux à deux de même longueur, donc $AIBC$ est un parallélogramme.

3. Après calculs, on obtient :

$AI = \sqrt{8}$, $IJ = \sqrt{2}$ et $AJ = \sqrt{18}$.

$AI + IJ = \sqrt{8} + \sqrt{2} = \sqrt{4 \times 2} + \sqrt{2} = 2\sqrt{2} + \sqrt{2} = 3\sqrt{2}$.

$AJ = \sqrt{18} = \sqrt{9 \times 2} = 3\sqrt{2}$.

$AJ = AI + IJ$, donc $I \in [AJ]$ et les points A, I et J sont alignés.

● **Une autre méthode possible** :

On démontre que le triangle BIJ est rectangle en J :

$BJ^2 + IJ^2 = 8 + 2 = 10$; $BI^2 = 10$.

D'où $BJ^2 + IJ^2 = BI^2$, et le triangle BIJ est rectangle en J. La droite (IJ) est donc perpendiculaire à la droite (BJ).

Grâce à la question **1.**, on sait que la droite (AJ) est également perpendiculaire à la droite (BJ).

● On en déduit que : $(IJ) \, / \! / \, (AJ)$.

Ces deux droites sont parallèles et ont le point J en commun, donc elles sont confondues. Ainsi, A, I et J sont alignés.

Stratégies

1. ● L'égalité de Pythagore caractérise les triangles rectangles, c'est-à-dire qu'un triangle est rectangle si, et seulement si, les longueurs de ses côtés vérfient l'égalité de Pythagore.

● On utilise la formule du cours pour calculer les distances.

2. Un quadrilatère ayant ses côtés opposés deux à deux de même longueur est un parallélogramme.

3. « La ligne droite est le plus court chemin », donc :

$I \in [AJ] \Leftrightarrow AJ = AI + IJ$.

C'est « le cas d'égalité » dans l'inégalité triangulaire.

● La géométrie est le domaine privilégié de la multiplicité des méthodes : très souvent, on peut résoudre un même problème de plusieurs façons différentes.

● Deux droites perpendiculaires à une même droite sont parallèles.

11 Calculer et utiliser les coordonnées du milieu

Dans un repère orthonormé (O, I, J), on considère les points $A(-3\,;2)$, $B\left(0\,;-\dfrac{3}{2}\right)$ et $C(4\,;1)$.

1. Faire une figure qui sera complétée au fur et à mesure.
2. Calculer les coordonnées du milieu K du segment $[AC]$.
3. Le triangle ABC est-il rectangle ?
4. Calculer les coordonnées du point D tel que $ABCD$ soit un parallélogramme.

Solution

2. $x_K = \dfrac{x_A + x_C}{2} = \dfrac{-3+4}{2} = \dfrac{1}{2}$

et $y_K = \dfrac{y_A + y_C}{2} = \dfrac{2+1}{2} = \dfrac{3}{2}$,

donc $K\left(\dfrac{1}{2}\,;\dfrac{3}{2}\right)$.

3. Après calculs, on obtient :

$$KA = \sqrt{\frac{50}{4}} = \frac{5\sqrt{2}}{2}$$

$$\text{et } KB = \sqrt{\frac{37}{4}} = \frac{\sqrt{37}}{2}.$$

$KA \neq KB$, donc B n'appartient pas au cercle de diamètre $[AC]$ (en effet K est le centre de ce cercle) et ABC n'est pas rectangle.

4. On cherche le point D tel que K soit le milieu de $[BD]$, donc :

$$x_K = \frac{x_B + x_D}{2} \quad \text{et} \quad y_K = \frac{y_B + y_D}{2}.$$

$$\frac{x_B + x_D}{2} = x_K \Leftrightarrow \frac{0 + x_D}{2} = \frac{1}{2}$$

$$\Leftrightarrow x_D = 1.$$

De même $\dfrac{y_B + y_D}{2} = y_K \Leftrightarrow \dfrac{-1,5 + y_D}{2} = 1,5$

$$\Leftrightarrow y_D = 4,5.$$

Conclusion : si $ABCD$ est un parallélogramme de centre K, alors $D(1\,;4,5)$.

Stratégies

2. On applique les formules du cours.

3. • Si le triangle ABC était rectangle, son hypoténuse serait $[AC]$ (car la figure permet de voir sans calculs que c'est le plus grand côté).

• On pourrait comme dans l'exercice précédent utiliser l'égalité de Pythagore. On peut aussi utiliser la caractérisation du triangle rectangle par son cercle circonscrit :

« ABC rectangle en B » équivaut à : « B est sur le cercle de diamètre $[AC]$ ».

4. Si $[AC]$ et $[BD]$ ont le même milieu, alors $ABCD$ est un parallélogramme.

12 Étudier une configuration avec des coordonnées

On considère un rectangle $ABCD$ tel que $AB = a$ et $AD = b$.
En utilisant un repère orthonormé d'origine A tel que $B(a\,;0)$ et $D(0\,;b)$, montrer que les diagonales du rectangle sont de même longueur.

Solution

• Afin de pouvoir calculer les longueurs des diagonales du rectangle, AC et BD, on doit tout d'abord déterminer les coordonnées du point C :

$(BC)//(AD)$ donc $x_C = x_B$.

$(DC)//(AB)$ donc $y_C = y_D$.

Ainsi $C(a\,;b)$.

• Calculons les longueurs des diagonales du rectangle :

$$AC = \sqrt{(x_C - x_A)^2 + (y_C - y_A)^2} = \sqrt{a^2 + b^2}\;;$$
$$BD = \sqrt{(x_D - x_B)^2 + (y_D - y_B)^2} = \sqrt{(-a)^2 + b^2} = \sqrt{a^2 + b^2}.$$

Ainsi $AC = BD$: les diagonales du rectangle ont même longueur.

Stratégies

• Faire un dessin en plaçant A, B, C et D de façon à visualiser les axes du repère « comme on en a l'habitude ».

• On exprime les coordonnées du point C en fonction de a et b.

• On utilise les formules du cours.

• *Attention* : $\sqrt{a^2 + b^2} \neq a + b$!

Organiser une recherche

Dans un repère (O, I, J), on considère le cercle $\mathscr{C}$ de centre le point $A(2\,;1)$ passant par l'origine O, et une droite variable d passant par O et de coefficient directeur a.

On veut déterminer :

a. le réel a pour que la droite d soit tangente au cercle $\mathscr{C}$, c'est-à-dire pour que $\mathscr{C}$ et d n'aient qu'un seul point en commun ;

b. les coordonnées des points communs au cercle $\mathscr{C}$ et à la droite d lorsque $a = 6$.

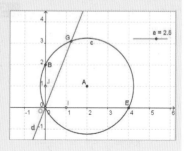

Recherche à l'aide d'un logiciel de géométrie

1. Après avoir tracé le cercle $\mathscr{C}$ à l'aide du logiciel Geogebra, on constate que la fenêtre « Algèbre » indique :
$$\mathscr{C} : (x - 2)^2 + (y - 1)^2 = 5.$$

Les coordonnées des points $O(0\,;0)$, $B(0\,;2)$ et $E(4\,;0)$ vérifient-elles cette équation ? Et celles du point $F(2\,;3)$?

2. En créant un curseur a variant de -6 à 6 avec un pas de $0,5$, puis la droite d'équation $y = ax$, on obtient la représentation de la droite d.

a. Quel point le cercle $\mathscr{C}$ et la droite d ont-ils en commun dans tous les cas ? Justifier.

b. Combien de points le cercle $\mathscr{C}$ et la droite d ont-ils en commun lorsque $a = 3$? lorsque $a = -4$?

c. Quelle est la valeur de a qui semble rendre la droite d tangente au cercle $\mathscr{C}$?

```
Objets libres
A = (2, 1)
B = (0, 2)
E = (4, 0)
I = (1, 0)
J = (0, 1)
O = (0, 0)
Objets dépendants
c: (x - 2)² + (y - 1)² = 5
```

3. Créer les points d'intersection du cercle $\mathscr{C}$ et de la droite d : O et G. Conjecturer alors les coordonnées demandées quand $a = 6$.

Ébauche d'une solution

1. Les points du cercle de centre A et de rayon r sont les points situés à la distance r du point A.

Justifier que pour tout point M de coordonnées $(x\,;y)$ on a :
$$M \in \mathscr{C} \text{ équivaut à } (x - 2)^2 + (y - 1)^2 = 5.$$

Cette égalité, qui caractérise le cercle $\mathscr{C}$, est appelée une équation de $\mathscr{C}$.

Indication : Ne pas oublier que lorsque AM et r sont deux nombres positifs ; on a : $AM = r \Leftrightarrow AM^2 = r^2$.

2. Les coordonnées des points communs au cercle $\mathscr{C}$ et à la droite d doivent vérifier simultanément les équations de $\mathscr{C}$ et d ; ils sont donc solutions du système $\begin{cases} y = ax \\ (x - 2)^2 + (y - 1)^2 = 5 \end{cases}$ où a prendra la valeur conjecturée au **2.c.** grâce au logiciel.

Résoudre ce système en remplaçant y par « ax » dans la seconde équation.

Une fois simplifiée, cette équation doit avoir **une seule** solution, si la conjecture est « juste ».

3. Écrire et résoudre comme précédemment le système vérifié par les coordonnées des points communs à $\mathscr{C}$ et d, dans le cas où $a = 6$. Conclure sur les coordonnées du point G.

Rédaction d'une solution

À l'aide des deux parties précédentes, rédiger une solution du problème étudié.

Prendre des initiatives

13 La réserve d'eau

Nicolas a planté trois arbres sur son terrain. Pour les arroser il désire mettre un réservoir d'eau situé à égale distance des trois arbres.

Le croquis ci-dessous, fait à main levée, permet de connaître la position des arbres (notés A, B et C) les uns par rapport aux autres.

Les valeurs numériques notées sont en centimètre et le croquis est à l'échelle 1/1 000ᵉ.

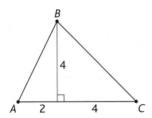

1. Faire un dessin précis et construire à la règle et au compas le point R donnant la position du réservoir.

2. Cette construction étant difficilement réalisable sur le terrain, Nicolas demande à sa fille Chloé (qui est en classe de Seconde) un moyen pour placer son réservoir facilement en utilisant son décamètre.

Chloé annonce à son père qu'il doit, en partant de A en direction de C, mesurer 30 m, puis tourner à angle droit et mesurer 10 m. A-t-elle raison ?*

* Conseil

Utiliser un repère orthonormé ayant pour origine le pied de la hauteur issue de B dans le triangle ABC.

14 Milieu et distances `Logique`

1. Des réciproques fausses

a. La proposition « si le point E est le milieu du segment $[AB]$, alors $AE = EB$ » est vraie.

– Énoncer la proposition réciproque.

– Montrer, à l'aide d'un dessin, que cette proposition réciproque est fausse.

b. La proposition « si le point E est le milieu du segment $[AB]$, alors $AE + EB = AB$ » est vraie.

– Énoncer la proposition réciproque.

– Montrer, à l'aide d'un dessin, que cette proposition réciproque est fausse.

2. En revanche, si on cumule les hypothèses des deux propositions réciproques (autrement dit, si on suppose que $AE = EB$ et $AE + EB = AB$), alors nécessairement E est le milieu du segment $[AB]$.

On demande de démontrer ce résultat de deux façons :

a. en utilisant les résultats du collège ;*

b. en utilisant des coordonnées.*

3. a. La proposition : « si le point E est le milieu du segment $[AB]$, alors $AE = \frac{1}{2}AB$ » est-elle vraie ?

b. Énoncer la réciproque de cette proposition.

c. Cette réciproque est-elle vraie ?

* Conseils

2.a. Traduire géométriquement les hypothèses $AE = EB$ et $AE + EB = AB$.

2.b. Choisir un repère bien approprié (voir le cours, page 222).

Savoir…	Comment faire ?
Placer des points et lire des coordonnées dans un repère (O, I, J).	On trace des **lignes de rappel parallèles** aux axes. On respecte l'unité définie sur chaque axe par les points I et J. 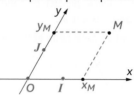
Reconnaître un repère orthogonal, un repère orthonormé.	**Repère orthogonal** 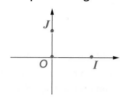 Les deux axes sont perpendiculaires. Les unités sur chaque axe ne sont pas nécessairement les mêmes. **Repère orthonormé** 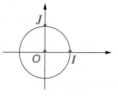 Les deux axes sont perpendiculaires. Les unités sont les mêmes sur chaque axe.
Calculer une distance dans un repère orthonormé.	On détermine, si nécessaire, les coordonnées des points A et B, puis on utilise la formule : $$AB = \sqrt{(x_B - x_A)^2 + (y_B - y_A)^2}.$$
Calculer les coordonnées du milieu d'un segment.	On applique la propriété suivante : le milieu du segment $[AB]$ a pour coordonnées $\left(\dfrac{x_A + x_B}{2} ; \dfrac{y_A + y_B}{2} \right)$.
Calculer les coordonnées de l'image d'un point par une symétrie centrale.	Le point F est le symétrique du point E par rapport au point K signifie que K est le milieu du segment $[EF]$: $$\begin{cases} x_K = \dfrac{x_E + x_F}{2} \\ y_K = \dfrac{y_E + y_F}{2} \end{cases} \Leftrightarrow \begin{cases} 2x_K = x_E + x_F \\ 2y_K = y_E + y_F \end{cases}$$ $$\Leftrightarrow \begin{cases} x_F = 2x_K - x_E \\ y_F = 2y_K - y_E \end{cases}$$ On obtient ainsi les coordonnées du point F.
Utiliser les coordonnées pour étudier une configuration.	• On choisit un repère pour que les coordonnées du plus grand nombre possible de points de la figure soient connues. • On utilise des lettres pour écrire les coordonnées non connues. • On prend obligatoirement un repère **orthonormé** si on veut utiliser des calculs de distances.

Pour chacune des questions suivantes, une seule réponse est correcte.

A On place les points $A(-1\,;0)$ et $B(2\,;1)$ dans le repère orthonormé (O, I, J).

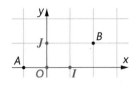

	a. 4	**b.** $\sqrt{10}$	**c.** $\sqrt{2}$
1. La distance AB est égale à :	**a.** 4	**b.** $\sqrt{10}$	**c.** $\sqrt{2}$
2. Le milieu du segment $[AB]$ a pour coordonnées :	**a.** $\left(\dfrac{1}{2}\,;\dfrac{1}{2}\right)$	**b.** $\left(\dfrac{3}{2}\,;\dfrac{1}{2}\right)$	**c.** $\left(\dfrac{3}{2}\,;-\dfrac{1}{2}\right)$
3. Le symétrique du point A par rapport au point B a pour coordonnées :	**a.** $\left(\dfrac{1}{2}\,;\dfrac{1}{2}\right)$	**b.** $(5\,;2)$	**c.** $(-4\,;-1)$
4. Dans le repère (A, O, J) le point B a pour coordonnées :	**a.** $(3\,;1)$	**b.** $(2\,;1)$	**c.** $(1\,;1)$
5. Dans le repère (A, I, J) le point B a pour coordonnées :	**a.** $(3\,;1)$	**b.** $(2\,;1)$	**c.** $(1\,;1)$
6. Dans le repère (O, I, B) le point J a pour coordonnées :	**a.** $(0\,;1)$	**b.** $(-1\,;1)$	**c.** $(-2\,;1)$

Corrigé p. 342

Vrai ou faux ?

Préciser si les affirmations suivantes sont vraies ou fausses.

B

1. Dans un repère du plan dont les axes sont perpendiculaires, $AB = \sqrt{(x_B - x_A)^2 + (y_B - y_A)^2}$.

2. Dans n'importe quel repère du plan, le milieu du segment $[AB]$ a pour coordonnées $\left(\dfrac{x_A + x_B}{2}\,;\dfrac{y_A + y_B}{2}\right)$.

3. Dans un repère (O, I, J), le milieu du segment $[IJ]$ a pour coordonnées $\left(\dfrac{1}{2}\,;\dfrac{1}{2}\right)$.

4. Dans un repère orthonormé (O, I, J), $IJ = 2$.

5. Si $AI = IB$, alors I est le milieu du segment $[AB]$.

6. Si $EFGH$ est un parallélogramme, alors le point H a pour coordonnées $(1\,;1)$ dans le repère (F, G, E).

7. Dans un repère (O, I, J) le symétrique du point I par rapport à J a pour coordonnées $(2\,;-1)$.

8. Si $ABCD$ est un carré, le repère (A, B, C) est orthonormé.

9. Si $ABCD$ est un rectangle, de longueur 2 cm et de largeur 1 cm, alors dans le repère (A, B, D), le point C a pour coordonnées $(2\,;1)$.

Corrigé p. 342

C Le plan est rapporté au repère orthonormé (O, I, J).
On considère les points $A(-3\,;2)$, $B(2\,;3)$ et $C(5\,;1)$.

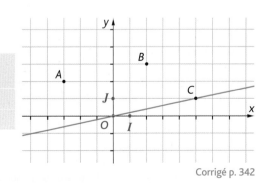

1. Le milieu D de $[AB]$ a pour coordonnées $\left(-\dfrac{1}{2}\,;\dfrac{5}{2}\right)$.

2. Le cercle de diamètre $[AB]$ ne coupe pas l'axe des abscisses.

3. La droite (OC) est tangente au cercle de diamètre $[AB]$.

Corrigé p. 342

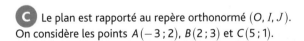
Pour s'auto-évaluer : des QCM et Vrai-Faux complémentaires

9 Exercices

▶ Les exercices portant un numéro orange
sont corrigés à la fin du manuel, page 330.

Applications directes

1 Coordonnées dans le plan

15 QCM

Pour chacune des questions suivantes, une seule réponse
est correcte.
On considère le repère (O, I, J).
1. Les points suivants ont pour abscisse 2 :
a. C **b.** A **c.** E
2. Le point de coordonnées
$(2 ; 1)$ est le point :
a. C **b.** A **c.** E
3. L'ensemble des points qui
ont une ordonnée nulle et une
abscisse positive est :
a. l'axe des abscisses
b. la demi-droite $[O ; I)$
c. la demi-droite $[O ; J)$

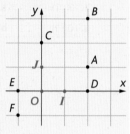

16 QCM

Pour chacune des questions
suivantes, une seule réponse
est correcte.
On considère le repère (O, I, J).
1. Le point C a pour coordonnées :
a. $(-2 ; -2)$ **b.** $(2 ; 2)$
c. $(-2 ; 2)$
2. Le quadrilatère $ACDE$ est un :
a. losange   **b.** parallélogramme
c. trapèze
3. Le point B a pour coordonnées :
a. $(2 ; 0)$ **b.** $(0 ; 2)$ **c.** $(2 ; 2)$

17 Vrai ou faux ?

Le plan est rapporté au
repère (O, I, J).
1. Les points A et B ont la
même abscisse.
2. Tous les points de la
bande verte, ont une
abscisse supérieure à 0,5.
3. Les points M de la bande
rose ont des coordonnées
$(x ; y)$ telles que $-2 \leqslant y \leqslant 2$.
4. Les points $M(x ; y)$ situés à l'intérieur du quadrilatère
$ABCD$ sont tels que $-1 \leqslant x \leqslant 1$ et $y \leqslant 2$.

18 Le plan est rapporté au repère (O, I, J).

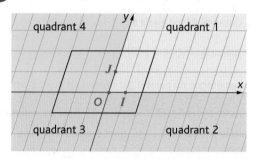

1. Caractériser les coordonnées des points du quadrant 1
par des inégalités.
2. Même question pour le quadrant 2.
3. Recopier et compléter :
« Les points intérieurs au parallélogramme dessiné ont des
coordonnées $(x ; y)$ telles que :
$$-3 \leqslant x \leqslant \dots \quad \text{et} \quad \dots \leqslant y \leqslant \dots »$$
4. Après avoir reproduit la figure, colorier en rouge les points
du plan de coordonnées $(x ; y)$ tels que :
$$x \geqslant 1 \quad \text{et} \quad y \leqslant 3.$$
5. Même question avec $x \in [-1 ; 1]$ et $y \in [-2 ; 2]$.

19 $ABCD$ est un carré de centre E.
1. Citer plusieurs repères orthonormés.
2. Faire la liste de tous les repères
orthonormés ayant pour origine le
point E que l'on peut définir avec
des points de la figure.
3. a. Déterminer les coordonnées
du point C dans le repère (E, A, B).
b. Déterminer les coordonnées du point C dans le repère
(A, B, D).

20 1. Tracer un repère (O, I, J) orthogonal tel que
$OI = 2$ cm et $OJ = 3$ cm.
2. Placer les points $A(-1 ; 2)$, $B(3 ; 1)$, $C(0 ; -3)$ et
$D(-2 ; -2)$.

21 1. Sur la figure de l'exercice précédent, placer les
points $H\left(\dfrac{1}{2} ; 0\right)$ et $K\left(0 ; \dfrac{1}{3}\right)$.
2. Donner les coordonnées des points A, B, C, I et J dans le
repère (O, H, K).

2 Utiliser des coordonnées pour calculer des distances

22 🅰🅛🅖🅞 **QCM**

Donner **toutes** les bonnes réponses.

On se place dans un repère orthonormé.

Pour deux points donnés A et B, on souhaite automatiser le calcul de la longueur AB.

Quel(s) est(sont) le(s) algorithme(s) correct(s) ?

a.
```
Variables :
   x_A, y_A, x_B, y_B, c : réels ;
Début
   Entrer(x_A, y_A, x_B, y_B) ;
   c ← (x_B − x_A)² + (y_B − y_A)² ;
   Afficher(c) ;
Fin.
```

b.
```
Variables :
   x_A, y_A, x_B, y_B, c, d : réels ;
Début
   Entrer(x_A, y_A, x_B, y_B) ;
   c ← (x_B − x_A)² + (y_B − y_A)² ;
   d ← √c
   Afficher(d) ;
Fin.
```

c.
```
Variables :
   x_A, y_A, x_B, y_B, c, d : réels ;
Début
   Entrer(x_A, y_A, x_B, y_B) ;
   c ← (x_B − x_A)² + (y_B − y_A)² ;
   Afficher(c) ;
   Afficher(d) ;
Fin.
```

23 Vrai ou faux ?

Dans un repère orthonormé on considère les points :
$$A(2\,;3),\ B(6\,;6)\text{ et }C(-1\,;7).$$
1. $AB = 5$.
2. $BC = \sqrt{50}$.
3. Le triangle ABC est isocèle.
4. Le triangle ABC est rectangle en B.

24 Vrai ou faux ?

Dans un repère orthonormé (O, I, J) on considère les points $A(-1\,;3)$, $B(5\,;7)$, $C(19\,;30)$ et $D(5\,;-5)$.
1. Le point D appartient au cercle de centre A et de rayon 10.
2. Le triangle DAB est isocèle.
3. Le point C appartient à la médiatrice de $[AB]$.

25 Vrai ou faux ?

On considère le repère orthonormé (O, I, J) ci-dessous.

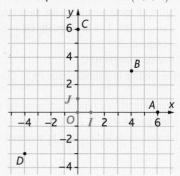

1. $OB = 7$.
2. Le triangle BCD est rectangle en B.
3. La médiatrice de $[AD]$ passe par O.
4. Les points A, B, C et D sont sur un même cercle.

26 QCM

Le plan est rapporté au repère orthonormé (O, I, J).
1. On considère les points $A(6\,;0)$, $B(-2\,;-6)$ et $C(2 - 3\sqrt{3}\,;-3 + 4\sqrt{3})$. Le triangle ABC est :
a. rectangle   **b.** isocèle   **c.** équilatéral
2. Soit $\mathscr{C}$ le cercle de centre $I(3\,;0)$ et de rayon 5. Le cercle $\mathscr{C}$ contient le point de coordonnées suivantes :
a. $(6\,;4)$ **b.** $(-2\,;-1)$ **c.** $(5\,;4{,}5)$.

27 Villard de Honnecourt fut un maître d'œuvre du XIIᵉ siècle, constructeur de cathédrales. Son carnet de croquis, conservé à la bibliothèque nationale, contient de nombreux dessins utiles aux tailleurs de pierres.

Le mouton permet de retenir la construction du nombre d'or.

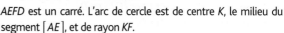

AEFD est un carré. L'arc de cercle est de centre K, le milieu du segment $[AE]$, et de rayon KF.

On considère le repère orthonormé (D, F, A).

Déterminer les coordonnées des points de la figure dans ce repère.

28 *Voir la fiche Savoir faire, page 223.*

Le plan est rapporté au repère orthonormé (O, I, J). On considère les points $A(3 ; -1)$, $B(10 ; -1)$ et $C(-1 ; 5)$.

1. Faire une figure et construire le pied K de la hauteur issue de C dans le triangle ABC. Lire la longueur CK.

2. Calculer la longueur BC.

3. Calculer l'aire du triangle ABC.

4. On note H le pied de la hauteur issue de A. Calculer AH.

29 Le plan est rapporté au repère orthonormé (O, I, J). On considère les points $A(-5 ; 2)$ et $B(2 ; y)$.

Déterminer les valeurs de y dans les cas suivants :

1. $AB = 7$;

2. $AB = 7\sqrt{2}$;

3. $OA = OB$;

4. B appartient à la médiatrice du segment $[IJ]$.

30 Le plan est rapporté au repère orthonormé (O, I, J). On considère le point $A(-5 ; 2)$.

Un point M d'ordonnée 4 appartient au cercle $\mathscr{C}$ de centre A et de rayon AI.

1. Construire les points M possibles.

2. Déterminer par le calcul les coordonnées des points M possibles.

31 Dans le repère orthonormé (O, I, J) les points A, B, C, D et E ont des coordonnées entières.

1. Donner ces coordonnées.

2. Calculer les distances AB, AC, AD, BD et CE.

3. Montrer que les droites (BD) et (CE) sont parallèles.

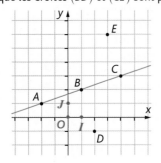

32 Dans un repère orthonormé (O, I, J) placer les points $A(1 ; 3)$ et $B(-1 ; 1)$.

1. Construire le point C de l'axe des abscisses tel que le triangle ABC soit isocèle en C et lire les coordonnées de C.

2. On note a l'abscisse de C. Calculer AB^2, AC^2 et BC^2. Vérifier par le calcul la lecture graphique faite au **1.**

33 Dans un repère orthonormé (O, I, J) placer les points $A(-2 ; 0)$ et $B(2 ; 2)$. La perpendiculaire à la droite (AB) en B coupe l'axe (OJ) en C et l'axe (OI) en D.

1. Construire les points C et D.

2. Déterminer les coordonnées des points C et D par le calcul.*

*** Conseil**

Poser $C(0, y)$ et utiliser le théorème de Pythagore.

34 Dans un repère orthonormé (O, I, J) placer les points $A(2 ; 5)$ et $B(4 ; 1)$.

Existe-t-il un ou des point(s) C de l'axe des ordonnées, tel(s) que ABC soit isocèle en A ?*

*** Conseil**

On pourra développer $(y - 9)(y - 1)$ ou mettre en évidence une forme $a^2 - b^2$.

35 **algo** 🖩 **Calculer avec un algorithme**

On considère l'algorithme suivant :

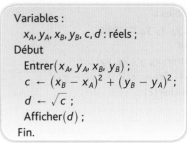

1. Que calcule cet algorithme ?

2. Le programmer sur votre calculatrice.

3. L'utiliser pour calculer AB, AC, AD avec :
$$A(2 ; 1), \quad B(4 ; 1 + \sqrt{3}), \quad C(2 - \sqrt{3} ; -1)$$
$$\text{et} \quad D(2 - 2\sqrt{2} ; 2\sqrt{2} + 1).$$

36 Le plan est rapporté au repère orthonormé (O, I, J).

On considère les points $A(1 ; 3)$, $B(4 ; 1)$ et $C\left(\dfrac{9}{2} ; 5\right)$.

Démontrer de deux façons différentes que C appartient à la médiatrice du segment $[AB]$.

---

3 **Utiliser les coordonnées du milieu d'un segment**

37 **QCM**

Le plan est rapporté au repère orthonormé (O, I, J).

1. On a $A(1 ; -5)$ et $B(3 ; -9)$. Le milieu du segment $[AB]$ a pour coordonnées :

a. $(2 ; -4)$ **b.** $(1 ; -2)$ **c.** $(2 ; -7)$

2. On a $A(-3 ; \sqrt{2})$ et $B(2 ; -\sqrt{2})$. Le milieu du segment $[AB]$ a pour coordonnées :

a. $\left(\dfrac{5}{2} ; -\sqrt{2}\right)$ **b.** $\left(-\dfrac{1}{2} ; 0\right)$ **c.** $(5 ; -2\sqrt{2})$

38 **Vrai ou faux ?**

Le plan est rapporté au repère orthonormé (O, I, J).

On considère les points $A(1 ; 4)$, $B(-1 ; -1)$ et $C(5 ; 1)$.

1. Le point D de coordonnées $(7 ; 8)$ est tel que $ABCD$ est un parallélogramme.

2. $E(9 ; -2)$ est le symétrique de A par rapport à C.

3. $K(2 ; 0)$ est le milieu du segment $[BC]$.

39 *Voir la fiche Savoir faire, page 223.*

Le plan est rapporté à un repère orthonormé.

On considère les points $A(-3\,;0)$, $B(5\,;-1)$, $C(9\,;6)$ et $D(1\,;7)$.

1. Démontrer que les segments $[AC]$ et $[BD]$ ont même milieu.

2. Calculer les longueurs AB et BC.

3. Quelle est la nature du quadrilatère $ABCD$?

40 Le plan est rapporté au repère (O, I, J).

On considère les points $A(2\,;2)$, $B(6\,;0)$ et $C(9\,;5)$.

1. Déterminer les coordonnées du milieu M du segment $[AC]$.

2. En déduire les coordonnées du point D tel que $ABCD$ soit un parallélogramme.

41 Le plan est rapporté au repère orthonormé (O, I, J).

On considère les points $A(3\,;5)$, $B(5\,;0)$, $C(-1\,;-1)$ et $D(-3\,;4)$.

1. Faire une figure.

2. Quelle est la nature du quadrilatère $ABCD$?

3. Construire le point E tel que $BACE$ soit un parallélogramme. Démontrer que les points D, C, E sont alignés.

4. Calculer les coordonnées du point E et vérifier que C est le milieu du segment $[DE]$.

42 $ABCD$ est un rectangle tel que $AB = 9$ cm et $BC = 7$ cm.

1. Placer :

• le point E sur le segment $[AB]$ tel que $AE = \dfrac{2}{9}AB$,

• le point F sur le segment $[BC]$ tel que $BF = \dfrac{2}{7}BC$,

• le point G sur le segment $[CD]$ tel que $CG = \dfrac{2}{9}CD$,

• et le point H sur le segment $[DA]$ tel que $DH = \dfrac{2}{7}DA$.

2. Donner les coordonnées des points A, B, C, D, E, F, G et H dans le repère (A, B, D).

3. Démontrer que $EFGH$ est un parallélogramme.

43 Dans un repère du plan on considère les points $A(-5\,;2)$, $B(4\,;-3)$ et $C(7\,;0)$.

1. Calculer les coordonnées du milieu E du segment $[AC]$.

2. Calculer les coordonnées du symétrique D de B par rapport à E.

3. Quelle est la nature du quadrilatère $ABCD$?

Une longue histoire

Dans son ouvrage *Géométrie* de 1637, **René Descartes** (1596-1650) propose de résoudre les problèmes de géométrie par le recours systématique au calcul algébrique.

À la même époque, **Pierre de Fermat** (1601-1665) est le premier à utiliser des coordonnées pour résoudre des problèmes de lieux géométriques.

René Descartes (1596-1650).

4 Étudier les configurations du plan

44 **Vrai ou faux ?**

$ABCD$ et $CDFE$ sont deux carrés de côté 1.

I est le milieu du segment $[AB]$ et J est le point d'intersection des segments $[CD]$ et $[IE]$.

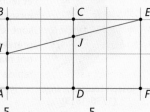

1. $CJ = \dfrac{1}{4}$. **2.** $IE = \dfrac{5}{2}$. **3.** $JF = \dfrac{5}{4}$.

4. Dans le repère (A, D, B) le point J a pour coordonnées $\left(1\,;\dfrac{3}{4}\right)$.

45 **Vrai ou faux ?**

1. ABC est isocèle en A et le point D est le symétrique du point B par rapport au point A. Alors le triangle ACD est isocèle.

2. ABC est un triangle tel que $AB = 10$ et $AC = 12$.

M est un point du segment $[AB]$ tel que $AM = 3$.

N est un point du segment $[AC]$ tel que $AN = 4$.

Alors les droites (MN) et (BC) sont parallèles.

3. ABC est un triangle rectangle en A.

D est le pied de la hauteur issue de A.

I et J sont les milieux respectifs des segments $[BD]$ et $[AD]$.

Alors les droites (CJ) et (AI) sont perpendiculaires.

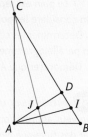

46 $ABCD$ est un carré ; E, F et G sont les milieux respectifs des segments $[AB]$, $[BC]$ et $[BF]$.

1. Faire une figure.

2. Donner les coordonnées des points A, B, C, D, E, F et G dans le repère (A, B, D).

3. Quelle est la nature du triangle DEG ?

4. En déduire que les droites (AF) et (DE) sont perpendiculaires. On note H leur point d'intersection.

5. Calculer la longueur DH. On pourra utiliser l'aire du triangle AFD.

47 On considère un triangle ABC et A', B' et C' les milieux respectifs des segments $[BC]$, $[CA]$, $[AB]$. H est le pied de la hauteur issue de A.

Démontrer que $HA'B'C'$ est un trapèze isocèle.

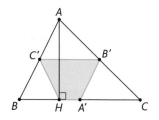

48 *ABCD* est un parallélogramme. Les points *E*, *F*, *G* et *H* sont tels que $AE = DF = CG = BH$. Démontrer que *EFGH* est un parallélogramme.*

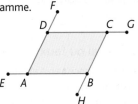

* Conseil

On pourra utiliser le repère (A, B, D) *et poser* $AE = a$.

49 Le plan est rapporté au repère orthonormé (O, I, J). On considère les points $A(1 ; 1)$, $B(2 ; 5)$ et $C(3 ; 1)$.

1. Déterminer les coordonnées du point *D* tel que *ABCD* soit un parallélogramme.

2. Démontrer que *ABCD* est un losange.

50 Modéliser une situation

On veut approvisionner deux réservoirs *A* et *B* en les reliant par des tuyaux à des canaux d'irrigation.

Deux canaux perpendiculaires entre eux, que nous nommerons C_1 et C_2, passent à proximité.

Le réservoir *A* est situé à 2,6 km à l'est de C_1 et à 3,4 km au nord de C_2.

Le réservoir *B* est situé à 5,3 km à l'est de C_1 et à 2,8 km au nord de C_2.

On peut, soit relier chaque réservoir à un des deux canaux, soit relier un réservoir à un des deux canaux et approvisionner le second réservoir en le reliant au premier.

Le but est de minimiser la longueur de tuyaux nécessaire.

Bien entendu, chaque liaison envisagée sera effectuée en ligne droite.

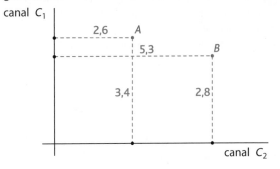

Deux projets sont proposés :

• le premier approvisionne le réservoir *A* par le canal C_1 et le réservoir *B* par le canal C_2 ;

• le second approvisionne le réservoir *A* par le canal C_1 et le réservoir *B* par le réservoir *A*.

Choisir le projet le plus économique.

51 Formule de Héron

Héron d'Alexandrie, mathématicien grec (75 à 150 après J.-C.) a donné son nom à une formule permettant de calculer l'aire *S* d'un triangle connaissant la longueur de chacun de ses trois côtés.

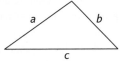

Formule de Héron :

$$S = \sqrt{p(p-a)(p-b)(p-c)} \text{ où } p = \frac{a+b+c}{2}$$

(demi-périmètre du triangle).

Le saviez-vous ?

Certains auteurs estiment que cette formule utilisée par Héron dans l'un de ses ouvrages concernant les problèmes de mesure était déjà connue d'Archimède (287 – 212 av. J.-C.).

Le but de cet exercice est de vérifier cette formule pour quelques cas particuliers.

a.

Vérifier la formule de Héron dans le cas particulier d'un triangle équilatéral.

b.

Vérifier la formule de Héron dans le cas particulier d'un triangle rectangle isocèle.

c.

Vérifier la formule de Héron dans le cas particulier d'un triangle isocèle.

Problèmes

52 Le plan est rapporté au repère orthonormé (O, I, J). On considère les points $A(-2\,;-5)$, $B(0\,;5)$, $C(4\,;1)$ et $D(2\,;-9)$.

1. Démontrer que $ABCD$ est un parallélogramme.

2. Déterminer les coordonnées du point E symétrique du point B par rapport au point C.

3. Calculer les longueurs AE et CD.

4. Quelle est la nature du quadrilatère $ACED$?

53 Démontrer

$ABCD$ est un carré. Soit M un point du segment $[AB]$. On pose $AM = b$ et $BM = c$.
Q est le point du segment $[AD]$ tel que $AQ = c$.
N est le point du segment $[BC]$ tel que $BN = b$.
Démontrer que les droites (MQ) et (MN) sont perpendiculaires.

54 Le plan est rapporté au repère orthonormé (O, I, J). On considère les points $A(3\,;8)$, $B(-1\,;0)$ et $C(-5\,;2)$.

1. Démontrer que ABC est un triangle rectangle.

2. Déterminer le centre K et le rayon r du cercle $\mathscr{C}$ circonscrit au triangle ABC.

3. Déterminer les coordonnées des points d'intersection de $\mathscr{C}$ avec l'axe des ordonnées.

55 On considère les points distincts $A(x_A\,;y_A)$ et $B(x_B\,;y_B)$ dans un repère du plan.
On note C le milieu du segment $[AB]$.

1. Cas $y_A = y_B$ et $x_A < x_B$

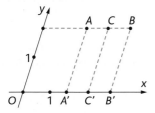

a. Montrer que $y_C = \dfrac{y_A + y_B}{2}$.

b. A', B', C' sont les points de l'axe des abscisses ayant respectivement même abscisse que A, B et C. Justifier que les quadrilatères $AA'C'C$ et $CC'B'B$ sont des parallélogrammes. En déduire que $A'C' = C'B'$.

c. Déduire de **b.** que $x_C = \dfrac{x_A + x_B}{2}$.

Remarque : On traite de même le cas $y_A = y_B$ et $x_B < x_A$ (ne pas le faire).

2. Faire un dessin et, en s'inspirant de la question **1.**, écrire un énoncé qui permettrait de traiter le cas $x_A = x_B$.

3. Cas $x_A < x_B$ et $y_A < y_B$
Les points A', B', C' sont définis comme dans la question **1.**
E est le point de coordonnées $(x_B\,;y_A)$ et F est le milieu du segment $[AE]$.

a. Justifier $x_C = x_F$.

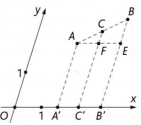

b. En déduire, en utilisant la question **1.**, que $x_C = \dfrac{x_A + x_B}{2}$.

c. Faire le dessin associé au raisonnement permettant de démontrer que $y_C = \dfrac{y_A + y_B}{2}$. (On ne demande pas de rédiger ce raisonnement.)

Remarque : Les cas $x_A < x_B$ et $y_A > y_B$, $x_A > x_B$ et $y_A < y_B$ et $x_A > x_B$ et $y_A > y_B$ se traiteraient exactement de la même façon.

56 Le plan est rapporté au repère orthonormé (O, I, J). On considère les points $A(2\,;6)$, $B(-2\,;4)$, $C(1\,;-2)$ et $D(5\,;0)$.

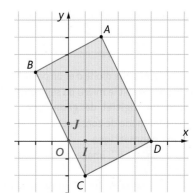

1. Démontrer que $ABCD$ est un rectangle.

2. Déterminer les coordonnées du centre du rectangle $ABCD$.

3. Déterminer le « format » r de $ABCD$: $r = \dfrac{\text{Longueur}}{\text{Largeur}}$.

4. a. Construire le point E du segment $[AD]$ tel que $AE = \dfrac{1}{r}\,AD$ et le point F du segment $[BC]$ tel que $BF = \dfrac{1}{r}\,BC$.

b. Quelle est la nature du quadrilatère $ABFE$?

57 Le plan est rapporté au repère (O, I, J) orthonormé. On considère les points $A(4\,;0)$ et $B(0\,;3)$.
M est un point du segment $[AB]$ de coordonnées $(a\,;b)$.
D est le projeté de M sur (Ox) et E sur (Oy).
Déterminer a et b pour que $ODME$ soit un carré.

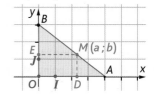

58 Le plan est rapporté au repère orthonormé (O, I, J).
On considère les points $A(1;5)$, $B(-2;-1)$, $C(7;-1)$ et $H(1;2)$.
1. Déterminer les coordonnées des points D et E tels que $ABDC$ et $ACBE$ soient des parallélogrammes.
2. Montrer que le triangle HBE est rectangle en B.
3. Montrer que la droite (HB) est la médiatrice du segment $[ED]$.
4. Que représente le point H pour le triangle ABC ?

59 Le plan est rapporté au repère orthonormé (O, I, J).
On considère les points $A(-2;0)$, $B(-1;3)$ et $C(4;-2)$.
1. Démontrer que le triangle ABC est rectangle.
2. Soit $\mathscr{C}$ son cercle circonscrit. On appelle K son centre.
a. Déterminer les coordonnées de K et le rayon de $\mathscr{C}$.
b. Préciser la position des points $D(4;3)$ et $F(3,5;3,5)$ par rapport à $\mathscr{C}$.
c. Démontrer que la droite (DF) est tangente à $\mathscr{C}$.

60 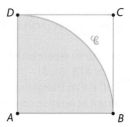 d et d' sont deux droites sécantes en O. A est un point n'appartenant ni à d ni à d'.

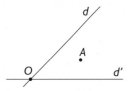

Construire un point M sur la droite d et un point N sur la droite d' pour que le point A soit le milieu du segment $[MN]$.
1. En utilisant un logiciel de géométrie dynamique, conjecturer une méthode de construction.
2. Une solution géométrique
a. Construire la droite d'' image de la droite d dans la symétrie de centre A.
b. La droite d'' coupe la droite d' au point N et la droite (AN) coupe la droite d au point M. Montrer que le point A est le milieu de $[MN]$.
3. Avec un repère
En utilisant le repère (O, B, C) ci-dessous, déterminer les coordonnées des points M et N qui répondent à la question posée et les construire.

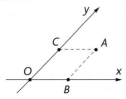

61 Soit $ABCD$ un carré et M un point de la diagonale $[AC]$.
Soit P le pied de la perpendiculaire issue de M sur la droite (AD) et Q celui de la perpendiculaire issue de M sur la droite (CD).
On considère le repère orthonormé $(A;B;D)$.
1. Si on note x l'abscisse du point M, quelle est son ordonnée ?

2. À quel intervalle x doit-il appartenir ?
3. a. Déterminer en fonction de x les coordonnées des points P et Q.
b. En déduire que, quelle que soit la position du point M, on a $MB = PQ$.
c. Donner une démonstration géométrique de ce résultat.
4. Soit E le point tel que $MQPE$ soit un parallélogramme.
a. Déterminer les coordonnées du point E en fonction de x.
b. Quelle est la nature du triangle BME ?
c. En déduire que les droites (MB) et (PQ) sont perpendiculaires.

62 🧮 💻 Construire un algorithme
$ABCD$ est un carré de côté 1 et la surface colorée un quart de cercle de rayon 1.

1. Quel est le rapport de l'aire du quart de disque à l'aire du carré ?
2. On considère deux nombres aléatoires a et b de l'intervalle $[0;1]$.
On considère le point $M(a;b)$ dans le repère (A, B, D).
a. À quelle surface appartient le point M ?
b. Donner une condition pour que M appartienne au quart de disque coloré en vert.
c. Construire, puis mettre en œuvre un algorithme qui prenne en entrée un entier n, qui simule le choix aléatoire de n points dans le carré $ABCD$ et qui affiche en sortie le rapport :

$$\frac{\text{nombre de points dans le quart de disque}}{n}.$$

d. Quelle remarque peut-on faire lorsque n augmente ?

63 Le plan est rapporté au repère orthonormé (O, I, J). On considère les points $A(6\,;0)$ et $B(0\,;6)$.
Démontrer que le point $K(6 - 3\sqrt{2}\,;6 - 3\sqrt{2})$ est le centre du cercle inscrit dans le triangle OAB.

64 🖳 On considère deux segments $[AB]$ et $[CD]$ de longueurs respectives a et b.
Problème : Si ces segments sont parallèles, quel est l'ensemble des milieux I des segments d'extrémités M sur le segment $[AB]$ et N sur le segment $[CD]$?

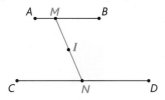

1. En utilisant un logiciel de géométrie dynamique, et le mode *trace*, conjecturer l'ensemble des points I.
2. En utilisant le repère (C, D, A) démontrer cette conjecture.
3. Reprendre la question **1.** lorsque ces segments ne sont pas parallèles.

65 **Logique**
1. ABC est un triangle isocèle en A. Démontrer qu'il a deux médianes de même longueur.*
2. Réciproquement, démontrer que si un triangle a deux médianes de même longueur, alors il est isocèle.

* Conseil
On peut utiliser un repère orthonormé d'origine I, milieu de $[BC]$.

66 🖳 **En lien avec la Physique**
Dans le plan muni d'un repère orthonormé, on note $\mathscr{E}$ l'ensemble des points dont les coordonnées $(x\,;y)$ vérifient la relation $\dfrac{x^2}{25} + \dfrac{y^2}{9} = 1$. On considère également les points $F(4\,;0)$ et $F'(-4\,;0)$.
1. Calculer les coordonnées des points d'intersection de $\mathscr{E}$ avec les axes du repère.

2. À l'aide du logiciel Geogebra, visualiser l'ensemble $\mathscr{E}$ et faire une conjecture sur la somme des distances $MF + MF'$ lorsque M est un point de $\mathscr{E}$.
3. Pour aller plus loin
Soit $M(x\,;y)$ un point de $\mathscr{E}$.
a. Exprimer y^2 en fonction de x^2 et en déduire que $x^2 \leqslant 25$.
La connaissance de la fonction carré (voir chapitre 3) permet alors de dire que $-5 \leqslant x \leqslant 5$.
b. Montrer que $MF^2 = \left(\dfrac{4}{5}x - 5\right)^2$.
c. Sachant que $x \leqslant 5$, montrer que $\dfrac{4}{5}x - 5 \leqslant 0$.
En déduire que $MF = 5 - \dfrac{4}{5}x$.
Un travail analogue permet de montrer que $MF' = 5 + \dfrac{4}{5}x$.

d. Valider la conjecture.
4. L'ensemble $\mathscr{E}$ s'appelle une ellipse et les points F et F' sont appelés les foyers de cette ellipse.
Comment un paysagiste (ou un jardinier amateur) peut-il procéder pour créer un parterre en forme d'ellipse ?

❙ Première loi de Kepler

La première loi de Kepler : loi des orbites (1609).
Elle établit une relation entre l'orbite des planètes et le Soleil. Le mouvement de chaque planète est une ellipse.

Johannes Kepler
(1571-1630).

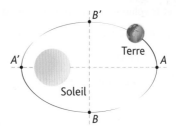

Partir d'un bon pied

1 Voir de « face »

Le solide ci-dessous possède exactement trois faces colorées. On l'observe suivant différents points de vue, numérotés 1, 2, 3, 4.

Reproduire et compléter en coloriant, si nécessaire, les faces que voit l'observateur suivant son point de vue.

vue 1   vue 2   vue 4

vue 3

2 Calculer des longueurs et des volumes dans un cube

QCM *ABCDEFGH* est un cube de 6 cm d'arête. On construit les points *I* et *J*, centres respectifs des faces *EFGH* et *ABCD*. Pour chacune des affirmations suivantes, déterminer l'unique réponse exacte.

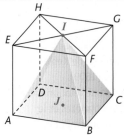
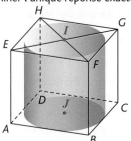

1. Le volume du cube *ABCDEFGH* est égal à :	**a.** 18 cm³	**b.** 216 cm³	**c.** 36 cm³
2. Le rapport entre le volume de la pyramide *IABCD* et le volume du cube *ABCDEFGH* est égal à :	**a.** $\dfrac{1}{3}$	**b.** $\dfrac{1}{2}$	**c.** $\dfrac{1}{4}$
3. Le cylindre bleu a pour volume :	**a.** 27π cm³	**b.** 54π cm³	**c.** 81π cm³
4. Le triangle *DBI* est :	**a.** équilatéral	**b.** rectangle en *I*	**c.** isocèle en *I*
5. Le quadrilatère *DBFH* est :	**a.** un rectangle	**b.** un carré	**c.** un losange

3 Savoir lire un dessin en perspective

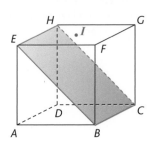

ABCDEFGH est un parallélépipède rectangle. Le point *I* est le centre de la face *EFGH*. Répondre par **vrai** ou par **faux** aux affirmations suivantes.

1. Les droites (*EH*) et (*BC*) sont parallèles.

2. Les droites (*EB*) et (*HC*) sont parallèles.

3. Les droites (*BF*) et (*DC*) sont sécantes.

4. Les droites (*BF*) et (*DC*) sont parallèles.

5. Les droites (*FH*) et (*EG*) sont perpendiculaires.

6. Le triangle *EIF* est isocèle.

 Pour réviser : des rappels de cours et des tests dans les **Techniques de base**

Géométrie dans l'espace

Des maths partout !

Les solides usuels sont une source d'inspiration inépuisable pour les architectes.

Une pyramide aztèque (XIVᵉ siècle après J.-C.).

La piscine des J.O. de Pékin (2008).

Opéra de Lyon, Jean Nouvel (2002).

Un bâtiment du Futuroscope de Poitiers (1987).

Les objectifs de ce chapitre sont de :
• développer la vision dans l'espace ;
• reconnaître, manipuler, construire, utiliser des objets de l'espace : solides, droites, plans ;
• fournir des configurations conduisant à des problèmes mobilisant d'autres champs des mathématiques.

AU FIL DU TEMPS

Un des moments phares de l'histoire de la géométrie dans l'espace est celui de la construction des solides réguliers par **Théétète d'Athènes** (mort en 395 ou 360 avant J.-C.).
Ces solides sont étudiés ensuite par **Platon** (428-348 avant J.-C.) qui les assimile aux cinq éléments : le feu (tétraèdre), la terre (cube), l'air (octaèdre), l'éther (dodécaèdre), l'eau (icosaèdre). Cette étude est complétée par **Archimède** (287-212 avant J.-C.).

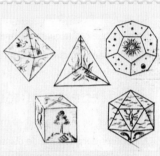

1 Voir dans l'espace et représenter dans un plan

La cité idéale, panneau dit d'Urbino vers 1470,
École de Piero della Francesca.

Jacques Androuet du Cerceau,
château de Gaillon, fin du XVIe siècle.

Ces deux reproductions illustrent deux représentations planes différentes d'un paysage architectural.

Celle de gauche est une perspective « linéaire » ou « centrale », celle de droite une perspective dite « cavalière ».

1. Décrire les différences entre les deux types de perspectives.

2. Laquelle des deux paraît la plus « réaliste » ?

3. À main levée, représenter en perspective cavalière le 1er palais à droite de « La cité idéale », entouré par un liseré rouge.

4. Trouver des exemples de ces deux types de représentation dans les arts, dans les jeux vidéos...

2 Des solides et des sections

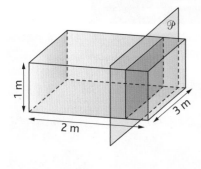

Figure 1

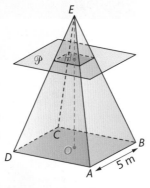

Figure 2

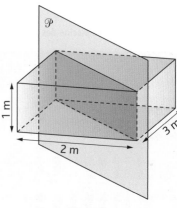

Figure 3

Dans les figures 1 et 3, le solide représenté est un parallélépipède rectangle.

Dans la figure 2, le solide *EABCD* est une pyramide régulière à base carrée. Le point *O* est le centre du carré *ABCD*, et on donne :
$EH = 2\,\text{m}$, $EO = 6\,\text{m}$.

Dans chaque cas, le quadrilatère dont l'intérieur est coloré en vert est la section par un plan $\mathscr{P}$ (coloré en gris) du solide représenté.

Préciser dans chaque cas la nature de ce quadrilatère, et calculer son aire.

3 Repérer autour de nous des plans et des droites

1. Combien de pieds faut-il au minimum pour qu'une chaise soit stable ?

2. Repérer dans la salle de classe :

a. des plans qui sont parallèles ;

b. des plans qui se coupent. Quelle semble être leur intersection ?

c. des droites parallèles et des droites sécantes ;

d. des droites qui ne semblent ni parallèles ni sécantes.

4 Voir dans l'espace avec Geospace

ABCDEFGH est un cube de 6 cm d'arête, *I* est le milieu de l'arête [*HG*].

On se propose de représenter en vraie grandeur la section du cube par le plan contenant les points *E*, *I* et *C* que l'on notera $\mathcal{P}$.

Partie A. Travail sur papier

1. Reproduire la figure ci-dessous.

2. Quelle est la position relative des plans contenant respectivement les faces *ABCD* et *EFGH* ?

3. Quelle est l'intersection du plan contenant la face *EFGH* et du plan $\mathcal{P}$?

4. Comment peut-on obtenir la droite d'intersection du plan $\mathcal{P}$ et du plan contenant la face *ABCD* ?

Tracer cette droite.

5. Dessiner la section demandée, c'est-à-dire les intersections du plan (*EIC*) avec toutes les faces du cube.

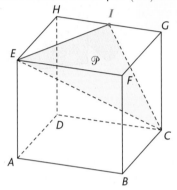

Partie B. Travail avec Geospace

1. Réaliser la construction à l'aide du logiciel de géométrie dynamique Geospace.

En utilisant les instructions « *créer, ligne, polygone convexe, section d'un polyèdre par un plan* » faire apparaître la section demandée.

2. Calculer les longueurs *EI* et *IC*.

3. Tracer en vraie grandeur la section. Quelle est sa nature ?

4. En utilisant la touche « *plan isolé* », vérifier la réponse donnée à la question **3**.

5 Course de mouches sur un parallélépipède rectangle

Deux mouches se déplacent sur une brique ayant la forme d'un pavé droit *ABCDEFGH* de longueur *AB* = 16 cm, de largeur *BC* = 10 cm et de hauteur *BF* = 10 cm.

Elles vont du point *A* au point *G* en se déplaçant sur des segments de droites.

La mouche 1 suit le trajet *A*, *I*, *G* où *I* est le milieu du segment [*EF*].

La mouche 2 suit le trajet *A*, *J*, *G* où *J* est le milieu du segment [*BF*].

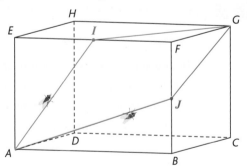

1. Quelle est celle qui effectue le trajet le plus court ?

2. Quel est le trajet le plus court, parmi tous les trajets possibles, pour aller de *A* en *G*, en suivant des segments de droites sur les faces ? *

* Conseil

Il peut être utile de réaliser un patron.

 L'activité TICE corrigée animée

10. COURS

1 Les solides usuels

Il faut savoir les **reconnaître** et pouvoir **calculer** leurs volumes (voir le mémento, page 328).

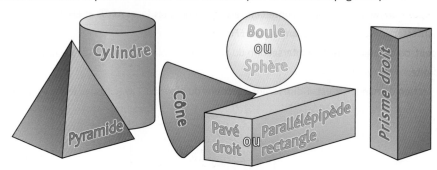

2 La perspective cavalière

La représentation d'un objet en trois dimensions par une figure plane (en deux dimensions) est une opération délicate. En mathématiques, on utilise la **perspective cavalière**, dont voici les propriétés principales.

Propriétés Dans la perspective cavalière :

- deux droites **parallèles** dans la réalité sont représentées par des droites **parallèles** ;
- les **milieux des segments** et les **rapports de longueurs** sont **conservés** ;
- les **longueurs** et les **angles** ne sont généralement **pas conservés** ;
- par convention, les arêtes cachées sont représentées en pointillés.

Remarque : En général, les droites perpendiculaires dans la réalité ne sont pas représentées par des droites perpendiculaires. Ainsi, dans le cube $ABCDEFGH$, les droites (BC) et (BF) sont perpendiculaires.

3 Droites et plans de l'espace

Définitions et propriétés

- Deux points **distincts** suffisent pour définir et nommer une droite.
- Si M et N sont deux points distincts d'un plan, la droite (MN) est tout entière incluse dans ce plan.
- Trois points **non alignés** suffisent pour définir et nommer un plan.
- Les théorèmes et propriétés de la géométrie plane s'appliquent dans tous les plans de l'espace.

Exemple

- $ABCD$ est la face supérieure d'un coffre ayant la forme d'un parallélépipède rectangle.
- Les plans (ABC), (DCB), (CBA) désignent tous le même plan, porté par la face $ABCD$.
- À l'intérieur de ce plan, pour calculer la longueur BD, on peut appliquer le théorème de Pythagore dans le triangle DCB, rectangle en C.

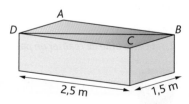

Énoncé

ABCDEFGH est un parallélépipède rectangle de dimensions $AB = 6$ cm, $AD = 8$ cm, $AE = 4$ cm, représenté en perspective cavalière.

On considère le point *I*, milieu du segment $[EF]$, et le point *J* sur le segment $[FG]$, tel que $FJ = 2$ cm.

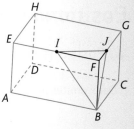

1. Reproduire la figure et placer précisément le point *J*.

2. a. Réaliser un patron du solide *ABCDEIJGH*.

b. Représenter à main levée et en perspective cavalière la pyramide *FIJB*, puis déterminer son volume.

c. En déduire le volume du solide *ABCDEIJGH*.

Solution rédigée

1. L'arête $[FG]$ représentée n'a pas pour longueur 8 cm sur la figure. Pour placer *I* précisément, on calcule le rapport de longueurs :
$$\frac{FJ}{FG} = \frac{2}{8} = \frac{1}{4}.$$

On place donc le point *J* au quart du segment $[FG]$ en partant de *F* (point ❶).

2. a. (point ❷)

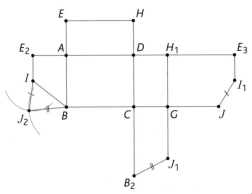

b. On choisit par exemple *BFJ* comme base de la pyramide. La hauteur associée à cette base est *IF* (point ❸).
FBJ est rectangle en *F*, son aire $\mathcal{B}$ est donc égale à :
$$\mathcal{B} = \frac{1}{2} \times FB \times FJ = 4 \text{ cm}^2.$$

Donc, le volume de la pyramide est :
$$V = \frac{1}{3} \times 4 \times 3 = 4 \text{ cm}^3.$$

c. Le volume du solide cherché est obtenu en retranchant le volume de la pyramide *IFBJ* au volume du pavé de départ (point ❹).
Le volume est donc :
$$V = 6 \times 8 \times 4 - 4 = 188 \text{ cm}^3.$$

Points méthode

❶ La perspective cavalière ne conserve pas les longueurs, mais conserve les milieux et les rapports de longueurs.

❷ On utilise du papier millimétré ou quadrillé pour reporter facilement les longueurs.
On utilise le compas pour reporter les longueurs BJ et BI et obtenir ainsi le point J_2.

❸ La formule du volume d'une pyramide est :
$$V = \frac{1}{3} \mathcal{B} \times h.$$
On oriente la pyramide de façon à visualiser et calculer facilement l'aire de la base $\mathcal{B}$ et la hauteur *h* associée à cette base.
Ici, la base est le triangle *BFJ*, rectangle en *F*, et la hauteur associée est *FI*.

❹ On exprime le volume comme différence de deux volumes connus.

POUR S'EXERCER

1 Construire le patron d'une pyramide régulière à base carrée de 4 cm.

2 Reprendre l'exercice corrigé en remplaçant le triangle *IJB* par le triangle *EGB*.

▶ Voir exercices 10 à 24

4 Positions relatives de droites et plans de l'espace

a. Positions relatives de deux droites

Deux droites peuvent être : • soit **coplanaires**, c'est-à-dire situées dans un même plan. Dans ce cas, elles sont **sécantes**, strictement **parallèles** ou **confondues**.

• soit **non coplanaires**, c'est-à-dire non situées dans un même plan. Dans ce cas, elles n'ont aucun point en commun.

Exemple

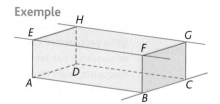

• Les droites (AB) et (BC) sont sécantes, ainsi que les droites (AC) et (BD).

• Les droites (EF) et (GH) sont parallèles.

• Les droites (EF) et (BC) sont non coplanaires : bien que n'ayant pas de point d'intersection, elles ne sont pas parallèles !

b. Positions relatives de deux plans

Deux plans peuvent être :

• soit **parallèles** : ils sont alors confondus, et ils ont tous leurs points en commun, ou strictement parallèles, et ils n'ont aucun point en commun ;

• soit **sécants** : ils se coupent alors suivant une droite.

Théorème 1 Critère de parallélisme

Deux plans sont parallèles lorsque deux droites sécantes de l'un sont parallèles à deux droites sécantes de l'autre.

Théorème 2 Théorème de section

Un plan coupe deux plans parallèles suivant des droites parallèles.

Exemple

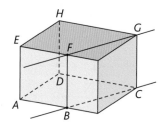

• Les plans (EFG) et (FGH) sont parallèles confondus.

• Les plans (ABC) et (EFG) sont strictement parallèles.

• Les plans (EFG) et (CBG) sont sécants suivant la droite (FG).

• Les plans (ABC) et (CBG) sont sécants suivant la droite (BC). On déduit des trois affirmations précédentes que les droites (BC) et (FG) sont parallèles.

c. Positions relatives d'une droite et d'un plan

Une droite et un plan peuvent être :

• soit **parallèles** : la droite est alors entièrement contenue dans le plan ou strictement parallèle au plan.

Dans ce dernier cas, elle n'a aucun point commun avec le plan, et le plan contient une droite qui lui est parallèle.

• soit **sécants** : la droite et le plan ont alors un seul point en commun.

Exemple

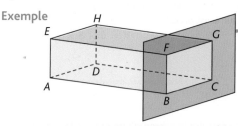

• La droite (BF) est contenue dans le plan (BCG).

• La droite (AH) est strictement parallèle au plan (BCG).

• La droite (AG) est sécante au plan (BCG) au point G.

Énoncé

ABCDE est une pyramide, dont la base *BCDE* est un quadrilatère tel que les droites
(*BC*) et (*DE*) ne sont pas parallèles.

I est le milieu de [*AB*] et *J* celui de [*AC*], *K* est un point du segment [*AD*]
tel que $AK = \frac{3}{4}AD$.

1. a. **Déterminer la position relative des droites (*IJ*) et (*BC*).**

b. **Déterminer la position relative des droites (*JK*) et (*CD*).**

2. a. **Déterminer l'intersection de la droite (*JK*) et du plan (*BCD*).**

b. **Déterminer l'intersection des plans (*ABC*) et (*ADE*).**

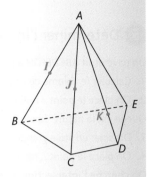

Solution rédigée

1. a. On se place dans le plan (*ABC*).
En utilisant le théorème des milieux dans le
triangle *ABC*, on peut affirmer que les droites (*IJ*)
et (*BC*) sont parallèles (point ❶).

b. On se place dans le plan (*ACD*).
Les droites (*JK*) et (*CD*) sont sécantes.
Elles se coupent au point *Q* (point ❷).

2. a. La droite (*JK*) coupe la droite (*CD*) en *Q*
et (*JK*) n'est pas parallèle au plan (*BCD*) ; sinon
elle serait entièrement contenue dans (*BCD*), et *J*
serait un point du plan (*BCD*).
Donc l'intersection de la droite (*JK*) et du plan
(*BCD*) est le point *Q* (point ❸).

b. Le point *A* est commun aux plans (*ABC*) et (*ADE*). Ces deux plans ne sont donc pas
parallèles, sinon ils seraient confondus.
De plus, les droites (*BC*) et (*DE*) situées dans le même plan (*BCD*) sont sécantes :
on appelle *R* leur point d'intersection.
Le point *R* est dans le plan (*BCD*) et aussi dans le plan (*ADE*) (puisqu'il appartient
à la droite (*DE*)).
L'intersection des plans (*ABC*) et (*ADE*) est la droite (*AR*) (point ❹).

Points méthode

❶ On se place dans un plan
où l'on peut utiliser les
théorèmes de géométrie
plane.

❷ On prolonge les droites
coplanaires pour déterminer
leur point d'intersection.

❸ L'intersection d'une droite
avec un plan est réduite à un
point, lorsque la droite est
non parallèle à ce plan. Il
suffit donc de trouver ce
point.

❹ L'intersection de deux
plans sécants est une droite.
Il suffit donc de trouver deux
points communs à ces deux
plans pour obtenir la droite
entière.

POUR S'EXERCER

❸ On considère le cube ci-
contre. Le point *I* est le milieu du
segment [*BF*].

1. Expliquer pourquoi les droites
(*EI*) et (*AB*) sont sécantes.
Placer *P*, leur point d'intersection.
2. Déterminer l'intersection du
plan (*EHI*) avec le plan (*ABC*).

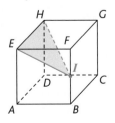

❹ *ABCD* est une pyramide à
base triangulaire. Les points *I, J, K*
sont les milieux respectifs des
arêtes [*AC*], [*BC*] et [*CD*].

Démontrer que les plans (*IJK*) et
(*ABD*) sont parallèles.

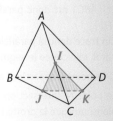

▶ **Voir exercices 25 à 40**

5 Déterminer l'intersection de deux plans dans une configuration de l'espace

Un pavé droit *ABCDEFGH* a pour longueur *AB* = 6 cm, pour largeur *BC* = 3 cm et pour hauteur *BF* = 4 cm.

1. Calculer le volume de ce pavé droit.

2. On place le point *J* milieu de [*AE*] et le point *K* milieu de [*DH*].

Quelle est la nature du solide *ABJDCK* ? Calculer son volume.

3. Dessiner en vraie grandeur le patron du solide *ABJDCK*.

4. On place le point *I*, milieu de [*FG*].

On cherche l'intersection du plan (*HBI*) et du plan contenant les points *J*, *K*, *C*, *B*.

a. Reproduire la figure ci-contre en perspective cavalière.

b. Tracer la droite d'intersection entre les plans (*HBI*) et (*ABC*). Justifier.

c. En déduire le tracé de la droite d'intersection entre les plans (*HBI*) et (*KCB*). Justifier.

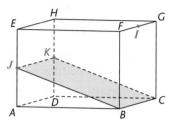

Solution

1. $V_{pavé} = AB \times BC \times BF$

$= 6 \times 3 \times 4 = 72 \text{ cm}^3.$

2. Le solide *ABJDCK* est un prisme droit à base triangulaire.

Ses bases sont les triangles rectangles *ABJ* et *DKC*.

Ses faces latérales sont les rectangles *ABCD*, *BCKJ* et *ADKJ*. La hauteur de ce prisme est *BC*.

$V_{prisme} = \dfrac{AB \times AJ}{2} \times BC$

$= \dfrac{6 \times 2}{2} \times 3 = 18 \text{ cm}^3.$

3.

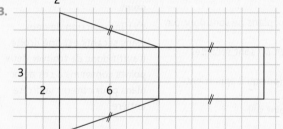

4. b. Les plans des faces *ABCD* et *EFGH* sont parallèles. De plus, le plan (*HBI*) coupe le plan (*EFG*) suivant la droite (*HI*), donc il coupe aussi le plan (*ABC*).

La droite d'intersection des plans (*HBI*) et (*ABC*) est donc parallèle à la droite (*HI*).

On trace donc la parallèle à (*HI*) passant par *B*, elle coupe le segment [*AD*] en *M* : (*BM*) est la droite cherchée.

c. Le point *B* appartient aux plans (*HBI*) et (*KCB*).

Le point *N*, intersection des droites (*JK*) et (*MH*), appartient lui aussi aux deux plans, puisque la droite (*MH*) est une droite du plan (*HBI*) et (*JK*) une droite du plan (*KCB*).

Conclusion : la droite d'intersection des plans (*HBI*) et (*KCB*) est la droite (*BN*).

Stratégies

1. On doit connaître les solides usuels (voir le cours, p. 242) pour les identifier dans les configurations, et savoir calculer leur volume (voir le mémento, p. 328).

4. b. Si deux plans sont parallèles, tout plan qui coupe l'un coupe l'autre et les deux droites d'intersection sont parallèles.

c. Comme l'intersection de deux plans sécants est une droite, il suffit de connaître deux points communs aux deux plans pour connaître la droite d'intersection de ces plans.

6 Tracer un patron en vraie grandeur

ABCDEFGH est un cube de 4 cm d'arête.

1. Calculer le volume *V* de la pyramide *HADC*, appelée aussi « tétraèdre »
(ce qui signifie : 4 faces).

2. Préciser la nature de chacune des faces : *ADH*, *DCH*, *ADC*.

3. Démontrer que la face *ACH* est un triangle équilatéral.

4. Dessiner, en vraie grandeur, le patron de ce tétraèdre.

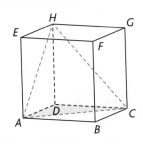

Solution

1. $V = \dfrac{1}{3} \times \dfrac{4 \times 4}{2} \times 4 = \dfrac{64}{6} = \dfrac{32}{3}$ cm³
$\approx 10{,}67$ cm³.

2. Les faces latérales *ADH*, *DCH* et *ADC* sont des triangles rectangles et isocèles en *D*. Ces trois triangles sont superposables.

3. Les segments [*AC*], [*CH*] et [*AH*] sont des diagonales de trois faces (carrées) du cube, elles sont de même longueur : $4\sqrt{2}$ cm.

Donc le triangle *ACH* est équilatéral.

4. Le patron fait apparaître trois triangles rectangles et isocèles en vert (les côtés de l'angle droit doivent mesurer 4 cm) et un triangle équilatéral construit à partir de l'hypoténuse d'un des triangles précédents.

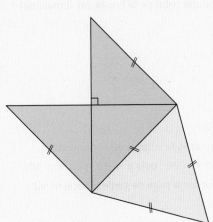

Stratégies

1. • Le volume d'une pyramide est donné par :
$$V = \dfrac{1}{3} \times \mathscr{B} \times h,$$
avec $\mathscr{B}$ l'aire de la base et *h* la hauteur de la pyramide.

• La base du tétraèdre *HADC* est le triangle *ADC* rectangle en *D*, la hauteur relative à cette base est *DH*.

2. Les arêtes d'un cube sont de même longueur, ses faces sont des carrés de même dimension.

7 Section d'une pyramide à base triangulaire par un plan parallèle à cette base

On coupe le tétraèdre de l'exercice précédent par un plan parallèle à la base *ADC* au tiers de sa hauteur à partir du sommet *H*.
On appelle la section *RST*.

1. Quelle fraction du volume du tétraèdre *HADC* représente le volume du tétraèdre *HRST* ?

2. Calculer le volume *V′* du tétraèdre *HRST*.

Solution

1. Le tétraèdre *HRST* est une réduction du tétraèdre *HADC* de rapport $\dfrac{1}{3}$.

Donc son volume représente $\left(\dfrac{1}{3}\right)^3$, c'est-à-dire $\dfrac{1}{27}$, du volume du tétraèdre *HADC*.

2. $V' = \dfrac{1}{27} \times \dfrac{32}{3} = \dfrac{32}{81}$ cm³
$\approx 0{,}40$ cm³.

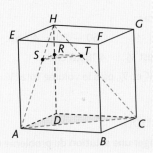

Stratégies

1. Lors d'une réduction (ou d'un agrandissement) de rapport *k*, les longueurs sont multipliées par *k*, les aires par k^2 et les volumes par k^3.

Organiser une recherche

Énoncé

Une bouée de balisage est formée de deux cônes ayant la même base circulaire.
Ce solide est appelé bicône.
On se propose d'étudier les variations du volume de cette bouée en fonction
de la hauteur de chacun des deux cônes qui la composent.

Le dessin ci-contre représente la bouée biconique.
Elle est formée :
– d'un cône « supérieur » de sommet S, de hauteur x (en cm) et dont la base
est un disque de centre O, de rayon 10 cm ;
– d'un cône inférieur de sommet T et de même base que le cône supérieur.
La hauteur totale de la bouée est 60 cm.

Problème : Pour quelle valeur de x le volume total de la bouée est-il maximal ?

Une bouée biconique

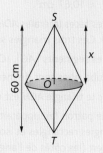

Recherche

1. À quel intervalle le nombre x appartient-il ?

2. On appelle V_1 le volume du cône supérieur et V_2 le volume du cône inférieur.

Calculer V_1, V_2 et $V = V_1 + V_2$ dans les cas où $x = 20$; puis $x = 30$; puis $x = 50$.

(Voir la formule donnant le volume d'un cône sur la page de garde si nécessaire.)

Que remarque-t-on ?

3. En utilisant Geospace, construire le solide, puis calculer son volume V en utilisant « volume d'un solide ».

Le résultat confirme-t-il la remarque précédente ?

Ébauche d'une solution

1. La hauteur du cône supérieur ne peut pas dépasser la hauteur totale du bicône.

2. On utilise la formule du volume du cône :

$$\text{Volume} = \frac{\text{aire de la base} \times \text{hauteur du cône}}{3}.$$

Dans le cas où $x = 20$, on obtient :

$$V_1 = \frac{\pi \times 10^2 \times 20}{3} = \frac{2\,000\pi}{3} \approx 2\,094{,}4 \text{ cm}^3.$$

La hauteur du deuxième cône est dans ce cas :

$$60 - 20 = 40 \text{ cm}.$$

Après calculs, le volume du cône inférieur est $V_2 \approx 4\,188{,}8 \text{ cm}^3$.

3. Exprimer en fonction de x les volumes V_1 et V_2, puis le volume total $V = V_1 + V_2$. Conclure.

Rédaction d'une solution

À l'aide des deux parties précédentes, rédiger une solution du problème étudié.

Prendre des initiatives

8 Une relation d'Euler pour les polyèdres convexes

1. On représente ci-dessous 11 solides dont cinq appelés **les solides de Platon**.

Rechercher dans une encyclopédie la propriété commune de ces 5 solides et l'origine de cette appellation.

2. Donner le nom de chacun des cinq solides de Platon.

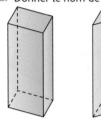   

prismes

pyramides

Solides de Platon

   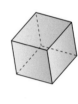

3. Choisir cinq des solides représentés ci-dessus et compter, pour chacun d'eux, le nombre de faces, noté f, le nombre de sommets, noté s, et le nombre d'arêtes, noté a.

Reproduire et compléter le tableau représenté ci-contre.

Nom du solide	f	s	$f+s$	a
Pavé droit	6	8	14	12
Prisme à base triangulaire	5	...	...	...
....	...	...	...	...

4. Énoncer une conjecture, sous forme d'une égalité, entre la valeur de $f+s$ et celle de a.

Cette égalité est appelée **relation d'Euler** pour les polyèdres convexes.

9 Problèmes de duplication

1. « Étant donné un carré, construire un carré d'aire double. »

Selon Platon, Socrate aurait proposé ce problème à un esclave (dialogue *Le Ménon*) afin de démontrer que la connaissance est en chacun de nous.

Comment a-t-il fait ? Chercher une solution géométrique pour trouver le côté du carré d'aire double.

2. On raconte que, pour enrayer une épidémie de peste qui décimait Athènes, les habitants de l'île de Délos décidèrent de **doubler le volume** de l'autel dédié à Apollon.

En supposant que cet autel a la forme d'un cube de côté $c = 2$ m, comment peut-on s'y prendre ?

> **Pour info**
>
> Le problème de la duplication du cube est le suivant : comment construire, avec une règle non graduée et un compas, l'arête d'un cube dont le volume est le double du volume d'un cube donné.
> Platon échoua à construire la nouvelle arête.
> Ce problème a été un moteur de nombreuses découvertes en mathématiques.
> Au XIXe siècle, on a démontré que la construction était impossible. Cela n'empêche pas de pouvoir en donner des solutions approchées !

Platon (428-348 av. J.-C.) enseignant à ses disciples.

Savoir...

Comment faire ?

Reconnaître un solide usuel et calculer son volume.

Parallélépipède rectangle

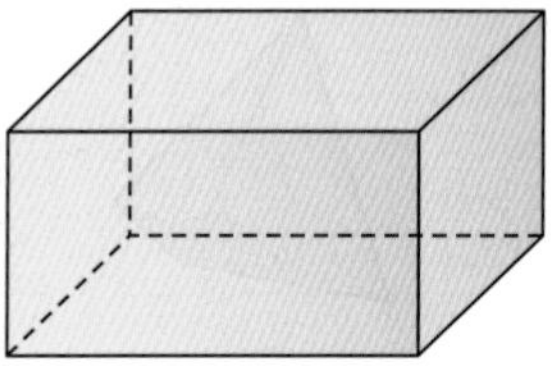

Cylindre

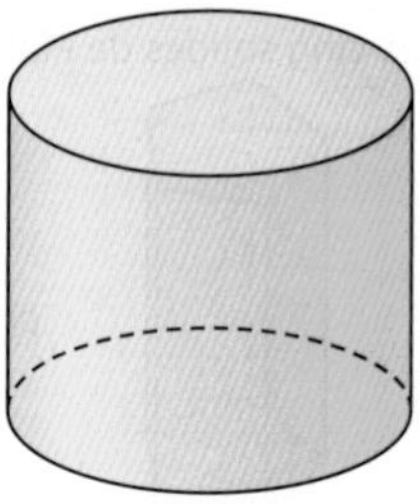

Pyramide

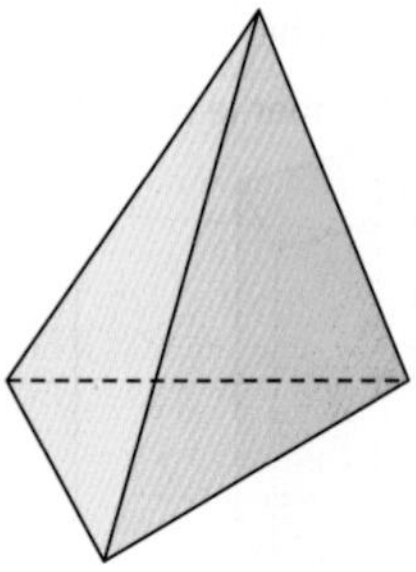

Cône

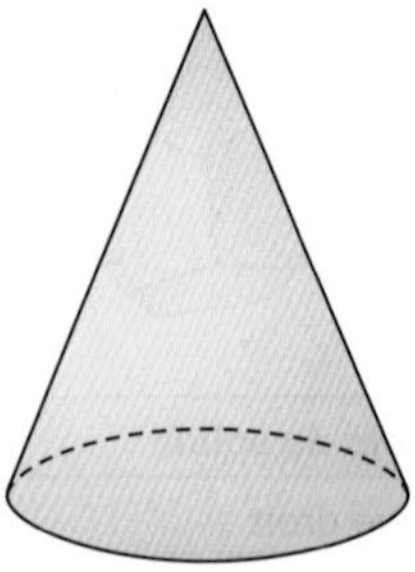

Boule

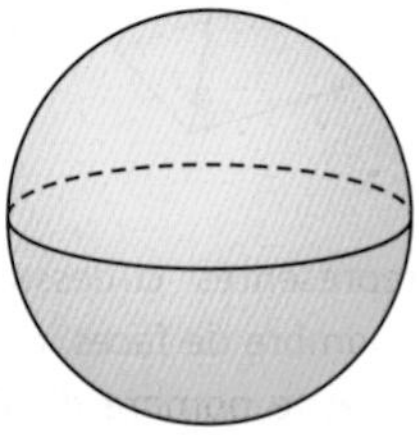

Prisme droit

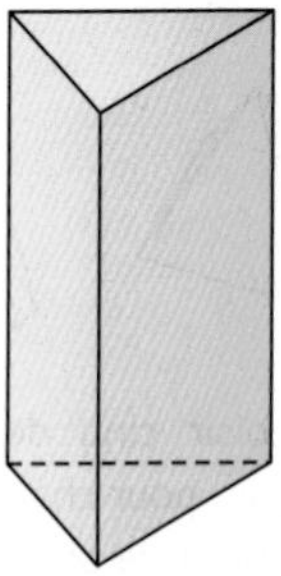

- On repère les éléments caractéristiques :
  – la base et la hauteur associée pour une pyramide ou un cône, un prisme droit ou un cylindre,
  – le centre et le rayon pour une sphère, l'arête pour un cube.
- On utilise les formules rappelées dans le mémento, page 328.

Compléter un dessin en perspective cavalière.

- Des droites parallèles (dans la réalité) sont représentées par des droites parallèles sur le dessin.
- On utilise la convention de représentation des arêtes cachées en pointillé.
- On utilise la conservation des rapports de longueurs qui permet de placer des points de manière exacte sur la figure ; en particulier les milieux restent les milieux.

Créer le patron d'un solide.

- On détermine le nombre de faces du solide à étudier.
- On fait un schéma au brouillon et on repère les longueurs correspondantes.
- On utilise les longueurs données dans l'énoncé et on fait les reports de longueur au compas.

Déterminer l'intersection de deux plans sécants.

- On trouve deux points qui sont communs aux deux plans. La droite passant par ces deux points est l'intersection cherchée.
- On identifie deux plans parallèles dans un cube ou un pavé et on utilise le théorème de section.

Calculer des longueurs dans l'espace.

- Pour tout calcul, on se place dans un plan particulier bien défini.
- On applique alors les théorèmes de géométrie plane.
- On n'hésite pas à réaliser une figure en vraie grandeur (comme si on la regardait de face).

Dans chaque question, plusieurs réponses justes sont possibles.

ABCDEFGH est un cube de 5 cm de côté.
I est le milieu du segment [*AD*].
La représentation du cube présente des erreurs dans son dessin en perspective (traits noirs).

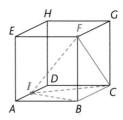

1. Les segments suivants doivent être représentés en pointillés :	**a.** [*AD*]	**b.** [*EH*]	**c.** [*DC*]	**d.** [*HD*]
2. La droite (*HD*) coupe la droite :	**a.** (*CD*)	**b.** (*EF*)	**c.** (*IH*)	**d.** (*IF*)
3. La longueur *IB* est égale à (en cm) :	**a.** $\dfrac{\sqrt{125}}{4}$	**b.** $\dfrac{\sqrt{125}}{2}$	**c.** 5,6	**d.** $\dfrac{5\sqrt{5}}{2}$
4. Le patron de la pyramide à base triangulaire *BCIF* est :	**a.**	**b.**	**c.**	
5. L'aire du triangle *BCI* est (en cm²) :	**a.** $\dfrac{25\sqrt{5}}{4}$	**b.** $\dfrac{25\sqrt{2}}{2}$	**c.** $\dfrac{25}{2}$	**d.** $\dfrac{25}{3}$
6. Le volume de la pyramide *BCIF* est (en cm³) :	**a.** le sixième du volume du cube	**b.** le quart du volume du cube	**c.** $\dfrac{125\sqrt{5}}{6}$	**d.** $\dfrac{125}{6}$

Corrigé p. 343

Vrai ou faux ?

Préciser si les affirmations suivantes sont vraies ou fausses.

ABCD est un tétraèdre (pyramide à base triangulaire).
I, *J* et *K* sont les milieux des arêtes [*BD*], [*AB*] et [*BC*].
G et *L* sont les centres de gravité des triangles *ABD* et *BCD*.

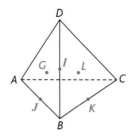

1. Les droites (*BD*) et (*AC*) sont sécantes.

2. La droite (*JK*) est parallèle à la droite (*AC*).

3. La droite (*GL*) est parallèle à la droite (*AC*).

4. Le plan (*DGL*) coupe le plan (*ABC*) suivant la droite (*AK*).

5. Le plan (*DAL*) coupe le plan (*BCL*) en *L*.

6. Le plan (*IJK*) est parallèle au plan (*ACD*).

Corrigé p. 343

Pour s'auto-évaluer : des QCM et Vrai-Faux complémentaires

10. Exercices

▶ Les exercices portant un numéro orange sont corrigés à la fin du manuel, page 330.

Applications directes

1 Solides et perspective cavalière

10 QCM

Parmi les représentations ①, ②, ③ ci-dessous, trouver quelles sont les représentations possibles d'un solide en perspective.

  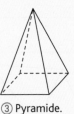

① Cône.　② Cylindre.　③ Pyramide.

11 QCM

Trois solides ⓐ, ⓑ, ⓒ sont représentés ci-dessous en perspective. Parmi les six patrons réduits dessinés, reconnaître ceux des trois solides.

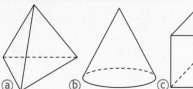

Patrons :

① ② ③

④ ⑤ ⑥

12 QCM

Le cube ci-contre a des arêtes de longueur 4 cm. Les points A et B sont des milieux d'arêtes du cube. Les points C et D sont sommets du cube.

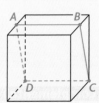

L'une des figures ci-dessous représente en vraie grandeur le quadrilatère *ABCD*.

a. 　**b.** 　**c.**

13 Chacun des trois dessins ci-dessous représente, en perspective cavalière, trois arêtes d'un même parallélépipède rectangle (les segments en pointillés représentent des arêtes cachées).

Compléter ces dessins de façon à obtenir trois représentations différentes, en perspective cavalière, de ce parallélépipède rectangle.

a. 　**b.** 　**c.**

14 Construire une vue de dessus et une vue de profil (droit) du solide représenté ci-dessous.

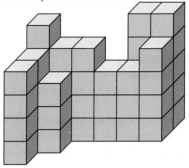

15 On représente une vue de dessus d'un solide formé de cubes. Le nombre inscrit sur les carrés indique le nombre de cubes de la pile.

4	4	4	4	2	2
			3		
			1		

Construire une vue en perspective de ce solide.

16 1. Parmi les trois propositions suivantes, lesquelles sont le développement d'un cube ?
2. Choisir un des dessins qui est le patron d'un cube et le reproduire en prenant 2 cm pour l'arête.

3. On veut fabriquer avec ce patron un dé à jouer et placer sur les faces les points correspondant aux valeurs allant de 1 à 6. Sachant que si on ajoute les valeurs de deux faces opposées du dé on obtient 7, proposer une numérotation des faces.

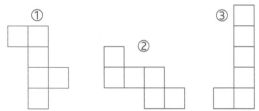

17 On a empilé et collé des cubes de 1,5 cm d'arête de façon à obtenir le solide représenté ci-dessous.

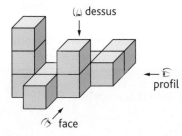

1. Dessiner en vraie grandeur une vue de profil du solide.
2. Calculer le volume de ce solide.
3. Quelle serait l'arête d'un cube qui a le même volume que ce solide ? Arrondir au dixième.

18 **Perspective cavalière ou centrale : art japonais et coréen**
(premier épisode)

Parmi les reproductions suivantes datant des XVIIIe et XIXe siècles, lesquelles se rapprochent plutôt de la perspective cavalière ou de la perspective centrale ? Sont-elles parfaitement exactes ?*

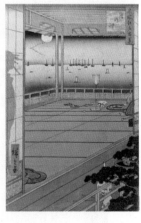

* Conseil
La perspective centrale a un point de fuite. La perspective cavalière n'en a pas.

Le point de fuite

En peinture ou au cinéma, la perspective donne une impression de profondeur. On obtient cet effet en organisant l'image selon des lignes en direction d'un point de fuite. Ce procédé a été inventé à la Renaissance.
Il permet de représenter les choses d'une manière plus fidèle à ce que l'œil perçoit.

19 Sur le solide représenté ci-dessous :

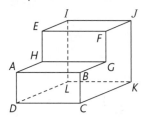

– *ABCD*, *EFGH* et *HGBA* sont des rectangles ;
– *IJKL* et *DCKL* sont des carrés.
On donne également en cm :
$AB = 6$; $BC = BG = FG = 3$.
1. Déterminer le volume du solide et l'aire totale de ses faces.
2. Représenter ce solide avec *BCKJFG* comme face frontale.

20 Le cube ci-contre a des arêtes de longueur 4 cm.
Les points indiqués sur la figure sont les milieux d'arêtes du cube.
Représenter en vraie grandeur le quadrilatère *IJKL*.

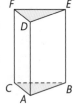

21 *ABCDEF* est un prisme droit de hauteur 7 cm dont les bases *ABC* et *DEF* sont deux triangles équilatéraux de 3 cm de côté.
1. Dessiner en vraie grandeur un patron de ce prisme.
2. Calculer le volume de ce prisme en cm³.

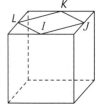

22 *ABCDEFGH* est un cube de centre O.

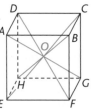

Quelle fraction du volume du cube représente le volume de la pyramide *OEFGH* ? Justifier la réponse.

De la géométrie en chimie

Dans l'Univers, les atomes des éléments restent rarement isolés. Ils forment en général des édifices : molécules, cristaux...

• Une molécule est une entité chimique électriquement neutre, formée d'un nombre limité d'atomes.
La structure géométrique d'une molécule ou d'un cristal est visualisée par des modèles moléculaires ou des représentations spatiales à trois dimensions.

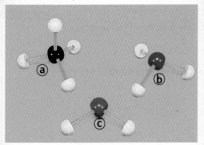

Modèles moléculaires du méthane CH_4, de l'ammoniac NH_3 et de l'eau H_2O.
La molécule CH_4 est tétraédrique ⓐ.
La molécule NH_3 est une pyramide à base triangulaire ⓑ.
La molécule H_2O est coudée ⓒ.

Représentation spatiale du méthane.

• Le cristal de chlorure de sodium NaCl (sel de cuisine) est constitué d'ions Na^+ et Cl^-. Le volume de base de ce cristal est un **cube** dont :
– les ions Cl^- occupent tous les sommets et le centre de toutes les faces ;
– les ions Na^+ occupent le milieu de toutes les arêtes et le centre du cube.

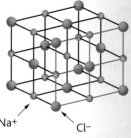

Na⁺   Cl⁻

23 Le cône de révolution ci-après (à gauche) a pour hauteur $SA = 4$ cm et le rayon $[AM]$ de sa base mesure 3 cm.
1. Calculer le volume de ce cône arrondi au cm^3 près.
2. Calculer la longueur SM.
3. On admet que le développement de ce cône a la forme ci-après (à droite).

a. Indiquer les valeurs des nombres x et y.
b. Calculer la mesure de l'angle α.

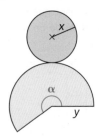

24 **Perspective cavalière ou centrale**
(deuxième épisode)
Voici deux fresques découvertes à Pompei, qui datent toutes les deux du premier siècle avant Jésus-Christ.

1. Fresque 1 :
De quel type de perspective peut-on la rapprocher ?
La construction est-elle absolument exacte ?

2. Fresque 2 : mêmes questions que pour la première fresque.

2 Droites et plans de l'espace

25 QCM

Un tétraèdre $ABCD$ est représenté ci-contre en perspective.

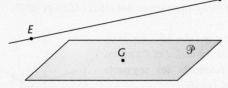

– Le point I est le milieu du segment $[AB]$.
– Le point J est le milieu du segment $[AC]$.
– Le point K est un point du segment $[AD]$, distinct de son milieu.

Choisir la (ou les) bonne(s) réponse(s).

1. Le point I est un point du plan :

a. (ABD) **b.** (ACD) **c.** (ABC)

2. Le point K est un point du plan :

a. (BCD) **b.** (ACD) **c.** (ABC)

3. Les droites (BD) et (IK) sont :

a. sécantes   **b.** parallèles   **c.** coplanaires

4. Les droites (IJ) et (CD) sont :

a. sécantes   **b.** parallèles   **c.** non coplanaires

26 Vrai ou faux ?

$\mathscr{P}$ est un plan, G est un point appartenant à ce plan.
La droite (EF) est parallèle au plan $\mathscr{P}$.

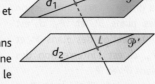

Répondre par **vrai** ou par **faux** aux affirmations suivantes.

1. Le point G est l'unique point commun aux plans $\mathscr{P}$ et (EFG).

2. La droite (EG) est sécante au plan $\mathscr{P}$.

3. Il existe une droite passant par G et incluse dans le plan $\mathscr{P}$ qui coupe la droite (EF).

4. Toute droite qui coupe le plan $\mathscr{P}$ coupe aussi la droite (EF).

5. Il existe un point A de la droite (EF) tel que $(AG) \perp (EF)$.

27 Vrai ou faux, avec deux plans parallèles

$\mathscr{P}$ et $\mathscr{P}'$ sont deux plans parallèles, une droite Δ coupe ces deux plans en K et L.

Une droite d_1 incluse dans le plan $\mathscr{P}$ est parallèle à une droite d_2 incluse dans le plan $\mathscr{P}'$. De plus, la droite d_1 passe par K et la droite d_2 passe par L.

Répondre par **vrai** ou **faux** aux affirmations suivantes.

1. Les droites Δ et d_1 sont dans un même plan.

2. Les droites d_1 et d_2 sont dans un même plan.

3. Les droites Δ, d_1 et d_2 sont dans un même plan.

4. Il existe une droite du plan $\mathscr{P}$ sécante à d_1 qui est sécante à d_2.

5. Toute droite de l'espace sécante à d_1 est sécante à d_2.

6. Il existe une droite de l'espace sécante à d_1 qui est sécante à d_2.

28 Logique

Répondre par **vrai** ou par **faux** aux affirmations suivantes.

1. Si deux droites sont sécantes, alors elles sont coplanaires.

2. Si deux droites sont parallèles, alors elles sont coplanaires.

3. Si deux plans sont parallèles, alors toute droite de l'un est parallèle à toute droite de l'autre.

4. Si deux plans sont sécants, alors toute droite de l'un est sécante à toute droite de l'autre.

5. Si deux droites de l'espace sont non coplanaires, alors elles n'ont aucun point d'intersection.

29 QCM

1. L'intersection des plans (ABC) et (ACD) est :

a. la droite (AC)

b. le segment $[AC]$

c. le point A

d. la droite (BD)

2. L'intersection des plans (ABD) et (ACE) est :

a. le point A **b.** le plan (BCD)

c. le point G **d.** la droite (AG)

3. Les droites (AC) et (BD) sont :

a. coplanaires   **b.** parallèles

c. sécantes   **d.** non coplanaires

4. L'intersection des plans (ABC) et (ADE) est :

a. le point A **b.** le plan (BCD)

c. une droite passant par A **d.** la droite (AG)

30 Vrai ou faux ?

1. Dans une représentation de l'espace en perspective cavalière, deux droites parallèles sont représentées par des droites parallèles.

2. Dans l'espace, deux droites qui n'ont pas de point d'intersection sont parallèles.

3. Dans l'espace, deux droites parallèles à une même troisième sont parallèles entre elles.

4. Si deux droites sont représentées par des parallèles dans une perspective cavalière, elles sont nécessairement parallèles dans la réalité.

5. Dans l'espace, deux droites sécantes sont coplanaires.

6. Trois points non alignés définissent un plan et un seul.

7. Deux plans sécants ont une infinité de points d'intersection.

8. Lorsque trois points sont alignés dans une représentation en perspective cavalière, on peut être sûr qu'ils le sont dans la réalité.

31 *Voir la fiche Savoir faire, page 243.*

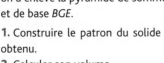

Au cube *ABCDEFGH* d'arête 5 cm, on a enlevé la pyramide de sommet *F* et de base *BGE*.

1. Construire le patron du solide obtenu.

2. Calculer son volume.

3. Dessiner en perspective cavalière le solide obtenu si on enlève la pyramide de sommet *A* et de base *BEH*.

32 La figure ci-dessous est formée de deux cubes de côté *a*. Le triangle *BIL* est-il rectangle ?

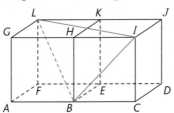

33 Le système « chromatique-planétaire » mis au point en 1983 par le Français Michel Albert-Vanel vise à rendre compte des effets de la perception des couleurs qui nous frappent les yeux quotidiennement. À la base de ce système aussi nouveau qu'inhabituel, des « planètes » tournent sur elles-mêmes et matérialisent les quatre couleurs primaires d'Ewald Hering : jaune (J), rouge (R), vert (V) et bleu (B). Elles ont comme « satellites » des lunes qui représentent les couleurs secondaires.

Si le cube a pour arête 1, déterminer les dimensions de la pyramide à base triangulaire *JRVB*.

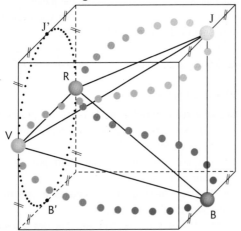

34 *ABCD* est un tétraèdre.
I est un point du segment]*AC*[, *J* un point du segment]*AD*[.

1. Les droites (*IJ*) et (*BD*) sont-elles sécantes ? Justifier.

2. On suppose que (*IJ*) n'est pas parallèle à (*CD*). Déterminer l'intersection de (*IJ*) avec le plan (*BCD*).

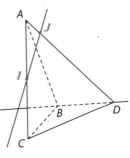

35 La figure représente trois plans sécants deux à deux. Le point *A* appartient au plan 𝒫 ; la droite *d* est dans le plan ℛ.
Construire l'intersection du plan contenant la droite *d* et le point *A* avec chacun des plans 𝒫, 𝒬, et ℛ.

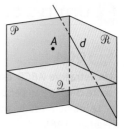

36 La figure ci-contre représente un cube de 3 cm de côté.

Les points *I*, *J* et *K* partagent le segment [*AE*] en quatre segments de même longueur.
Les points *L*, *M* et *N* partagent le segment [*CF*] en quatre segments de même longueur.

1. Les droites (*JM*), (*IL*) et (*KN*) sont-elles parallèles ?

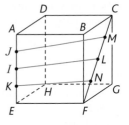

2. Reconstruire la figure en mettant la face *BCGF* devant. Conclure.

37 Le solide suivant est composé de trois rectangles et de deux triangles identiques.

1. Déterminer l'intersection des plans (*ADF*) et (*BEC*).

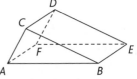

2. Construire l'intersection des plans (*ADE*) et (*BFD*).

38 Dans le cube *ABCDEFGH* ci-contre, les points *I*, *J* et *K* sont les milieux respectifs des segments [*AD*], [*BC*] et [*FG*].

1. Montrer que *AIGK* est un parallélogramme.

2. Montrer que la droite (*AK*) est parallèle au plan (*HIJ*).

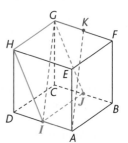

39 **1.** Expliquer pourquoi les plans (*ABG*) et (*CAF*) sont sécants.

2. Tracer leur droite d'intersection en justifiant le tracé.

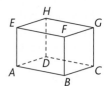

40 Trois plans sécants 𝒫₁, 𝒫₂ et 𝒫₃ se coupent en *O*.
La droite *d₁* est l'intersection des plans 𝒫₂ et 𝒫₃, *d₂* est l'intersection des plans 𝒫₁ et 𝒫₃, *d₃* est l'intersection des plans 𝒫₁ et 𝒫₂.
Trois points distincts *A*, *B* et *C* sont respectivement dans plans 𝒫₁, 𝒫₂ et 𝒫₃.
Trouver les traces du plan (*ABC*) sur chacun des trois plans.

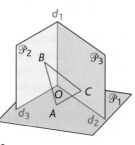

Problèmes

41 On fabrique un cube en empilant des boules de 3 cm de rayon comme l'indique le schéma ci-contre.

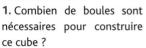

1. Combien de boules sont nécessaires pour construire ce cube ?

2. Quel est le volume total occupé par les boules ?

3. On souhaite mettre ce solide dans une caisse cubique. Quelle doit être la longueur de l'arête de cette caisse ?

4. Quel est le volume de la caisse qui contient exactement ce « cube de boules » ?

5. Quel est le pourcentage de place perdue dans cette caisse ?

42 Joséphine réalise le patron d'un cône de révolution.
1. En tenant compte des indications figurant sur le dessin ci-dessous, calculer la valeur x du rayon de la base.
2. Calculer la hauteur de ce cône et son volume.

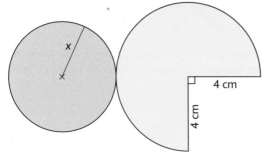

43 Un rectangle ABCD a pour longueur $AD = 5$ cm et pour largeur $AB = 3$ cm.

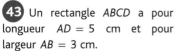

1. On fait tourner ce rectangle autour du côté $[AD]$, on engendre ainsi un cylindre de révolution. (Voir le dessin ci-contre.) Calculer le volume de ce cylindre.

2. On fait ensuite tourner ce rectangle autour du côté $[AB]$. Faire à main levée un dessin en perspective représentant le cylindre obtenu. Indiquer le rayon de sa base et sa hauteur.

3. Les deux cylindres obtenus ont-ils le même volume ? Justifier.

44 ABC est un triangle rectangle en B. On donne :

$AB = 6$ cm et $BC = 4$ cm.

On fait tourner ce triangle rectangle autour du côté $[AB]$ comme l'indique le dessin ci-contre.

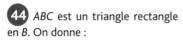

1. Quelle est la nature du solide engendré par la rotation de ce triangle ?

2. Calculer le volume du solide ainsi obtenu.

3. On fait maintenant tourner le triangle rectangle ABC autour du côté $[BC]$.

Reprendre les questions **1.** et **2.**, puis comparer les deux volumes.

45 On considère un tétraèdre ABCD. On note I le point du segment $[AD]$ tel que $DI = \frac{1}{3} DA$, J et K les milieux respectifs des segments $[DB]$ et $[DC]$.

Les droites (IJ) et (IK) coupent respectivement les droites (AB) et (AC) en M et N.

1. Faire une figure.

2. Déterminer et dessiner l'intersection des plans (ABC) et (IJK).

3. Démontrer que la droite (JK) est parallèle au plan (ABC).

4. Démontrer que les droites (BC) et (MN) sont parallèles.

46 On donne un tétraèdre SABC trirectangle en A tel que $AB = AC = AS = 5$.

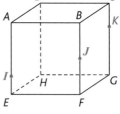

1. Calculer SB, SC et BC (en donner les valeurs exactes).

En déduire la nature du triangle SBC.

2. Soit E le point de $[SA]$ tel que $SE = 3$ et $\mathscr{P}$ le plan passant par E et parallèle au plan (ABC). Le plan $\mathscr{P}$ coupe $[SB]$ en F et $[SC]$ en G.

Expliquer pourquoi on a $(EF)//(AB)$, $(FG)//(BC)$ et $(EG)//(AC)$.

47 Dans le cube ABCDEFGH représenté ci-contre, I est un point de l'arête $[AE]$ tel que $EI = \frac{1}{4} EA$, J est le milieu de l'arête $[BF]$ et K un point de l'arête $[CG]$ tel que $GK = \frac{2}{3} GC$.

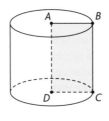

1. Expliquer pourquoi les droites (JK) et (BC) sont sécantes.

On appelle M leur point d'intersection ; placer M sur la figure.

2. On appelle N le point d'intersection des droites (IJ) et (AB).

a. Placer N sur la figure.

b. Déterminer l'intersection des plans (IJK) et (ABC), en justifiant la réponse. Tracer cette intersection.

3. La droite (IK) coupe le plan (ABC) en un point P.

Expliquer pourquoi le point P est le point d'intersection de deux droites de cette figure, l'une de ces droites étant la droite (IK), l'autre étant à déterminer.

48 *ABCDEFGH* est un cube de côté 4 cm. *I, J, K, L, M* et *N* sont les centres des faces du cube.

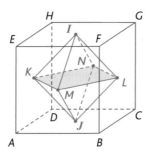

1. Décrire le solide *IJKLMN*.
2. Calculer la longueur de ses arêtes.

49 **Problème ouvert**

On considère une sphère Σ de centre *O* de rayon *OA* = 4 cm.
Un octaèdre *SABCDT* est inscrit dans cette sphère.

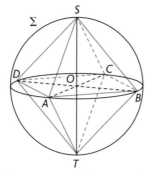

(Les points *S, A, B, C, D, T* sont sur la sphère, le quadrilatère *ABCD* est un carré de centre *O* et les pyramides *SABCD* et *TABCD* sont régulières.)
Pierre affirme : « Le volume de l'octaèdre est égal à la moitié du volume de la sphère. »
Maud répond : « Pas du tout, le volume de l'octaèdre est inférieur au tiers du volume de la sphère. »
Camille rétorque : « Pour le volume, je ne sais pas mais je peux dire que toutes les faces de l'octaèdre sont des triangles équilatéraux. »
Qui a raison ?

50 On considère le pavé *ABCDEFGH* ci-dessous.

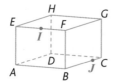

Le point *I* est le milieu [*EF*], *J* est le point de [*BC*] tel que
$BJ = \dfrac{3}{4}BC$, avec *AB* = 5, *BC* = 4 et *AE* = 3.
1. Parmi les triangles suivants, donner les triangles rectangles : *ABJ* ; *IJB* ; *DJF* ; *IFJ* ; *ADI* ; *IBC*.
2. Calculer la longueur *IJ*.

51 **Ombre sur le sol**

Le Soleil étant éloigné de la Terre, ses rayons peuvent être considérés comme parallèles.
Construire l'ombre de la fenêtre *ABCD* sur le sol sachant que (*AE*) est un rayon du Soleil et *E* est sur le sol.

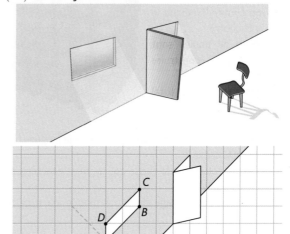

52 Julie possède un bocal. Ce bocal a la forme d'une sphère tronquée de rayon 10 cm et de centre *O*. Le bocal est fixé sur un socle.

1. Dans le bocal, la surface plane de l'eau passe par le centre *O* de la sphère.
Calculer alors le volume d'eau. Donner le résultat au cm³ près.
2. Julie met deux poissons dans le bocal. Le niveau de l'eau monte alors de 1 cm.
a. Quelle est la forme géométrique de la surface de l'eau ?
b. Calculer la valeur exacte du rayon *r* de cette surface.
c. Calculer la valeur exacte de l'aire de cette surface.

53 On dessine ci-dessous, en perspective cavalière, un parallélépipède rectangle de 8 cm de longueur.

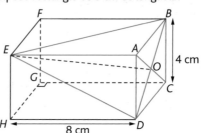

La face *ABCD* est un carré de 4 cm de côté et de centre *O*.

1. Calculer les distances *BD*, *DE* et *EB*.

2. Quelle est la nature du triangle *EBD* ?

3. Pourquoi la droite (*EO*) est-elle perpendiculaire à la droite (*BD*) ?

Calculer la longueur *EO*.

4. On considère la pyramide de sommet *E* et de base le carré *ABCD*.

Calculer le volume de cette pyramide.

54 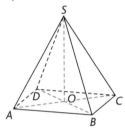 *SABCD* est une pyramide régulière de sommet *S*, de base le carré *ABCD*, de côté *AB* = 4 cm, telle que le triangle *ASC* soit équilatéral.

1. Soit *O* le centre du carré *ABCD*. Déterminer l'intersection des plans (*SAC*) et (*SBD*).

2. En considérant la nature des triangles *SAC* et *SBD*, montrer que (*SO*) est la hauteur de la pyramide.

3. Calculer les longueurs *AC* et *OS*. En déduire le volume de la pyramide.

4. Déterminer l'intersection des plans (*SAB*) et (*SCD*).

55 Dans le tableau ci-dessous apparaît un solide.

Mélancholia (1514),
gravure sur cuivre d'Albrecht Durer.

Si le solide représenté est un cube de 50 cm de côté auquel on a enlevé les deux pyramides rouges (voir le dessin ci-après), où les sommets des triangles sont les milieux des arêtes du cube, calculer le volume du solide.

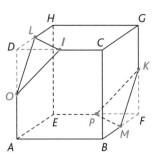

56 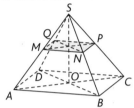 *SABCD* est une pyramide régulière de sommet *S* dont la base est le carré *ABCD*.

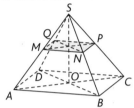

M est un point quelconque de l'arête [*SA*].

Par le point *M*, on trace le plan parallèle à la base *ABCD*. Ce plan coupe la pyramide suivant le quadrilatère *MNPQ*.

1. Quelle est la nature du quadrilatère *MNPQ* ?

2. Réaliser cette figure avec un logiciel de géométrie dynamique, afficher les longueurs *MN*, *AB* et la valeur q_1 du quotient $\dfrac{MN}{AB}$.

Afficher l'aire $\mathcal{A}$ de *MNPQ*, l'aire $\mathcal{B}$ de *ABCD* ainsi que la valeur q_2 du quotient $\dfrac{\mathcal{A}}{\mathcal{B}}$.

Faire bouger le point *M* et noter pour cinq positions de *M* les valeurs de ces deux quotients.

Quelle relation semble lier les valeurs de ces deux quotients ?

3. a. Dans cette question, on suppose que $SM = \dfrac{1}{3}\,SA$.

Démontrer que $MN = \dfrac{1}{3}\,AB$.

b. Démontrer que $\mathcal{A} = \dfrac{1}{9}\,\mathcal{B}$.

4. Cas général :

On suppose que $SM = k\,SA$ avec $0 < k \leqslant 1$.

Établir une relation entre $\mathcal{A}$ et $\mathcal{B}$ utilisant le réel *k*.

57 Un cube sous cloche

On dispose d'un coffre cubique de côté *c* = 30 cm.

On veut le recouvrir d'une cloche en forme de demi-sphère.

Quel doit être le rayon minimal de la cloche ?

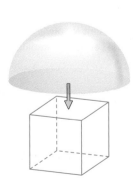

58 Un exercice de synthèse

Un prisme droit de base triangulaire ABC est tel que :
$$AB = AC = 4, \quad BC = 4\sqrt{3} \quad \text{et} \quad BE = 11.$$
L'unité de longueur est le centimètre.

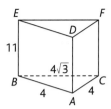

1. Dessiner ce prisme en perspective cavalière en représentant la face $ACFD$ en vraie grandeur. On complétera la figure au fur et à mesure.

2. Le triangle ABC est-il un triangle rectangle ? Préciser la nature de ce triangle.

3. On note H le point de $[BC]$ tel que $[AH]$ soit une hauteur du triangle ABC.

a. Le placer avec précision sur votre dessin en perspective.

b. Calculer la longueur AH et l'aire du triangle ABC.

c. Calculer l'aire totale du prisme.

d. Calculer le volume de ce prisme droit.

4. a. Calculer la longueur AE.

b. Le triangle ACE est-il rectangle en A ?

5. Soit M un point de l'arête $[CF]$; on pose $CM = x$.

a. Montrer que $EM^2 = x^2 - 22x + 169$.

b. Calculer AM^2 en fonction de x.

c. Déterminer la valeur de x pour laquelle le triangle AEM est isocèle en M.

6. a. Vérifier l'égalité :
$$x^2 - 11x + 24 = \left(x - \frac{11}{2}\right)^2 - \frac{25}{4}.$$

b. Résoudre l'équation $x^2 - 11x + 24 = 0$.

c. En déduire les positions de M pour lesquelles le triangle AEM est rectangle en M.

7. Soit I le milieu de $[AD]$. On appelle $\mathscr{P}$ le plan passant par I et parallèle au plan (ABC).

Dessiner l'intersection de ce plan avec le prisme. Justifier ces tracés.

59

On pose sur un plan deux pyramides régulières dont les bases sont des carrés de côté 6 cm et dont les faces latérales sont des triangles équilatéraux. On les accole par une arête de base comme indiqué ci-dessous. Les centres O et O' des bases sont les pieds des hauteurs issues des sommets A et A' de ces deux pyramides.

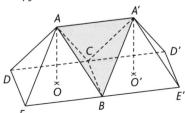

1. Quelle est la nature de chacun des quadrilatères $AA'O'O$ et $AA'E'E$?

Le tétraèdre $AA'BC$ est inséré entre les deux pyramides. Quelle est sa particularité ?

2. On souhaite réaliser le patron du solide constitué comme ci-avant par l'assemblage des deux pyramides et du tétraèdre.

Élodie affirme que ce solide a cinq faces ; Alexandre soutient qu'il en a neuf. Qu'en pensez-vous ?

60 *Rallye Bombyx, Académie de Montpellier.*

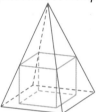

Un cube est inscrit dans une pyramide régulière dont la base est un carré de 14 cm de côté et les quatre autres arêtes mesurent $\sqrt{674}$ cm.

Combien mesure l'arête du cube?

(On donnera le résultat sous la forme d'une fraction irréductible.)

61 Expliquer pourquoi ce « cube » est « impossible ».

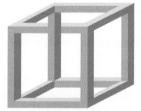

Cube de Necker.

62 📷 Soit un plan $\mathscr{P}$ de l'espace, dans lequel on place trois points B, C, D non alignés. Puis on place un point A n'appartenant pas au plan $\mathscr{P}$.

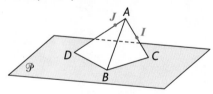

1. Faire une figure avec Geospace et construire les points I, J, et K tels que :

- I est le milieu du segment $[AC]$;

- J est le point du segment $[AD]$ tel que $AJ = \dfrac{1}{5}AD$;

- K est le symétrique de I par rapport à J.

2. Le point K appartient-il au plan (ACD) ? Vérifier en visualisant la figure plane extraite dans ce plan. Reproduire cette figure sur papier.

3. Les droites (CD) et (IJ) sont-elles coplanaires ? Dans l'affirmative, préciser leurs positions relatives.

63 Problème ouvert

Le cubane est un alcane synthétique de formule brute C_8H_8. Les huit atomes de carbone sont disposés aux sommets d'un cube. Les huit atomes d'hydrogène sont placés dans le prolongement des diagonales du cube formé par les huit atomes de carbone.

C'est un des hydrocarbures platoniciens.

Le cubane est une substance solide cristalline. Il a été synthétisé la première fois en 1964 par Philip Eaton, professeur de chimie à l'Université de Chicago aux États-Unis. Le cubane a la plus haute densité (1,29 g/cm³) de tous les hydrocarbures, ce qui lui confère la propriété de stocker beaucoup d'énergie. Des chercheurs étudient le cubane et ses dérivés en médecine et pour les nanotechnologies.

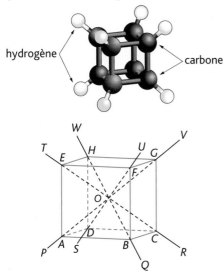

Sur ce dessin, *ABCDEFGH* est le cube dont les sommets sont les atomes de carbone et *P*, *Q*, *R*, *S*, *T*, *U*, *V* et *W* représentent les atomes d'hydrogène.

On appelle *O* le centre du cube formé par les huit atomes de carbone.

Calculer en degrés la mesure de l'angle entre la liaison carbone-carbone et la liaison carbone-hydrogène, c'est-à-dire la mesure de l'angle $\widehat{BAP}$.

(On pourra dessiner le plan $(ABGH)$ en vraie grandeur, puis considérer le triangle *OAB* et nommer *a* la longueur du côté du cube.)

64 Le défi du menuisier

Une pièce de bois est constituée d'un parallélépipède rectangle dont les arêtes mesurent 40 cm, 30 cm et 20 cm. On l'évide en creusant au centre de chaque face et jusqu'à la face opposée un canal de section carrée de 10 cm de côté.

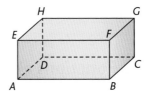

1. Calculer le volume de bois du solide obtenu.

2. Calculer l'aire totale (parois intérieures comprises) du solide obtenu.

Partir d'un bon pied

1 Reconnaître une fonction affine

Parmi les fonctions suivantes, reconnaître les fonctions affines :

a. $f : x \longmapsto 3{,}25x - 6{,}5$;

b. $g : x \longmapsto 2x^2 + 5$;

c. $h : x \longmapsto -45x$;

d. $k : x \longmapsto \dfrac{x+1}{8}$.

2 Représentation graphique d'une fonction affine

1. Dans un repère (O, I, J) du plan, tracer la courbe $\mathscr{C}_f$ représentant la fonction f :
$$f : x \longmapsto -3x + 4.$$

2. Déterminer les images de 11 et $\dfrac{2}{3}$ par la fonction f.

3. Déterminer les antécédents de 0 par la fonction f.

4. Calculer a pour que le point $A(-5 \,;\, a)$ appartienne à la courbe $\mathscr{C}_f$.

5. Calculer b pour que le point $B(b \,;\, -1)$ appartienne à la courbe $\mathscr{C}_f$.

3 Fonctions affines et droites

Les points A, B et C de la figure ci-contre ont pour coordonnées respectives $(0\,;1)$, $(2\,;2)$ et $(2\,;-1)$.

1. Déterminer l'expression de la fonction affine f représentée par la droite (AB).

2. Déterminer l'expression de la fonction affine g représentée par la droite (AC).

3. La droite (BC) est-elle la représentation graphique d'une fonction ? Justifier la réponse.

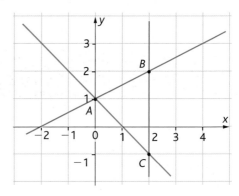

4 Utiliser un repère sur une figure

$ABCD$ est un parallélogramme. On considère le repère (A, B, D).

1. Déterminer les fonctions affines f et g représentées respectivement par les droites (AC) et (BD).

2. Calculer $f\left(\dfrac{1}{2}\right)$ et $g\left(\dfrac{1}{2}\right)$. Pouvait-on prévoir ce résultat ?

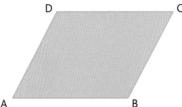

 Pour réviser : des rappels de cours et des tests dans les **Techniques de base**

Droites dans le plan

Des maths partout !

Un paysage typique des Grandes Plaines américaines.

Le paysage des champs ouverts et les agglomérations américaines sont caractérisés par un tracé géométrique, celui des *township*. Il s'agit d'un héritage de l'histoire. Au XIXe siècle, le territoire américain est divisé en carrés de 149 100 ha, eux-mêmes découpés en 16 communes (*township*) de 9 300 ha, puis en parcelles, qui sont données à tout agriculteur qui accepte de les cultiver.

Le centre-ville et les banlieues de Houston (Texas).

● **L'objectif principal** du chapitre est de fournir des outils de base pour résoudre des problèmes de géométrie plane. La plupart sont des problèmes d'alignement, de parallélisme et de concours.

« UNE DROITE, C'EST UNE CHOSE QUI SE COMPREND IMMÉDIATEMENT. ON EMBROUILLE L'ESPRIT À CHERCHER À LA DÉFINIR DAVANTAGE. »
Blaise Pascal (1623-1662).

11. Découvrir

1 « Équation » d'une courbe dans le plan

1. Dans le plan muni d'un repère orthonormé (O, I, J), on trace le cercle Γ de centre O et de rayon 1. On dit que le cercle Γ a pour équation $(E) : x^2 + y^2 = 1$.

Cela signifie que :

• Si un point A de coordonnées $(a_1 ; a_2)$ appartient au cercle Γ, alors ses coordonnées vérifient l'équation (E), c'est-à-dire que l'on a : $a_1^2 + a_2^2 = 1$.

• Si les coordonnées $(b_1 ; b_2)$ d'un point B vérifient l'équation (E), c'est-à-dire si l'on a : $b_1^2 + b_2^2 = 1$, alors le point B appartient au cercle Γ.

a. Vérifier, en utilisant l'équation (E), que les points I et J appartiennent au cercle Γ.

b. Le point O appartient-il à Γ ? et le point $M\left(\dfrac{3}{4} ; \dfrac{1}{4}\right)$? et le point $N\left(\dfrac{\sqrt{2}}{2} ; \dfrac{\sqrt{2}}{2}\right)$?

c. On « voit » sur la figure qu'il existe deux points sur le cercle Γ ayant pour abscisse $\dfrac{1}{3}$.

Calculer les ordonnées de ces deux points.

d. Le cercle Γ est-il la courbe représentative d'une fonction ?

On retiendra :

> Une équation d'une courbe dans le plan rapporté à un repère est une condition sur les coordonnées des points, **nécessaire et suffisante** pour qu'un point appartienne à cette courbe.

2. Si $\mathscr{C}_f$ est la représentation graphique, dans le plan muni d'un repère, d'une fonction f d'ensemble de définition D, alors $y = f(x)$, avec $x \in D$, est une équation de la courbe $\mathscr{C}_f$.

La courbe ci-contre représente la fonction f définie sur $[-1 ; +\infty[$ par :

$$f(x) = -\frac{2}{3}x + 1.$$

Reproduire et compléter le tableau suivant, en répondant par oui ou par non selon que le point proposé appartient ou n'appartient pas à la courbe $\mathscr{C}_f$.

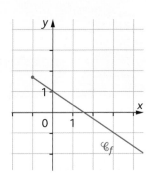

Point du plan	$A\left(\dfrac{3}{2} ; 0\right)$	$B\left(-1 ; \dfrac{5}{3}\right)$	$C\left(0 ; \dfrac{1}{3}\right)$	$D(-3 ; 3)$	$E\left(\dfrac{9}{4} ; -\dfrac{1}{2}\right)$	$F\left(100 ; -\dfrac{203}{3}\right)$
Appartenance à $\mathscr{C}_f$						

2 Équation d'une droite parallèle à l'axe des ordonnées

1. a. Dans le repère (O, I, J) du plan, placer les points $A(2 ; 0)$, $B(2 ; -1)$ et $E(2 ; 4)$.

b. Justifier que les trois points A, B, E sont alignés. La droite (AB) est-elle la représentation d'une fonction affine ?

c. Soit M un point de coordonnées $(x ; y)$.

Quelle relation portant sur les coordonnées de M permet d'affirmer que M appartient à la droite (AB) ?

Réciproquement, si le point M appartient à la droite (AB) cette relation est-elle vérifiée ? Justifier.

> On dit que la relation « $x = 2$ » est une **équation de la droite (AB)**. (« $y \in \mathbb{R}$ » est sous-entendu.)

2. a. Construire dans le repère (O, I, J) les droites d'équations :

$$x = -1 ; \quad x = 0 ; \quad x = \frac{7}{2}.$$

b. Soit c un réel et C le point de coordonnées $(c ; 0)$.

Donner une équation de la droite d parallèle à l'axe des ordonnées passant par le point C.

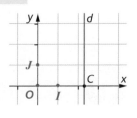

3 Équation d'une droite sécante à l'axe des ordonnées

Soit (O, I, J) un repère orthonormé du plan.

Partie A On considère la droite (AB) où $A(4 ; -1)$ et $B(0 ; 5)$.

1. Déterminer la fonction affine f telle que : $f(4) = -1$ et $f(0) = 5$.
Quelle est sa courbe représentative ?

2. En déduire une condition nécessaire et suffisante pour qu'un point $M(x ; y)$ appartienne à la droite (AB).

Partie B On considère la droite (AB) où $A(x_A ; y_A)$ et $B(0 ; b)$, avec $x_A \neq 0$ et b un réel quelconque.

1. Vérifier que pour la fonction $g : x \longmapsto \dfrac{y_A - b}{x_A} x + b$, on a : $g(x_A) = y_A$ et $g(0) = b$.

2. Quelle est la nature de la fonction g ? En déduire une équation de la droite (AB).

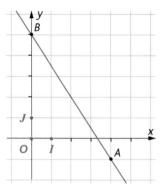

4 Interprétation graphique des nombres « m » et « p » dans $y = mx + p$

À l'aide du logiciel Geogebra, créer les curseurs m et p variant entre -5 et 5 avec un pas de 1.

Créer la droite d d'équation $y = mx + p$ et le point B, intersection de d avec l'axe des ordonnées.

1. a. m étant fixé, faire varier le réel p et afficher les coordonnées du point B.
Que constate-t-on ?

« Le nombre réel p s'appelle l'ordonnée à l'origine de la droite d ».

Expliquer cette appellation.

b. Quelle propriété commune présentent toutes les droites ainsi obtenues ?

2. a. p étant fixé, faire varier le réel m.
Quelle propriété commune présentent toutes les droites ainsi obtenues ?

b. Créer le point A, intersection de la droite d avec la droite d'équation $x = 1$.

Calculer son ordonnée y_A, puis la différence $y_A - y_B$.

3. Créer un curseur t variant entre -5 et 5 avec un pas de 1 et créer le point $M(t ; m \times t + p)$.

a. Faire varier t, observer les positions du point M et faire une conjecture rendant compte de cette observation.

b. On veut démontrer la conjecture précédente. Pour cela, on considère sur la droite d les points M d'abscisse t et N d'abscisse $t + 1$, où t est un réel.
Calculer $y_N - y_M$.

c. Donner une interprétation graphique du nombre réel m que l'on appelle **le coefficient directeur de la droite d**.

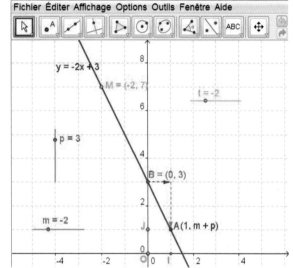

> **Remarque**
>
> Deux lettres sont couramment utilisées pour désigner un coefficient directeur : m ou a. De même, les lettres p et b sont utilisées pour désigner l'ordonnée à l'origine. Ainsi, pour une équation de droite, on utilise couramment « $y = mx + p$ » ou aussi « $y = ax + b$ ». Ces deux conventions sont utilisées dans ce manuel.

 L'activité TICE corrigée animée

1 Équations de droites

> **Rappel** Dans un plan muni d'un repère, une droite peut être :
> - soit parallèle à l'axe des ordonnées ;
> - soit sécante à l'axe des ordonnées : c'est alors la courbe représentative d'une fonction affine.

> **Propriété 1**
>
> On considère un plan muni d'un repère.
>
> Une droite d, parallèle à l'axe des ordonnées, a une équation de la forme $x = c$, où c est un nombre constant.
>
> ▶ Voir Découvrir 2

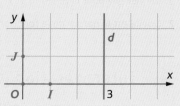

Exemple : Sur le graphique ci-dessus, la droite d parallèle à l'axe des ordonnées a pour équation $x = 3$.

> **Propriété 2** On considère un plan muni d'un repère.
>
> Une droite d sécante à l'axe des ordonnées a une équation de la forme $y = mx + p$, où m et p sont des nombres constants.
>
> Cela signifie qu'un point $M(x\,;\,y)$ appartient à d si, et seulement si, $y = mx + p$. ▶ Voir Découvrir 3

> **Définition**
>
> Une équation de la droite d, de la forme $y = mx + p$, est appelée l'**équation réduite** de la droite d.
>
> m est le **coefficient directeur** de la droite d et p est son **ordonnée à l'origine**.

> **Propriété 3**
>
> Soient $A(x_A\,;\,y_A)$ et $B(x_B\,;\,y_B)$ deux points d'un plan muni d'un repère avec $x_A \neq x_B$.
>
> Le coefficient directeur de la droite (AB) est :
> $$m = \frac{y_B - y_A}{x_B - x_A} = \frac{\Delta y}{\Delta x}.$$

Exemple : Soit la droite d passant par $A(4\,;\,0)$ et $B(0\,;\,2)$.

La droite d coupe l'axe des ordonnées ; d a donc une équation de la forme $y = mx + p$ avec le coefficient directeur $m = \dfrac{2 - 0}{0 - 4} = \dfrac{2}{-4} = -0,5$.

Si $x = 0$, on a $y = 2$; d'où l'ordonnée à l'origine $p = 2$.

L'équation réduite de d est $y = -0,5x + 2$.

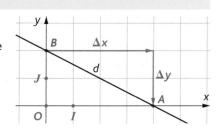

Interprétation graphique du coefficient directeur

> **Propriété** Soit d une droite de coefficient directeur m.
>
> Lorsque que l'on passe d'un point de d à un autre, en augmentant l'abscisse de 1, l'ordonnée varie de m. (Pour $m < 0$, l'ordonnée diminue).
>
> ▶ Voir Découvrir 4

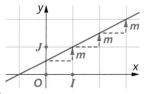

On a ici $m = 0,5$: lorsque l'abscisse augmente de 1, l'ordonnée augmente de 0,5.

Déterminer l'équation d'une droite
dont on connaît deux points

Énoncé

Soit (O, I, J) un repère du plan.

1. Déterminer une équation de la droite (AB) dans chacun des cas suivants :

a. $A(2 ; 3)$ et $B(6 ; 5)$;

b. $A(4 ; -2)$ et $B(4 ; 2,5)$.

2. On considère le point $C(6 ; 5)$. Le point C appartient-il à la droite (AB) dans chacun des cas ?

Solution rédigée

1. a. On a $x_A \neq x_B$, donc une équation de la droite (AB) est de la forme $y = mx + p$ (point ❶).

Le coefficient directeur m est (point ❷) : $m = \dfrac{y_B - y_A}{x_B - x_A} = \dfrac{5 - 3}{6 - 2} = \dfrac{2}{4} = 0,5$.

Une équation de la droite (AB) est donc $y = 0,5x + p$.
En particulier pour le point A, on a : $y_A = 0,5x_A + p$ (point ❸),
soit $3 = 0,5 \times 2 + p$. On a donc $3 - 1 = p$, soit $p = 2$.
L'équation réduite de la droite (AB) est $y = 0,5x + 2$.

b. On a $x_A = x_B$, donc une équation de la droite (AB) est de la forme $x = c$ (point ❶), avec $c = x_A$.
Une équation de la droite (AB) est $x = 4$.

2. a. On a : $0,5x_C + 2 = 0,5 \times 6 + 2 = 5 = y_C$, donc $C \in (AB)$ (point ❹).

b. On a $x_C \neq 4$, **donc $C \notin (AB)$** (point ❹).

Points méthode

❶ On examine si la droite (AB) est parallèle à l'axe des ordonnées ou pas.

❷ On utilise la propriété permettant de calculer le coefficient directeur de la droite.

❸ On détermine l'ordonnée à l'origine en utilisant les coordonnées de l'un des points.

❹ Un point appartient à une droite si, et seulement si, ses coordonnées vérifient l'équation de cette droite.

POUR S'EXERCER

Pour les exercices 1 à 4, le plan est muni d'un repère (O, I, J).

❶ 1. Pour chacune des droites, indiquer si elle est parallèle ou sécante à l'axe des ordonnées.

a. $d_1 : x = 5$;

b. $d_2 : y = -3x + 5$;

c. $d_3 : x + 4 = 0$;

d. $d_4 : y = -5$;

e. $d_5 : y = 4 - 6x$;

f. $d_6 : y = \dfrac{3x + 7}{4}$.

2. Pour chacune des droites sécantes à l'axe des ordonnées, préciser son coefficient directeur et son ordonnée à l'origine.

❷ Soit d la droite d'équation $y = -2x + 1$.

1. a. A et B sont les points de la droite d d'abscisses respectives 0 et 3. Déterminer les ordonnées des points A et B.

b. Représenter graphiquement la droite d dans un repère orthonormé.

2. Les points $C(-2 ; 5)$ et $D(10 ; -21)$ appartiennent-ils à la droite d ?
Justifier les réponses.

❸ Déterminer une équation de la droite (AB) dans chacun des cas suivants :

a. $A(3 ; 4)$, $B(5 ; -2)$; b. $A(-2 ; 5)$, $B(-2 ; 8)$;
c. $A(2,5 ; 1)$, $B(-1 ; -6)$; d. $A(5 ; -4)$, $B(-2 ; 0)$.

❹ On considère le graphique ci-dessous :

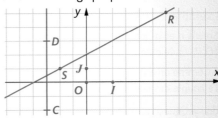

1. Lire sur le graphique les coordonnées des points C, D, R et S.

2. Déterminer une équation de la droite (CD) et l'équation réduite de la droite (RS).

▶ **Voir exercices 31 à 35**

2 Positions relatives de deux droites

a. Droites parallèles

Propriété 1   On considère un plan muni d'un repère.

Une droite d d'équation $y = mx + p$ et une droite d' d'équation $y = m'x + p'$ sont **parallèles** si, et seulement si, elles ont le **même coefficient directeur** : $d \mathbin{/\!/} d' \Leftrightarrow m = m'$.

Démonstration

Soient A et B deux points distincts situés sur la droite d.
Les droites parallèles à l'axe des ordonnées passant par A
et par B coupent la droite d' en A' et en B'.
On a donc $x_{A'} = x_A$ et $x_{B'} = x_B$ **(1)**.

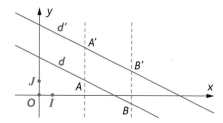

d et d' sont parallèles

$\Leftrightarrow ABB'A'$ est un parallélogramme

$\Leftrightarrow [A'B]$ et $[AB']$ ont le même milieu

$\Leftrightarrow \begin{cases} \dfrac{x_{A'} + x_B}{2} = \dfrac{x_A + x_{B'}}{2} \\ \dfrac{y_{A'} + y_B}{2} = \dfrac{y_A + y_{B'}}{2} \end{cases}$

$\Leftrightarrow \begin{cases} x_B - x_A = x_{B'} - x_{A'} \\ y_B - y_A = y_{B'} - y_{A'} \end{cases}$ et grâce à **(1)**

$\Leftrightarrow \dfrac{y_B - y_A}{x_B - x_A} = \dfrac{y_{B'} - y_{A'}}{x_{B'} - x_{A'}}$

$\Leftrightarrow m = m'$.

Remarque : Deux droites d'équations $x = c$ et $x = c'$ sont parallèles à l'axe des ordonnées, donc entre elles.

b. Droites sécantes et intersection

Propriété 2

Soient $d : y = mx + p$ et $d' : y = m'x + p'$ deux droites dans un plan muni d'un repère.

Les droites d et d' sont **sécantes** si, et seulement si, $m \neq m'$.

Dans ce cas, le couple des coordonnées du point d'intersection des droites d et d' est l'unique couple solution du système : $\begin{cases} y = mx + p \\ y = m'x + p' \end{cases}$

Cette propriété est une autre version de la propriété 1, appelée sa « contraposée ».

Exemple

Soient d et d' les droites d'équation : $y = 2x - 3$ et $y = -x + 3$ dans le repère (O, I, J) du plan.

• Comme on a $2 \neq -1$, les droites d et d' sont sécantes en un point M.
Le couple des coordonnées de M qui vérifient donc les deux équations, est solution du système : $\begin{cases} y = 2x - 3 \\ y = -x + 3 \end{cases}$.

On a : $\begin{cases} y = 2x - 3 \\ y = -x + 3 \end{cases} \Leftrightarrow \begin{cases} y = 2x - 3 \\ 2x - 3 = -x + 3 \end{cases} \Leftrightarrow \begin{cases} y = 2x - 3 \\ 3x = 6 \end{cases} \Leftrightarrow \begin{cases} y = 1 \\ x = 2 \end{cases}$.

Le système a bien une solution unique qui est $(2\,;1)$.
Les droites d et d' sont sécantes en $M(2\,;1)$.

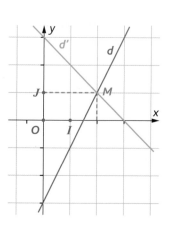

• On peut résoudre graphiquement le système en représentant les droites d et d' et en lisant les coordonnées de leur point d'intersection M.

Énoncé

Dans un plan muni d'un repère (O, I, J), on considère les points suivants :

$$A(0\,;2), \quad B(4\,;8), \quad C(2\,;4) \quad \text{et} \quad D(-4\,;-5).$$

1. Les droites (AD) et (BC) sont-elles parallèles ?
Justifier la réponse.

2. a. Montrer que les droites (AB) et (CD) sont parallèles.

b. Quelle est la nature du quadrilatère $ABCD$?

Solution rédigée

1. On a $x_A \neq x_D$, donc le coefficient directeur m de la droite (AD) est :

$$m = \frac{y_D - y_A}{x_D - x_A} = \frac{-5 - 2}{-4 - 0} = \frac{-7}{-4} = 1{,}75 \text{ (point ①)}.$$

On a $x_B \neq x_C$, donc le coefficient directeur m' de la droite (BC) est :

$$m' = \frac{y_C - y_B}{x_C - x_B} = \frac{4 - 8}{2 - 4} = \frac{-4}{-2} = 2 \text{ (point ①)}.$$

On constate que $m \neq m'$ (point ②), donc **les droites (AD) et (BC) ne sont pas parallèles.**

2. a. On a $x_A \neq x_B$, donc le coefficient directeur m de la droite (AB) est :

$$m = \frac{y_B - y_A}{x_B - x_A} = \frac{8 - 2}{4 - 0} = \frac{6}{4} = 1{,}5 \text{ (point ①)}.$$

On a $x_D \neq x_C$, donc le coefficient directeur m' de la droite (DC) est :

$$m' = \frac{y_C - y_D}{x_C - x_D} = \frac{4 - (-5)}{2 - (-4)} = \frac{9}{6} = 1{,}5 \text{ (point ①)}.$$

On constate que $m = m'$ (point ②), donc **les droites (AB) et (CD) sont parallèles.**

b. Ayant une seule paire de côtés parallèles, **ABCD est un trapèze.**

Points méthode

① On utilise la propriété permettant de calculer le coefficient directeur d'une droite.

② On compare les coefficients directeurs m et m' :
– s'ils sont différents, alors les droites sont sécantes ;
– s'ils sont égaux, alors les droites sont parallèles.

POUR S'EXERCER

5 Dans le repère ci-dessous, on représente les droites d_1, d_2 et d_3.

1. Lire le coefficient directeur de chacune des droites.

2. Donner l'équation réduite de chacune des droites.

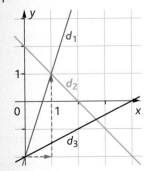

6 Les droites d_1 et d_2 sont-elles parallèles ou sécantes ?
Justifier les réponses dans chacun des cas suivants :

a. $d_1 : y = 2x + 3$ et $d_2 : y = -4x + 3$;

b. $d_1 : y = x + 7$ et $d_2 : y = x + 1$;

c. $d_1 : x = 5$ et $d_2 : x = -4$;

d. $d_1 : y = -0{,}5x + 3$ et $d_2 : y = \dfrac{-2x - 5}{4}$.

7 Dans un repère, on considère les points :
$$R(-2\,;2), \; S(3\,;7), \; T(4\,;1) \text{ et } U(-1\,;-4).$$

1. Montrer que les droites (RS) et (TU) sont parallèles.

2. a. Montrer que les droites (RU) et (ST) sont parallèles.

b. Que peut-on en déduire pour le quadrilatère $RSTU$?

▶ **Voir exercices 51 à 59**

Savoir faire Démontrer que des points sont alignés ou non

Énoncé

Dans un plan muni d'un repère (O, I, J), on considère les points suivants : $A(-2\,;5)$, $B(3\,;2)$, $C\left(\dfrac{4}{3}\,;3\right)$ et $D(53\,;-27)$.

1. Les points A, B et C sont-ils alignés ?

2. a. Les points A, B et D sont-ils alignés ?

b. Déterminer une équation de la parallèle à la droite (AB) passant par D.

Solution rédigée

1. On a $x_A \neq x_B$, donc le coefficient directeur m de la droite (AB) est :

$$m = \frac{y_B - y_A}{x_B - x_A} = \frac{2-5}{3-(-2)} = -\frac{3}{5}.$$

Une équation de la droite (AB) est donc de la forme : $y = -\dfrac{3}{5}x + p$.

Comme A appartient à (AB) on a : $5 = -\dfrac{3}{5} \times (-2) + p$; d'où : $5 = \dfrac{6}{5} + p$,

$5 - \dfrac{6}{5} = p$ et enfin $p = \dfrac{19}{5}$.

L'équation réduite de la droite (AB) est : $y = -\dfrac{3}{5}x + \dfrac{19}{5}$.

On teste les coordonnées du point C dans l'équation (point ❶) :

$-\dfrac{3}{5} \times \dfrac{4}{3} + \dfrac{19}{5} = -\dfrac{4}{5} + \dfrac{19}{5} = \dfrac{15}{5} = 3 = y_C$;

le point C appartient à la droite (AB). Les trois points A, B, C sont alignés.

2. a. On teste les coordonnées du point D dans l'équation de la droite (AB) (point ❶) :

$-\dfrac{3}{5} \times 53 + \dfrac{19}{5} = -\dfrac{159}{5} + \dfrac{19}{5} = -\dfrac{140}{5} = -28 \neq y_D$: les trois points A, B et D ne sont pas alignés.

b. La parallèle à la droite (AB) passant par le point D a le même coefficient directeur que la droite (AB), c'est-à-dire $-\dfrac{3}{5}$ (point ❷).

Son équation est donc de la forme : $y = -\dfrac{3}{5}x + p$. Le point D appartenant à cette droite, on a : $y_D = -\dfrac{3}{5}x_D + p$ (point ❸) c'est-à-dire : $-27 = -\dfrac{3}{5} \times 53 + p$.

On obtient : $p = -27 + \dfrac{159}{5} = \dfrac{-135}{5} + \dfrac{159}{5} = \dfrac{24}{5}$.

L'équation réduite de la parallèle à (AB) passant par D est : $y = -\dfrac{3}{5}x + \dfrac{24}{5}$.

Points méthode

❶ Pour statuer sur l'alignement de trois points, on détermine une équation de la droite passant par deux des points, puis on teste les coordonnées du troisième point dans l'équation trouvée :
• si l'égalité est vérifiée, les trois points sont alignés ;
• sinon, les trois points ne sont pas alignés.

❷ Deux droites parallèles ont le même coefficient directeur.

❸ Un point appartient à une droite si, et seulement si, ses coordonnées vérifient une équation de cette droite.

POUR S'EXERCER

8 Dans un repère, on donne les points $A(2\,;3)$, $B(3\,;5)$ et $C(5\,;8)$. Ces trois points sont-ils alignés ?

9 Dans un repère, on donne les points $R(-2\,;3)$, $T(3\,;4)$ et $M(-5\,;2,4)$. Ces trois points sont-ils alignés ?

10 Dans un repère, on donne les points $A(0\,;7)$, $B(-2\,;0)$ et $C(3\,;6)$.

1. Démontrer que ces points ne sont pas alignés.

2. Déterminer une équation de la parallèle à la droite (AC) passant par le point B.

11 Dans un repère, on donne les points $A(-1\,;5)$, $B(2\,;1)$, $C(x\,;6)$ et $D(6\,;y)$.

Déterminer les réels x et y pour que les points A, B, C et D soient alignés.

▶ Voir exercices 60 à 63

Énoncé

Résoudre par combinaisons linéaires le système S : $\begin{cases} 2x - 3y = -1 \\ 5x + y = 23 \end{cases}$.

Solution rédigée

La première équation s'écrit $y = \dfrac{2}{3}x + \dfrac{1}{3}$ et la deuxième équation $y = -5x + 23$.

Ce sont les équations de deux droites sécantes puisque $\dfrac{2}{3} \neq -5$ (point ❶).

Le système a bien une solution, qui est le couple des coordonnées du point d'intersection de ces deux droites.

En multipliant les deux membres de la première équation par 5 et les deux membres de la seconde par 2, on a :

$$S \Leftrightarrow \begin{cases} 10x - 15y = -5 & (1) \\ 10x + 2y = 46 & (2) \end{cases} \text{ (point ❷)}.$$

$(1) - (2) \Leftrightarrow 10x - 15y - (10x + 2y) = -5 - 46$

$ \Leftrightarrow -17y = -51$

$ \Leftrightarrow y = -51 \div (-17)$

$ \Leftrightarrow y = 3$ (point ❸).

En remplaçant y par sa valeur 3 dans $2x - 3y = -1$, on a (point ❹) :

$2x - 9 = -1 \Leftrightarrow 2x = 8$

$ \Leftrightarrow x = 8 \div 2$

$ \Leftrightarrow x = 4$.

La solution $(x\,;y)$ du système est le couple $(4\,;3)$.

Points méthode

❶ On s'assure que le système a bien une solution, en vérifiant que les deux équations, mises sous forme réduite, sont celles de droites sécantes. (On peut faire ce calcul de tête.)

❷ On transforme chaque équation en multipliant ses deux membres par un nombre bien choisi de manière à obtenir une inconnue avec le même coefficient dans les deux équations.

❸ On obtient le même coefficient pour x ; on soustrait membre à membre les deux équations pour obtenir une équation avec une seule inconnue, que l'on résout.

❹ En remplaçant cette inconnue par sa valeur dans l'une des équations de départ, on peut déterminer la valeur de la seconde inconnue.

POUR S'EXERCER

12 On considère les couples suivants : $(-1\,;0)$, $(3\,;-1)$, $(-2\,;-2)$, $(-2,5\,;-3)$ et $(0\,;2)$.

Quel couple $(x\,;y)$ est solution du système :

$$\begin{cases} -2x + y = 2 \\ -x + 5y = -8 \end{cases}\ ?$$

13 Résoudre par combinaisons linéaires les systèmes suivants :

a. $\begin{cases} 5x + 3y = 2 \\ -10x + 4y = -14 \end{cases}$; b. $\begin{cases} 6x - 4y = -8 \\ 5x + 2y = 20 \end{cases}$;

c. $\begin{cases} 3x + y = 2 \\ x - 2y = 1 \end{cases}$; d. $\begin{cases} 7x + 2y = 11,3 \\ 5x + 6y = 9,9 \end{cases}$.

14 Déterminer par le calcul les coordonnées du point d'intersection des deux droites si celui-ci existe.

Vérifier graphiquement les résultats.

a. $d_1 : y = 2x - 1$ et $d_2 : y = 3x - 2$;

b. $d_1 : y = 4x - 2$ et $d_2 : y = 4x + 3$;

c. $d_1 : y = 3x + 1$ et $d_2 : y = -7x - 5$.

15 De quel(s) système(s) le couple $(2\,;3)$ est-il la solution ?

a. $\begin{cases} 3x - 2y = 0 \\ 4x + y = 10 \end{cases}$; b. $\begin{cases} 5x - 4y = -2 \\ x + y = 5 \end{cases}$;

c. $\begin{cases} x + y = 4 \\ x - 2y = -4 \end{cases}$; d. $\begin{cases} -3x + 2y = 0 \\ 3x - 4y = -6 \end{cases}$.

16 On considère le système :

$$\begin{cases} x + 2y = -3 \\ 3x - y = 5 \end{cases}.$$

1. Transformer chaque équation en équation réduite de droite.

2. Résoudre graphiquement le système.

▶ Voir exercices 64 à 67

17 Tracer une droite et utiliser un coefficient directeur

Dans un repère orthonormé (O, I, J) d'unité 1 mm, on considère la droite d ayant pour équation $y = -3x + 10$ et les points $E(-7\,;15)$ et $F(-30\,;85)$.

1. Tracer la droite d et placer les points E et F.

2. Déterminer une équation de la droite d' parallèle à la droite d passant par le point E.

3. La droite (EF) est-elle parallèle à la droite d ?

Solution

1. Si $x = 0$, alors $y = 10$ et si $x = 10$, alors $y = -20$; la droite d passe donc par les points $A(0\,;10)$ et $B(10\,;-20)$. Voir la figure ci-contre :

2. La droite d' étant parallèle à la droite d, elle admet une équation de la forme $y = -3x + p$.

$$E \in d' \Leftrightarrow 15 = -3 \times (-7) + p$$
$$\Leftrightarrow 15 = 21 + p$$
$$\Leftrightarrow 15 - 21 = p$$
$$\Leftrightarrow -6 = p.$$

D'où d' : $\mathbf{y = -3x - 6}$.

3. Première méthode

Par simple lecture graphique, la droite (EF) peut sembler parallèle à d.

On examine ce parallélisme par le calcul.

La droite d' est la parallèle à la droite d passant par le point E ; donc :

$$(EF) // d \Leftrightarrow F \in d'.$$

On a : $y_F = 85$ et $-3x_F - 6 = -3 \times (-30) - 6 = 84$.

$84 \neq 85$, donc $F \notin d'$.

Donc **la droite (EF) n'est pas parallèle à la droite d.**

Seconde méthode

Le coefficient directeur de la droite (EF) est :

$$\frac{y_F - y_E}{x_F - x_E} = \frac{85 - 15}{-30 + 7} = \frac{70}{-23} \neq -3.$$

Donc **la droite (EF) n'est pas parallèle à la droite d.**

Stratégies

1. L'équation de la droite d permet d'en obtenir deux points, puis de la tracer.

2. ● On a $d' // d$ donc la droite d' admet une équation du même type que la droite d et avec le même coefficient directeur.

● On utilise ensuite le point connu de la droite d' pour calculer l'ordonnée à l'origine.

3. ● Première méthode : un point appartient à une droite si et seulement si, ses coordonnées vérifient l'équation de la droite.

● Seconde méthode : il suffit de calculer le coefficient directeur de la droite (EF) et de le comparer à celui de la droite d.

---

18 Déterminer et utiliser des équations de droites

Dans un repère (O, I, J) du plan, on donne les points $A(-2\,;4)$, $B(4\,;6)$ et $C(1\,;-1)$.

On note P le milieu du segment $[AB]$ et R celui du segment $[AC]$.

1. Calculer les coordonnées des points P et R et faire une figure.

2. Déterminer une équation des médianes (CP) et (BR) du triangle ABC.

3. Calculer les coordonnées du centre de gravité G du triangle ABC.

1. $x_P = \dfrac{x_A + x_B}{2} = \dfrac{-2 + 4}{2} = 1$; $y_P = \dfrac{y_A + y_B}{2} = \dfrac{4 + 6}{2} = 5$;

donc $P(1\,;5)$.

De même, on obtient $R(-0,5\,;1,5)$.

2. $x_P = x_C = 1$, donc la droite (CP) a pour
équation $x = 1$.

Comme $x_R \neq x_B$, la droite (BR) a une équation
de la forme $y = mx + p$, avec :

$$m = \dfrac{y_R - y_B}{x_R - x_B} = \dfrac{1,5 - 6}{-0,5 - 4} = \dfrac{-4,5}{-4,5} = 1.$$

Le point B appartient à (BR), donc avec
les coordonnées du point B :

$$6 = 1 \times 4 + p, \text{ d'où } p = 2.$$

Ainsi, une équation de (BR) est : $y = x + 2$.

3. $G \in (CP)$, donc $x_G = 1$ et $G \in (BR)$,
donc $y_G = x_G + 2 = 1 + 2 = 3$.

Ainsi, on a $G(1\,;3)$.

Remarque : la lecture graphique permet de vérifier le résultat.

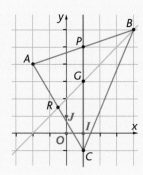

1. On utilise les formules vues dans le **chapitre 9 page 222**.

2. On observe les abscisses des deux points connus de la droite pour connaître la forme de son équation.

3. Le centre de gravité d'un triangle étant le point d'intersection de ses médianes, ses coordonnées vérifient les deux équations obtenues en **2.**

---

⑲ Lire un coefficient directeur et une ordonnée à l'origine

Les points A, B, C, D, E, F et G sont placés comme indiqué sur un quadrillage.

Déterminer le coefficient directeur de la droite (FG), son ordonnée à l'origine
et son équation réduite :

a. dans le repère (A, C, D) ;

b. dans le repère (A, B, D) ;

c. dans le repère (A, C, E).

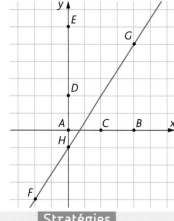

a. Dans le repère (A, C, D), l'unité correspond à 2 carreaux en abscisse comme
en ordonnée.

À partir du point F, on augmente l'abscisse de 1 en se déplaçant de deux carreaux
vers la droite. il faut alors augmenter l'ordonnée de 1,5 unité (3 carreaux) pour se
retrouver sur la droite (FG), au point H.

Donc le coefficient directeur de la droite (FG) dans le repère (A, C, D) est égal à 1,5.

Dans le repère (A, C, D), le point H a pour coordonnées $(0\,;-0,5)$.

Donc l'ordonnée à l'origine de la droite (FG) dans le repère (A, C, D) est : $-0,5$.

Finalement, dans le repère (A, C, D), (FG) : $y = 1,5x - 0,5$.

b. Dans le repère (A, B, D), l'unité en abscisse est de 4 carreaux, et l'unité en
ordonnée de 2 carreaux. En procédant de la même manière, on obtient dans le
repère (A, B, D) : (FG) : $y = 3x - 0,5$.

c. Toujours de la même façon, on obtient dans le repère (A, C, E) :

$$(FG) : y = 0,5x - \dfrac{1}{6}.$$

● On observe la variation de l'ordonnée quand l'abscisse augmente de 1.

● Ce n'est pas le quadrillage, mais le choix du repère qui impose les unités à utiliser en abscisse et en ordonnée.

Organiser une recherche

On considère un triangle *ABC*.

On note respectivement *D*, *E* et *F* les milieux des côtés $[AB]$, $[BC]$ et $[CA]$.

Que peut-on dire des médianes (AE), (BF) et (CD) ?

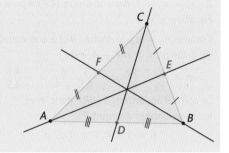

Recherche à l'aide d'un logiciel de géométrie dynamique

On réalise une figure.

Les droites (AE), (BF) et (CD) semblent être concourantes, c'est-à-dire se couper en un même point.

On fait bouger les points *A*, *B* ou *C* et on vérifie que la conjecture se confirme.

Montrer que trois droites sont concourantes revient à montrer que le point d'intersection de deux d'entre elles est aussi sur la troisième. On est ainsi amené à choisir un repère, le plus simple possible, dans lequel on pourra déterminer des équations de droites et calculer les coordonnées de leur point d'intersection.

Ébauche de solution

Dans le repère (A, B, C), les coordonnées des points *A*, *B* et *C* sont très simples.

Les coordonnées des milieux des côtés seront faciles à calculer.

Ainsi dans le repère (A, B, C), on pourra :
- déterminer des équations des médianes (AE), (BF) et (CD) ;
- calculer les coordonnées du point d'intersection des droites (AE) et (BF) (par exemple) ;
- vérifier que ce point appartient à (CD).

Rédaction d'une solution

À l'aide des deux parties précédentes, rédiger une solution du problème étudié.

Prendre des initiatives

20 Les médiatrices des côtés d'un triangle sont concourantes

On considère un triangle (non aplati) *ABC* et un point *D* tel que (A, B, D) soit un repère orthonormé. On note $(a ; b)$ les coordonnées du point *C* dans ce repère.

On note d_1, d_2 et d_3 les médiatrices respectives des segments $[AB]$, $[BC]$ et $[CA]$.

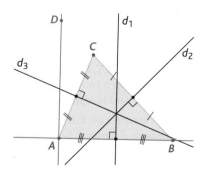

1. Pourquoi peut-on affirmer que $b \neq 0$?

2. En utilisant l'équivalence : « $M(x ; y) \in d_2 \Leftrightarrow BM^2 = CM^2$ », montrer qu'une équation de la droite d_2 est :

$$y = \frac{1 - a}{b}x + \frac{a^2 + b^2 - 1}{2b}.$$

3. Déterminer de même une équation de chacune des droites d_3 et d_1.

4. Montrer que les droites d_1, d_2 et d_3 sont concourantes.

5. Quelle propriété possède le point de concours de ces trois droites ?

21 Les hauteurs d'un triangle sont concourantes

On reprend les données de l'exercice 20 et on note de plus d'_1, d'_2 et d'_3 les hauteurs issues respectivement des sommets C, A et B.

1. En remarquant que d'_1 est la parallèle à d_1 passant par le sommet C, déterminer une équation de la droite d'_1.

2. Déterminer de même une équation de chacune des droites d'_2 et d'_3.

3. Montrer que les droites d'_1, d'_2 et d'_3 sont concourantes.

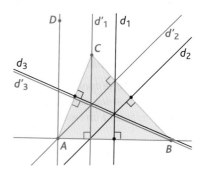

22 Droites perpendiculaires et coefficients directeurs

On souhaite trouver une relation entre les coefficients directeurs de deux droites perpendiculaires.

Remarques préliminaires :

- Dans tout l'exercice, on travaille dans un repère orthonormé du plan dont l'origine est notée O.
- Dans tout l'exercice, les droites considérées ne sont pas parallèles à un des axes du repère.
- Deux droites parallèles ayant le même coefficient directeur, on peut limiter l'étude à des droites passant par l'origine du repère.

1. Conjecture en utilisant le logiciel Geoplan

a. • Créer une variable réelle libre m, la droite d d'équation $y = mx$ et la droite d' perpendiculaire à la droite d passant par l'origine.

• Créer (Numérique/Calcul géométrique/ Coefficient directeur) le coefficient directeur m' de la droite d' et (Numérique/Calcul algébrique) le produit $p = m \times m'$.

• Créer l'affichage (variable numérique définie) des coefficients directeurs m et m', et celui de leur produit p.

b. Émettre une conjecture, après avoir activé le pilotage de m au clavier et fait varier m.

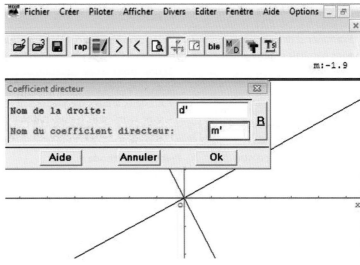

2. Démonstration

On considère les droites d et d' d'équations respectives $y = mx$ et $y = m'x$, et on suppose que $d \perp d'$.

a. Préciser les coordonnées des points A de la droite d et A' de la droite d' dont les abscisses valent 1.

Que peut-on dire du triangle OAA' ?

b. En utilisant le théorème de Pythagore, montrer que $m \times m' = -1$.

3. Énoncer la propriété démontrée ci-dessus.

4. Énoncer la propriété réciproque. Est-elle vraie ? Justifier.

Application :

Dans un repère orthonormé du plan (O, I, J) on considère la droite d d'équation $y = 2x - 3$ et le point $C(1 ; 3)$.

1. Déterminer une équation de la perpendiculaire Δ à la droite d passant par le point C.

2. En déduire les coordonnées du point d'intersection H des droites Δ et d, puis celles du symétrique du point C par rapport à la droite d.

Savoir...	**Comment faire ?**
Tracer une droite dont on connaît une équation dans le plan rapporté à un repère.	• Si l'équation de la droite est du type $x = c$, on place le point $A(c\,;0)$, puis on trace la droite parallèle à l'axe des ordonnées passant par A. • Si l'équation de la droite est du type $y = mx + p$, on choisit deux valeurs x_1 et x_2, on calcule les valeurs correspondantes y_1 et y_2. On place les points de coordonnées $(x_1\,;y_1)$ et $(x_2\,;y_2)$, puis on trace la droite passant par ces deux points.
Déterminer une équation de droite dont on connaît deux points.	Soient $A(x_A\,;y_A)$ et $B(x_B\,;y_B)$ deux points de la droite. • Si $x_A = x_B$, alors l'équation réduite est $x = x_A$. • Si $x_A \neq x_B$, alors l'équation réduite est de la forme : $y = mx + p$. On calcule m avec $m = \dfrac{y_B - y_A}{x_B - x_A}$, puis on détermine p en utilisant les coordonnées de l'un des points. On peut aussi retenir : $y = m(x - x_A) + y_A$.
Lire graphiquement le coefficient directeur d'une droite.	**Première méthode :** On compte en se déplaçant d'un point à un autre sur la droite de combien varie l'ordonnée y lorsque l'abscisse augmente de 1. **Deuxième méthode :** On détermine graphiquement la valeur de $\dfrac{\Delta y}{\Delta x} = \dfrac{y_B - y_A}{x_B - x_A}$, pour deux points A et B de la droite.

Examiner si deux droites sont parallèles ou sécantes.	• Si les deux droites ont des équations de type $x = c$, alors elles sont toutes les deux parallèles à l'axe des ordonnées, et donc parallèles entre elles.
	• Si une droite a une équation de type $x = c$ et l'autre $y = mx + p$, alors elles sont sécantes.
	• Pour deux droites d'équations $y = mx + p$ et $y = m'x + p'$:
	  – si $m = m'$ alors les droites sont parallèles ;
	  – si $m \neq m'$ alors les droites sont sécantes.

Examiner si trois points sont alignés ou pas.	**Première méthode :**
	On détermine une équation de la droite formée par deux des points, puis on teste les coordonnées du troisième point dans cette équation :
	  – si l'égalité est vérifiée, alors les points sont alignés ;
	  – si l'égalité n'est pas vérifiée, alors les points ne sont pas alignés.
	
	Deuxième méthode :
	• Si trois points ont la même abscisse, alors ils sont alignés.
	• Pour trois points A, B et C d'abscisses différentes, on calcule les coefficients directeurs des droites (AB) et (AC) :
	  – si ces coefficients sont égaux, alors les points sont alignés ;
	  – si ces coefficients sont différents, alors les points ne sont pas alignés.

Déterminer les coordonnées du point d'intersection de deux droites sécantes.	**Première méthode :** On résout un système formé avec les équations des deux droites. **Deuxième méthode :** On représente graphiquement les deux droites, puis on lit, si c'est possible, les coordonnées de leur point d'intersection. On s'assure ensuite que ces coordonnées vérifient les équations des deux droites.

QCM

Pour chacune des questions suivantes, une seule réponse est correcte.

A Dans un repère d'origine O, on donne la figure ci-dessous où sont représentées trois droites d_1, d_2 et d_3.

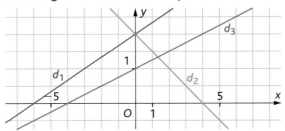

1. Le coefficient directeur de la droite d_1 est :	**a.** -6	**b.** $\dfrac{2}{3}$	**c.** $\dfrac{1}{3}$
2. L'ordonnée à l'origine de la droite d_2 est :	**a.** 4	**b.** 2	**c.** $-0,5$
3. L'équation réduite de la droite d_3 est :	**a.** $y = 4x + 1$	**b.** $y = \dfrac{1}{4}x + 1$	**c.** $y = x + 4$

Corrigé p. 344

B

1. Le couple $(2\,;3)$ est solution de :	**a.** $\begin{cases} 3x - y = 3 \\ -x + y = 5 \end{cases}$	**b.** $\begin{cases} x - 2y = 4 \\ x + 3y = 11 \end{cases}$	**c.** $\begin{cases} 2x + y = 7 \\ x - y = -1 \end{cases}$
2. Les droites d'équations $y = 2x + 7$ et $y = -x + 4$ sont sécantes en :	**a.** $M(2\,;2)$	**b.** $N(-1\,;5)$	**c.** $P(2\,;11)$
3. Le couple $(x\,;y)$ solution du système $\begin{cases} 2x + y = 7 \\ -3x + 2y = 7 \end{cases}$ est :	**a.** $(1\,;5)$	**b.** $(-3\,;-1)$	**c.** $(-1\,;9)$

Corrigé p. 344

Vrai ou faux ?

Préciser si les affirmations suivantes sont vraies ou fausses.

C Dans un plan muni d'un repère, on considère les points suivants :
$$A(-2\,;2), \quad B(3\,;-3), \quad C(2\,;0) \quad \text{et} \quad D(-2\,;4).$$

1. Les droites (AB) et (CD) sont parallèles. **2.** Les droites (AD) et (BC) sont sécantes.

3. $ABCD$ est un parallélogramme. **4.** $ABCD$ est un trapèze

Corrigé p. 344

D Dans un plan muni d'un repère (O, I, J), on donne les points suivants :
$$A(3\,;1), \quad B(-1\,;-1), \quad C(7,5\,;3,5), \quad D(3\,;-2) \quad \text{et} \quad E(3\,;4).$$

1. Les points A, B et C sont alignés. **2.** Le point I appartient à la droite (AB).

3. Les points A, D et E sont alignés. **4.** La droite (DI) passe par le point J.

Corrigé p. 344

 Pour s'auto-évaluer : des QCM et Vrai-Faux complémentaires

11. Exercices

▶ Les exercices portant un numéro orange
sont corrigés à la fin du manuel, page 330.

Applications directes

1 Équations de droites

23 À l'oral

Pour chacune des équations données, indiquer la nature de la droite : parallèle ou sécante à l'axe des ordonnées. Indiquer le coefficient directeur, s'il existe.

a. $y = 2x - 3$;
b. $x = 5$;
c. $y = x + 1$;
d. $y = \dfrac{3x - 4}{7}$;
e. $y = 7 - 8x$;
f. $x = 2y - 1$.

24 Vrai ou faux ? Justifier la réponse.

1. Une droite d'équation $y = mx + p$ coupe toujours l'axe des abscisses.
2. La droite d'équation $y = 3$ coupe l'axe des ordonnées au point de coordonnées $(0 \, ; 3)$.
3. La droite d'équation $y = \dfrac{2x - 5}{3}$ a pour ordonnée à l'origine -5.
4. Le point $A(2 \, ; 3)$ appartient à la droite d'équation :
$$y = 4x - 5.$$

25 Calcul mental

Dans chacun des cas suivants, calculer le coefficient directeur de la droite (AB), s'il existe.

a. $A(2 \, ; 3)$ et $B(5 \, ; 6)$;
b. $A(-2 \, ; 0)$ et $B(-2 \, ; 4)$;
c. $A(-1 \, ; 2)$ et $B(3 \, ; -2)$;
d. $A(1 \, ; 2)$ et $B(4 \, ; 3)$.

26 Calcul mental

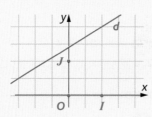

La droite d, tracée ci-contre, a pour équation $y = 0,6x + 1,4$.
1. Montrer que le point $A(1 \, ; 2)$ appartient à d.
2. Montrer que le point $B(10 \, ; 7,5)$ n'appartient pas à la droite d.
3. Le point $C(-9 \, ; -4)$ appartient-il à cette droite ?

Tracer une droite

27 1. Dans le plan muni d'un repère (O, I, J), placer les points $A(2 \, ; -4)$, $B(-1 \, ; 2)$ et $C(2 \, ; 5)$.
2. a. Tracer les droites (AB), (AC) et (BC).
b. Préciser, par lecture graphique, pour chacune de ces droites, son ordonnée à l'origine si celle-ci existe.

28 Dans un repère du plan, tracer les droites d_1, d_2 et d_3 d'équations suivantes :
$d_1 : y = -2x + 1$;
$d_2 : y = 1,5x - 2$;
$d_3 : y = 3x - 4$.

29 Le plan est rapporté à un repère orthonormé (O, I, J) tel que $OI = 5$ cm et $OJ = 0,5$ cm.
Dans ce repère, tracer les droites suivantes :
a. $d_1 : x = 0,2$;
b. $d_2 : x = -0,6$;
c. $d_3 : y = -10x + 10$;
d. $d_4 : y = \dfrac{35x + 7}{6}$ *.

* Conseil *Pour la droite d_4, on pourra choisir les points d'abscisse $-0,2$ et 1.*

30 1. Reproduire le repère (O, I, J) ci-dessous :

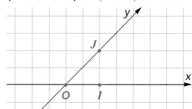

2. Dans ce repère, tracer les droites d_1, d_2 et d_3 d'équations suivantes :
$d_1 : y = 2x - 3$;
$d_2 : y = \dfrac{-3}{2}x + 2$;
$d_3 : x = -2$.

Déterminer une équation de droite

Voir la fiche Savoir faire, page 267.

Pour les exercices 31 à 35, le plan est muni d'un repère (O, I, J).

31 Déterminer l'équation réduite de la droite qui passe par $A(2 \, ; 3)$ et dont le coefficient directeur est -1.

32 Déterminer une équation de chacune des droites suivantes :
a. la droite (AB) avec les points $A(-2 \, ; -3)$ et $B(1 \, ; 3)$;
b. la droite (AC) et la droite (BC) avec le point $C(4 \, ; -1)$;
c. la droite (AD) et la droite (BD) avec le point $D(-2 \, ; 3)$.

33 Dans chacun des cas suivants, déterminer une équation de la droite (AB) :
a. $A(1 \, ; 77)$ et $B(2\,560 \, ; 128\,027)$;
b. $A(-0,2 \, ; 0,72)$ et $B(12,3 \, ; -0,53)$;
c. $A(0,01 \, ; 575)$ et $B(120 \, ; 575)$;
d. $A(234\,567 \, ; -23\,345)$ et $B(234\,567 \, ; -543\,918)$.

34 Déterminer une équation réduite des droites (AB), (AC) et (BC) avec :

$$A\left(\frac{1}{3}\,;-1\right),\quad B\left(\frac{-1}{2}\,;4\right)\quad\text{et}\quad C\left(-1\,;\frac{1}{5}\right).$$

35 Déterminer l'équation réduite de la droite qui passe par $A(-3\,;5)$ et dont l'ordonnée à l'origine est -2.

36 🔷algo **Équations de droites**

On se place dans un repère.

1. Soient deux points A et B. On souhaite automatiser les calculs permettant d'obtenir l'équation réduite de la droite (AB).
Élaborer une démarche.

2. Programmer à l'aide d'une calculatrice ou d'un logiciel.

3. À l'aide du programme, donner l'équation réduite de la droite (AB) dans chacun des cas suivants :

a. $A(3\,;-1)$ et $B(1\,;5)$; **b.** $A(5\,;4)$ et $B(-2\,;-1)$.

37 On considère la ligne brisée ci-dessous où les points B, R, I, S et E sont des nœuds du quadrillage.

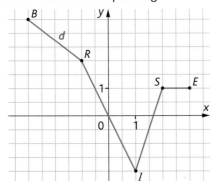

Chaque segment est une partie de droite ; pour chacun d'eux indiquer l'intervalle dans lequel l'abscisse varie et déterminer l'équation réduite de la droite portant ce segment.

Interpréter un coefficient directeur

Pour les exercices 38 et 39, on considère la figure ci-dessous :

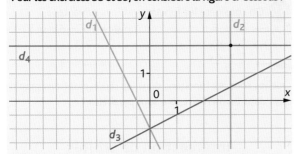

38 **Vrai ou faux ?** Justifier la réponse.

1. Le coefficient directeur de la droite d_3 est négatif.

2. Le coefficient directeur de la droite d_1 est -2.

3. Les droites d_1 et d_2 ont le même coefficient directeur.

4. La droite qui a un coefficient directeur nul est d_2.

39 **QCM**

Retrouver la (ou les) bonne(s) réponse(s).

1. Le coefficient directeur de la droite d_3 est :

a. $0,5$ **b.** 2 **c.** $\dfrac{2}{4}$ **d.** -1

2. Le coefficient directeur de la droite d_1 est :

a. -1 **b.** -2 **c.** $-0,5$ **d.** 2

3. Le coefficient directeur de la droite d_4 :

a. est 0 **b.** n'existe pas   **c.** est égal à celui de d_2

40 Pour chaque droite, lire son coefficient directeur.

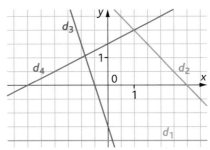

41 Pour chaque droite, lire son coefficient directeur et son ordonnée à l'origine. En déduire son équation réduite.

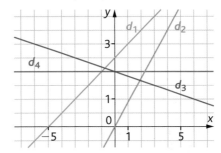

Pour les exercices 42 à 46, le plan est muni d'un repère (O, I, J).

42 **1.** Placer les points $A(2\,;-3)$ et $B(-2\,;-1)$.

2. a. Déterminer graphiquement le coefficient directeur de la droite (AB).

b. Retrouver ce résultat par le calcul.

43 **1.** Tracer la droite d passant par $B(-2\,;-1)$ et de coefficient directeur 3.

2. Lire graphiquement l'ordonnée à l'origine de la droite d.

44 **1.** Tracer la droite d passant par le point $A(-3\,;1)$ et de coefficient directeur $-0,5$.

2. Déterminer par le calcul une équation réduite de d.

45 Dans un même repère orthonormé, représenter les droites d_1, d_2, d_3 et d_4 de coefficients directeurs respectifs $\dfrac{3}{4}$, -2, $\dfrac{1}{2}$ et $\dfrac{-3}{7}$, sachant que pour chaque droite le point d'abscisse 2 a pour ordonnée 5.

46 Déterminer une équation de chacune des droites. (Attention aux unités !)

a.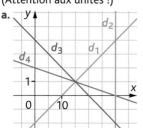

b.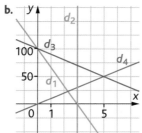

2 Positions relatives de deux droites

47 Vrai ou faux ?

On considère les droites suivantes :

$d_1 : x = -3$; $\qquad$ $d_2 : x = -0,6$;

$d_3 : y = -3x + 4$; $\qquad$ $d_4 : y = 3x + 4$;

$d_5 : y = -3x + 6$; $\qquad$ $d_6 : y = \dfrac{6x + 8}{2}$.

1. Les droites d_1 et d_3 sont parallèles.

2. La droite parallèle à la droite d_3 est d_5.

3. La droite d_1 est sécante aux cinq autres droites.

4. Les droites d_4 et d_6 n'ont pas de points en commun.

48 Vrai ou faux ?

On considère les droites suivantes :

$d_1 : y = -4x + 5$; $\qquad$ $d_2 : y = -4$;

$d_3 : x = -4$; $\qquad$ $d_4 : y = -3 - 4x$.

1. Les droites d_1 et d_2 sont parallèles.

2. Les droites d_2 et d_3 n'ont pas de point commun.

3. Les droites d_1 et d_4 n'ont pas de point commun.

4. La parallèle à d_1 passant par le point $A(-2 ; 5)$ est d_4.

49 Vrai ou faux ?

1. Les équations $-4x + 2y = 5$ et $y = 2x + 5$ caractérisent la même droite d.

2. $(-1 ; 3)$ est une solution de l'équation $5x + 3y = 4$.

3. $4x - 8 = 0$ est l'équation d'une droite parallèle à l'axe des ordonnées.

50 QCM

Retrouver la bonne réponse.

1. Les droites d'équations $y = 2x + 1$ et $y = -x + 4$ sont sécantes au point :

a. $A(3 ; 1)$ $\qquad\qquad$ **b.** $B(1 ; 3)$

c. $C(2,5 ; 6)$ $\qquad\qquad$ **d.** $D(3 ; 7)$

2. Le système $\begin{cases} x + 3y = -5 \\ 2x - y = 4 \end{cases}$ a pour solution :

a. $(-2 ; -1)$ $\qquad\qquad$ **b.** $(-5 ; 4)$

c. $(1 ; -2)$ $\qquad\qquad$ **d.** $(3 ; -2)$

3. Dans une ferme, il y a des vaches et des poules. Le fermier a compté 36 têtes et 100 pattes. Il y a donc :

a. 25 vaches $\qquad\qquad$ **b.** 22 vaches

c. 20 vaches $\qquad\qquad$ **d.** 14 vaches

Droites parallèles et droites sécantes

Voir la fiche Savoir faire, page 269.

51 Dans le plan muni d'un repère (O, I, J), on donne les points $A(6 ; 3)$, $B(-3 ; 0)$ et $C(5 ; 4)$.

Montrer que les droites (OA) et (BC) sont parallèles.

52 On considère la figure ci-dessous.

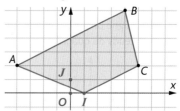

1. Montrer que les droites (AI) et (BC) sont sécantes.

2. Comment semblent être les droites (AB) et (IC) ? Le prouver.

53 Dans le plan muni d'un repère, on considère les points $A(2 ; 1)$, $B(1 ; 2)$, $C(-2 ; -1)$ et $D(-1 ; -2)$.

1. Montrer que les droites (AB) et (CD) sont parallèles.

2. Montrer que les droites (AD) et (BC) sont parallèles.

3. Que peut-on en conclure ?

54 Dans le plan muni d'un repère (O, I, J), on donne les points $A(3 ; 3)$, $B(-3 ; 0)$ et $C(5 ; -4)$.

1. Déterminer l'équation réduite de la droite (AB).

2. Déterminer l'équation réduite de d, la droite parallèle à la droite (AB) qui passe par le point C.

55 On considère les fonctions affines suivantes :

$f : x \longmapsto 2x + 3$; $\qquad$ $g : x \longmapsto -4x + 3$;

$h : x \longmapsto 7 - 4x$; $\qquad$ $i : x \longmapsto 5$;

$j : x \longmapsto \dfrac{5 + 4x}{2}$; $\qquad$ $k : x \longmapsto -3$.

Quelles sont les fonctions dont les représentations graphiques dans un même repère sont parallèles ?

Intersection de droites

56 Déterminer, si elle existent, les coordonnées du point d'intersection des droites d_1 et d_2.

a. $d_1 : y = 2x + 3$; $\qquad$ $d_2 : y = -4x + 3$;

b. $d_1 : y = 7 - 4x$; $\qquad$ $d_2 : y = 5$;

c. $d_1 : y = \dfrac{5 + 4x}{2}$; $\qquad$ $d_2 : y = 2x - 3$.

57 Observer la figure ci-dessous :

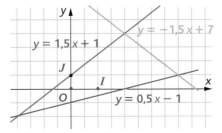

En déduire les solutions des systèmes :

a. $\begin{cases} y = 0{,}5x - 1 \\ y = 1{,}5x + 1 \end{cases}$;
b. $\begin{cases} y = 0{,}5x - 1 \\ y = -1{,}5x + 7 \end{cases}$;

c. $\begin{cases} y = 1{,}5x + 1 \\ y = -1{,}5x + 7 \end{cases}$.

58 Dans le plan muni d'un repère (O, I, J), on considère les droites d_1 et d_2 d'équations respectives
$$y = 4x - 5 \quad \text{et} \quad y = -2x + 1.$$
1. Représenter ces deux droites.
2. a. Déterminer graphiquement les coordonnées du point d'intersection des droites d_1 et d_2.
b. Retrouver ces coordonnées en résolvant un système de deux équations.

59 **1.** Dans un repère orthonormé (O, I, J) d'unité le centimètre, représenter les droites :
$$d_1 : y = 4x - 2 \quad \text{et} \quad d_2 : y = -3x + 1.$$
2. a. Déterminer graphiquement les valeurs approchées au dixième des coordonnées du point d'intersection des droites d_1 et d_2.
b. Déterminer les valeurs exactes de ces coordonnées.

3 Points alignés

Voir la fiche Savoir faire, page 270.

60 Dans le plan muni d'un repère (O, I, J), on considère le point $A(-4 ; 5)$.
Montrer que les points I, J et A sont alignés.

61 On considère la figure ci-dessous.
Les points A, B et C à coordonnées entières sont-ils alignés ?

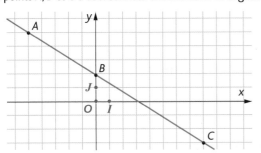

62 Dans le plan muni d'un repère (O, I, J), on donne les points $A(4 ; 3)$ et $B(-3 ; -2)$.
1. Les points O, A et B sont-ils alignés ? Justifier.
2. La fonction affine f dont la représentation graphique passe par A et par B est-elle linéaire ?

63 **algo** **Alignement de points**
On se place dans un repère.
1. Soient trois points A, B et C. On souhaite automatiser les calculs permettant d'affirmer que les points A, B et C sont alignés ou non. Élaborer une démarche.
2. Programmer à l'aide d'une calculatrice ou d'un logiciel.
3. À l'aide du programme, dire, dans chacun des cas suivants, si les points A, B et C sont alignés ou non :
a. $A(1 ; -2)$; $B(3 ; 4)$ et $C(-1 ; -8)$;
b. $A(-3 ; 2)$; $B(3 ; 1)$ et $C(0 ; 2)$;
c. $A(3 ; 1)$; $B(2 ; 1)$ et $C(7 ; 3)$.

4 Systèmes d'équations linéaires

Voir la fiche Savoir faire, page 271.

64 Résoudre algébriquement les systèmes :

a. $\begin{cases} x + 3y = 30 \\ x - 6y = -36 \end{cases}$;
b. $\begin{cases} 3x + 5y = 7 \\ x - y = 5 \end{cases}$;

c. $\begin{cases} 3x - y = 11 \\ 7x + 3y = -1 \end{cases}$.

65 Résoudre algébriquement les systèmes d'équations :

a. $\begin{cases} 4x - 5y = 0 \\ 2x + 3y = 11 \end{cases}$;
b. $\begin{cases} 0{,}2x + 0{,}3y = 5 \\ x - y = 2 \end{cases}$;

c. $\begin{cases} \dfrac{1}{2}x - y = 3 \\ 4x - y = 2 \end{cases}$;
d. $\begin{cases} \dfrac{x}{2} + \dfrac{y}{3} = 1 \\ x - 2y = -1 \end{cases}$.

66 On veut résoudre graphiquement le système d'équations :
$$\begin{cases} 2x - y = -1 \\ 4x + 3y = 13 \end{cases}.$$
1. a. Écrire chacune des équations du système sous la forme d'une équation réduite $y = mx + p$.
b. Représenter les deux droites correspondant à ces équations réduites.
2. Conclure.

67 **1.** Résoudre le système d'équations ci-dessous :
$$\begin{cases} 2a + 4b = 6 \\ 2a + b = 2{,}70 \end{cases}.$$
2. À la boulangerie, Marie achète deux croissants et quatre pains aux raisins pour 6 €. Dans la même boulangerie, Karim achète 2 croissants et un pain aux raisins pour 2,70 €.
a. Quel est le prix d'un croissant ?
b. Quel est le prix d'un pain aux raisins ?

Problèmes

68 🔵aℓgo Positions relatives de deux droites

On se place dans un repère.
On souhaite automatiser les calculs permettant d'étudier les positions de deux droites, puis de préciser les coordonnées du point d'intersection dans le cas où celles-ci sont sécantes.

1. Soient deux droites D et Δ d'équations suivantes :

$$D : y = ax + b \quad \text{et} \quad \Delta : y = cx + d$$

où a, b, c et d sont réels.

a. Quelles sont les positions relatives des droites D et Δ selon les valeurs des réels a, b, c et d ?

b. Dans le cas où les droites D et Δ sont sécantes en un point unique, déterminer les coordonnées de ce point d'intersection en fonction des réels a, b, c et d.

2. En déduire une démarche permettant d'étudier la position relative des droites D et Δ en fonction des coefficients a, b, c et d définis à la question **1.**

3. Programmer à l'aide d'une calculatrice ou d'un logiciel.

4. À l'aide du programme, étudier les cas suivants :

a. $D : y = 0{,}5x - 1$ et $\Delta : y = 3x - 1$;

b. $D : y = 2x + 1$ et $\Delta : y = -x + 4$.

69 Un problème de vitesse

Deux villes E et F sont distantes de 20 km.
Pierre part de la ville E et se dirige vers la ville F en marchant à la vitesse constante de 5 km/h. Il s'arrête une heure chez sa cousine Lili qui habite à 5 km de la ville E.
La distance par rapport à la ville E est notée D_E. Son trajet est représenté graphiquement ci-dessous.

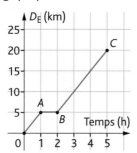

Anthony part à la même heure que Pierre ; il va de la ville F à la ville E sans s'arrêter à la vitesse constante de 4 km/h.

1. Reproduire la figure et représenter graphiquement le trajet d'Anthony.

2. Déterminer une équation de chacune des droites (OA), (AB) et (BC).

3. Déterminer une équation de la droite représentant le trajet d'Anthony.

4. Combien de temps après le départ (en heures, minutes, secondes) vont-ils se croiser ?
À quelle distance seront-ils alors de la ville E (on donnera une valeur approchée au mètre près) ?

70 Un problème économique

Un représentant de commerce a le choix entre deux contrats pour son salaire mensuel :
- A : un fixe de 1 400 € plus 4 % du montant de ses ventes ;
- B : un fixe de 800 € plus 10 % du montant de ses ventes.

1. Montrer que pour le contrat A, son salaire, noté y en fonction du montant x de ses ventes, est donné par l'équation :

$$y = 0{,}04x + 1400.$$

2. Exprimer de même son salaire, noté y, en fonction du montant des ventes x pour le contrat B.

3. Représenter graphiquement les droites correspondant aux équations des questions **1.** et **2.** (Réfléchir au choix des unités.)

4. Déterminer graphiquement à partir de quel montant de vente le contrat B est le plus avantageux.

5. Vérifier par le calcul.

71 Distance d'un point à une droite (1)

1. Dans un repère orthonormé d'unité 1 cm, on considère la droite $d : y = x - 4$ et le point $M(2 ; 3)$.
La droite perpendiculaire d' à la droite d au point M coupe d au point P.

a. Faire un dessin et mesurer la longueur MP.

b. En utilisant le résultat de l'**exercice 22**, page 275, déterminer une équation de la droite d'.

c. Déterminer les coordonnées du point P en résolvant un système.

d. Calculer la distance MP et vérifier la cohérence avec **a.**
Cette distance est la plus courte distance entre le point M et un point de la droite d : on dit que c'est la distance du point M à la droite d.

2. Déterminer la distance du point $E(-1 ; -1)$ à la droite d :

$$d : y = x - 2.$$

72 Distance d'un point à une droite (2)

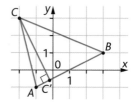

Les sommets du triangle ABC ont des coordonnées entières ; la hauteur issue du sommet C coupe la droite (AB) au point C'.

1. Déterminer une équation de la droite (AB).

2. En utilisant le résultat de l'**exercice 22**, page 275, déterminer une équation de la hauteur issue du sommet C.

3. Calculer les coordonnées du point C', puis la distance CC'.

4. En déduire l'aire du triangle ABC.

73 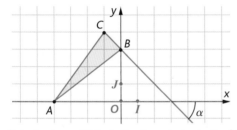 **Coefficient directeur et angle formé par une droite et l'axe des abscisses**

Le plan est muni d'un repère orthonormé.

1. Conjecture à l'aide du logiciel Géoplan

a. Créer :
- des variables réelles libres m et p ;
- la droite d d'équation $y = mx + p$;
- le point A, intersection de d avec l'axe des abscisses (on suppose $m \neq 0$) ;
- l'abscisse k de A ;
- le point B de l'axe (Ox) d'abscisse $k + 1$;
- le point C de d d'abscisse $k + 1$.

b. Faire afficher m et la tangente de l'angle $\widehat{BAC}$. Que constate-t-on en pilotant au clavier les réels m et p ?

2. Démonstration

a. Exprimer k, puis les coordonnées des points B et C en fonction des réels m et p (on suppose $m \neq 0$).

b. Calculer alors $\tan \widehat{BAC}$ en distinguant les cas $m > 0$ et $m < 0$.

74 **Angles d'un triangle**

On considère la figure suivante où les points sont à coordonnées entières :

1. a. Calculer le coefficient directeur de la droite (AB). En utilisant le résultat de l'**exercice 73**, déterminer la mesure arrondie au centième de degré de l'angle $\widehat{IAB}$.

b. Déterminer la mesure arrondie au centième de degré de l'angle $\widehat{IAC}$.

c. En déduire la mesure arrondie au dixième de degré de l'angle $\widehat{BAC}$.

2. a. Déterminer la mesure arrondie au centième de α.

b. En déduire les mesures des angles $\widehat{BCA}$ et $\widehat{ABC}$.

75 **Démontrer**

Soit (O, I, J) un repère orthonormé du plan. Soit a un réel strictement négatif et A le point de coordonnées $(1 ; a)$.

1. Soit $P(x_P ; y_P)$ un point de la demi-droite $[OA)$ autre que O. Soit P' le point de la droite (OI) de même abscisse x_P que P.

a. Prouver que les droites (AI) et (PP') sont parallèles.

b. À l'aide du théorème de Thalès, montrer que $y_P = ax_P$.

2. Soit $N(x_N ; y_N)$ un point de (OA) avec $x_N < 0$.
Soit $N'(x_N ; 0)$.
Exprimer les distances ON' et NN' en fonction de x_N et de y_N, puis montrer que $y_N = ax_N$.

76 **algo** **Choisir le bon algorithme**

Donner **toutes** les bonnes réponses.
On se place dans un repère. Soit D la droite d'équation :

$$y = \frac{2x + 1}{3}.$$

On souhaite automatiser les calculs permettant de savoir si un point donné par ses coordonnées appartient ou non à la droite D.
Quel(s) est(sont) le(s) algorithme(s) correct(s) ?

a.

```
Variables :
    xₐ, yₐ, y : réels ;
Début
    Entrer(xₐ, yₐ) ;
    y ← 2 × xₐ + 1/3 ;
        Si yₐ = y
            alors Afficher(« A appartient à D ») ;
            sinon Afficher(« A n'appartient pas à
                D ») ;
        FinSi ;
Fin.
```

b.

```
Variables :
    xₐ, yₐ, y : réels ;
Début
    Entrer(xₐ, yₐ) ;
    y ← (2 × xₐ + 1)/3 ;
        Si yₐ = y
            alors Afficher(« A appartient à D ») ;
            sinon Afficher(« A n'appartient pas à
                D ») ;
        FinSi ;
Fin.
```

c.

```
Variables :
    xₐ, yₐ, y : réels ;
Début
    Entrer(xₐ, yₐ) ;
    y ← (2 × xₐ + 1)/3 ;
        Si y − yₐ = 0
            alors Afficher(« A appartient à D ») ;
            sinon Afficher(« A n'appartient pas à
                D »);
        FinSi ;
Fin.
```

77 [algo] Résolution de systèmes linéaires à deux inconnues

On considère le système de deux équations à deux inconnues :
$$\begin{cases} ax + by = c \\ dx + ey = f \end{cases}.$$

1. Étude théorique

a. Multiplier la première équation par e et la seconde par $-b$.
Par addition, montrer que :
$$(ae - bd)x = ce - bf.$$

b. En procédant de même, trouver une relation avec y.

c. Si $ae - bd$ est non nul, en déduire l'expression de x et celle de y à l'aide des coefficients a, b, c, d, e et f.

2. Écrire un algorithme

Écrire un algorithme prenant :
– en entrée : les coefficients a, b, c, d, e et f ;
– en sortie : un texte affichant si le système admet une solution unique, et si oui, le couple $(x\,;y)$ solution.
Puis programmer à l'aide d'une calculatrice ou d'un logiciel.

3. Applications à l'aide du programme

a. Résoudre $\begin{cases} 2x + 3y = 7 \\ 3x - y = 5 \end{cases}$ et $\begin{cases} (2 - \sqrt{3})x + y = 5 \\ x + (2 + \sqrt{3})y = 1 \end{cases}$.

b. Robin et Arthur achètent des CD et des DVD dans le même magasin.
Robin achète 20 DVD et 60 CD pour 152 €.
Arthur achète 30 DVD et 55 CD pour 200 €.
Déterminer le prix d'un DVD et d'un CD.

c. Dans un groupe de discussion, 80 % des hommes sont célibataires.
Parmi les femmes, 75 % sont célibataires.
Il y a 311 célibataires.
60 % des hommes pratiquent un sport dans un club, ainsi que 45 % des femmes.
204 personnes pratiquent un sport dans un club.
Déterminer le nombre d'hommes et de femmes.

> **Pour info**
>
> Pour un système $\begin{cases} ax + by = c \\ dx + ey = f \end{cases}$, le nombre $ae - bd$ s'appelle **déterminant** du système. Si ce déterminant est non nul, alors le système admet une solution unique et le système est dit *système de Cramer*.

78 [icon] Problème « concret »

Un potier décide de fabriquer des plats à tarte circulaires gradués pour faciliter le découpage en parts égales.

1. Pour un partage en deux parts égales, il trace un diamètre $[II']$. Pour un partage en quatre parts égales, il trace en plus le diamètre $[JJ']$ perpendiculaire au segment $[II']$. Pour obtenir huit parts, ne trouvant aucun rapporteur dans la maison, il sollicite l'aide de sa fille Noémie qui est en classe de Seconde.
Cette dernière utilise le repère (O, I, J), place le point $E(1\,;1)$ et trace la droite (OE).

a. Comment le potier aurait-il fait avec un rapporteur ?

b. Réaliser la figure avec le logiciel Geogebra.

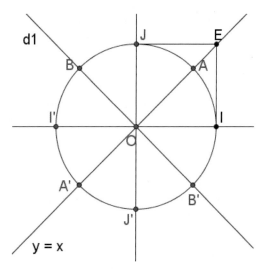

En utilisant la commande « *SecteurCirculaire* » vérifier que les secteurs $\widehat{AOI}$ et $\widehat{AOJ}$ ont la même aire.

c. Montrer que la droite (OE) a pour équation $y = x$.

d. Quelle est l'équation de la droite d_1 qui permet de terminer le partage ?

2. Le potier veut rajouter des graduations pour un partage en six parts égales. Noémie trace alors les droites d et d' d'équations respectives $x = \dfrac{1}{2}$ et $x = \dfrac{-1}{2}$ (toujours dans le repère (O, I, J)).

a. Compléter la figure et nommer C et D les points d'intersection respectifs de d et d' avec le demi-cercle supérieur.

b. Vérifier à l'aide du logiciel que les secteurs $\widehat{IOC}$, $\widehat{COD}$ et $\widehat{DOI'}$ ont la même aire.

c. Justifier (on pourra utiliser les résultats du **chapitre 6**).

d. Donner les coordonnées des points C et D, puis le coefficient directeur de chacune des droites (OC) et (OD).

e. Tracer ces droites pour terminer le partage en six.

f. En combien de parts égales peut-on partager si on ajoute en plus les droites d'équations $y = 0,5$ et $y = -0,5$?

3. Dans le repère (O, I, J), la droite d'équation $y = x$ ayant permis à Noémie de commencer le partage en huit, elle pense utiliser, dans ce même repère, la droite d'équation $y = 0,5x$ pour amorcer un partage en parts deux fois plus petites (donc en seize).
En utilisant le logiciel, donner une opinion quant à cette idée.

79   Travail de recherche à l'aide d'un tableur

Points à coordonnées entières d'une droite

Objectif : une droite étant connue par son équation, trouver des points de cette droite dont les coordonnées sont dans l'ensemble $\mathbb{Z}$.

(*Rappel :* $\mathbb{Z}$ est l'ensemble de tous les nombres entiers, positifs et négatifs.)

1. On considère la droite d'équation :
$$y = -\frac{1}{3}x + 4.$$

a. Comment suffit-il de choisir x pour que $y \in \mathbb{Z}$?

b. Cette condition suffisante est-elle nécessaire ?

2. On considère la droite d d'équation :
$$y = \frac{5}{7}x - \frac{2}{7}.$$

Entrer la fonction affine associée dans l'éditeur d'équation de la calculatrice. Utiliser la table de la calculatrice pour trouver trois points à coordonnées entières de d.

3. On considère la droite d_1 d'équation :
$$y = 2x + \frac{1}{3}.$$

a. Comme dans la question précédente, utiliser la calculatrice pour rechercher d'éventuels points à coordonnées entières de d_1.

b. Suite à cette recherche, quelle conclusion a-t-on envie de conjecturer ?

c. Démonstration

Que peut-on dire de $y - 2x$ si x et y sont entiers ? Conclure.

4. On considère la droite d_2 d'équation $y = 0{,}1x + 2{,}3$.

a. À l'aide du tableur de l'ordinateur, calculer l'ordonnée de tous les points de d_2 d'abscisse entière comprise entre 0 et 100.

◇	A	B
1	-100	=0,1*A1+2,3
2	=A1+1	
3		
4		

b. Conjecturer toutes les valeurs entières positives de x pour lesquelles y est également entier.

Recopier et compléter la conjecture suivante :

« Si x est un entier naturel dont le chiffre des unités vaut ... alors y est entier ».

5. Pour aller plus loin : démonstration de la conjecture émise en question 4.

Remarque : un entier se terminant par 7 s'écrit $10n + 7$ avec n entier.

Démontrer que si x est entier se terminant par 7, alors y est entier.

80  **Un problème de physique**

Un joueur de golf situé sur une colline haute de 200 m tire en direction d'une vallée. En appelant x la distance horizontale parcourue par la balle, on sait que la hauteur h de la balle par rapport à la vallée est donnée par une fonction f du type $f(x) = ax^2 + bx + c$.

On a les données suivantes :
- $f(0) = 200$;
- $f(50) = 240$;
- $f(75) = 245$.

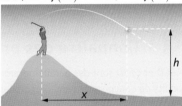

1. a. Écrire un système de trois équations à trois inconnues pour traduire le problème.

b. Résoudre ce système et donner l'expression de $f(x)$ en fonction de x.

2. a. À l'aide d'une calculatrice graphique, représenter la fonction f pour x variant de 0 à 300.

b. Graphiquement, déterminer :
- la hauteur maximale atteinte par la balle ;
- l'abscisse du point où la balle atteint la vallée.

c. Démontrer ces conjectures en utilisant les résultats du chapitre 4.

La géométrie dans l'art

- Piet Mondrian (1872-1944) veut faire de sa peinture un langage universel. Dans sa recherche sur l'abstraction, il explore les lignes et travaille sur la géométrie. Il utilise des lignes horizontales et verticales, les trois couleurs primaires ainsi que le blanc, le noir et le gris.

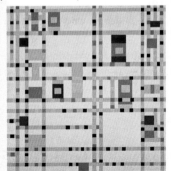

- Les lignes verticales sont devenues une signature de l'artiste contemporain Daniel Buren. La plupart de ses œuvres sont construites sur un motif de rayures noires et blanches alternées. Ces bandes verticales sont d'une largeur standard de 8,7 cm.

Partir d'un bon pied

1 Connaître des propriétés du parallélogramme

ABCD et *CEFD* sont des parallélogrammes. *I* et *J* sont les points de concours de leurs diagonales.

Répondre par **vrai** ou par **faux** aux affirmations suivantes, puis justifier la réponse.

a. $AD = BC$.

b. $AB = EF$.

c. Le triangle *ACF* est isocèle.

d. $BE = 2IJ$.

e. *ABEF* est un parallélogramme.

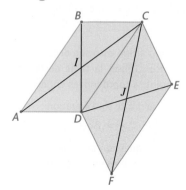

2 Utiliser des coordonnées

Dans un repère orthonormé, on considère les points $A(0\,;4)$, $B(4\,;2)$ et $C(-2\,;0)$.

1. Calculer les longueurs *AB* et *AC*.

2. Démontrer que le triangle *ABC* est isocèle et rectangle en *A*.

3. Déterminer les coordonnées du milieu *I* du segment [*BC*].

4. Construire le symétrique *D* du point *A* par rapport à *I*. Quelle est la nature du quadrilatère *ABDC* ?

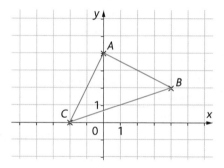

3 Déplacements sur un quadrillage

On représente ci-contre le plateau d'un jeu d'échec. Un cavalier se déplace en parcourant deux cases dans un sens (horizontal ou vertical) et une dans l'autre sens. On dit parfois qu'il se déplace « en L ». On a représenté un déplacement possible d'un cavalier placé en C1.

1. Donner toutes les cases que peut atteindre le cavalier à partir de la case C1.

2. Un cavalier arrive en F6, d'où peut-il être parti ?

3. À partir de la case C1, quelles cases le cavalier peut-il atteindre en deux coups ?

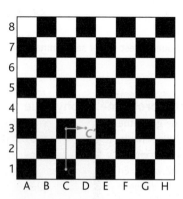

Pour réviser : des rappels de cours et des tests dans les **Techniques de base**

12

Les vecteurs

Des maths partout !

En aéronautique, on étudie l'ensemble des forces qui s'exercent sur chaque partie de l'appareil lorsqu'il est en vol. Ces forces sont représentées par des *vecteurs*. Le calcul sur les vecteurs est ainsi un outil essentiel des études menées dans le domaine aéronautique.

L'objectif principal de ce chapitre est d'utiliser un nouvel outil que sont les vecteurs et le calcul vectoriel dans la résolution de problèmes géométriques.

AU FIL DU TEMPS

Au XVIIᵉ siècle, les savants ne cherchent plus seulement à expliquer un phénomène en étudiant ses causes, comme le faisaient les Anciens. Leur objectif est de comprendre comment ce phénomène fonctionne. Les mathématiques sont alors utilisées dans la résolution de problèmes pratiques.

Lorsque **René Descartes** (1596-1650) étudie la réflexion et la réfraction de la lumière, il invente la *géométrie analytique*, la géométrie des coordonnées. On parle d'ailleurs de coordonnées « cartésiennes ».

William Hamilton (1805-1865).

La nécessité de mettre au point des techniques de calcul utilisant plus la géométrie conduit **Gottfried von Leibniz** (1646-1716) à imaginer le calcul vectoriel, qui sera approfondi par **Carl-Friedrich Gauss** (1777-1855).

Au XVIIᵉ siècle, le contexte géométrique et algébrique du vecteur est donc présent, mais aucune définition précise n'est proposée. Il faut attendre la première moitié du XIXᵉ siècle pour que Sir **William Hamilton** (1805-1865) donne la définition mathématique actuelle du mot *vecteur*.

12. Découvrir

1 ▸ Déplacer une figure par translation ▸ algo

On veut déplacer la figure $\mathscr{F}$ en suivant l'algorithme suivant :

> Pour transformer un point P en son image Q, il faut :
> - construire le milieu I du segment $[BP]$;
> - construire Q le symétrique du point A par rapport à I.

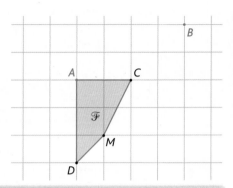

1. a. Reproduire la figure ci-contre et construire le point N, image du point M.

b. Quelle est la nature du quadrilatère $ABNM$? Le démontrer.

> On dit qu'on a défini la translation de vecteur $\vec{AB}$.
>
> Ce vecteur est représenté par une flèche qui va de A jusqu'à B.
>
> Représenter les vecteurs $\vec{AB}$ et $\vec{MN}$.

> On dit que les vecteurs $\vec{AB}$ et $\vec{MN}$ **sont égaux**, car ils correspondent à la même translation.

2. Tracer l'image $\mathscr{F}'$ de la figure $\mathscr{F}$.

3. En s'appuyant sur le quadrillage, définir un algorithme de déplacement qui permet de passer de $\mathscr{F}$ à $\mathscr{F}'$.

4. On peut alors caractériser la translation de vecteur $\vec{AB}$ par un couple de nombres, noté $\begin{pmatrix} 4 \\ 2 \end{pmatrix}$.

a. Quel couple de nombres caractérise la translation de vecteur $\vec{DC}$?

b. Quel couple de nombres caractérise la translation qui transforme $\mathscr{F}'$ en $\mathscr{F}$?

2 ▸ Construire la somme de deux vecteurs

Soit t_1 la translation qui transforme la figure ① en la figure ② et t_2 la translation qui transforme la figure ② en la figure ③.

1. Conjecturer

a. Quelle est l'image de la figure ① en appliquant successivement la translation t_1 et la translation t_2 ?

b. Quelle semble être la translation qui transforme la figure ① en la figure ③ ? Préciser son vecteur.

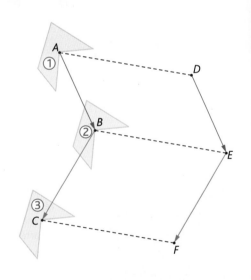

2. Démontrer

Soit D un point quelconque, E l'image de D par t_1 et F l'image de E par t_2.

a. Préciser la nature des quadrilatères $ADEB$ et $BEFC$. Justifier.

b. Montrer que $ADFC$ est un parallélogramme, puis indiquer un vecteur égal au vecteur $\vec{AC}$.

c. Que peut-on en conclure pour la transformation obtenue en appliquant successivement les translations t_1 et t_2 ?

3. Relation de Chasles

> On dit que le vecteur de la translation t, obtenue en appliquant successivement les translations t_1 et t_2, est la somme des vecteurs de t_1 et t_2 ; cette somme est notée $\vec{AB} + \vec{BC}$.

Quelle égalité de vecteurs peut-on en déduire ?

3 ▸ Définir des coordonnées pour des vecteurs

Placer les points O, I et J qui définissent le repère.
Placer les points $A(1\,;2)$, $B(3\,;5)$, $C(4\,;4)$ et $D(5\,;1)$.

1. Coordonnées d'un vecteur à l'aide du logiciel Geogebra

a. Créer le vecteur $\vec{u} = \overrightarrow{AB}$.

b. *Dans la fenêtre algèbre*, le vecteur $\vec{u}$ est associé à un couple de nombres. Noter ce couple. Que se passe-t-il lorsqu'on déplace le vecteur $\vec{u}$? Comment peut-on lire facilement le couple de nombres grâce au quadrillage ?

Ce couple de nombres est appelé couple de **coordonnées** du vecteur $\vec{u}$.

c. Quelles sont les coordonnées du vecteur $\overrightarrow{CD}$? Vérifier en créant le vecteur $\vec{v} = \overrightarrow{CD}$.

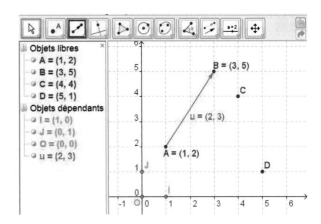

2. Comment calculer les coordonnées du vecteur $\overrightarrow{AB}$

Fixer le point $A(1\,;2)$ et déplacer le point B en notant à chaque fois les coordonnées de B et celles du vecteur $\overrightarrow{AB}$.

Proposer une formule permettant de calculer les coordonnées du vecteur $\overrightarrow{AB}$ en fonction des coordonnées de A et de B.

Tester cette formule avec le vecteur $\overrightarrow{CD}$, puis avec le vecteur $\overrightarrow{AD}$.

3. Produit d'un vecteur par un réel

Dans le champ de saisie, définir le vecteur $\vec{w} = -2\vec{u}$

Quelles sont les coordonnées du vecteur $\vec{w}$? Aurait-on pu les deviner ?

On considère le vecteur $\vec{z} = 3\vec{u}$. Quelles sont les coordonnées du vecteur $\vec{z}$? Vérifier en créant le vecteur $\vec{z}$.

4 ▸ Colinéarité et alignement

1. Observations et conjecture avec le logiciel Geogebra

a. Créer deux points libres A et B, puis le vecteur $\overrightarrow{AB} = \vec{u}$.

Créer [a=2] un réel k entre -5 et 5, avec un pas de $0,5$.
Puis créer le vecteur $\vec{v} = k\vec{u}$.

b. Créer le point C, image du point A par la translation [·⁄] de vecteur $\vec{v}$ et activer sa trace.

En faisant varier la valeur de k, que peut-on conjecturer pour la position du point C ?

c. Désactiver la trace du point C.

Créer la droite (AB), puis en faisant varier les positions des points A et B, vérifier la conjecture faite précédemment.

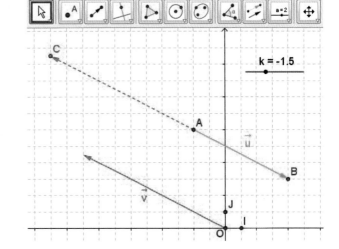

2. Preuve

On fixe les points $A(-2\,;6)$ et $B(4\,;3)$, k restant libre.
Calculer les coordonnées des vecteurs $\vec{u}$ et $\vec{v}$. Vérifier avec l'affichage. Justifier que $\overrightarrow{AC} = \vec{v} = k\overrightarrow{AB}$.

Comparer après les avoir calculés, les coefficients directeurs des droites (AB) et (AC).

Quelle conséquence peut-on en tirer ? Formuler le résultat ainsi établi.

 Les activités TICE corrigées animées

1 Translation et vecteur

a. Translation et vecteur associé

> **Définitions** Soient A et B deux points donnés.
>
> • La **translation**, qui transforme le point A en le point B, associe à tout point M l'unique point N tel que les segments $[AN]$ et $[BM]$ ont le même milieu, c'est-à-dire tel que $ABNM$ est un parallélogramme.
>
> • À cette translation, on associe le **vecteur $\overrightarrow{AB}$** qui symbolise le déplacement de A vers B ou de M vers N. On le représente par une flèche allant de A jusqu'à B.

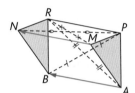

Remarques

1. La translation de vecteur $\overrightarrow{AB}$ et la translation de vecteur $\overrightarrow{MN}$ transforment toutes les deux le point P en le point R. On dit que les deux vecteurs $\overrightarrow{AB}$ et $\overrightarrow{MN}$ sont égaux et on note : $\overrightarrow{AB} = \overrightarrow{MN}$.

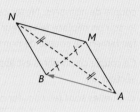

2. Si les points A et B sont confondus, tout point M est confondu avec son image par la translation ; on dit aussi que tout point M est **invariant** par la translation de vecteur $\overrightarrow{AA}$. Le vecteur $\overrightarrow{AA}$ est appelé **vecteur nul** et on note $\overrightarrow{AA} = \vec{0}$.

b. Égalité de deux vecteurs

> **Propriété** Soient A, B, C et D quatre points distincts du plan.
>
> $\overrightarrow{AB} = \overrightarrow{CD}$ ⟺ D est l'image de C par la translation qui transforme A en B.
> ⟺ $[AD]$ et $[BC]$ ont le même milieu.
> ⟺ $ABDC$ est un parallélogramme.

Pour désigner l'unique vecteur associé à la translation qui transforme A en B et C en D, on peut utiliser une lettre unique, par exemple u, en écrivant : $\overrightarrow{AB} = \overrightarrow{CD} = \vec{u}$.

2 Somme de deux vecteurs

> **Propriété** Soient A, B et C trois points.
>
> Appliquer successivement la translation t_1, qui transforme A en B, puis la translation t_2, qui transforme B en C, revient à appliquer la translation t qui transforme A en C. ▶ **Voir Découvrir 2**

> **Définition** Soient A, B et C trois points.
>
> Le vecteur $\overrightarrow{AC}$ de la translation t obtenue en appliquant successivement la translation t_1 de vecteur $\vec{u} = \overrightarrow{AB}$ puis la translation t_2 de vecteur $\vec{v} = \overrightarrow{BC}$ est appelé le **vecteur somme des vecteurs $\overrightarrow{AB}$ et $\overrightarrow{BC}$**.
> On écrit $\overrightarrow{AB} + \overrightarrow{BC} = \overrightarrow{AC}$. Cette égalité s'appelle la **relation de Chasles**.

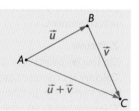

Remarques

1. Soient A, B et I trois points quelconques du plan. La relation de Chasles s'écrit : $\overrightarrow{AI} + \overrightarrow{IB} = \overrightarrow{AB}$.
2. $\overrightarrow{AB} + \overrightarrow{BA} = \overrightarrow{AA} = \vec{0}$.
On dit que le vecteur $\overrightarrow{BA}$ est l'opposé du vecteur $\overrightarrow{AB}$. On convient de poser l'égalité $\overrightarrow{BA} = -\overrightarrow{AB}$.

Énoncé

Dans chacun des deux cas,

reproduire la figure, puis construire

le vecteur somme $\vec{u} + \vec{v}$:

a. en utilisant le compas ;

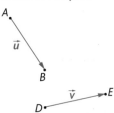

b. en utilisant le quadrillage.

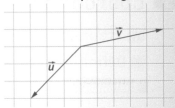

Solution rédigée

a. À l'extrémité de $\vec{u}$, on construit un vecteur $\vec{BC}$ égal à $\vec{v}$ (point **①**).

On veut donc construire au compas le point C tel que $\vec{BC} = \vec{DE}$, c'est-à-dire tel que le point C soit le quatrième sommet du parallélogramme BCED (point **②**).

On représente le vecteur $\vec{u} + \vec{v}$ en joignant le point A au point C.

b. En comptant les carreaux, on construit à l'extrémité de $\vec{u}$ un vecteur égal à $\vec{v}$ (point **①**), puis on trace le vecteur $\vec{u} + \vec{v}$.

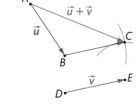

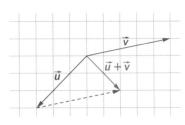

Points méthode

① Pour construire le vecteur somme de deux vecteurs, on utilise la méthode « bout à bout », qui consiste à tracer le second vecteur à partir de l'extrémité du premier.

② La relation $\vec{BC} = \vec{DE}$ indique que BCED est un parallélogramme : on construit le point C comme quatrième sommet du parallélogramme.

POUR S'EXERCER

1 Reproduire la figure ci-dessous et construire les images des points C, D et E par la translation qui transforme A en B.

2 On considère un triangle MNP rectangle en M.

1. Tracer l'image du triangle MNP par la translation de vecteur $\vec{PM}$.

2. Avec les points de la figure, écrire tous les vecteurs égaux à $\vec{PM}$.

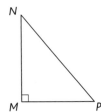

3 Reproduire la figure puis, à l'aide du quadrillage, construire à partir du point E le vecteur $\vec{AB} + \vec{CD}$.

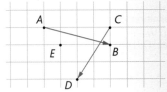

4 1. Tracer un carré RIEN de côté 2 cm.

2. Construire le point P, image du point I par la translation de vecteur $\vec{RE}$.

3. Sans utiliser d'autres points que ceux de la figure, compléter :

a. $\vec{RE} + \vec{EI} = \dots$;   b. $\vec{NR} + \vec{RI} = \dots$;

c. $\vec{NR} + \vec{IP} = \dots$

▶ Voir exercices 26 à 38

3 Coordonnées d'un vecteur

Soit (O, I, J) un repère du plan.

a. Définition et propriétés

Définition Soit $\vec{u}$ un vecteur.

Par la translation de vecteur $\vec{u}$, le point O se transforme en M.

On appelle **coordonnées du vecteur** $\vec{u}$ les coordonnées du point M dans le repère (O, I, J). On note $M(x ; y)$ et $\vec{u}\begin{pmatrix} x \\ y \end{pmatrix}$.

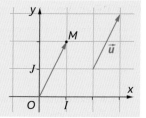

Remarque pratique : Le couple $\begin{pmatrix} x \\ y \end{pmatrix}$ correspond également au déplacement effectué sur le quadrillage. Par exemple, pour x et y positifs, « on avance vers la droite de x et on monte de y ». Sur le graphique ci-dessus, on obtient $M(1 ; 2)$, donc $\vec{u}\begin{pmatrix} 1 \\ 2 \end{pmatrix}$. Pour se déplacer de O à M, on avance bien vers la droite d'une unité et on monte de deux unités.

Propriétés

- **Égalité de deux vecteurs** Deux vecteurs sont égaux si, et seulement si, leurs coordonnées sont égales.

$$\vec{u}\begin{pmatrix} x \\ y \end{pmatrix} = \vec{v}\begin{pmatrix} x' \\ y' \end{pmatrix} \Leftrightarrow x = x' \quad \text{et} \quad y = y'.$$

- **Somme de deux vecteurs** Si $\vec{u}\begin{pmatrix} x \\ y \end{pmatrix}$ et $\vec{v}\begin{pmatrix} x' \\ y' \end{pmatrix}$, alors $\vec{u} + \vec{v}\begin{pmatrix} x + x' \\ y + y' \end{pmatrix}$.

b. Coordonnées du vecteur $\overrightarrow{AB}$

Propriété

Si $A(x_A ; y_A)$ et $B(x_B ; y_B)$, alors $\overrightarrow{AB}\begin{pmatrix} x_B - x_A \\ y_B - y_A \end{pmatrix}$.

Retenir
extrémité moins origine

Démonstration

Par la translation de vecteur $\overrightarrow{AB}$, le point O se transforme en M. Posons $M(x ; y)$.

Par définition, on a aussi $\overrightarrow{AB}\begin{pmatrix} x \\ y \end{pmatrix}$.

$[AM]$ et $[OB]$ ont le même milieu, donc : $\dfrac{x_A + x}{2} = \dfrac{0 + x_B}{2}$ et $\dfrac{y_A + y}{2} = \dfrac{0 + y_B}{2}$.

D'où : $x = x_B - x_A$ et $y = y_B - y_A$. On a donc bien : $\overrightarrow{AB}\begin{pmatrix} x_B - x_A \\ y_B - y_A \end{pmatrix}$.

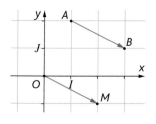

4 Produit d'un vecteur par un réel

Soit (O, I, J) un repère du plan.

Définition

Soit k un nombre réel et $\vec{u}\begin{pmatrix} x \\ y \end{pmatrix}$ un vecteur. Le vecteur $\vec{v}\begin{pmatrix} kx \\ ky \end{pmatrix}$ est noté $k\vec{u}$.

On admet que le vecteur $k\vec{u}$ ainsi défini ne dépend pas du repère choisi.

Exemple : Si $\vec{u}\begin{pmatrix} 2 \\ -1 \end{pmatrix}$, alors $-3\vec{u}\begin{pmatrix} -6 \\ 3 \end{pmatrix}$.

Déterminer les coordonnées
d'un point ou d'un vecteur

Énoncé

Dans le repère (O, I, J), on donne les points $A(-2 ; 3)$, $B(-3 ; -1)$ et $C(0 ; -2)$.

1. a. **Déterminer les coordonnées du vecteur $\vec{BC}$.**

b. **Déterminer les coordonnées du point D tel que $ABCD$ soit un parallélogramme.**

2. a. **Déterminer les coordonnées du vecteur $\vec{BA} + 2\vec{BC}$.**

b. **Déterminer les coordonnées du point M défini par :**
$$\vec{BM} = \vec{BA} + 2\vec{BC}.$$

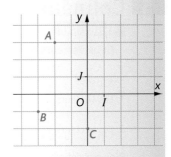

Solution rédigée

1. a. On a $\vec{BC}\begin{pmatrix} 0 - (-3) \\ -2 - (-1) \end{pmatrix}$, soit encore $\vec{BC}\begin{pmatrix} 3 \\ -1 \end{pmatrix}$.

b. $ABCD$ est un parallélogramme si, et seulement si, $\vec{AD} = \vec{BC}$.

(point ❶) En appelant $(x ; y)$ les coordonnées du point D, on obtient : $\vec{AD}\begin{pmatrix} x - (-2) \\ y - 3 \end{pmatrix}$.

$\vec{AD} = \vec{BC} \Leftrightarrow \begin{cases} x + 2 = 3 \\ y - 3 = -1 \end{cases} \Leftrightarrow \begin{cases} x = 1 \\ y = 2 \end{cases}$; donc $D(1 ; 2)$.

2. a. $\vec{BA} + 2\vec{BC}$ a pour coordonnées : $\begin{pmatrix} 1 + 2 \times 3 \\ 4 + 2 \times (-1) \end{pmatrix}$; donc $\vec{BA} + 2\vec{BC}\begin{pmatrix} 7 \\ 2 \end{pmatrix}$.

b. (point ❷) On pose $M(a ; b)$ et on traduit l'égalité $\vec{BM} = \vec{BA} + 2\vec{BC}$ à l'aide des coordonnées. On obtient : $\begin{pmatrix} a - (-3) \\ b - (-1) \end{pmatrix} = \begin{pmatrix} 7 \\ 2 \end{pmatrix}$.

(point ❸) On obtient alors un système que l'on résout :
$$\begin{cases} a + 3 = 7 \\ b + 1 = 2 \end{cases} \Leftrightarrow \begin{cases} a = 4 \\ b = 1 \end{cases} \text{ ; donc } M(4 ; 1).$$

Points méthode

❶ Lorsqu'un point est inconnu, **on nomme ses coordonnées par des lettres.**

❷ L'égalité de deux vecteurs se traduit par l'égalité de **leurs coordonnées.**

❸ L'égalité de deux vecteurs peut conduire, comme ici, à **résoudre un système d'équations.**

POUR S'EXERCER

5 Dans le repère (O, I, J), on donne les points $A(1 ; 3)$, $B(-3 ; 2)$, $C(0 ; -2)$ et $D(4 ; -1)$.

1. Calculer les coordonnées des vecteurs $\vec{AB}$ et $\vec{DC}$.
2. En déduire la nature du quadrilatère $ABCD$.
3. Déterminer les coordonnées du point E tel que : $\vec{DE} = \vec{CA}$.

6 Dans le repère (O, I, J), on donne les points $R\left(-\dfrac{3}{2} ; 1\right)$, $S(0 ; -1)$, $T\left(2 ; -\dfrac{1}{2}\right)$ et $U\left(\dfrac{1}{2} ; \dfrac{3}{2}\right)$.

1. Déterminer la nature du quadrilatère $RSTU$.
2. Déterminer les coordonnées du point F tel que :
$$\vec{SF} = 2\vec{SU}.$$
3. Déterminer les coordonnées du symétrique G du point T par rapport au point U.
4. Quelle est la nature du quadrilatère $STFG$?

7 Dans le repère orthonormé (O, I, J), on donne les points $A(-1 ; 2)$, $B(3 ; 4)$ et le vecteur $\vec{u}\begin{pmatrix} -1 \\ 2 \end{pmatrix}$.

1. Déterminer les coordonnées du point M défini par :
$$\vec{OM} = \frac{1}{2}\vec{AB} - 2\vec{u}.$$
2. Calculer les longueurs des côtés du triangle BOM.
3. Quelle est la nature du triangle BOM ?

8 Dans le repère orthonormé (O, I, J), on donne les points $A(-2 ; 2)$ et $B(3 ; 4)$.

1. Déterminer les coordonnées des translatés C et D des points A et B par la translation de vecteur $2\vec{OI} - 5\vec{OJ}$.
2. Démontrer que le quadrilatère $ABDC$ est un losange. Est-ce un carré ?

(▶) **Voir exercices 39 à 47**

5 Colinéarité de deux vecteurs

Définition

Deux vecteurs non nuls $\vec{u}$ et $\vec{v}$ sont colinéaires lorsqu'il existe un nombre réel k tel que $\vec{v} = k\vec{u}$.

Exemples

1. Les vecteurs $\vec{u}$ et $3\vec{u}$ sont colinéaires ainsi que les vecteurs $\vec{u}$ et $-\dfrac{1}{2}\vec{u}$.

2. Les vecteurs $\vec{v}\begin{pmatrix} 3 \\ -1 \end{pmatrix}$ et $\vec{w}\begin{pmatrix} -6 \\ 2 \end{pmatrix}$ sont colinéaires, car $\begin{pmatrix} -6 \\ 2 \end{pmatrix} = \begin{pmatrix} -2 \times 3 \\ -2 \times (-1) \end{pmatrix}$.

D'où par définition : $\vec{w} = -2\vec{v}$.

On a aussi : $\vec{v} = -\dfrac{1}{2}\vec{w}$.

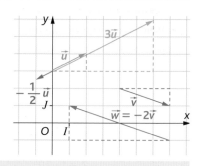

Propriétés

1. Soit (O, I, J) un repère du plan. Deux vecteurs non nuls sont colinéaires si, et seulement si, leurs coordonnées sont proportionnelles.

2. Si $\vec{u}$ et $\vec{v}$ sont non nuls et si $\vec{v} = k\vec{u}$, alors k est non nul et on a également $\vec{u} = \dfrac{1}{k}\vec{v}$.

k et $\dfrac{1}{k}$ sont appelés **coefficients de colinéarité** entre les vecteurs $\vec{u}$ et $\vec{v}$.

$\vec{u}$	$\vec{v}$
a	$a' = k\,a$
b	$b' = k\,b$

6 Applications de la colinéarité à la géométrie

Théorème 1   Soient A, B et C trois points deux à deux distincts.

Les points A, B et C sont alignés si, et seulement si, les vecteurs $\vec{AB}$ et $\vec{AC}$ sont colinéaires.

Démonstration

On choisit un repère (A, I, J) dans lequel le point B n'est pas situé sur l'un des deux axes : aucune de ses coordonnées n'est nulle.

On a $\vec{AB}\begin{pmatrix} x_B \\ y_B \end{pmatrix}$, et une équation de la droite (AB) est : $y = \dfrac{y_B}{x_B}x$.

$C \in (AB) \Leftrightarrow y_C = \dfrac{y_B}{x_B}x_C \Leftrightarrow \dfrac{y_C}{y_B} = \dfrac{x_C}{x_B} = k \Leftrightarrow \begin{pmatrix} x_C \\ y_C \end{pmatrix} = \begin{pmatrix} k\,x_B \\ k\,y_B \end{pmatrix} \Leftrightarrow \vec{AC} = k\vec{AB}$.

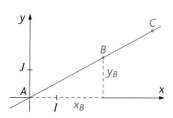

Remarque :

Dans le théorème 1, on utilise les vecteurs $\vec{AB}$ et $\vec{AC}$; on peut utiliser aussi les vecteurs $\vec{BA}$ et $\vec{BC}$ ou encore $\vec{AC}$ et $\vec{CB}$.

Théorème 2   Soient A, B, C et D quatre points deux à deux distincts.

Les droites (AB) et (CD) sont parallèles si, et seulement si, les vecteurs $\vec{AB}$ et $\vec{CD}$ sont colinéaires.

Démonstration : On choisit le repère (A, B, C).

Une équation de la droite (AB) est : $y = 0$.

(AB) et (CD) sont parallèles $\Leftrightarrow y_D = y_C \Leftrightarrow \vec{CD}$ a pour coordonnées $\begin{pmatrix} k \\ 0 \end{pmatrix}$ en posant $x_D = k$.

(AB) et (CD) sont parallèles $\Leftrightarrow \vec{CD} = k\vec{AB}$, puisque $\vec{AB}\begin{pmatrix} 1 \\ 0 \end{pmatrix}$.

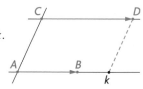

Utiliser la colinéarité dans des problèmes de géométrie

Énoncé

Dans un repère (O, I, J), on donne les points $A(-4; -1)$, $B(-1; 1)$, $C(3; 3)$, $D(-1; -3)$ et $E(5; 1)$.

1. Démontrer que les vecteurs $\overrightarrow{AB}$ et $\overrightarrow{DE}$ sont colinéaires.

En déduire la nature du quadrilatère $ABED$.

2. Les points A, B et C sont-ils alignés ?

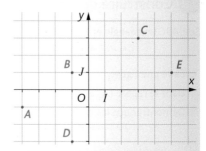

Solution rédigée

1. On détermine les coordonnées des vecteurs $\overrightarrow{AB}$ et $\overrightarrow{DE}$:

$\overrightarrow{AB}\begin{pmatrix} -1-(-4) \\ 1-(-1) \end{pmatrix}$, $\overrightarrow{DE}\begin{pmatrix} 5-(-1) \\ 1-(-3) \end{pmatrix}$; donc $\overrightarrow{AB}\begin{pmatrix} 3 \\ 2 \end{pmatrix}$ et $\overrightarrow{DE}\begin{pmatrix} 6 \\ 4 \end{pmatrix}$.

On examine la proportionnalité de leurs coordonnées (point ❶) :

$$6 = 2 \times 3 \quad \text{et} \quad 4 = 2 \times 2 \,;$$

donc $\overrightarrow{DE} = 2\overrightarrow{AB}$ et les vecteurs $\overrightarrow{AB}$ et $\overrightarrow{DE}$ sont colinéaires.

Ainsi, les droites (AB) et (DE) sont parallèles (point ❷).

Les vecteurs $\overrightarrow{AB}$ et $\overrightarrow{DE}$ n'étant pas égaux, $ABED$ est un trapèze.

2. On va examiner si les vecteurs $\overrightarrow{AB}$ et $\overrightarrow{AC}$ sont colinéaires.

$\overrightarrow{AC}\begin{pmatrix} 3-(-4) \\ 3-(-1) \end{pmatrix}$; donc $\overrightarrow{AC}\begin{pmatrix} 7 \\ 4 \end{pmatrix}$ et on a $\overrightarrow{AB}\begin{pmatrix} 3 \\ 2 \end{pmatrix}$.

Les produits en croix (point ❶) donnent :

$$3 \times 4 = 12 \quad \text{et} \quad 7 \times 2 = 14.$$

Comme $12 \neq 14$, les vecteurs $\overrightarrow{AB}$ et $\overrightarrow{AC}$ n'ont pas leurs coordonnées proportionnelles, ils ne sont donc pas colinéaires.

Donc, les points A, B et C ne sont pas alignés (point ❷).

Points méthode

❶ Pour examiner si deux vecteurs $\vec{u}\begin{pmatrix} x \\ y \end{pmatrix}$ et $\vec{v}\begin{pmatrix} x' \\ y' \end{pmatrix}$ sont colinéaires, on vérifie la proportionnalité de leurs coordonnées :

– soit on met en évidence le coefficient de proportionnalité entre les abscisses, puis entre les ordonnées de $\vec{u}$ et $\vec{v}$;

– soit on vérifie l'égalité des produits en croix des coordonnées de $\vec{u}$ et $\vec{v}$:

$$xy' = x'y.$$

❷ Dès que l'on se place dans un repère, on peut transformer un problème de parallélisme ou d'alignement en un problème sur la colinéarité de deux vecteurs.

POUR S'EXERCER

9 Dans un repère (O, I, J), on donne les points $A(2; 4)$, $B(6; -2)$ et C d'abscisse 3 sur la droite (AB).

1. Déterminer l'ordonnée du point C en écrivant que les vecteurs $\overrightarrow{AB}$ et $\overrightarrow{AC}$ sont colinéaires.

2. Déterminer les coordonnées du point D, intersection des droites (OI) et (AB).

10 Dans un repère (O, I, J), on donne les points $A(1; 3)$, $B(3; -4)$ et $C(-6; -2)$.

1. Déterminer les coordonnées du point I, milieu de $[AC]$.

2. Déterminer les coordonnées du point J tel que :

$$\overrightarrow{BJ} = \frac{1}{4}\overrightarrow{BA} + \frac{3}{4}\overrightarrow{BC}.$$

3. Montrer que les points I, J et A sont alignés.

11 $ABCD$ est un parallélogramme. Le point I est le milieu du segment $[AB]$ et J est le point tel que :

$$\overrightarrow{AJ} = 3\overrightarrow{AD}.$$

1. Faire une figure.

2. Choisir un repère adapté aux hypothèses.

3. Déterminer les coordonnées des points A, B, C, D, I et J.

4. Démontrer que les droites (DI) et (JC) sont parallèles.

12 Soient A, B et K trois points du plan. Démontrer que K est le milieu du segment $[AB]$ si, et seulement si, $\overrightarrow{AK} = \frac{1}{2}\overrightarrow{AB}$.

Indication : se placer dans un repère d'origine A.

▶ Voir exercices 54 à 79

13 Construire des sommes de vecteurs et démontrer un parallélisme

Soit ABC un triangle et O le milieu du segment $[BC]$. On définit les points D, E et F par :

$$\overrightarrow{AD} = \overrightarrow{AB} + \overrightarrow{AC}, \qquad \overrightarrow{DE} = \overrightarrow{AO} + \overrightarrow{BC} \qquad \text{et} \qquad \overrightarrow{AF} = \frac{1}{3}\overrightarrow{AB}.$$

1. Faire une figure.

2. Dans le repère (A, B, C) déterminer les coordonnées des points B, C, O, D, E et F.

3. Démontrer que les droites (DE) et (CF) sont parallèles.

Solution

1. Voir la figure ci-contre.

2. Dans le repère (A, B, C) on a $B(1 ; 0)$ et $C(0 ; 1)$.

Les coordonnées du milieu O sont $\left(\frac{1}{2} ; \frac{1}{2}\right)$.

Par suite, on obtient $\overrightarrow{AO}\begin{pmatrix} \frac{1}{2} \\ \frac{1}{2} \end{pmatrix}$ et $\overrightarrow{BC}\begin{pmatrix} -1 \\ 1 \end{pmatrix}$.

De plus la relation $\overrightarrow{AD} = \overrightarrow{AB} + \overrightarrow{AC}$

donne $\overrightarrow{AD}\begin{pmatrix} 1 \\ 1 \end{pmatrix}$, donc $D(1 ; 1)$.

La relation $\overrightarrow{DE} = \overrightarrow{AO} + \overrightarrow{BC}$ donne pour $\overrightarrow{DE}$:

$$\begin{pmatrix} \frac{1}{2} \\ \frac{1}{2} \end{pmatrix} + \begin{pmatrix} -1 \\ 1 \end{pmatrix} = \begin{pmatrix} \frac{1}{2} - 1 \\ \frac{1}{2} + 1 \end{pmatrix} = \begin{pmatrix} -\frac{1}{2} \\ \frac{3}{2} \end{pmatrix}.$$

D'où $\begin{pmatrix} x_E - 1 \\ y_E - 1 \end{pmatrix} = \begin{pmatrix} -\frac{1}{2} \\ \frac{3}{2} \end{pmatrix} \Leftrightarrow \begin{cases} x_E - 1 = -\frac{1}{2} \\ y_E - 1 = \frac{3}{2} \end{cases} \Leftrightarrow \begin{cases} x_E = \frac{1}{2} \\ y_E = \frac{5}{2} \end{cases}.$

On obtient $E\left(\frac{1}{2} ; \frac{5}{2}\right)$. Enfin la relation $\overrightarrow{AF} = \frac{1}{3}\overrightarrow{AB}$ donne $F\left(\frac{1}{3} ; 0\right)$.

3. On calcule les coordonnées du vecteur $\overrightarrow{FC}$: $\begin{pmatrix} 0 - \frac{1}{3} \\ 1 - 0 \end{pmatrix} = \begin{pmatrix} -\frac{1}{3} \\ 1 \end{pmatrix}$;

or $\overrightarrow{DE}\begin{pmatrix} -\frac{1}{2} \\ \frac{3}{2} \end{pmatrix}$, $-\frac{1}{3} \times \frac{3}{2} = -\frac{1}{2}$ et $1 \times \frac{3}{2} = \frac{3}{2}$. On en déduit que $\overrightarrow{DE} = \frac{3}{2}\overrightarrow{FC}$.

$\overrightarrow{DE}$ et $\overrightarrow{FC}$ sont donc colinéaires, et les droites (DE) et (CF) sont parallèles.

Stratégies

1. ● Pour placer D, on construit « bout à bout » les vecteurs $\overrightarrow{AB}$ et $\overrightarrow{AC}$. On remplace donc le vecteur $\overrightarrow{AC}$ par un vecteur $\overrightarrow{BD} = \overrightarrow{AC}$. On réalise ainsi le parallélogramme $BDCA$, de centre O.

● Pour placer E, partant de D on construit le translaté D' de D par la translation de vecteur $\overrightarrow{AO}$, puis on construit le vecteur $\overrightarrow{D'E} = \overrightarrow{BC}$, ainsi :
$$\overrightarrow{AO} + \overrightarrow{BC} = \overrightarrow{DD'} + \overrightarrow{D'E} = \overrightarrow{DE}.$$

3. ● Prouver le parallélisme des droites (DE) et (CF) revient à prouver la colinéarité des vecteurs $\overrightarrow{DE}$ et $\overrightarrow{FC}$: on calcule les coordonnées de ces vecteurs, puis on teste leur proportionnalité.

14 Calculer dans un repère

Dans le repère (O, I, J) on donne les points $A(-2 ; 0)$, $B(0 ; 4)$ et $C(5 ; 2)$.

1. Déterminer les coordonnées du point M défini par :
$$\overrightarrow{MA} + \overrightarrow{MB} + \overrightarrow{MC} = \vec{0}.$$

2. a. Déterminer les coordonnées des milieux B' et C' des segments $[AC]$ et $[AB]$.

b. Démontrer que M appartient aux médianes (CC') et (BB') du triangle ABC.

3. Que peut-on en déduire pour le point M ?

Le point A' est le milieu du segment $[BC]$; déterminer le réel k tel que :
$$\overrightarrow{AM} = k\overrightarrow{AA'}.$$

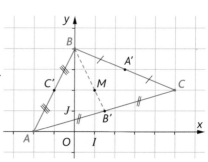

1. $\overrightarrow{MA} + \overrightarrow{MB} + \overrightarrow{MC} = \vec{0} \Leftrightarrow \begin{pmatrix} -2-x \\ -y \end{pmatrix} + \begin{pmatrix} -x \\ 4-y \end{pmatrix} + \begin{pmatrix} 5-x \\ 2-y \end{pmatrix} = \begin{pmatrix} 0 \\ 0 \end{pmatrix}$

$\Leftrightarrow \begin{cases} -2-x-x+5-x = 0 \\ -y+4-y+2-y = 0 \end{cases}$

$\Leftrightarrow \begin{cases} 3 = 3x \\ 6 = 3y \end{cases} \Leftrightarrow \begin{cases} x = 1 \\ y = 2 \end{cases}.$

M est le point de coordonnées $(1\,;2)$.

2. a. On a $B'\left(\dfrac{-2+5}{2}\,;\dfrac{0+2}{2}\right)$ et $C'\left(\dfrac{-2+0}{2}\,;\dfrac{0+4}{2}\right)$,

ce qui donne : $\qquad B'\left(\dfrac{3}{2}\,;1\right) \quad$ et $\quad C'(-1\,;2)$.

b. Le point M appartient à la droite (CC') d'équation $y = 2$,

puisque les points M, C et C' ont la même ordonnée 2.

D'autre part $\overrightarrow{BM}\begin{pmatrix} 1-0 \\ 2-4 \end{pmatrix}$ et $\overrightarrow{BB'}\begin{pmatrix} \frac{3}{2} \\ 1-4 \end{pmatrix}$,

c'est-à-dire : $\qquad \overrightarrow{BM}\begin{pmatrix} 1 \\ -2 \end{pmatrix}$ et $\overrightarrow{BB'}\begin{pmatrix} \frac{3}{2} \\ -3 \end{pmatrix}$.

On constate que les coordonnées des vecteurs $\overrightarrow{BM}$ et $\overrightarrow{BB'}$ sont proportionnelles,

et que l'on a : $\overrightarrow{BB'} = \dfrac{3}{2}\overrightarrow{BM}$. Donc le point M appartient à la droite (BB').

3. Le point M est commun à deux médianes du triangle ABC :

c'est donc le centre de gravité de ABC.

On a la relation $\overrightarrow{AM} = \dfrac{2}{3}\overrightarrow{AA'}$, comme $\overrightarrow{BM} = \dfrac{2}{3}\overrightarrow{BB'}$ et $\overrightarrow{CM} = \dfrac{2}{3}\overrightarrow{CC'}$.

1. ● M étant un point inconnu, on note $(x\,;y)$ ses coordonnées.

● L'égalité vectorielle qui définit M conduit à un système d'équations que l'on résout.

2. b. ● Pour montrer l'appartenance du point M à la médiane (BB'), il suffit d'établir la colinéarité des vecteurs $\overrightarrow{BM}$ et $\overrightarrow{BB'}$: on prouve ainsi que B, B' et M sont alignés.

---

15 **Se placer dans un repère pour démontrer un alignement**

$ABCD$ est un parallélogramme. Soient E et F les points définis par :
$$\overrightarrow{CE} = \frac{3}{2}\overrightarrow{CD} \quad \text{et} \quad \overrightarrow{DF} = \frac{1}{3}\overrightarrow{DA}$$
En considérant le repère (C, B, D) démontrer que les points E, F et B sont alignés.

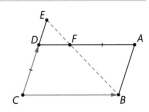

Dans le repère (C, B, D), on a par définition : $C(0\,;0)$, $B(1\,;0)$ et $D(0\,;1)$.

Comme $\overrightarrow{CE} = \dfrac{3}{2}\overrightarrow{CD}$, on a par définition : $E\left(0\,;\dfrac{3}{2}\right)$.

Comme $ABCD$ est un parallélogramme, $\overrightarrow{DA} = \overrightarrow{CB}$ et par suite $\overrightarrow{DF} = \dfrac{1}{3}\overrightarrow{CB}$.

Cette égalité se traduit par $\begin{pmatrix} x_F - 0 \\ y_F - 1 \end{pmatrix} = \dfrac{1}{3}\begin{pmatrix} 1 \\ 0 \end{pmatrix}$ et équivaut à $\begin{cases} x_F = \dfrac{1}{3} \\ y_F - 1 = 0 \end{cases}.$

D'où $\begin{cases} x_F = \dfrac{1}{3} \\ y_F = 1 \end{cases}$ et $F\left(\dfrac{1}{3}\,;1\right)$.

On obtient alors $\overrightarrow{EF}\begin{pmatrix} \frac{1}{3} - 0 \\ 1 - \frac{3}{2} \end{pmatrix}$, soit encore $\overrightarrow{EF}\begin{pmatrix} \frac{1}{3} \\ -\frac{1}{2} \end{pmatrix}$ et $\overrightarrow{EB}\begin{pmatrix} 1 \\ -\frac{3}{2} \end{pmatrix}$.

Les produits en croix donnent : $\dfrac{1}{3} \times \left(-\dfrac{3}{2}\right) = -\dfrac{1}{2}$ et $-\dfrac{1}{2} \times 1 = -\dfrac{1}{2}$.

Ils sont égaux.

Les vecteurs $\overrightarrow{EF}$ et $\overrightarrow{EB}$ sont colinéaires et par suite les points E, F et B sont alignés.

● Prouver l'alignement des points E, F et B revient à prouver la colinéarité des vecteurs $\overrightarrow{EF}$ et $\overrightarrow{EB}$.

● Le repère étant donné, on calcule les coordonnées des points à partir des données de l'énoncé : relations vectorielles pour E et F traduites en termes de coordonnées.

● On calcule alors les coordonnées des vecteurs $\overrightarrow{EF}$ et $\overrightarrow{EB}$, puis on teste la proportionnalité de ces coordonnées.

Organiser une recherche

Énoncé

On considère un triangle ABC. Le point I est le milieu du segment $[BC]$, le point J est défini par l'égalité $\vec{AJ} = \frac{2}{3}\vec{AC}$, et le point K est le symétrique du point A par rapport au point B.

Que peut-on dire de la position des points I, J et K ? Démontrer la conjecture formulée.

▨▨▨▨▨ **Recherche à l'aide d'un logiciel de géométrie dynamique**

Avant toute chose, on réalise une figure.

Les points I, J, K semblent alignés. On fait bouger les points A, B ou C et on vérifie que la conjecture se confirme.

Examiner l'alignement des points I, J et K revient à examiner la colinéarité de deux vecteurs (voir le cours, page 294, théorème 1), par exemple $\vec{JI}$ et $\vec{JK}$.

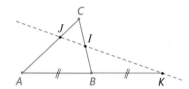

De plus, la colinéarité des vecteurs se ramène à une étude de proportionnalité de leurs coordonnées dès lors que l'on s'est placé dans un repère du plan (voir le cours, page 294, propriété 1).

On est donc conduit à choisir, à partir des hypothèses de l'exercice, un repère dans lequel les différents points de l'énoncé ont des coordonnées aussi simples que possible.

▨▨▨▨▨ **Ébauche d'une solution**

Dans le repère (A, B, C), les coordonnées des points A, B et C sont très simples.

Celles du milieu du segment $[BC]$ seront donc faciles à obtenir (voir cours du chapitre 9, page 222), comme celles du point K puisque B est le milieu du segment $[AK]$.

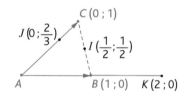

Enfin celles du point J s'obtiendront en traduisant l'égalité vectorielle $\vec{AJ} = \frac{2}{3}\vec{AC}$, en égalités sur les coordonnées.

Ainsi, dans le repère (A, B, C), on pourra calculer les coordonnées des points I, J et K.

On en déduira les coordonnées des vecteurs $\vec{JI}$ et $\vec{JK}$ et on examinera leur proportionnalité.

▨▨▨▨▨ **Rédaction d'une solution**

À l'aide des deux parties précédentes, rédiger une solution du problème étudié.

Prendre des initiatives

16 Centre de gravité d'un triangle, aspect vectoriel ─────────

On sait que les médianes d'un triangle sont concourantes. On se propose ici de retrouver ce résultat en utilisant les vecteurs.

On considère un triangle ABC et on note D, E et F les milieux respectifs des segments $[BC]$, $[AB]$ et $[AC]$.

On considère le point G tel que $\vec{AG} = \frac{2}{3}\vec{AD}$.

1. À l'aide d'un logiciel de géométrie dynamique, reproduire la figure ci-contre et la compléter par les médianes du triangle ABC. Que constate-t-on ?

Déplacer les points A, B ou C pour vérifier.

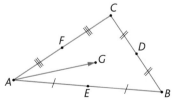

Afficher les rapports $\dfrac{BG}{BF}$ et $\dfrac{CG}{CE}$, émettre des conjectures.

2. Démonstration

Dans le repère (A, B, C), trouver les coordonnées des vecteurs $\vec{CG}$, $\vec{CE}$, $\vec{BG}$, $\vec{BF}$ et conclure.

17 Les milieux des côtés d'un quadrilatère

On considère un quadrilatère *ABCD*. On place respectivement les milieux *E*, *F*, *G* et *H* des côtés [*AB*], [*BC*], [*CD*] et [*DA*].

1. À l'aide d'un logiciel de géométrie dynamique, réaliser la figure.

En déplaçant les points *A*, *B*, *C* ou *D*, émettre une conjecture concernant le quadrilatère *EFGH*.

2. Démonstration

Définir un repère adapté à la figure et calculer les coordonnées des vecteurs $\vec{EH}$ et $\vec{FG}$, puis conclure.

18 Le canot à moteur

Luc et Zoé jouent avec un petit bateau propulsé par un moteur électrique. Ils sont placés en vis-à-vis en *A* et *B* au bord d'un canal dont les berges sont rectilignes et parallèles, distantes de 15 mètres, et s'envoient le bateau.

Partie A

Luc lâche le bateau perpendiculairement à la berge. Le bateau a une vitesse propre constante de 0,5 m.s^{-1}.
On représente le « vecteur vitesse » du bateau par le vecteur $\vec{AC} = \vec{u}$ avec *AC* = 5 unités, l'unité de longueur égale à un carreau, représentant 0,1 m.s^{-1}.

L'eau du canal s'écoule à la vitesse constante de 0,2 m.s^{-1}.
On représente le « vecteur vitesse » du courant par le vecteur $\vec{v} = \vec{RS}$ avec *RS* = 2 unités.

Dans ces conditions le bateau dérive : on admet qu'il se déplace dans une direction déterminée par le vecteur $\vec{w}$ défini par :
$\vec{w} = \vec{u} + \vec{v}$.

1. Réaliser une figure faisant apparaître le vecteur $\vec{w}$.

2. Déterminer la distance *BT* où *T* est le point d'arrivée du bateau sur la berge de Zoé : c'est ce que l'on appelle la dérive du bateau pendant la traversée.

Partie B

Zoé veut renvoyer depuis *B* le bateau à Luc, de telle sorte que, cette fois-ci, la traversée s'effectue perpendiculairement aux berges : le bateau arrivera donc en *A* sans avoir dérivé. On suppose les vitesses du bateau et du courant inchangées.
On veut déterminer la direction dans laquelle Zoé doit placer le bateau au départ du point *B*.
On note $\vec{BB'}$ le vecteur vitesse du bateau.

1. À l'aide d'un logiciel de géométrie dynamique, déterminer la position approximative du point *B'*, de telle sorte que la traversée s'effectue sans dérive (**rappel** : on doit avoir *BB'* = 5 unités).

2. En analysant les propriétés de la figure ainsi réalisée, indiquer une construction exacte du point *B'*.

3. Déterminer une valeur approchée de l'angle $\widehat{B'BA}$, après avoir indiqué la valeur exacte du cosinus ou du sinus ou de la tangente de cet angle. Vérifier avec le logiciel.

Savoir...	Comment faire ?
Reconnaître ou traduire l'égalité de deux vecteurs.	L'égalité $\overrightarrow{AB} = \overrightarrow{CD}$ équivaut à : • $ABDC$ est un parallélogramme, • ou encore à : $[AD]$ et $[BC]$ ont le même milieu. 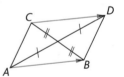
Construire géométriquement la somme de deux vecteurs $\vec{u}$ et $\vec{v}$.	On utilise la relation de Chasles, en posant : $\vec{u} = \overrightarrow{AB}$ et $\vec{v} = \overrightarrow{BC}$. On sait que : $\overrightarrow{AB} + \overrightarrow{BC} = \overrightarrow{AC}$. On obtient : $\vec{u} + \vec{v} = \overrightarrow{AC}$. 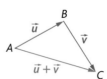
Dans un repère, calculer les coordonnées d'un point, d'un vecteur.	• On utilise la formule donnant les coordonnées du vecteur $\overrightarrow{AB}\begin{pmatrix} x_B - x_A \\ y_B - y_A \end{pmatrix}$. • On traduit les égalités de vecteurs par des égalités sur les coordonnées : $$\overrightarrow{AM} = \vec{u} \Leftrightarrow \begin{cases} x_M - x_A = x_{\vec{u}} \\ y_M - y_A = y_{\vec{u}} \end{cases}$$ $$\Leftrightarrow \begin{cases} x_M = x_A + x_{\vec{u}} \\ y_M = y_A + y_{\vec{u}} \end{cases}$$ • Si $\vec{u}$ a pour coordonnées $\begin{pmatrix} x \\ y \end{pmatrix}$, alors pour tout réel k, $k\vec{u}$ a pour coordonnées $\begin{pmatrix} kx \\ ky \end{pmatrix}$.
Démontrer que deux vecteurs non nuls $\vec{u}$ et $\vec{v}$ sont colinéaires.	Dans un repère, on vérifie que les coordonnées des vecteurs $\vec{u}$ et $\vec{v}$ sont proportionnelles en déterminant un coefficient de proportionnalité ou en établissant l'égalité des produits en croix.
Démontrer que deux droites sont parallèles ou que trois points sont alignés.	• Pour montrer que les droites (AB) et (CD) sont parallèles, on montre que les vecteurs $\overrightarrow{AB}$ et $\overrightarrow{CD}$ sont colinéaires. • Pour montrer que les points M, N et P sont alignés, on montre que les vecteurs $\overrightarrow{MN}$ et $\overrightarrow{MP}$ sont colinéaires (ou $\overrightarrow{MN}$ et $\overrightarrow{NP}$, ou $\overrightarrow{MP}$ et $\overrightarrow{NP}$). 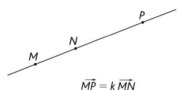

Pour chacune des questions suivantes, une seule réponse est correcte.

A *ABCD* est un parallélogramme.

1. Le point *I* est le milieu du segment [*AC*].	**a.** $\vec{AB} + \vec{BI} = \vec{AD}$	**b.** *D* est l'image de *A* par la translation de vecteur $\vec{CB}$.	**c.** *I* est le milieu de [*BD*].
2. Le point *F* est défini par : $\vec{AF} = \vec{AB} + \vec{AD}$.	**a.** Les points *F* et *I* sont confondus.	**b.** Les points *F* et *C* sont confondus.	**c.** La translation de vecteur $\vec{AB}$ transforme *F* en *D*.
3. Le point *E* est l'image de *A* par la translation de vecteur $\vec{BD}$.	**a.** *ADBE* est un parallélogramme.	**b.** $\vec{ED} = \vec{DC}$.	**c.** $\vec{DE} = \vec{AB}$.

Corrigé p. 346

B Dans le repère (O, I, J), on donne les points : $A(1;2)$, $B(3;1)$, $C(-1;-2)$, $D(2;-1)$ et $E(-3;-1)$.

1. Le milieu du segment [*AD*] a pour coordonnées :	**a.** $(0,5;-1,5)$	**b.** $(1,5;1,5)$	**c.** $(1,5;0,5)$
2. Le vecteur $\vec{BC}$ a pour coordonnées :	**a.** $\begin{pmatrix}4\\3\end{pmatrix}$	**b.** $\begin{pmatrix}-4\\-3\end{pmatrix}$	**c.** $\begin{pmatrix}2\\-1\end{pmatrix}$
3. Le point *M* défini par l'égalité $\vec{AM} = \frac{1}{3}\vec{BC}$ a pour coordonnées :	**a.** $\left(\frac{7}{3};3\right)$	**b.** $\left(-\frac{1}{3};1\right)$	**c.** $\left(-\frac{1}{3};-\frac{5}{3}\right)$

Corrigé p. 346

Vrai ou faux ?

Préciser si les affirmations suivantes sont vraies ou fausses.

C Dans le repère (O, I, J), on considère les points $A(0;4)$, $B(2;5)$, $C(2;3)$ et $D(-2;1)$. Le point *I* désigne le milieu du segment [*BD*] et le point *E* celui du segment [*CD*].

1. $\vec{CD} = 2\vec{AB}$.	**3.** Les vecteurs $\vec{BD}$ et $\vec{CE} + \vec{AI}$ sont colinéaires.	**5.** *ABDE* est un parallélogramme.
2. $\vec{AI} = 0,5\vec{AE}$.	**4.** Les vecteurs $\vec{AC}$ et $\vec{AB} + \frac{1}{2}\vec{AD}$ sont colinéaires.	**6.** *ABCE* est un parallélogramme.

Corrigé p. 346

D Dans le repère (O, I, J), on donne les points $A(1;2)$, $B(3;1)$, $C(-1;-2)$, $D(2;-1)$ et $E(-3;-1)$.

1. Les vecteurs $\vec{AC}$ et $\vec{BD}$ sont colinéaires.	**3.** Le quadrilatère *ABEC* est un parallélogramme.
2. L'abscisse du vecteur $\vec{DE}$ est nulle.	**4.** Les droites (EB) et (CD) sont parallèles.

Corrigé p. 346

Pour s'auto-évaluer : des QCM et Vrai-Faux complémentaires

12. Exercices

▶ Les exercices portant un numéro orange sont corrigés à la fin du manuel, page 330.

Applications directes

1 Translation et vecteur

19 Vrai ou faux ?

Soit M' l'image d'un point M par la translation qui transforme un point A en un point B. Que peut-on affirmer ?

1. $ABM'M$ est un parallélogramme.

2. $[AM]$ et $[BM']$ ont le même milieu.

3. $[AM']$ et $[BM]$ ont le même milieu.

4. (AM) et (BM') sont parallèles.

20 QCM

Quel point a pour image D par la translation qui transforme E en H ?

a. Le point A **b.** Le point E

c. Le point H **d.** Le point G

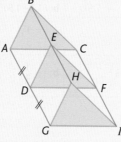

21 On utilise la figure de l'exercice précédent. Recopier et compléter les phrases suivantes.

a. Par la translation qui transforme E en H, l'image de A est ...

b. L'image du triangle ABC est ... par la translation qui transforme C en F.

c. Le segment $[DE]$ est l'image du segment ... par la translation qui transforme F en I.

d. F est l'image de C par la translation qui transforme ... en G.

e. A a pour image F par la translation qui transforme D en ...

22 Vrai ou faux ?

$ABCD$ est un parallélogramme, donc on a :

a. $\overrightarrow{AC} = \overrightarrow{BD}$;   **b.** $\overrightarrow{BA} = \overrightarrow{CD}$;

c. $\overrightarrow{AD} = \overrightarrow{BC}$;   **d.** $\overrightarrow{AD} = \overrightarrow{CB}$.

23 Deux symétries pour une translation

Sur le dessin ci-dessous, on considère la figure $\mathscr{F}$.

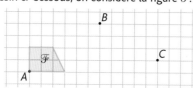

1. Reproduire le dessin, puis construire :

a. la figure $\mathscr{F}_1$, image de la figure $\mathscr{F}$ par la symétrie centrale de centre B (nommer E l'image de A) ;

b. la figure $\mathscr{F}_2$, image de la figure $\mathscr{F}_1$ par la symétrie centrale de centre C (nommer T l'image de E).

2. Quelle transformation permet de passer directement de la figure $\mathscr{F}$ à la figure $\mathscr{F}_2$?

24 Soient $ABCD$ et $ABEF$ deux parallélogrammes ayant un côté en commun.

1. Donner tous les vecteurs égaux au vecteur $\overrightarrow{AB}$.

2. Justifier que $CDFE$ est un parallélogramme.

25 Soit un triangle équilatéral MAK.

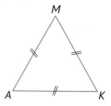

1. a. Construire le point N, image de K par la translation de vecteur $\overrightarrow{AM}$.

b. Quelle est la nature du quadrilatère $AMNK$? Justifier.

2. a. Construire le point S, symétrique de M par rapport à K.

b. Construire le point O tel que K soit le milieu de $[AO]$.

c. Montrer que $\overrightarrow{AM} = \overrightarrow{SO}$.

2 Somme de deux vecteurs

26 QCM

Que vaut la somme $\overrightarrow{AB} + \overrightarrow{CA}$?

a. $\overrightarrow{AA}$ **b.** $\overrightarrow{BC}$ **c.** $\overrightarrow{CB}$ **d.** $\overrightarrow{AC}$

27 Vrai ou faux ?

Dans chacun des cas suivants, le vecteur tracé représente-t-il la somme des vecteurs $\overrightarrow{AB} + \overrightarrow{CD}$?

a.

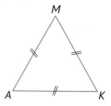

b.

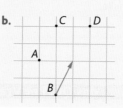

c.

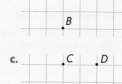

28 QCM

Que vaut la somme $\vec{BD} + \vec{HI}$?

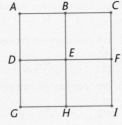

a. $\vec{BI}$ b. $\vec{DH}$

c. $\vec{EI}$ d. $\vec{FI}$

29 Vrai ou faux ?

A, B, C et D sont quatre points distincts.
Indiquer parmi les égalités suivantes celles qui signifient que $ABCD$ est un parallélogramme :

a. $\vec{AB} = \vec{CD}$;   b. $\vec{BC} = \vec{AD}$;

c. $\vec{AB} + \vec{AC} = \vec{AD}$;   d. $\vec{CD} - \vec{BC} = \vec{CA}$.

30 Le schéma ci-dessous représente un carré $ABCD$ dont les diagonales se coupent en O. Les points M, N, P et L sont les milieux respectifs des côtés $[AB]$, $[BC]$, $[CD]$ et $[DA]$.

Répondre aux questions suivantes sans justifier.

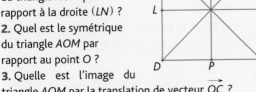

1. Quel est le symétrique du triangle AOM par rapport à la droite (LN) ?

2. Quel est le symétrique du triangle AOM par rapport au point O ?

3. Quelle est l'image du triangle AOM par la translation de vecteur $\vec{OC}$?

4. Compléter les égalités vectorielles suivantes :

a. $\vec{PO} + \vec{OC} = \dots$;   b. $\vec{AM} + \vec{OC} = \dots$

31 *Voir la fiche Savoir faire, page 291.*
Construire dans chaque cas, le vecteur $\vec{u} + \vec{v}$.

a. 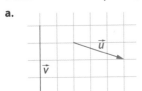   b.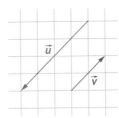

32 **1. a.** Construire un carré $ABCD$ de côté 5 cm.

b. O étant le centre du carré, placer E, symétrique de O par rapport à D.

c. Placer F tel que $\vec{EF} = \vec{CO}$.

2. a. Recopier et compléter les égalités suivantes :

$\vec{AB} = \dots$; $\vec{AD} = \dots$;

$\vec{AC} + \vec{CD} = \dots$; $\vec{BD} + \vec{AB} = \dots$

b. Quelle est l'image du point C par la translation de vecteur $\vec{BA}$?

c. Quelle est la nature du quadrilatère $ECOF$?

d. En déduire que D est le milieu du segment $[FC]$.

33 **1.** Tracer un triangle isocèle ABC de sommet principal B tel que : $AC = 4$ cm et $AB = 5$ cm.

2. a. Placer les points R et M tels que :
$$\vec{CR} = \vec{AB} \quad \text{et} \quad \vec{BM} = \vec{BA} + \vec{BC}.$$

b. Quelle est la nature du quadrilatère $ABRC$? Justifier.

c. Préciser la nature du quadrilatère $ABCM$. Justifier.

3. Démontrer que le point C est le milieu du segment $[MR]$.

Lire, construire, calculer avec des vecteurs

34 (D'après EVA 95) En utilisant le pavage ci-dessous réalisé à l'aide de quadrilatères identiques, répondre aux questions suivantes.

1. Quelle est l'image du quadrilatère $ABHG$ par la translation de vecteur $\vec{AJ}$?

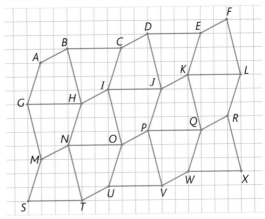

2. Quelle est l'image du quadrilatère $ABHG$ par la symétrie ayant pour centre le milieu du segment $[HI]$?

3. Parmi les vecteurs suivants : $\vec{VB}$, $\vec{HV}$, $\vec{QC}$, $\vec{PI}$ et $\vec{PH}$, quel est le vecteur de la translation qui transforme le quadrilatère $PQWV$ en $BCIH$?

4. On fait agir sur le quadrilatère $ABHG$ la translation de vecteur $\vec{GN}$, suivie de la translation de vecteur $\vec{OJ}$.

a. Quel est le quadrilatère ainsi obtenu ?

b. Compléter l'égalité suivante :
$$\vec{G\dots} = \vec{GN} + \vec{OJ}.$$

35 Soit un quadrilatère $MNOP$.

1. Simplifier les sommes :

a. $\vec{MN} + \vec{NO}$;

b. $\vec{MO} + \vec{PM}$;

c. $\vec{MN} + \vec{OP} - \vec{ON}$.

2. Établir la relation :
$$\vec{MN} + \vec{PO} - \vec{PN} - \vec{MO} = \vec{0}.$$

3. On suppose de plus que, pour tout point A du plan, on a :
$$\vec{AM} + \vec{AN} - \vec{AO} - \vec{AP} = \vec{0}.$$

a. Montrer que $\vec{PM} + \vec{ON} = \vec{0}$.

b. Que peut-on en déduire pour le quadrilatère $MONP$?

36 Soit un parallélogramme *EFGH* et *I* le milieu de [*EF*].

1. Faire une figure.

2. On considère la translation de vecteur $\vec{EH}$.

a. Quelle est l'image de *E* ?

b. Quelle est l'image de *F* ? Justifier.

3. Construire le point *J*, image du point *I* par la translation de vecteur $\vec{EH}$. Que représente le point *J* pour le segment [*GH*] ? Justifier la réponse.

4. a. Construire le point *K* tel que : $\vec{EK} = \vec{EG} + \vec{EH}$.

b. Montrer que *J* est le milieu du segment [*EK*].

37 On considère le motif représenté ci-contre.

1. Citer tous les vecteurs égaux :

a. au vecteur $\vec{AB}$ et représentés sur ce motif ;

b. au vecteur $\vec{FE}$ et représentés sur ce motif.

2. En n'utilisant que les lettres représentées sur ce motif, déterminer un vecteur égal au vecteur :

$$\vec{AB} + \vec{FE} = \dots$$

3. En n'utilisant que les lettres représentées sur ce motif, déterminer un vecteur égal aux vecteurs suivants :

a. $\vec{AB} + \vec{AH} = \dots$ **b.** $\vec{BA} + \vec{BC} = \dots$

c. $\vec{BC} + \vec{DE} = \dots$ **d.** $\vec{BF} + \vec{GF} = \dots$

e. $\vec{AE} + \vec{FB} = \dots$

38 Soit $\mathscr{C}$ le cercle de centre *O* et de rayon 4 cm. Soit [*AB*] un diamètre du cercle $\mathscr{C}$ et *M* est un point de ce cercle tel que *AM* = 5 cm.

1. Faire une figure en respectant les dimensions données et la compléter au fur et à mesure.

2. Démontrer que *AMB* est un triangle rectangle.

3. Placer le point *R* milieu du segment [*OB*]. Tracer le symétrique *P* du point *M* par rapport à *R*. Quelle est la nature du quadrilatère *MBPO* ? (Justifier.)

4. En déduire que $\vec{MO} = \vec{BP}$.

5. Construire le point *N* tel que : $\vec{MN} = \vec{MO} + \vec{BP}$.

3 ▸ Coordonnées d'un vecteur

39 **QCM** Pour chacune des questions suivantes, une seule réponse est juste.

Dans le repère (O, I, J) ci-dessous :

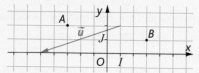

1. Les coordonnées du point *A* sont :

a. $(2 ; -3)$ **b.** $(-2 ; 2)$ **c.** $(-3 ; 2)$

2. Les coordonnées du vecteur $\vec{AB}$ sont :

a. $\begin{pmatrix} 6 \\ 1 \end{pmatrix}$ **b.** $\begin{pmatrix} -1 \\ 6 \end{pmatrix}$ **c.** $\begin{pmatrix} 6 \\ -1 \end{pmatrix}$

3. Les coordonnées du vecteur $\vec{u}$ sont :

a. $\begin{pmatrix} -5 \\ 2 \end{pmatrix}$ **b.** $\begin{pmatrix} -6 \\ -2 \end{pmatrix}$ **c.** $\begin{pmatrix} 6 \\ 2 \end{pmatrix}$

4. Les coordonnées du vecteur $\vec{BO}$ sont :

a. $\begin{pmatrix} 3 \\ 1 \end{pmatrix}$ **b.** $\begin{pmatrix} -3 \\ -1 \end{pmatrix}$ **c.** $\begin{pmatrix} -1 \\ -3 \end{pmatrix}$

40 **Vrai ou faux ?**

Dans le repère orthonormal (O, I, J), on donne les points $A(2 ; -3)$, $B(1 ; 5)$ et $C(-2 ; 6)$.

a. $\vec{AB}\begin{pmatrix} 3 \\ 2 \end{pmatrix}$;   **b.** $\vec{AC}\begin{pmatrix} -4 \\ 9 \end{pmatrix}$;

c. $\vec{BC}\begin{pmatrix} -3 \\ 1 \end{pmatrix}$;   **d.** $\vec{AB}\begin{pmatrix} -1 \\ -8 \end{pmatrix}$.

41 On donne les coordonnées des points *A* et *B* dans un repère (O, I, J) du plan.

Calculer les coordonnées du vecteur $\vec{AB}$.

a. $A(15 ; 8)$ et $B(7 ; 11)$.

b. $A(-43 ; 59)$ et $B(28 ; 85)$.

c. $A(10,7 ; -25,3)$ et $B(-2,3 ; 10,7)$.

42 Même exercice que le précédent.

a. $A\left(\dfrac{5}{2} ; -3\right)$ et $B\left(\dfrac{3}{4} ; \dfrac{-1}{5}\right)$.

b. $A\left(\dfrac{-2}{3} ; \dfrac{1}{2}\right)$ et $B\left(\dfrac{3}{2} ; \dfrac{-5}{3}\right)$.

43 **Vrai ou faux ?**

Dans un repère (O, I, J), on considère les vecteurs :

$$\vec{u}\begin{pmatrix} -1 \\ 2 \end{pmatrix}, \quad \vec{v}\begin{pmatrix} 3 \\ 2 \end{pmatrix}, \quad \vec{w}\begin{pmatrix} -5 \\ 2 \end{pmatrix}, \quad \vec{z}\begin{pmatrix} 2 \\ 4 \end{pmatrix}, \quad \vec{t}\begin{pmatrix} 5 \\ -2 \end{pmatrix}.$$

a. $\vec{u} + \vec{v} = \vec{z}$;   **b.** $\vec{u} + \vec{w} = \vec{t}$;   **c.** $\vec{w} + \vec{t} = \vec{0}$.

44 **QCM**

Dans un repère orthonormé, on considère les points de coordonnées $A(-3 ; 2)$, $B(5 ; -1)$ et $C(2 ; 3)$.

Déterminer la bonne réponse dans chaque cas.

1. a. $\vec{AB}\begin{pmatrix} -3 \\ -1 \end{pmatrix}$ **b.** $\vec{AB}\begin{pmatrix} 2 \\ 1 \end{pmatrix}$ **c.** $\vec{AB}\begin{pmatrix} 8 \\ -3 \end{pmatrix}$

2. a. $\vec{AB} + \vec{AC}\begin{pmatrix} -3 \\ 4 \end{pmatrix}$ **b.** $\vec{AB} + \vec{AC}\begin{pmatrix} 3 \\ -4 \end{pmatrix}$

c. $\vec{AB} + \vec{AC}\begin{pmatrix} 13 \\ -2 \end{pmatrix}$

3. Si $\vec{AD}\begin{pmatrix} 4 \\ 3 \end{pmatrix}$ alors le point *D* a pour coordonnées :

a. $(1 ; 5)$ **b.** $(-4 ; 6)$ **c.** $(7 ; 1)$

45 *Voir la fiche Savoir faire, page 293.*

Le plan est muni d'un repère orthonormé (O, I, J).

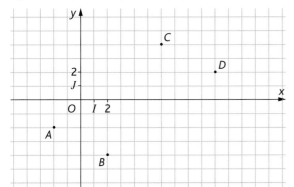

1. Lire les coordonnées des points A, B, C et D.

2. Calculer les coordonnées des vecteurs $\overrightarrow{AB}$ et $\overrightarrow{CD}$.

3. Quelle est la nature du quadrilatère $ABDC$? Justifier.

46 Le plan est muni d'un repère orthonormé (O, I, J).

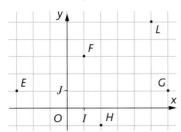

1. a. Lire les coordonnées des points E et F.

b. Calculer les coordonnées du vecteur $\overrightarrow{EF}$.

2. a. Lire les coordonnées des vecteurs $\overrightarrow{FL}$ et $\overrightarrow{HG}$.

b. En déduire la nature du quadrilatère $FLGH$.

3. Préciser la position de F sur le segment $[EL]$. Justifier.

4. Recopier et compléter l'égalité : $\overrightarrow{FL} + \overrightarrow{EH} = \overrightarrow{E...}$

47 Le plan est muni d'un repère orthonormé (O, I, J).

1. Placer les points $A(-2 ; 1)$ et $B(1 ; 2)$.

Lire sur le graphique les coordonnées du vecteur $\overrightarrow{AB}$.

2. Placer les points R et C, images respectives des points O et B, par la translation de vecteur $\overrightarrow{AB}$.

Préciser les coordonnées des points R et C.

3. Citer deux vecteurs égaux à $\overrightarrow{AB}$.

Justifier que $BCRO$ est un parallélogramme.

4. Recopier et compléter sans justification les égalités :

a. $\overrightarrow{OA} + \overrightarrow{AB} = ...$;

b. $\overrightarrow{CB} + \overrightarrow{CR} = ...$

5. Soit K le centre du parallélogramme $BCRO$. Calculer les coordonnées du point K.

Avec des calculs de distances

48 *Voir la fiche Savoir faire du chapitre 9, page 221.*

Le plan est muni d'un repère orthonormé (O, I, J).

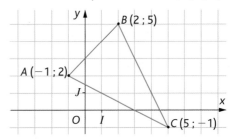

1. Lire les coordonnées des vecteurs $\overrightarrow{AB}$, $\overrightarrow{BC}$ et $\overrightarrow{CA}$.

2. Calculer les coordonnées des milieux des segments $[AB]$, $[BC]$ et $[CA]$.

3. Calculer les longueurs AB, BC et CA et en déduire la nature du triangle ABC.

49 **1.** Dans un repère orthonormé (O, I, J) tel que $OI = OJ = 1$ cm, placer les points $A(0 ; 4)$, $B(3 ; 2)$ et $C(-1 ; -4)$.

2. Calculer la longueur BC, donner la valeur exacte, puis une valeur arrondie au dixième.

3. Calculer AB et AC, puis démontrer que le triangle ABC est rectangle en B.

4. Placer dans le repère le point E, image du point C, par la translation de vecteur $\overrightarrow{BA}$, et calculer ses coordonnées.

5. Démontrer que le quadrilatère $ABCE$ est un rectangle.

50 **1.** Le plan est muni d'un repère orthonormé (O, I, J). L'unité est le centimètre. Placer les points suivants : $A(-2 ; -3)$, $B(1 ; 1)$ et $C(-3 ; -1)$.

2. Vérifier par le calcul que $AB = 5$ cm.

3. On admet que $AC = \sqrt{5}$ cm et $BC = 2\sqrt{5}$ cm.

a. Démontrer que le triangle ABC est rectangle.

b. Calculer son aire.

4. Soient D, le symétrique de A par rapport à C, et E, le symétrique de B par rapport à C.

Quelle est la nature du quadrilatère $ABDE$? Justifier la réponse.

5. Recopier et compléter les égalités :

a. $\overrightarrow{BA} + \overrightarrow{AC} = ...$ **b.** $\overrightarrow{BD} + \overrightarrow{BA} = ...$

51 *Voir la fiche Savoir faire, page 293.*

Le plan est muni d'un repère orthonormé (O, I, J).

L'unité de longueur est le centimètre.

La figure sera effectuée sur une feuille de papier millimétré.

1. Placer les points $B(2 ; 3)$, $U(3 ; 0)$ et $T(-4 ; 1)$.

2. Calculer les valeurs exactes des distances BU, BT et TU,

3. Démontrer que le triangle BUT est rectangle.

4. Soit R le point tel que $\overrightarrow{UB} = \overrightarrow{TR}$.

a. Quelle est la nature du quadrilatère $BUTR$?

b. Calculer les coordonnées du point R.

c. Recopier et compléter l'égalité : $\overrightarrow{UB} + \overrightarrow{UT} = ...$

52 On considère un repère orthonormé (O, I, J). L'unité est le centimètre.

1. Dans ce repère, placer les points :

$$A(1\,;2),\ B(-2\,;1)\ \text{et}\ C(-3\,;-2).$$

2. Calculer les distances AB et BC.

3. Calculer les coordonnées du vecteur $\overrightarrow{BC}$.

4. Construire le point D, image du point A par la translation qui transforme B en C.

5. Démontrer que le quadrilatère $ABCD$ est un losange.

53 **1.** Placer les points $A(-3\,;1)$, $B(0\,;-2)$ et $C(2\,;3)$ dans un repère orthonormé.

2. a. Calculer les distances AC et BC.

b. Que peut-on en déduire pour le triangle ABC ? Justifier.

3. Construire l'image $A'B'C'$ du triangle ABC par la translation de vecteur $\overrightarrow{AB}$.

4. Calculer les coordonnées des points A', B' et C'.

---

4 Produit d'un vecteur par un réel

54 Dans un repère orthonormé (O, I, J), on donne $\vec{u}\begin{pmatrix} 21 \\ -54 \end{pmatrix}$ et $\vec{v}\begin{pmatrix} -13 \\ 11 \end{pmatrix}$.

Calculer les coordonnées des vecteurs suivants :

a. $2\vec{u}$;   **b.** $-3\vec{v}$;   **c.** $\vec{u}+\vec{v}$.

55 Dans un repère orthonormé (O, I, J), on donne $\vec{u}\begin{pmatrix} -48 \\ 28 \end{pmatrix}$ et $\vec{v}\begin{pmatrix} 39 \\ -96 \end{pmatrix}$.

Calculer les coordonnées des vecteurs suivants :

a. $\frac{1}{2}\vec{u}$;   **b.** $-\frac{1}{3}\vec{v}$;   **c.** $-\frac{1}{4}\vec{u}$.

56 On considère les vecteurs $\vec{u}\begin{pmatrix} 2 \\ -3 \end{pmatrix}$, $\vec{v}\begin{pmatrix} -4 \\ 5 \end{pmatrix}$, $\vec{w}\begin{pmatrix} 3 \\ 2 \end{pmatrix}$ dans un repère (O, I, J).

Calculer les coordonnées des vecteurs :

a. $\vec{u}+\vec{v}$;   **b.** $3\vec{w}$;

c. $\vec{u}-2\vec{v}$;   **d.** $-\frac{1}{2}\vec{u}-4\vec{v}+\vec{w}$.

57 Sur la droite graduée ci-dessous, on a placé les points A, B et S.

1. Justifier que $\overrightarrow{AS}=\frac{13}{6}\overrightarrow{AB}$.

2. Placer les points C, D, E et F tels que :

a. $\overrightarrow{AC}=-\frac{2}{3}\overrightarrow{AB}$;   **b.** $\overrightarrow{DB}=\frac{1}{2}\overrightarrow{BA}$;

c. $\overrightarrow{EA}=-\frac{11}{6}\overrightarrow{AB}$;   **d.** $\overrightarrow{FA}=-\overrightarrow{FB}$.

```
         A            B            S
+--+--+--+--+--+--+--+--+--+--+--+--+--+--+
```

Conseil

On pourra s'aider d'un repère choisi sur cette droite.

---

58 **QCM**

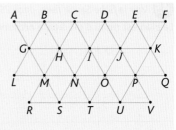

Dans chacun des cas suivants, déterminer la (ou les) réponse(s) correcte(s).*

1. Le vecteur $3\overrightarrow{AB}$ est égal à :

a. $\overrightarrow{AE}$ **b.** $\overrightarrow{AD}$ **c.** $\overrightarrow{HK}$ **d.** $\overrightarrow{OL}$

2. Le vecteur $-2\overrightarrow{OU}$ est égal à :

a. $\overrightarrow{OC}$ **b.** $\overrightarrow{OE}$ **c.** $\overrightarrow{EC}$ **d.** $\overrightarrow{MA}$

3. Le vecteur $\frac{2}{3}\overrightarrow{CU}$ est égal à :

a. $\overrightarrow{JV}$ **b.** $\overrightarrow{CM}$ **c.** $\overrightarrow{CE}$ **d.** $\overrightarrow{OC}$

4. Le vecteur $\frac{3}{2}\overrightarrow{AC}-\frac{1}{3}\overrightarrow{AS}$ est égal à :

a. $\overrightarrow{AJ}$ **b.** $\overrightarrow{JA}$ **c.** $\overrightarrow{NK}$ **d.** $\overrightarrow{SP}$

* Conseil *Dans chaque situation on peut s'aider d'un repère choisi sur une droite.*

59 Le plan est muni du repère (O, I, J).

1. Dans chacun des cas suivants, exprimer le vecteur $\overrightarrow{OM}$ en fonction des vecteurs $\overrightarrow{OI}$ et $\overrightarrow{OJ}$:

a. $M(0\,;2)$;   **b.** $M(-3\,;7)$;   **c.** $M(-0,5\,;1)$.

2. Donner les coordonnées de M lorsque : $\overrightarrow{OM}=\overrightarrow{OI}-\overrightarrow{OJ}$.

60 *Voir la fiche Savoir faire, page 293.*

Dans le repère orthonormé (O, I, J), on donne les points $A(2\,;5)$ et $B(7\,;2)$.

Le point C est tel que : $\overrightarrow{BC}=\overrightarrow{OI}+\frac{5}{2}\overrightarrow{OJ}$.

1. Calculer les coordonnées du vecteur $\overrightarrow{BC}$.

2. En déduire les coordonnées du point C.

3. Déterminer les coordonnées du point D tel que $ABCD$ soit un parallélogramme.

61 Dans le repère orthonormé (O, I, J), on donne les points $A(2\,;4)$, $B(2\,;-6)$ et $C(-4\,;-1)$.

1. Placer les points A, B et C.

2. Calculer les coordonnées du point D vérifiant : $2\overrightarrow{DB}+\overrightarrow{DC}=\vec{0}$.

3. Calculer les coordonnées du point E tel que : $3\overrightarrow{EA}+2\overrightarrow{EB}=\vec{0}$.

---

5 Colinéarité de deux vecteurs

62 **QCM** Pour chacune des questions suivantes, une seule réponse est correcte.

1. Sur la figure ci-après les coordonnées du vecteur $\frac{1}{2}\overrightarrow{BA}$ sont :

a. $\begin{pmatrix} 3 \\ -\frac{1}{2} \end{pmatrix}$ **b.** $\begin{pmatrix} 2 \\ 0 \end{pmatrix}$ **c.** $\begin{pmatrix} -3 \\ \frac{1}{2} \end{pmatrix}$

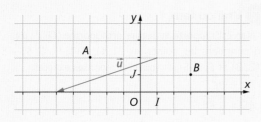

2. Les coordonnées du vecteur $\vec{u} + 3\overrightarrow{OB}$ sont :

a. $\begin{pmatrix} 0 \\ 0 \end{pmatrix}$ **b.** $\begin{pmatrix} 15 \\ 5 \end{pmatrix}$ **c.** $\begin{pmatrix} 3 \\ 1 \end{pmatrix}$

3. Le vecteur $\overrightarrow{AB} + \vec{u}$ est :

a. égal à $\overrightarrow{OJ}$ **b.** colinéaire à $\overrightarrow{OJ}$ **c.** ni l'un ni l'autre

4. Le vecteur $\vec{u}$ est colinéaire à :

a. $\overrightarrow{OI} + \overrightarrow{OJ}$ **b.** $2\overrightarrow{OI} + \overrightarrow{OJ}$ **c.** $3\overrightarrow{OI} + \overrightarrow{OJ}$

63 **Vrai ou faux ?**

On se place dans un repère (O, I, J). Dans chacun des cas suivants, les vecteurs $\vec{u}$ et $\vec{v}$ sont-ils colinéaires ? Répondre par **vrai** ou par **faux**.

1. $\vec{u}\begin{pmatrix} 2 \\ 3 \end{pmatrix}$ et $\vec{v}\begin{pmatrix} 0 \\ 9 \end{pmatrix}$;   **2.** $\vec{u}\begin{pmatrix} 2 \\ 3 \end{pmatrix}$ et $\vec{v}\begin{pmatrix} 4 \\ 6 \end{pmatrix}$;

3. $\vec{u}\begin{pmatrix} 2 \\ 3 \end{pmatrix}$ et $\vec{v}\begin{pmatrix} -5 \\ 6 \end{pmatrix}$;   **4.** $\vec{u}\begin{pmatrix} 2 \\ 3 \end{pmatrix}$ et $\vec{v}\begin{pmatrix} \sqrt{2} \\ \sqrt{3} \end{pmatrix}$;

5. $\vec{u}\begin{pmatrix} 2 \\ 3 \end{pmatrix}$ et $\vec{v}\begin{pmatrix} \frac{1}{3} \\ \frac{1}{2} \end{pmatrix}$;   **6.** $\vec{u}\begin{pmatrix} 1-\sqrt{2} \\ 1 \end{pmatrix}$ et $\vec{v}\begin{pmatrix} -1 \\ 1+\sqrt{2} \end{pmatrix}$.

64 **Vrai ou faux ?**

On se place dans un repère (O, I, J).

1. Soit $\vec{u}\begin{pmatrix} 2 \\ 3 \end{pmatrix}$. Tout vecteur colinéaire à $\vec{u}$ a des coordonnées positives.

2. Soit $\vec{u}\begin{pmatrix} 2 \\ 3 \end{pmatrix}$. Tout vecteur colinéaire à $\vec{u}$ a des coordonnées de même signe.

3. Soit $\vec{u}\begin{pmatrix} 0 \\ 3 \end{pmatrix}$. Tout vecteur colinéaire à $\vec{u}$ admet 0 comme première coordonnée.

4. Si $AB = 2AC$, alors les vecteurs $\overrightarrow{AB}$ et $\overrightarrow{AC}$ sont colinéaires.

65 **Vrai ou faux ?**

Dans le repère orthonormé (O, I, J), on donne les points $A(2 ; 5)$, $B(7 ; 2)$ et le vecteur $\vec{u}\begin{pmatrix} -5 \\ 4 \end{pmatrix}$.

Le point C est tel que $\overrightarrow{BC}\begin{pmatrix} 1 \\ \frac{5}{2} \end{pmatrix}$. Alors :

1. le point C a pour coordonnées $\left(1 ; \frac{5}{2}\right)$;

2. le vecteur $\overrightarrow{AB}$ a pour coordonnées $\begin{pmatrix} 5 \\ -3 \end{pmatrix}$;

3. les vecteurs $\vec{u}$ et $\overrightarrow{AB}$ sont colinéaires ;

4. $AB = 4$.

66 On considère un repère orthonormé (O, I, J). Dans chaque cas, déterminer la (ou les) valeur(s) de x pour que les vecteurs soient colinéaires. Donner alors le réel k tel que $\vec{v} = k\vec{u}$.

1. $\vec{u}\begin{pmatrix} 2 \\ 3 \end{pmatrix}$ et $\vec{v}\begin{pmatrix} 6 \\ 9x \end{pmatrix}$;   **2.** $\vec{u}\begin{pmatrix} 2-x \\ 3 \end{pmatrix}$ et $\vec{v}\begin{pmatrix} 6 \\ 9 \end{pmatrix}$;

3. $\vec{u}\begin{pmatrix} 2 \\ 3 \end{pmatrix}$ et $\vec{v}\begin{pmatrix} 6x \\ 9x \end{pmatrix}$;   **4.** $\vec{u}\begin{pmatrix} 2-x \\ 3 \end{pmatrix}$ et $\vec{v}\begin{pmatrix} -2 \\ 2+x \end{pmatrix}$.

67 On se place dans un repère orthonormé (O, I, J). Dire si les vecteurs $\vec{u}$ et $\vec{v}$ sont colinéaires. Dans l'affirmative, déterminer le réel k tel que $\vec{v} = k\vec{u}$.

1. $\vec{u}\begin{pmatrix} \frac{1}{3} \\ \frac{3}{4} \end{pmatrix}$ et $\vec{v}\begin{pmatrix} 4 \\ 9 \end{pmatrix}$;   **2.** $\vec{u}\begin{pmatrix} \frac{2}{7} \\ \frac{4}{3} \end{pmatrix}$ et $\vec{v}\begin{pmatrix} 3 \\ \frac{7}{2} \end{pmatrix}$;

3. $\vec{u}\begin{pmatrix} -\sqrt{5} \\ 3 \end{pmatrix}$ et $\vec{v}\begin{pmatrix} -5 \\ 3\sqrt{5} \end{pmatrix}$;   **4.** $\vec{u}\begin{pmatrix} -2 \\ 4 \end{pmatrix}$ et $\vec{v}\begin{pmatrix} 1 \\ 2 \end{pmatrix}$.

68 **al.go** Analyse critique d'une démarche

On donne l'algorithme ci-dessous.

> **Test de colinéarité**
> Variables : a, b, c, d, k, l : réels ;
> Début
>   Afficher(« entrer les coordonnées du vecteur $\vec{u}$ ») ;
>   Entrer(a, b) ;
>   Afficher(« entrer les coordonnées du vecteur $\vec{v}$ ») ;
>   Entrer(c, d) ;
> $k \leftarrow a/c$;
> $l \leftarrow b/d$;
>   Si $k = l$ alors
>   Afficher(k, « est le coefficient de colinéarité tel que $\vec{u} = k\vec{v}$ ») ;
>   Sinon Afficher(« les vecteurs $\vec{u}$ et $\vec{v}$ ne sont pas colinéaires ») ;
>   FinSi ;
> Fin.

1. Tester le programme avec les vecteurs $\vec{u}$ et $\vec{v}$ suivants :*

a. $\vec{u}\begin{pmatrix} 1 \\ 2 \end{pmatrix}$ et $\vec{v}\begin{pmatrix} 3 \\ 6 \end{pmatrix}$;   **b.** $\vec{u}\begin{pmatrix} 3 \\ -5 \end{pmatrix}$ et $\vec{v}\begin{pmatrix} 5 \\ -8 \end{pmatrix}$;

c. $\vec{u}\begin{pmatrix} 1 \\ 0 \end{pmatrix}$ et $\vec{v}\begin{pmatrix} 3 \\ 0 \end{pmatrix}$.

2. a. Que peut-on penser des réponses affichées par l'algorithme dans chacun des cas **1. a.**, **1. b.** et **1. c.**?

b. Justifier que les vecteurs $\vec{u}\begin{pmatrix} 1 \\ 0 \end{pmatrix}$ et $\vec{v}\begin{pmatrix} 3 \\ 0 \end{pmatrix}$ sont colinéaires.

3. Proposer une modification de l'algorithme qui permette d'obtenir une réponse correcte dans le cas **1. c.**

4. Tester le nouvel algorithme avec :

a. $\vec{u}\begin{pmatrix} 1 \\ 0 \end{pmatrix}$ et $\vec{v}\begin{pmatrix} 3 \\ 0 \end{pmatrix}$;   **b.** $\vec{u}\begin{pmatrix} 0 \\ -5 \end{pmatrix}$ et $\vec{v}\begin{pmatrix} 0 \\ 4 \end{pmatrix}$.

* Conseil

On pourra programmer cet algorithme sur la calculatrice, avec un logiciel ou le faire fonctionner « à la main ».

69 Esprit critique

Pour chaque situation, on a rédigé deux solutions ; déterminer la rédaction correcte.

Dans un repère (O, I, J), on considère :

1. $\vec{u}\begin{pmatrix} 4 \\ -2 \end{pmatrix}$ et $\vec{v}\begin{pmatrix} -5 \\ 10 \end{pmatrix}$.

a. $4 \times (-5) = (-2) \times 10$, donc les vecteurs sont colinéaires.

b. $4 \times 10 = 40$ et $(-2) \times (-5) = 10$, donc les vecteurs ne sont pas colinéaires.

2. On donne $A(0 ; 1)$, $B(2 ; 5)$ et $C(3 ; 7)$.

a. $\vec{AB}\begin{pmatrix} 2 \\ 4 \end{pmatrix}$ et $\vec{BC}\begin{pmatrix} 1 \\ 2 \end{pmatrix}$.

Les vecteurs $\vec{AB}$ et $\vec{BC}$ ont des coordonnées proportionnelles, ils sont donc colinéaires.

En conséquence, les points A, B, C sont alignés.

b. $\vec{AB}\begin{pmatrix} 2 \\ 4 \end{pmatrix}$ et $C(3 ; 7)$.

$2 \times 7 = 14$ et $4 \times 3 = 12$. On obtient des résultats différents, donc les points ne sont pas alignés.

3. a. $\vec{AB}\begin{pmatrix} 2 \\ 4 \end{pmatrix}$ de plus $2 \div 2 = 1$ et $4 \div 2 = 2$, donc le milieu du segment $[AB]$ a pour coordonnées $(1 ; 2)$.

b. On a $\dfrac{0+2}{2} = 1$ et $\dfrac{1+5}{2} = 3$, donc le milieu du segment $[AB]$ a pour coordonnées $(1 ; 3)$.

70 algo Test de colinéarité

On se place dans un repère (O, I, J).

1. On considère deux vecteurs $\vec{u}$ et $\vec{v}$. On souhaite automatiser les calculs permettant de savoir si les vecteurs $\vec{u}$ et $\vec{v}$ sont colinéaires ou non, et si oui, quel est le coefficient de proportionnalité k défini par $\vec{v} = k\,\vec{u}$.

Élaborer une démarche utilisant les produits en croix.

2. Programmer à l'aide d'une calculatrice ou d'un logiciel.

3. À l'aide du programme, étudier les cas suivants :

a. $\vec{u}\begin{pmatrix} 1 \\ -2 \end{pmatrix}$ et $\vec{v}\begin{pmatrix} -6 \\ 12 \end{pmatrix}$; **b.** $\vec{u}\begin{pmatrix} -0,8 \\ 1,5 \end{pmatrix}$ et $\vec{v}\begin{pmatrix} 1,44 \\ -2,7 \end{pmatrix}$;

c. $\vec{u}\begin{pmatrix} 1,2 \\ 3,1 \end{pmatrix}$ et $\vec{v}\begin{pmatrix} 2 \\ 5,1 \end{pmatrix}$; **d.** $\vec{u}\begin{pmatrix} \pi \\ 3,31 \end{pmatrix}$ et $\vec{v}\begin{pmatrix} 3 \\ \sqrt{10} \end{pmatrix}$.

---

6 Applications de la colinéarité à la géométrie

71 Vrai ou faux ?

Répondre par **vrai** ou par **faux**.

1. Deux vecteurs opposés sont colinéaires.

2. Deux vecteurs égaux sont colinéaires.

3. Pour montrer que les droites (AB) et (CD) sont parallèles, on peut étudier la colinéarité des vecteurs $\vec{AC}$ et $\vec{BD}$.

4. Si les vecteurs $\vec{AB}$ et $\vec{CD}$ sont colinéaires, alors les points A, B, C et D sont alignés.

72 Vrai ou faux ?

Le plan est rapporté au repère orthonormé (O, I, J).

On considère les points $A(-1 ; 5)$, $B(1 ; 1)$, $C(4 ; -5)$, $D(2 ; 3)$ et $E(3 ; 5)$. Indiquer les réponses exactes.

1. $\vec{AB} = \vec{BC}$.

2. $\vec{AC} = \dfrac{5}{2}\vec{AB}$.

3. $\vec{AB}$ et $\vec{BC}$ sont colinéaires.

4. $\vec{AB}$ et $\vec{AD}$ sont colinéaires.

5. B, D et E sont alignés.

6. A, B, C sont alignés.

7. B est le milieu du segment $[AC]$.

8. D est le milieu du segment $[BE]$.

73 Une question

Pour montrer que les points M, N et P sont alignés, on peut étudier la colinéarité des vecteurs $\vec{MN}$ et $\vec{MP}$.

Quels autres couples de vecteurs peut-on étudier ? (Donner au moins trois possibilités.)

74 *Voir la fiche Savoir faire, page 295.*

On se place dans un repère (O, I, J). Déterminer dans chaque cas, si les droites (AB) et (CD) sont parallèles :

1. $A(0 ; 1)$, $B(2 ; 5)$, $C(-1 ; 4)$ et $D(5 ; 15)$.

2. $A(0 ; 1)$, $B(-1 ; 4)$, $C(4 ; 6)$ et $D(7 ; 5)$.

3. $A(12\,354 ; 1\,205)$, $B(12\,478 ; 1\,577)$, $C(0 ; 1)$ et $D(450 ; 1\,351)$.

75 *Voir la fiche Savoir faire, page 295.*

On se place dans un repère (O, I, J). Déterminer dans chaque cas, si les points A, B et C sont alignés :

1. $A(0 ; 1)$, $B(2 ; 4)$ et $C(4 ; 7)$.

2. $A(2 ; 3)$, $B(1 ; 4)$ et $C(-3 ; 8)$.

3. $A(0 ; 1)$, $B(2 ; 4)$ et $C(10 ; 27)$.

76 Même consigne que pour l'exercice précédent (x est un réel non nul).

1. $A(0 ; 1)$, $B(3 ; 2)$ et $C\left(1 ; \dfrac{7}{3}\right)$.

2. $A\left(\dfrac{1}{7} ; \dfrac{2}{3}\right)$, $B(1, 1)$ et $C(7 ; 3)$.

3. $A(0 ; 1)$, $B(4 ; 1 + 8x)$ et $C(x ; 1 + x^2)$.

77 On se place dans un repère (O, I, J) et on considère les points $A(-2 ; -3)$, $B(-6 ; 5)$ et $C(2 ; 1)$.

On fera une figure que l'on complètera au cours de l'exercice.

1. On considère les points D, E, F définis par :

$$\vec{BD} = \frac{1}{4}\vec{BA} \; ; \quad \vec{BE} = \frac{1}{4}\vec{BC} \; ; \quad \vec{CF} = \frac{3}{4}\vec{AB}.$$

a. Que peut-on dire des droites (CF) et (AB) ?

b. Déterminer les coordonnées des points D, E et F.

2. a. Montrer que les droites (DE) et (AC) sont parallèles.

b. Montrer que les points D, E et F sont alignés.

78 On a placé des points à coordonnées entières dans un repère.

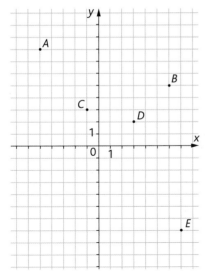

Les points A, C, E sont-ils alignés ?*

Les droites (AB) et (CD) sont-elles parallèles ?

* Conseil

On pourra commencer par émettre une conjecture, puis vérifier par un calcul.

79 **1.** Les points $A(2\,;4)$, $B(6\,;-2)$ et $C\left(3\,;\dfrac{5}{2}\right)$ sont-ils alignés ?

2. Les points $A\left(-3\,;\dfrac{3}{2}\right)$, $B(0\,;-1)$ et $C\left(2\,;-\dfrac{5}{2}\right)$ sont-ils alignés ?

80 **algo** **Test de parallélisme**

On se place dans un repère.

1. Soient quatre points A, B, C et D. On souhaite automatiser les calculs permettant de savoir si les droites (AB) et (CD) sont parallèles ou non.

Élaborer une démarche.

2. Programmer à l'aide d'une calculatrice ou d'un logiciel.

3. À l'aide du programme, dire dans les cas suivants si les droites (AB) et (CD) sont parallèles ou non :

a. $A(1\,;4)$, $B(-2\,;-1)$, $C(4\,;1)$ et $D(2\,;-2)$;

b. $A(2\,;5)$, $B(0\,;2)$, $C(6\,;4)$ et $D(0\,;-5)$.

81 **algo** **Test d'alignement**

On se place dans un repère.

1. Soient trois points A, B et C. On souhaite automatiser les calculs permettant d'affirmer que les points A, B et C sont alignés ou non.

Élaborer une démarche utilisant un argument vectoriel.

2. Programmer à l'aide d'une calculatrice ou d'un logiciel.

3. À l'aide du programme, dire, dans chacun des cas suivants, si les points A, B et C sont alignés ou non :

a. $A(1\,;-2)$, $B(3\,;4)$ et $C(-1\,;-8)$;

b. $A(-3\,;2)$, $B(3\,;1)$ et $C(0\,;2)$;

c. $A(3\,;1)$, $B(2\,;1)$ et $C(7\,;3)$.

82 On se place dans un repère $(O\,,I\,,J)$ et on considère les points $A(-6\,;-6)$, $B(-2\,;6)$ et $C(10\,;2)$.

On fera une figure que l'on complètera au cours de l'exercice.

1. a. Déterminer les coordonnées de A′, B′ et C′, milieux respectifs des segments [BC], [CA] et [AB].

b. Déterminer les coordonnées du point L, symétrique de A′ par rapport à B.

c. Déterminer les coordonnées des points M et N, milieux respectifs des segments [BC′] et [CB′].

2. a. Montrer que les droites (A′N) et (LC′) sont parallèles.

b. Montrer que les points L, M, B′ sont alignés.

83 On se place dans un repère $(O\,,I\,,J)$ et on considère les points :

$A(-4\,;-3)$, $B(4\,;5)$, $C(0\,;-7)$ et $M(-2\,;-1)$.

On fera une figure que l'on complètera au cours de l'exercice.

1. Montrer que le point M appartient à la droite (AB).

2. On considère les points P et Q définis par :

$$\overrightarrow{AQ} = \frac{1}{4}\overrightarrow{AC} \quad \text{et} \quad \overrightarrow{BP} = \frac{3}{4}\overrightarrow{BC}.$$

a. Déterminer les coordonnées des points P et Q.

b. Montrer que les droites (MQ) et (BC) sont parallèles, ainsi que les droites (PM) et (AC).

84 On se place dans un repère $(O\,,I\,,J)$ et on considère les points $A(-3\,;-2)$, $B(7\,;3)$ et $C(-2\,;1)$.

On considère les points M, N, P définis par :

$$3\overrightarrow{MA} + 2\overrightarrow{MB} = \overrightarrow{0}\;;\quad 3\overrightarrow{NA} - 2\overrightarrow{NC} = \overrightarrow{0}\;;\quad \overrightarrow{PB} + \overrightarrow{PC} = \overrightarrow{0}.$$

1. Déterminer les coordonnées des points M, N et P.

2. Montrer que les points M, N et P sont alignés.

85 **De la symétrie à la translation**

On considère la figure ℱ ci-dessous :

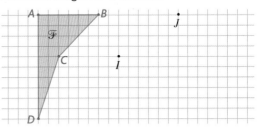

1. Conjecturer

a. Reproduire cette figure. La compléter avec $ℱ_1$, la figure symétrique de ℱ par rapport à I et ℱ′ la figure symétrique de $ℱ_1$ par rapport à J. On nommera A_1, A′, B_1, B′, etc., les symétriques des différents points.

b. Quelle est la transformation t qui transforme directement ℱ en ℱ′ ?

2. Démontrer

a. Montrer que (AA′) est parallèle à (IJ) et que AA′ = 2IJ.

b. Montrer que (AA′) et (BB′) sont parallèles et que AA′ = BB′.

c. Prouver que [AB′] et [A′B] ont le même milieu.

d. Que peut-on en déduire pour t ?

Problèmes

86 Changer de repère

QCM Pour chacune des questions suivantes, une seule réponse est juste.

$ABCD$ est un parallélogramme de centre O.

On considère deux repères $\mathcal{R} = (A, B, D)$ et $\mathcal{R}' = (O, A, B)$.

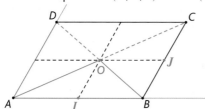

1. Les coordonnées du point D dans $\mathcal{R}$ sont :

a. $(1 ; 0)$ **b.** $(0 ; 1)$ **c.** $(0 ; 2)$

2. Le point de coordonnées $(1 ; 1)$ dans $\mathcal{R}$ est :

a. O **b.** J **c.** C

3. Les coordonnées du point C sont $(-1 ; 0)$:

a. dans $\mathcal{R}$ **b.** dans $\mathcal{R}'$ **c.** ni dans $\mathcal{R}$ ni dans $\mathcal{R}'$

4. Les coordonnées du vecteur $\overrightarrow{CB}$ dans le repère $\mathcal{R}'$ sont :

a. $\begin{pmatrix} 0 \\ -1 \end{pmatrix}$ **b.** $\begin{pmatrix} -1 \\ 1 \end{pmatrix}$ **c.** $\begin{pmatrix} 1 \\ 1 \end{pmatrix}$

5. Les coordonnées du point J dans $\mathcal{R}'$ sont :

a. $\left(1 ; \dfrac{1}{2}\right)$ **b.** $\left(-\dfrac{1}{2} ; -\dfrac{1}{2}\right)$ **c.** $\left(-\dfrac{1}{2} ; \dfrac{1}{2}\right)$

87 Changer de repère

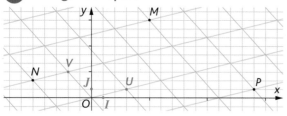

1. Lire les coordonnées des points M, N et P :

a. dans le repère (O, I, J) ;

b. dans le repère (O, U, V).

2. Lire les coordonnées des vecteurs $\overrightarrow{MN}$ et $\overrightarrow{MP}$ dans les repères (O, I, J) et (O, U, V).

Vérifier par un calcul.

88

$ABCD$ est un carré, DCE et BCF sont des triangles équilatéraux.

On se place dans le repère (A, B, D) orthonormé.

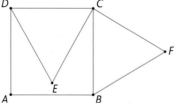

1. Déterminer les coordonnées des points A, B, C, D.

2. Déterminer les coordonnées des points E et F.

3. Montrer que les points A, E, F sont alignés.

89

ABC est un triangle quelconque, M est le milieu du segment $[AB]$.

G est le centre de gravité du triangle ABC (on a donc $\overrightarrow{MG} = \dfrac{1}{3}\overrightarrow{MC}$).

N et P sont les milieux respectifs des segments $[BC]$ et $[AC]$.

D est le point tel que $NGPD$ est un parallélogramme.

On se place dans le repère (A, B, C).

1. Déterminer les coordonnées de A, B et C.

2. Déterminer les coordonnées de M, N et P.

3. Déterminer les coordonnées de G et D.

4. Montrer que les points M, D et C sont alignés.

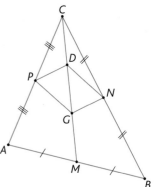

90 Conjecturer, démontrer

$ABCD$ est un parallélogramme ; M est un point du segment $[AB]$ et N un point du segment $[AD]$.

La parallèle à la droite (BC) passant par M coupe la droite (CD) en M'.

La parallèle à la droite (AB) passant par N coupe la droite (BC) en N'.

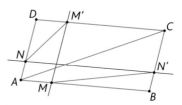

1. On pose $\overrightarrow{AM} = a\overrightarrow{AB}$ et $\overrightarrow{AN} = b\overrightarrow{AD}$.

À quels intervalles appartiennent les réels a et b ?

2. On se place dans le repère (A, B, D).

Déterminer les coordonnées de chacun des points de la figure.

3. a. À quelle condition portant sur a et b les droites (MN') et (NM') sont-elles parallèles ?*

b. Montrer que sous la condition trouvée, les droites (MN') et (NM') sont alors parallèles à la droite (AC).

* Conseil

On pourra s'aider d'un logiciel de géométrie pour réaliser la figure et créer les nombres $a = \dfrac{AM}{AB}$ et $b = \dfrac{AN}{AD}$.

Avec $a = \dfrac{1}{2}$, quelle valeur faut-il donner à b pour obtenir le parallélisme des droites (MN') et (NM') ?

Avec $a = \dfrac{3}{4}$, quelle valeur semble convenir pour b ?
Généraliser.

91 Dans un triangle ABC, on appelle A' le milieu du segment $[BC]$, B' celui du segment $[AC]$ et C' celui du segment $[AB]$. On considère de plus le milieu I du segment $[BC']$, et J le symétrique du point A' par rapport à B.

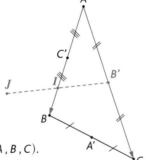

On se place dans le repère (A, B, C).

1. Déterminer les coordonnées des différents points nommés sur la figure.

2. Démontrer l'alignement des points B', I et J.

92 Une sonde spatiale M approche d'une planète P sur laquelle elle doit se poser.

Deux moteurs m_1 et m_2 vont lui communiquer, pendant un court instant, une accélération qui permettra à la sonde de prendre une trajectoire rectiligne en direction de P.

On admet que cette accélération est fournie par la résultante (somme vectorielle) d'une accélération $\vec{a_1}$ communiquée par le moteur m_1 et d'une accélération $\vec{a_2}$ communiquée par le moteur m_2, et que cette résultante doit avoir la direction du vecteur $\vec{MP}$.

On considère un repère orthonormé d'un plan défini par les deux moteurs et la planète, dans lequel l'origine est le centre de gravité de la sonde.

L'accélération $\vec{a_1}$ est d'intensité et de direction fixes, assimilable au vecteur de coordonnées $\begin{pmatrix} 3 \\ -1 \end{pmatrix}$.

L'accélération $\vec{a_2}$ est d'intensité variable, mais de direction fixe assimilable au vecteur de coordonnées $k\begin{pmatrix} 2 \\ 1 \end{pmatrix}$, $k \in \mathbb{R}$.

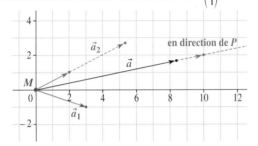

1. Déterminer la valeur de k, pour que la sonde prenne la direction de P sachant que le vecteur $\vec{MP}$ est colinéaire au vecteur de coordonnées $\begin{pmatrix} 5 \\ 1 \end{pmatrix}$.

2. Déterminer l'intensité de l'accélération $\vec{a}$, c'est-à-dire la longueur du vecteur ainsi communiquée à la sonde.

En Physique, on utilise les vecteurs pour représenter les forces. Il est alors fréquent de caractériser un vecteur par trois éléments : une direction, un sens et une longueur, qui représente l'intensité de la force.

93 **Force gravitationnelle**

Soient deux objets de masses m_1 et m_2 situés à une distance d l'un de l'autre.

Chaque objet exerce sur l'autre une force d'attraction.

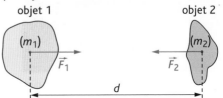

Ces deux forces d'attraction sont représentées par les vecteurs $\vec{F_1}$ et $\vec{F_2}$; elles ont la même intensité F_1 et F_2.

L'intensité commune de ces deux forces est donnée par la formule : $\qquad F = G \times \dfrac{m_1 \times m_2}{d^2}$

constante de gravitation universelle, $G = 6{,}674\,2 \times 10^{-17}$.

Les masses s'expriment en kg, la distance en km et l'intensité en N (Newton).

1. Force gravitationnelle exercée par la Terre sur un objet

La Terre exerce une action attractive à distance sur un objet proche.

On sait que la masse de la Terre est $m_T = 5{,}973\,6 \times 10^{24}$ kg et que la distance entre le centre de la Terre et un objet sur le sol terrestre est $d = 6\,375$ km.

a. Un individu de masse $m_1 = 80$ kg se trouve sur Terre. Déterminer l'intensité de la force d'attraction de la Terre sur l'individu (en Newton).

b. Un éléphant a une masse $m'_1 = 3{,}5$ tonnes. Déterminer l'intensité de la force d'attraction de la Terre sur l'éléphant (en Newton).

c. Le poids d'un objet est dû à l'attraction gravitationnelle qu'une planète (la Terre, par exemple) exerce sur cet objet ; il peut être identifié à la force gravitationnelle exercée par la planète sur cet objet.

Pour déterminer le poids d'un objet de masse m sur Terre, on multiplie la masse par $\dfrac{G \times m_T}{d^2}$ appelé **constante de gravitation terrestre**. Calculer cette constante de gravitation g.

2. Force gravitationnelle exercée par la Lune sur un objet

La Lune a un rayon de 1 737 km et une masse de $7{,}349 \times 10^{22}$ kg.

a. Déterminer le poids d'un homme de 80 kg sur la Lune.

b. Quelle est la constante de gravitation lunaire ?

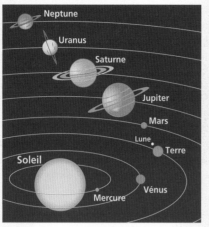

La gravitation est une interaction attractive à distance entre la Terre et la Lune, entre la Terre et le Soleil, et plus généralement entre deux objets qui ont une masse.

94 « En apesanteur »

Un objet de masse m se situe entre la Terre et la Lune à une distance de x km de la Terre.

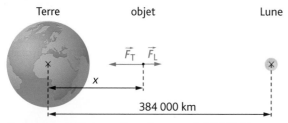

Terre   objet   Lune

On sait que la distance Terre-Lune est de 384 000 km.

1. Exprimer en fonction de x et de m les intensités des forces $\vec{F_T}$ et $\vec{F_L}$ exercées par la Terre et la Lune sur l'objet.*

2. Déterminer la valeur de x pour que l'objet soit en équilibre entre la Terre et la Lune, c'est-à-dire pour que les intensités des forces $\vec{F_T}$ et $\vec{F_L}$ soient égales.*

* Données

L'intensité de la force de gravitation s'exerçant entre deux objets de masse m_1 et m_2 est :

$F = G \times \dfrac{m_1 \times m_2}{d^2}$ *où G est la constante de gravitation universelle valant* $6{,}674\,2 \times 10^{-17}$.

Masse de la Terre : $m_T = 5{,}973\,6 \times 10^{24}$ *kg.*

Masse de la Lune : $m_L = 7{,}349 \times 10^{22}$ *kg.*

95

Sur le pavage d'Escher ci-après, un animal a été représenté plusieurs fois identique à lui-même et a été positionné de différentes façons. Pour simplifier les notations, on a numéroté ces animaux de 1 à 11. Deux vecteurs $\vec{AB}$ et $\vec{CD}$ ont été tracés.

Par exemple, l'animal n° 6 se transforme en l'animal n° 8 par la translation de vecteur $\vec{AB}$.

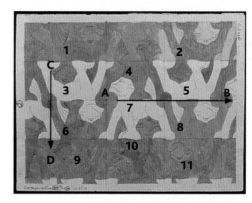

1. À l'aide des animaux numérotés, donner d'autres couples d'animaux qui correspondent par la translation de vecteur $\vec{AB}$.

2. Trouver trois couples d'animaux qui correspondent par la translation de vecteur $\vec{CD}$.

3. Quelle est l'image de l'animal n° 3 par la translation de vecteur $\vec{AB} + \vec{CD}$?

4. Question ouverte : Peut-on obtenir l'animal n° 10 à partir de l'animal n° 1 grâce à une (ou plusieurs) translation(s) ?

Maurits Cornelis Escher

(1898-1972) est un artiste néerlandais, connu pour ses gravures sur bois et lithographies qui représentent des constructions impossibles, l'exploration de l'infini et des combinaisons de motifs. Son œuvre expérimente également diverses méthodes de pavage en 2 ou 3 dimensions. L'œuvre de Maurits Cornelis Escher a séduit de nombreux mathématiciens auxquels il se défendait d'appartenir.

96

1. Dans un repère orthonormé (O, I, J), placer les points $A(2\,;4)$, $B(8\,;8)$, $C(10\,;5)$ et $D(4\,;1)$.

2. a. Calculer les coordonnées des vecteurs $\vec{AB}$ et $\vec{DC}$.

b. Calculer les longueurs AC et DB.

c. Préciser la nature du quadrilatère $ABCD$.

3. On appelle K le point d'intersection des diagonales du quadrilatère $ABCD$. Déterminer les coordonnées du point K.

97 ☐ALGO

On se place dans un repère.

1. On considère quatre points A, B, C et D.

On souhaite automatiser les calculs permettant de savoir si le quadrilatère $ABCD$ est un parallélogramme ou non.

Élaborer une démarche utilisant un argument vectoriel.

2. Programmer à l'aide d'une calculatrice ou d'un logiciel.

3. À l'aide du programme, dire si le quadrilatère $ABCD$ est un parallélogramme dans chacun des cas suivants :

a. $A(1\,;2)$, $B(-3\,;1)$, $C(-1\,;-1)$ et $D(3\,;0)$;

b. $A(-1\,;4)$, $B(2\,;5)$, $C(-4\,;5)$ et $D(-7\,;4)$;

c. $A(2\,;2)$, $B(1\,;6)$, $C(4\,;7)$ et $D(6\,;3)$.

98 Dans le repère orthonormé (O, I, J), on donne les points $A(-2; -4)$, $B(2; -3)$, $C(1; 1)$ et $D(-3; 0)$.

1. Démontrer que $ABCD$ est un parallélogramme.

2. $ABCD$ est-il un carré ?

99 Le plan est muni d'un repère orthonormé (O, I, J). L'unité de longueur est le centimètre.

1. Placer les points :

$A(-2; 1)$, $B(3; 2)$, $C(-3; -2)$ et $G(7; 0)$.

2. a. Placer le point E tel que $\overrightarrow{AB} = \overrightarrow{CE}$.

En déduire la nature du quadrilatère $ABEC$.

b. Donner par lecture graphique les coordonnées du point E.

3. Calculer la valeur exacte de la longueur AB.

4. Placer le point $F(-1; 4)$ et démontrer que F est le symétrique de C par rapport à A.

5. Démontrer que B est le milieu du segment $[FG]$ et en déduire sans autre calcul la longueur CG.

6. Quelle est la nature du quadrilatère $ABGC$? Justifier la réponse.

100 « Revoir les formules »

Dans un repère orthonormé (O, I, J), on considère les points $A(-4; 3)$, $B(3; 2)$ et $C(1; -2)$. L'unité graphique est le centimètre.

Partie A

1. Placer les points A, B et C dans le repère (O, I, J).

2. a. Calculer la longueur AB.

b. Calculer les longueurs AC et BC.

Quelle est la nature du triangle ABC ?

Partie B

1. Calculer les coordonnées du vecteur $\overrightarrow{AC}$.

2. Le point D est l'image du point B par la translation de vecteur $\overrightarrow{AC}$.

a. Placer le point D.

b. Montrer par le calcul que D a pour coordonnées $(8; -3)$.

3. Quelle est la nature du quadrilatère $ABDC$? Justifier.

101 Le plan est muni d'un repère orthonormé (O, I, J). L'unité choisie est le centimètre.*

1. Placer les points $M(1; 3)$, $N(-1; 5)$ et $P(-3; 1)$.

2. Montrer que $MN = 2\sqrt{2}$ et $NP = MP = 2\sqrt{5}$.

3. En déduire la nature du triangle MNP.

4. Soit A le milieu du segment $[MN]$. Montrer, sans calcul, que le triangle APN est rectangle.

5. Calculer les coordonnées du point A.

6. Construire le point R tel que $\overrightarrow{MR} = \overrightarrow{PN}$.

7. Calculer les coordonnées du vecteur $\overrightarrow{PN}$.

8. Déduire des questions **6.** et **7.** les coordonnées du point R.

*** Conseil**

Penser à laisser de la place autour du repère pour compléter la figure au fur et à mesure des questions.

Art et pavage

L'Alhambra (xiiie-xve siècle) à Grenade en Espagne.

Comment, à partir d'une figure de base peut-on recouvrir toute une surface en la reproduisant à l'identique ?

Voici un défi qui passionne les décorateurs et les artistes depuis l'Antiquité, que ce soit pour carreler une pièce d'eau, ou pour orner les murs d'un palais de décors d'une complexité et d'une finesse incroyables. Le procédé général est toujours le même. Un motif de base, que l'on reproduit par des **translations** successives. Tout l'art étant de faire en sorte que lors des translations, de nouveaux motifs apparaissent et que le spectateur ne puisse plus retrouver le motif initial !

102 Art et pavages

Partie A · Un exemple

On a tracé un motif (rouge) à l'intérieur d'un triangle ABC rectangle isocèle de sommet B.

1. Reproduire la figure (le triangle ABC est à tracer au crayon, il est destiné à être effacé).

2. Construire le symétrique du motif par rapport à (AC).

3. Construire le symétrique de la figure obtenue par rapport à (AB).

4. Construire le symétrique de la figure obtenue par rapport à A.

5. « Paver » la feuille grâce à des translations verticales et horizontales.

Partie B · Place aux artistes !

1. Tracer au crayon un triangle ABC rectangle isocèle de sommet B.

2. Dessiner un motif à l'intérieur, qui obéisse aux deux contraintes suivantes : le motif doit toucher les trois côtés du triangle, et les points de contacts des côtés $[BC]$ et $[BA]$ doivent être équidistants du point B.

3. Faire subir au motif choisi les opérations de la partie A.

103 Le plan est rapporté au repère (O, I, J).
On considère les points $A(2; -2)$, $B(6; 1)$, $C(1; 4)$ et $D(-3; 1)$.
1. Placer les points A, B, C et D dans le repère (O, I, J).
2. Démontrer que le quadrilatère $ABCD$ est un parallélogramme.
3. Placer les points M et N tels que :
$$\overrightarrow{BM} = -2\overrightarrow{BA} \quad \text{et} \quad \overrightarrow{AN} = \frac{3}{2}\overrightarrow{AD}.$$
4. Calculer les coordonnées des points M et N.
5. Démontrer que les points M, C et N sont alignés.

104 Élaborer une démarche
La figure ci-dessous est dessinée à main levée. Les points A, D, E et A, B, F sont alignés. Les dimensions sont exprimées en cm.

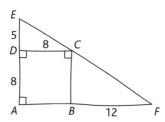

Les points E, C et F sont-ils alignés ?
Donner différentes solutions à ce problème.

105 Démontrer à l'aide de plusieurs méthodes
$ABCD$ est un rectangle tel que $AB = 2$ et $AD = 4$.
I et J sont les milieux des segments $[AD]$ et $[AB]$.

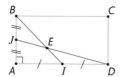

Démontrer que les points A, E et C sont alignés. On utilisera plusieurs méthodes.

106 Dans un repère orthonormé (O, U, V), on considère les points $A(-2; 2)$, $B(5; 6)$ et $C(4; -1)$.
1. Placer les points dans le repère. On complétera la figure au fur et à mesure des questions.
2. Déterminer les coordonnées du vecteur $\overrightarrow{AC}$.
3. Déterminer les coordonnées du point M tel que :
$$\overrightarrow{MC} = \frac{1}{3}\overrightarrow{AC}.$$
4. Déterminer les coordonnées du point D tel que $ABCD$ soit un parallélogramme.
5. Déterminer les coordonnées de I, milieu de $[CD]$.
Démontrer que les points I, M et B sont alignés.
6. Déterminer les coordonnées de J, milieu de $[AB]$.
Démontrer que les droites (DJ) et (BI) sont parallèles.
7. Déterminer les coordonnées du point N tel que :
$$\overrightarrow{JN} = 3\overrightarrow{JM}.$$
Démontrer que les points B, C et N sont alignés.

107 Dans un repère orthonormé (O, I, J), on donne les points $A(-2; -3)$, $B(-1; 1)$, $C(3; 0)$ et $D(2; -4)$.
1. Faire une figure et déterminer la nature du quadrilatère $ABCD$.
2. Les points $N(1; -1)$ et $P(8; 3)$ appartiennent-ils à la médiatrice du segment $[BD]$?
3. On considère le point $M(x; y)$. Déterminer une condition liant x et y pour qu'il appartienne à la médiatrice du segment $[BD]$.
Que caractérise cette relation ?
4. Déterminer de manière analogue une équation de la médiatrice du segment $[AC]$.

108 ABC est un triangle.
Les points M, N et P sont situés respectivement sur les droites (AB), (BC) et (CA).

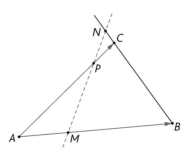

On pose :
$$\overrightarrow{AM} = x\overrightarrow{AB}\ ;\quad \overrightarrow{BN} = y\overrightarrow{BC}\ ;\quad \overrightarrow{CP} = z\overrightarrow{CA}.$$
En travaillant dans le repère (A, B, C), démontrer que les points M, N et P sont alignés si, et seulement si :
$$xyz = (x - 1)(y - 1)(z - 1).$$

109 $OIKJ$ est un carré de côté 1, A est le milieu de $[OI]$.

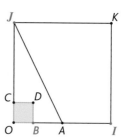

À partir d'un point B variable du segment $[OI]$, on construit le carré $OBDC$ comme l'indique la figure ci-contre.
On veut savoir pour quelle valeur de la longueur du côté de ce carré le point D sera aligné avec les points A et J.
1. Réaliser la figure avec un logiciel de géométrie dynamique et conjecturer une valeur répondant au problème.
2. On se place dans le repère orthonormé (O, I, J). Donner les coordonnées des points I, J et A.
3. On appelle x l'abscisse du point B. Exprimer les coordonnées du point D en fonction de x.
4. Exprimer la colinéarité des vecteurs $\overrightarrow{JD}$ et $\overrightarrow{JA}$ et calculer la valeur de x pour que J, A et D soient alignés.

110 Dans le plan muni d'un repère orthonormé (O, I, J), on considère un point variable H de l'axe des abscisses. On note a son abscisse.

1. Soit K le point de coordonnées $(-3\,;2)$.

a. Construire la figure ci-dessous à l'aide d'un logiciel de géométrie dynamique et conjecturer la (ou les) valeur(s) de a tel que les points H, J et K soient alignés.

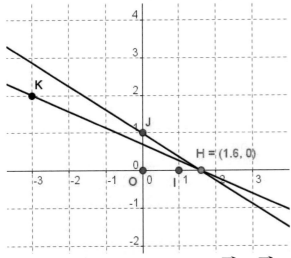

b. Exprimer les coordonnées des vecteurs $\overrightarrow{HJ}$ et $\overrightarrow{HK}$ en fonction de a.

c. Déterminer a pour que les points H, J et K soient alignés.

2. On suppose que $a \neq 3$.

a. Conjecturer la (ou les) valeur(s) de a tel que le triangle KHJ soit rectangle en H.

b. Démontrer que KHJ est un triangle rectangle en H si, et seulement si, $a^2 + 3a + 2 = 0$.

c. Vérifier que, pour tout réel a :
$$a^2 + 3a + 2 = \left(a + \frac{3}{2}\right)^2 - \frac{1}{4}.$$

En déduire les valeurs de a pour lesquelles KHJ est rectangle en H.

111 $ABCD$ est un carré, G est un point variable du côté $[AB]$. On construit le triangle équilatéral BGH comme indiqué sur la figure ci-contre. On se place dans le repère orthonormé (B, A, C). On nomme x l'abscisse du point G.

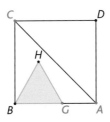

Le but de l'exercice est de trouver la valeur de x pour que le point H soit aligné avec A et C.

1. À l'aide d'un logiciel de géométrie dynamique, réaliser la figure et conjecturer une valeur approchée de x répondant au problème.

2. Donner les coordonnées des points A, B, C et D.

3. Exprimer en fonction de x les coordonnées du point G, puis celles du point H dans le repère choisi.

4. Calculer x pour que les points C, H et A soient alignés.

112 Dans le plan muni d'un repère orthonormé (O, I, J), on considère les points $A(-1\,;2)$, $B(3\,;-2)$ et $C(3\,;4)$.

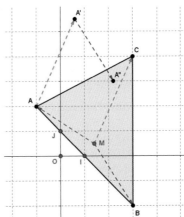

M étant un point variable du plan, on considère le point A'' tel que :
$$\overrightarrow{MA''} = \overrightarrow{MA} + \overrightarrow{MB} + \overrightarrow{MC}.$$

1. Réaliser la figure ci-dessus avec un logiciel de géométrie dynamique. Le point A' est tel que $\overrightarrow{AA'} = \overrightarrow{MC}$.

2. Déplacer le point M de façon que A'' soit confondu avec M. Conjecturer dans ce cas la position du point M. On appelle ce point particulier G.

3. Déterminer les coordonnées du point G et démontrer la conjecture précédente.

113 $ABCD$ est un carré de côté 1, E est le milieu du côté $[AB]$, G est un point variable du côté $[BC]$. On construit le triangle équilatéral AEF et le carré $GCIH$ comme l'indique la figure ci-dessous.

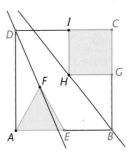

On appelle x la longueur du côté du carré $GCIH$.

Le but de l'exercice est de trouver la position du point G pour que les droites (BH) et (DF) soient parallèles.

On se place dans le repère orthonormé (A, B, D).

1. À l'aide d'un logiciel de géométrie dynamique, réaliser la figure et conjecturer une valeur approchée de x répondant au problème.

2. Calculer les coordonnées du point F et exprimer en fonction de x celles de H.

3. Calculer x pour que les droites (BH) et (DF) soient parallèles.

Outils pour l'algorithmique

L'algorithmique en pratique

● Activité 1 ● Sortir du labyrinthe

L'entrée du labyrinthe se situe en haut à gauche, et la sortie en bas à droite.

Parmi les méthodes décrites ci-dessous, quelles sont celles qui permettent de sortir du labyrinthe ?

ⓐ Méthode directe
Trouver un chemin qui mène à la sortie.

ⓑ Méthode à main gauche
Avancer dans le labyrinthe en gardant toujours la main gauche collée au mur.

ⓒ Méthode du promeneur
Avancer dans le labyrinthe jusqu'à être bloqué. Revenir alors au dernier carrefour rencontré et essayer une autre direction.

Les deux méthodes ⓑ et ⓒ décrivent une suite d'opérations simples qui permettent de résoudre le problème posé. Toute personne qui les lit doit pouvoir aboutir au résultat, ce qui n'est pas le cas de la méthode ⓐ. Ces méthodes donnant des suites d'instructions sont des **algorithmes**.

Ces algorithmes sont compréhensibles pour un être humain, mais pas pour un robot qui ne peut qu'avancer, reculer, tourner, et tester si un mur se trouve dans une des cases qui l'entoure ! Il faut alors réécrire un algorithme plus long, composé d'instructions élémentaires. Le programme complet de sortie du labyrinthe comporte plus de 200 lignes !

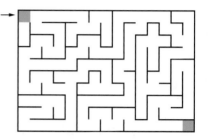

Extrait d'un programme de sortie de labyrinthe en langage C.

● Activité 2 ● Décomposer en instructions élémentaires

ⓐ
- Écrire un nombre.
- Multiplier ce nombre par 2
- Ajouter 4.
- Écrire le résultat final.

ⓑ
- Choisir un nombre entier.
- S'il est pair, ajouter 4, sinon retrancher 3.
- Afficher le résultat obtenu.

ⓒ
- Donner les coordonnées d'un point d'un quadrillage.
- Placer le stylo sur ce point et le laisser appuyé.
- Jusqu'à ce que le bord soit touché, avancer d'un carreau vers la droite.
- Jusqu'à ce que le bord soit touché, avancer d'un carreau vers le haut.
- Relever le stylo.

1. Tester les algorithmes ⓐ, ⓑ et ⓒ.

2. Ces algorithmes utilisent chacun des **instructions** très diverses, mais on peut les ranger en quatre grandes familles, à découvrir tout au long des années de lycée :

• **entrée/sortie** : elles permettent d'entrer une donnée ou d'afficher un résultat ;
• **affectation de variables** : elles modifient la valeur d'un nombre, la forme d'un objet ;
• **conditionnelles** : elles permettent de tester et de proposer des choix ;
• **boucles** : elles permettent de répéter d'autres instructions.

Dans les algorithmes ⓐ, ⓑ et ⓒ, repérer à quelle couleur correspond chacune des familles d'instruction.

● Activité 3 Affecter une variable

① Deux algorithmes en langage naturel

Dans **l'algorithme 1** décrit ci-dessous, un nombre est transformé par divers calculs.

Il s'agit d'une **variable**, que l'on désignera par un nom (la lettre *a* par exemple).

Une variable est une sorte de boîte où l'on va ranger des nombres, et *a* est l'étiquette de cette boîte.

L'opération qui consiste à changer le contenu d'une boîte porte le nom d'**affectation de variables**.

On peut décider également de choisir une boîte par calcul et d'utiliser alors plusieurs lettres.

> **Remarque**
>
> Lorsque les variables utilisées sont des nombres réels, on dira que la variable est de type **réel**.

Algorithme 1	Algorithme 2
• Entrer un nombre réel.	• Entrer les coordonnées d'un point.
• Le mettre au carré.	• Laisser son abscisse inchangée.
• Retrancher 4.	• Remplacer son ordonnée par son opposé.
• Multiplier par 2.	• Placer le point obtenu.
• Écrire le résultat final.	

Un des premiers ordinateurs :
des millions de « boîtes ».

1. Si l'on exécute **l'algorithme 1** avec le nombre 9, quelles sont les valeurs successives prises par la variable *a* ?

2. Combien de variables sont utilisées dans **l'algorithme 2** ? Quel est leur type ?

② Une écriture codifiée

Il est utile de réécrire les algorithmes 1 et 2 du paragraphe 1 dans un langage proche de celui utilisé par les ordinateurs et les calculatrices, que l'on appellera un **pseudo-code**.

On propose ci-dessous deux écritures en pseudo-code pour l'algorithme 1 et une (incomplète) pour l'algorithme 2.

Algorithme 1a	Algorithme 1b	Algorithme 2
Variable :	Variables :	Variables :
a : réel ;	a, b, c, d : réel ;	x, y : réel ;
Début	Début	Début
Entrer(a) ;	Entrer(a) ;	Entrer(x, y) ;
$a \leftarrow a^2$;	$b \leftarrow a^2$;	......←......
$a \leftarrow a - 4$;	$c \leftarrow b - 4$;	......←......
$a \leftarrow 2 \times a$;	$d \leftarrow 2 \times b$;	Afficher le point de
Afficher(a) ;	Afficher(d) ;	coordonnées (x, y) ;
Fin.	Fin.	Fin.

1. Exécuter **l'algorithme 1a** avec le nombre 4, et indiquer les valeurs successives prises par la variable *a*.

2. Même question avec les variables de **l'algorithme 1b** appliqué au nombre 4.

3. Compléter **l'algorithme 2**.

4. Exécuter **l'algorithme 2** avec les coordonnées des points *A*, *B*, *C* issus de la figure ci-contre.

Quelle transformation géométrique **l'algorithme 2** modélise-t-il ?

5. Modifier **l'algorithme 2** pour qu'il effectue une symétrie par rapport à l'axe des ordonnées.

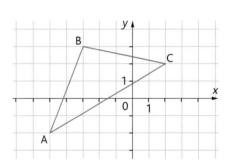

❸ Applications directes

1. Parmi les algorithmes ci-dessous, regrouper ceux qui donnent le même résultat :

ⓐ
```
Variables :
    a, b : réels ;
Début
    Entrer(b) ;
    b ← b² ;
    a ← b − 4 ;
    Afficher(a) ;
Fin.
```

ⓑ
```
Variables :
    a, b : réels ;
Début
    Entrer(a) ;
    b ← a² ;
    b ← b − 4 ;
    Afficher(b) ;
Fin.
```

ⓒ
```
Variables :
    a, b : réels ;
Début
    Entrer(a, b) ;
    b ← a² ;
    b ← b − 4 ;
    Afficher(a) ;
Fin.
```

ⓓ
```
Variables :
    a, b : réels ;
Début
    Entrer(a) ;
    b ← a² ;
    a ← a − 4 ;
    Afficher(a) ;
Fin.
```

2. Écrire en pseudo-code trois algorithmes qui répondent aux problèmes suivants :

ⓐ	**ⓑ**	**ⓒ**
Un nombre x étant donné, calculer $f(x) = (x − 3)^2 + 4$.	Les coordonnées d'un point étant données, augmenter son abscisse de 4 et son ordonnée de 2, et placer le point obtenu.	Les coordonnées de deux points étant données, déterminer les coordonnées de leur milieu.

● Activité 4 Exprimer une condition

❶ Si....Alors, Si....Alors Sinon...

Toutes les phrases de l'encadré ci-contre comportent des éléments en commun, comme l'utilisation de Si.... (Alors) ou de Si...(Alors)...Sinon. Un **test** et une action ou plusieurs actions dépendent des résultats de ce test. (En français, « *Alors* » est souvent sous-entendu).

Repérer dans chacune des phrases les instructions par les couleurs rouge, bleu ou vert, comme elles sont utilisées dans le texte ci-dessus.

- « Tu lances un dé et tu obtiens un nombre compris entre 1 et 6. S'il est égal à 6, tu gagnes, sinon tu perds. »
- « Si un quadrilatère a quatre angles droits, alors c'est un rectangle. »
- « Si le nombre choisi est pair, on le divise par 2, si le nombre est impair, on le multiplie par 3 et on ajoute 1. »
- « Si votre demande concerne nos séjours à Venise, tapez 1, Palerme, tapez 2, pour une autre destination, tapez 3. »

❷ Écrire en pseudo-code

On peut imbriquer plusieurs instructions **Si... Alors** ou **Si...Alors...Sinon**. On prendra donc l'habitude de marquer la fin des actions déclenchées par Si...à l'aide d'un FinSi. On peut également prendre l'habitude de décaler les instructions pour une lecture plus aisée. Soient les algorithmes 1 et 2 ci-dessous.

Algorithme 1
```
Variable :
    a : entier ;
Début
    Entrer(a) ;
    Si a > 1 Alors
            a ← 2 × a
    sinon
            a ← a + 1 ;
    FinSi ;
Fin.
```

Algorithme 2
```
Variable :
    a : entier ;
Début
    a ← Alea_Ent(1 ; 6) ;
    Si a = 6 Alors
            Afficher (« Gagné ! ») ;
    sinon
            Afficher (« Perdu ! ») ;
    FinSi ;
Fin.
```

1. Exécuter **l'algorithme 1** avec les nombres 3, 5, 8.

2. Dans **l'algorithme 2**, l'instruction **Alea_Ent(1 ;6)** permet d'obtenir un nombre entier au hasard entre 1 et 6.
On modifie la règle du jeu de la façon suivante : lorsque le joueur gagne, il gagne une somme au hasard comprise entre 1 et 20. Modifier l'algorithme en conséquence.

③ Le langage logiciel

Voici un même algorithme traduit dans deux langages différents : **scratch** et **algobox.**

Écrire cet algorithme en pseudo-code.

Pour chacun des langages, repérer comment on teste qu'un nombre est pair, et comment on choisit un nombre entier au hasard entre 1 et 20.

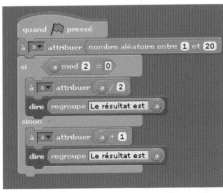

Algorithme traduit dans le langage Algobox.   Algorithme traduit dans le langage Scratch.

④ Application directe

Une salle de cinéma facture chaque séance 9,50 €. Le directeur de la salle a mis en place les réductions suivantes : les spectateurs fidèles, qui vont au moins 3 fois par mois au cinéma, disposent d'une réduction de 2 € par séance, et les cinéphiles, qui vont 6 fois ou plus par mois au cinéma, paieront 5 € la séance.

1. Écrire en pseudo-code un algorithme de calcul du montant total payé par mois en fonction du nombre de séances mensuelles.

2. Le traduire dans le langage de son choix.

● Activité 5   Répéter des instructions en boucle

① Les deux types de boucles

ⓐ « Soit $f(x) = 2x + 3$. Calculer $f(1)$, $f(2)$, ..., $f(5)$. »

ⓑ « Choisir un nombre. Le multiplier par 2, puis par 3, par 4, ..., par 30. Afficher le résultat final. »

ⓒ « Choisir un nombre. Ajouter 2. Recommencer l'opération jusqu'à ce que le nombre obtenu soit supérieur ou égal à 20. Afficher le résultat final. »

On peut avoir besoin de **répéter** une instruction ou un calcul **un certain nombre de fois** (algorithmes ⓐ et ⓑ), ou **jusqu'à ce qu'**une certaine condition soit vérifiée (algorithme ⓒ). On parle dans ces deux cas de boucle.

② Écriture en pseudo-code

On a écrit en pseudo-code les algorithmes ⓐ et ⓑ (voir les algorithmes 1 et 2 correspondants).

1. Modifier **l'algorithme 1** pour qu'il donne les valeurs $f(3)$, $f(4)$, ..., $f(8)$ de la fonction définie par $f(x) = \dfrac{4}{x}$.

2. Dans **l'algorithme 2**, quel est le rôle de chacune des deux instructions bleues ?

3. Écrire l'algorithme ⓒ en pseudo-code.

4. Le modifier en remplaçant « Ajouter 2 » par « Multiplier par 2 » et en définissant une variable qui permette de compter le nombre de boucles effectuées.

Algorithme 1
Variables :
i : entier ;
f : entier ;
Début
Pour i allant de 1 à 5 faire
$f \leftarrow 2 \times i + 3$;
Afficher (f) ;
FinPour ;
Afficher (f) ;
Fin
Fin.

Algorithme 2
Variables :
k, n : entiers ;
Début
$k \leftarrow 2$
Entrer (n) ;
Tant que $k \leqslant 30$ faire
$n \leftarrow n \times k$;
$k \leftarrow k + 1$;
FinTant que ;
Afficher (n) ;
Fin.

③ Application directe

Écrire en pseudo-code un algorithme qui réponde à chacun des problèmes suivants :

ⓐ On lance un dé à 6 faces, et on veut savoir au bout de combien de lancers on obtient 6.

ⓑ Un nombre réel positif étant donné, on effectue la moyenne entre ce nombre et son inverse. On recommence l'opération 30 fois, puis on affiche le résultat obtenu.

Utiliser le logiciel Scratch

● 1 Programmation

Commentaire : l'écriture est assez intuitive, car les instructions sont en français (choisir la langue 🌐 Français-Canada).

a. Écrire un programme

Les instructions sont réparties
dans les différents blocs ci-contre.
Choisir un bloc en cliquant dessus,
sélectionner l'instruction souhaitée, puis la glisser dans la partie
Script.
Les instructions s'emboîtent les unes dans les autres, comme un puzzle.

Mouvement	Contrôle
Apparence	Capteurs
Sons	Opérateurs
Stylo	Variables

Conseil pour trouver une instruction :
La couleur du fond des instructions est la même que celle du bloc qui la contient. Ainsi :

– `quand 🏳 pressé` se trouve dans le bloc `Contrôle` ;

– `dire Salut!` se trouve dans le bloc `Apparence`.

b. Exécuter un programme

– soit mettre en tête de programme dans la partie **Scripts** la brique `quand 🏳 pressé`, et cliquer sur le drapeau 🏳 ;

– soit mettre en tête de programme dans la partie **Scripts** la brique `quand espace est pressée`, et choisir la touche sur laquelle il faudra cliquer pour exécuter le programme ;

– soit ne rien mettre en tête de programme : dans ce cas, double-cliquer sur le programme pour l'exécuter.

Commentaire : Pour exécuter pas-à-pas un programme, sélectionner *démarrer le pas-à-pas* dans le menu *Editer*, et exécuter le programme normalement : les instructions exécutées se mettent au fur et à mesure en brillant.

● 2 Les instructions de « base »

a. Les variables `Variables`

• **Pour créer une variable :** `Nouvelle variable`
• **Pour affecter la valeur 0 à la variable a :** `a ▾ attribuer 0`
• **Pour entrer une valeur dans la variable a :**
– soit double-cliquer dessus dans la fenêtre d'affichage et la contrôler par le curseur `15` ;
– soit mettre en dehors du programme `a ▾ attribuer 0`, entrer la valeur souhaitée, puis double-cliquer sur cet élément.
• **Pour afficher la valeur de la variable a :** `afficher la variable a ▾` ou `dire a`

b. Les boucles et les conditions `Contrôle`

Particularités

Utiliser le bloc `Opérateurs` pour accéder :
– aux opérations entre nombres ;
– aux commandes particulières telles :
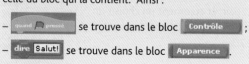
– aux tests logiques :

Si $N = 10$ alors... sinon...	Pour k allant de 1 à N faire...	Tant que $N < 10$ faire ...
`si N = 10` `sinon`	`répéter N fois`	`répéter jusqu'à N > 9`

● 3 Quelques instructions pour construire une figure dans un repère

`effacer tout` `abaisser le stylo` `relever le stylo` `avancer de 10 pas` `tourner de ↻ 15 degrés` `tourner de ↺ 15 degrés` `modifier x par 10` `poser x à 0` `modifier y par 10` `poser y à 0` `position x` `position y` `direction` `aller vers x: 0 y: 0`

● 4 Exemples

ⓐ Un capital de 1 000 € est placé
à intérêts composés annuels de 5%.
L'algorithme ci-contre permet de
calculer le montant du capital au bout
de 5 années de placement :

Commentaire : le bloc `dire joindre`
permet d'afficher les résultats avec le plus de décimales possible.

ⓑ On lance deux dés cubiques bien équilibrés, et on note la
somme des numéros
obtenus.
L'algorithme ci-contre
permet de simuler
l'expérience :

Utiliser le logiciel Algobox

◯1 Algorithmique

Commentaire : l'écriture est assez intuitive, car les instructions sont en français. Il suffit de suivre les instructions des boîtes de dialogues qui s'affichent au fur et à mesure.

a. Écrire le code d'un algorithme

– Commencer par créer les différentes variables en cliquant sur [Déclarer nouvelle variable] de l'onglet « *Opérations standards* », et préciser leur type (nombre, chaîne de caractères ou liste). Elles se placent sous **VARIABLES** .

Particularités
– Pour créer une nouvelle ligne : [↵ Nouvelle Ligne]
– Pour modifier une ligne : [⊟ Modifier Ligne]
– Pour supprimer une ligne : [← Supprimer Ligne/Bloc]
– Tests : =, <, >, ≤, ≥, ≠ :   ==, <, >, <=, >=, !=

– Puis entre **DEBUT_ALGORITHME** et **FIN_ALGORITHME** , créer au fur et à mesure des lignes et les remplir en cliquant sur les instructions souhaitées :

[Déclarer nouvelle variable]   [Ajouter AFFICHER Variable]   [Ajouter SI...ALORS]
[Ajouter LIRE variable]   [Ajouter AFFICHER Message]   [Ajouter POUR...DE...A]
[AFFECTER valeur à variable]   [Ajouter TANT QUE...]

Suivre ensuite les indications des boîtes de dialogue qui s'affichent.

b. Exécuter un algorithme

Cliquer sur [▷ Tester Algorithme] ou sur [▷] Tester. Puis cliquer sur [▷ Lancer Algorithme]. Le résultat est donné dans le rectangle noir « *Résultats* », entre ███Algorithme lancé███ et ███Algorithme terminé███.

Commentaire : Pour exécuter pas-à-pas un algorithme, cocher « *Mode pas à pas* » [☑ Mode pas à pas] [▷ Lancer Algorithme] avant de lancer l'algorithme : la ligne exécutée est indiquée en rouge dans l'algorithme, et son résultat est indiqué dans le rectangle noir intitulé « *Généré par Algobox* », en face du numéro de la ligne exécutée. Poursuivre l'exécution de l'algorithme en cliquant sur [▷ Continuer] autant de fois que nécessaire.

c. Utiliser une fonction à l'intérieur d'un algorithme

Se placer sous l'onglet « Utiliser une fonction numérique », et taper l'expression algébrique de $f(x)$ (la variable à utiliser est x), en cochant « Utiliser une fonction ».

d. Calculs et commandes particulières

– Élever x à la puissance n : pow(x,n) ;   – Prendre la racine carrée de x : sqrt(x) ;
– Prendre la partie entière de x : floor(x) ;   – Réel aléatoire entre 0 et 1 : random() ;
– π : Math.PI   – Entier aléatoire entre 1 et 6 : floor(6*random())+1 ;

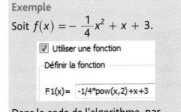

Exemple
Soit $f(x) = -\dfrac{1}{4}x^2 + x + 3$.

☑ Utiliser une fonction
Définir la fonction

F1(x)= -1/4*pow(x,2)+x+3

Dans le code de l'algorithme, par exemple : y PREND_LA_VALEUR F1(x)

◯2 Exemple

L'algorithme suivant permet de calculer la distance entre deux points :

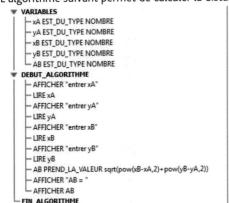

```
▼ VARIABLES
  ├─ xA EST_DU_TYPE NOMBRE
  ├─ yA EST_DU_TYPE NOMBRE
  ├─ xB EST_DU_TYPE NOMBRE
  ├─ yB EST_DU_TYPE NOMBRE
  └─ AB EST_DU_TYPE NOMBRE
▼ DEBUT_ALGORITHME
  ├─ AFFICHER "entrer xA"
  ├─ LIRE xA
  ├─ AFFICHER "entrer yA"
  ├─ LIRE yA
  ├─ AFFICHER "entrer xB"
  ├─ LIRE xB
  ├─ AFFICHER "entrer yB"
  ├─ LIRE yB
  ├─ AB PREND_LA_VALEUR sqrt(pow(xB-xA,2)+pow(yB-yA,2))
  ├─ AFFICHER "AB = "
  └─ AFFICHER AB
└─ FIN_ALGORITHME
```

Exécution pas à pas avec les points $A(-1 ; 2)$ et $B(2 ; 3)$:

```
#1 Nombres/chaines (ligne 9)  -> xA:-1 | yA:0 | xB:0 | yB:0 | AB:0
#2 Nombres/chaines (ligne 11) -> xA:-1 | yA:2 | xB:0 | yB:0 | AB:0
#3 Nombres/chaines (ligne 13) -> xA:-1 | yA:2 | xB:2 | yB:0 | AB:0
#4 Nombres/chaines (ligne 15) -> xA:-1 | yA:2 | xB:2 | yB:3 | AB:0
#5 Nombres/chaines (ligne 16) -> xA:-1 | yA:2 | xB:2 | yB:3 | AB:3.1622777
```

Résultats

```
***Algorithme lancé en mode pas à pas***
entrer xA
entrer yA
entrer xB
entrer yB
AB = 3.1622777
***Algorithme terminé***
```

Commentaire : les résultats sont affichés de façon approchée, et non de façon exacte.

Utiliser le logiciel Scilab

1 Calculs

• Dans la Console, après l'invite « --> », saisir la ligne de commande, puis valider avec la touche « Entrée ».

Ou : ouvrir l'Éditeur (Menu *Applications*, *Editeur*), y écrire les lignes de commande, enregistrer le fichier, puis l'exécuter dans Scilab (Menu *Exécuter*, *execute le fichier dans Scilab* ou raccourci *Ctrl+E*).

Si on ne souhaite pas afficher le résultat du calcul, mettre un point-virgule à la fin de la ligne de commande.

• Par défaut, les résultats sont affichés avec au plus 16 caractères.

Pour afficher par exemple 20 caractères, utiliser l'instruction **format(20)**.

Particularités : dans l'Éditeur, les commandes reconnues par le logiciel et les opérations sont mises en couleur. Les retraits gauches ou indentations se font de façon automatique.

Commandes particulières : Racine carrée : **sqrt(...)** ; Partie entière : **floor(...)** ; π : **%pi**

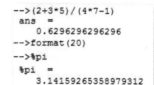

```
-->(2+3*5)/(4*7-1)
 ans  =
     0.6296296296296
-->format(20)
-->%pi
 %pi  =
     3.14159265358979312
```

2 Fonctions

Expression : Soit $f(x) = \dfrac{-1}{4}x^2 + x + 3$. Écrire les lignes de commandes dans l'Éditeur et les exécuter dans la Console.

Calcul d'image : Écrire l'instruction dans la Console ou dans l'Editeur.

Courbe représentative :

– Pour effacer la fenêtre graphique : **clf.**

– Définir l'intervalle sur lequel on représente la fonction, avec le nombre de points calculés, puis tracer la courbe avec l'instruction **plot.**

Ainsi sur l'intervalle $[-3,5\,;7,5]$ avec 100 points calculés :

```
x=linspace(-3.5,7.5,100);
plot(x,f)
```

– Dans la fenêtre graphique, effectuer des zooms avec 🔍.

On peut y modifier les propriétés des axes et de la figure (Menu *Edit*).

On peut aussi utiliser dans la Console des instructions telles **quadrillage** ou **orthonorme**.

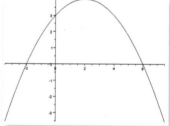

```
function y=f(x)
    y=-1/4*x^2+x+3
endfunction
```

```
-->f(1)
 ans  =
     3.75
```

3 Statistiques et simulations

• **tirage_entier(N,a,b)** et **tirage_reel(N,a,b)** retournent un vecteur de taille N (entier), contenant les résultats de N tirages aléatoires respectivement d'entiers, de réels entre a et b inclus (où a et b sont respectivement des entiers, des réels avec $a \leqslant b$) ;

• **moyenne(v)**, **mediane(v)** et **quartiles(v)** retournent respectivement la moyenne, la médiane et les quartiles Q_1 et Q_3 de la liste de valeurs contenue dans le vecteur v ;

• **moyenne_ponderee(v,e)**, **mediane_ponderee(v,e)** et **quartiles_ponderes(v,e)** retournent respectivement la moyenne, la médiane et les quartiles Q_1 et Q_3 de la liste de valeurs contenue dans le vecteur v, associée à la liste d'effectifs contenue dans le vecteur e.

4 Programmation

• Affecter la valeur 0 à la variable *a*	**a=0**	• Entrer une valeur dans la variable *a* (par l'utilisateur du programme)		**a=input("a")**
• Afficher la valeur de la variable *a*	**afficher(a)**	• Afficher du texte		**afficher("texte")**
• Tests : $=$, $<$, $>$,	**==, <, >,**	• Si $N = 10$ alors...		**if N==10 then**
$\leqslant$, $\geqslant$, $\neq$,	**<=, >=, <>,**	sinon...		**... ;**
et, ou, non	**&, |, ~**	FinSi ;		**else... ;**
				end
• Pour k allant de 1 à N faire...	**for k=1:N**	• Tant que $N < 10$ faire ...		**while N<10**
FinPour	**... ;**	FinTantQue ;		**... ;**
	end			**end**

Plus d'informations sur le site officiel http://www.scilab.org/lycee.

Utiliser le logiciel Xcas

 Calculs

Les résultats sont donnés de façon exacte (fractionnaire simplifiée).
Pour afficher une valeur approchée du résultat, utiliser l'instruction **evalf** (en indiquant si besoin le nombre de décimales souhaité).
Commandes particulières :
* Racine carrée : **sqrt(...)** ;
* Partie entière : **floor(...)** ;
* Réel aléatoire entre a et b : **rand(a,b)** ou **hasard(a,b)**
* Entier aléatoire entre 1 et N : **1+rand(N)** ou **1+hasard(N)**

1 (2+3*5)/(4*7-1)	$\dfrac{17}{27}$
2 evalf((2+3*5)/(4*7-1))	0.62962962963
3 evalf(pi,20)	3.14159265358979323846
4 1+hasard(6)	

❷ Fonctions et expressions algébriques

Expression et calcul formel : Soit $f(x) = \dfrac{-1}{4}x^2 + x + 3$.

Pour transformer les expressions algébriques, utiliser les instructions du menu *Scolaire*, *Seconde* :

Scolaire	Tortue
Seconde ▶	developper
Premiere ▶	factoriser
Terminale ▶	factoriser_entier
Programme▶	forme_canonique

Courbe représentative :
– Pour effacer la fenêtre graphique : **erase**.
– Tracer la courbe avec l'instruction **plotfunc**.
– Dans la fenêtre graphique, effectuer des zooms avec **in** et **out**.

5 f(x):=-1/4*x^2+x+3	$x \rightarrow (\dfrac{-1}{4})\cdot x^2 + x + 3$
6 factoriser(f(x))	$\dfrac{-(x-6)\cdot(x+2)}{4}$
7 f(1)	$\dfrac{15}{4}$
8 resoudre(f(x)=0)	[-2 6]

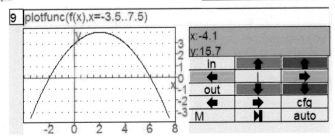

❸ Programmation

Ouvrir le module de programmation (Menu *Prg*, *Nouveau programme* ou raccourci *alt+p*).

Une fois le programme tapé, l'exécuter en cliquant sur `OK`

• Affecter la valeur 0 à la variable *a*	a:=0;	• Entrer une valeur dans la variable *a* (par l'utilisateur du programme)	input("a";a);
• Afficher la valeur de la variable *a*	print(a);	• Afficher du texte	print("texte");
• Tests : =, <, >, ⩽, ⩾, ≠, et, ou, non	==, <, > <=, >=, != and, or, not	• Si N = 10 alors... sinon... FinSi ;	if(N==10) {...} else {...};
• Pour *k* allant de 1 à *N* faire... FinPour	for(k:=1;k<=N;k:=k+1) {...};	• Tant que N < 10 faire ... FinTantQue ;	while(N<10) {...};

❹ Géométrie

Ouvrir le module de géométrie (Menu *Geo*, *Nouvelle figure* ou raccourci *alt+g*).
* Créer les objets (points, droites, segments, ...) en pointant sur la figure après avoir sélectionné le bon *Mode* :
* Ou créer les objets au clavier dans la ligne de saisie. Exemple : 1 A:=point(2,1)
Utiliser aussi les instructions du menu *Geo* (**segment**, **hauteur**, **est_rectangle**, ...)

Plus d'informations sur le site officiel :
> http://www-fourier.ujf-grenoble.fr/~parisse/giac_fr.html

Pour une utilisation en ligne du logiciel :
> http://vds1100.sivit.org/giac/giac_online/demoGiacPhp.php

Mémento

● Angles

Théorème 1   Dans un triangle, la somme des mesures des trois angles est égale à 180°.

Théorème 2   Les droites d et d' sont sécantes en A.
Deux angles au sommet ont même mesure.

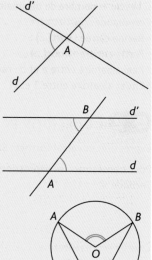

Théorème 3

Les droites d et d' sont parallèles.
La droite (AB) est sécante aux droites d et d'.
Les angles alternes internes déterminés par deux droites parallèles et une droite sécante ont même mesure.

Théorème 4

Le point O est le centre du cercle passant par A et B.
Le point M est un point de ce cercle.
Dans un cercle, l'angle au centre mesure le double de chaque angle inscrit qui intercepte le même arc.

Théorème 5

Les points M et N sont deux points d'un cercle qui passe par A et B.
Dans un cercle, les angles inscrits qui interceptent le même arc ont même mesure.

● Bissectrice

Définition

La bissectrice d'un angle $\widehat{xOy}$ est l'axe de symétrie de l'angle $\widehat{xOy}$.

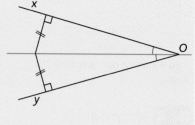

Propriétés

• La bissectrice de l'angle $\widehat{xOy}$ partage cet angle en deux angles de même mesure.
• Tout point de la bissectrice de $\widehat{xOy}$ est équidistant des côtés (Ox) et (Oy).

Théorème 6

Les bissectrices des trois angles du triangle sont concourantes en un point.
Leur point d'intersection est le **centre du cercle inscrit** dans le triangle.

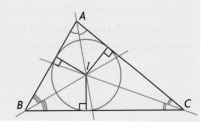

● Carré

Définition Un carré est un quadrilatère qui a ses quatre côtés de même longueur et un angle droit.

Propriétés caractéristiques

Un carré est :
- un parallélogramme qui a ses diagonales perpendiculaires et de même longueur ;
- un rectangle qui a deux côtés consécutifs de même longueur ;
- un losange qui a un angle droit.

On a : $\widehat{ACB} = \widehat{ACD} = 45°$; $AC = \sqrt{2}\,AB$

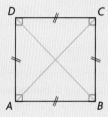

● Cercle

Définition Un cercle de centre O et de rayon r est l'ensemble des points M tels que $OM = r$.

Sur la figure ci-contre :
- $[AB]$ est un diamètre ;
- $[AC]$ est une corde.

Cercle circonscrit à un triangle (voir **Médiatrice**).
Cercle inscrit dans un triangle (voir **Bissectrice**).

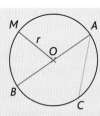

Théorème 7

- Si le cercle circonscrit à un triangle ABM a pour diamètre $[AB]$, alors ce triangle est rectangle en M.
- Si un triangle est rectangle, alors son hypoténuse est un diamètre de son cercle circonscrit.

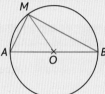

● Hauteurs

Définition La hauteur issue du sommet A du triangle ABC est la perpendiculaire à (BC) passant par A.

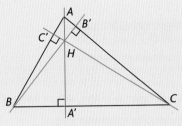

Théorème 8

Les hauteurs du triangle sont concourantes en un point.
Leur point d'intersection s'appelle l'**orthocentre** du triangle.

L'aire du triangle ABC est égale à : $\dfrac{1}{2} BC \times AA' = \dfrac{1}{2} AC \times BB' = \dfrac{1}{2} AB \times CC'$.

● Losange

Définition Un losange est un quadrilatère qui a ses quatre côtés de même longueur.

Propriétés caractéristiques

Un losange est :
- un parallélogramme qui a ses diagonales perpendiculaires ;
- un parallélogramme qui a deux côtés consécutifs de même longueur.

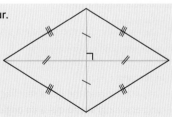

● Médiane

Dans le triangle ABC, la médiane issue de A est la droite (AA') où A' est le milieu de $[BC]$.

Les médianes du triangle sont concourantes en un point.
Leur point d'intersection est le **centre de gravité du triangle**.
Le centre de gravité est situé au tiers de chaque médiane. $GA = 2GA'$, $GA' = \frac{1}{3}AA'$.

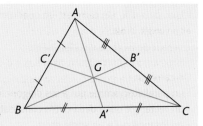

● Médiatrice d'un segment

La médiatrice d'un segment est la droite qui passe par le milieu de ce segment et qui est perpendiculaire à ce segment.

La médiatrice d'un segment est l'axe de symétrie du segment.

La médiatrice du segment $[AB]$ est l'ensemble des points M équidistants de A et de B (c'est-à-dire tels que $AM = BM$).

Les médiatrices des côtés du triangle sont concourantes en un point.
Leur point d'intersection est le centre du cercle circonscrit au triangle.

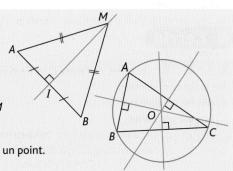

● Parallélogramme

Un parallélogramme est un quadrilatère qui a ses diagonales qui se coupent en leur milieu.

Un parallélogramme est :
• un quadrilatère qui a ses côtés parallèles deux à deux ;
• un quadrilatère qui a deux côtés opposés parallèles et de même longueur ;
• un quadrilatère qui a ses côtés opposés de même longueur.

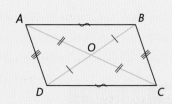

● Pythagore

Si ABC est un triangle rectangle en A, alors le carré de l'hypoténuse est égal à la somme des carrés des côtés de l'angle droit.
Sur la figure ci-contre, $BC^2 = AB^2 + AC^2$.

Si dans un triangle ABC on a $BC^2 = AB^2 + AC^2$, alors le triangle est rectangle en A.

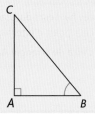

● Rectangle

Un rectangle est un quadrilatère qui a trois angles droits.

Un rectangle est :
• un parallélogramme qui a ses diagonales de même longueur ;
• un parallélogramme qui a un angle droit.

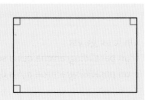

● Symétrie axiale

- Une symétrie axiale est définie par son **axe**.
- La symétrie axiale d'axe *d* transforme :
  - tout point *N* de *d* en lui-même ;
  - tout point *M* n'appartenant pas à *d* en un point *M'* tel que *d* soit la médiatrice de [*MM'*].
- Une symétrie axiale conserve les distances et les angles géométriques, et transforme une droite en une droite.

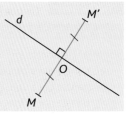

● Symétrie centrale

- Une symétrie centrale est définie par son centre.
- La symétrie centrale de centre *O*, transforme tout point *M* du plan en un point *M'* du plan tel que *O* soit le milieu de [*MM'*].
- Une symétrie centrale conserve les distances et les angles géométriques, et transforme une droite en une droite parallèle.

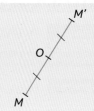

● Thalès

Théorème direct 15 Les droites (*BC*) et (*EF*) sont sécantes en *A*.

Si les droites (*BE*) et (*CF*) sont parallèles alors :
$$\frac{AB}{AC} = \frac{AE}{AF} = \frac{BE}{CF}.$$

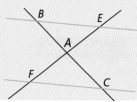

Théorème direct 16 Si les points *A*, *B*, *C* et *A*, *E*, *F* sont respectivement alignés sur deux droites dans l'ordre donné sur les figures ci-contre et si $\frac{AB}{AC} = \frac{AE}{AF} = \frac{BE}{CF}$, alors les droites (*BE*) et (*FC*) sont parallèles.

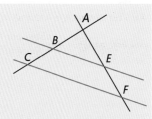

● Tangente à un cercle

Définition La tangente au cercle de centre *O*, au point *A* est la droite passant par *A* et perpendiculaire à (*OA*).

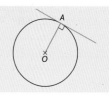

● Triangle équilatéral

Définition Un triangle équilatéral est un triangle qui a trois côtés de même longueur.

Propriétés caractéristiques

Un triangle équilatéral est :
- un triangle qui a trois angles de même mesure 60° ;
- un triangle qui a deux axes de symétrie.

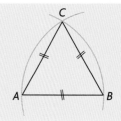

● Triangle isocèle

Définition   Un triangle isocèle est un triangle qui a deux côtés de même mesure.

Propriétés caractéristiques

Un triangle isocèle est :
- un triangle qui a un axe de symétrie ;
- un triangle qui a une médiane qui est en même temps médiatrice ou hauteur ou bissectrice ;
- un triangle qui a deux angles de même mesure.

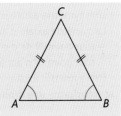

● Triangle rectangle

Définition   Un triangle rectangle est un triangle qui a un angle droit.

Théorème de Pythagore   (voir **Pythagore**)

Propriété   Dans un triangle ABC rectangle en A, si I est le milieu de $[BC]$, alors $BI = CI = AI$.

● Trigonométrie

ABC est un triangle rectangle en A.

$$\sin \widehat{ABC} = \frac{CA}{BC} = \frac{\text{côté opposé}}{\text{hypoténuse}} \; ; \qquad \cos \widehat{ABC} = \frac{BA}{BC} = \frac{\text{côté adjacent}}{\text{hypoténuse}} \; ;$$

$$\tan \widehat{ABC} = \frac{AC}{AB} = \frac{\text{côté opposé}}{\text{côté adjacent}} .$$

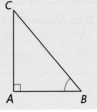

● Volumes

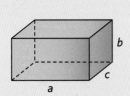

Parallélépipède rectangle :
$$V = a \times c \times b.$$

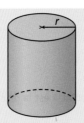

Cylindre :
$$V = \pi \times r^2 \times h.$$

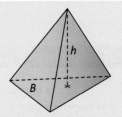

Pyramide :
$$V = \frac{1}{3} B \times h.$$

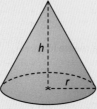

Cône :
$$V = \frac{1}{3} \pi \times r^2 \times h.$$

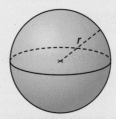

Boule :
$$V = \frac{4}{3} \times \pi \times r^3.$$

Notations et logique

Avec des nombres

$\mathbb{N}$ ensemble des entiers naturels ; $\mathbb{N} = \{0\,;1\,;2\,;\ldots\}$.
$\mathbb{R}$ ensemble des réels ; $\mathbb{R} =]-\infty\,;+\infty[$.
$\mathbb{R}\backslash\{a\}$ ensemble des réels différents de a.
$\mathbb{R}^*$ ensemble des réels non nuls ; $\mathbb{R}^* = \mathbb{R}\backslash\{0\}$.
$[a\,;+\infty[$ ensemble des réels supérieurs ou égaux à a.
$]-\infty\,;a]$ ensemble des réels inférieurs ou égaux à a.

$[-3\,;5]$ ensemble des nombres réels de -3 à 5 inclus.
$]-3\,;-5[$ ensemble des nombres réels de -3 à 5 exclus.
$\{-3\,;5\}$ ensemble contenant seulement les nombres -3 et 5.
$(-3\,;5)$ coordonnées d'un point.
$\begin{pmatrix} -3 \\ 5 \end{pmatrix}$ coordonnées d'un vecteur.

En géométrie

AB : distance, longueur entre les points A et B.
$[AB]$: segment d'extrémités A et B.
(AB) : droite passant par A et B.
$[AB)$: demi-droite d'origine A passant par B.
$\overrightarrow{AB}$ vecteur d'origine A et d'extrémité B.

ABC : triangle de sommets A, B et C.
$\widehat{ABC}$ angle de sommet B et de côtés $[BA)$ et $[BC)$.
(ABC) : plan défini par les points A, B et C non alignés.
$\mathscr{A}_{(ABC)}$ ou $\mathscr{A}_{ABC}$: aire du triangle ABC.

Avec les fonctions

$f : x \longmapsto y$: fonction f qui à x associe y.
$f(x)$: image de x par f.

$\mathscr{C}_f$: courbe représentative de f.
$y = f(x)$: équation de la courbe $\mathscr{C}_f$.

Relations et ensembles

Symbole	Exemples
$\in$: appartient à (se dit d'un élément par rapport à un ensemble).	$3 \in [1\,;5]$; $M \in (BC)$; $M \in \mathscr{C}_f$.
$\subset$: est inclus dans (se dit d'un sous-ensemble par rapport à un ensemble).	$[2\,;3] \subset [1\,;5]$; $(AB) \subset (ABC)$.
$\cap$: intersection (de deux ensembles).	$[0\,;2[\,\cap\, [1\,;5] = [1\,;2[$.
$\cup$: réunion (de deux ensembles).	$[0\,;2[\,\cup\, [1\,;5] = [0\,;5]$.
$\overline{A}$: complémentaire de l'ensemble A.	

Un peu de logique

Symbole, vocabulaire	Exemples
$\Leftrightarrow$ équivaut à, si et seulement si, à placer entre deux propositions. Cela signifie que celles-ci sont simultanément vraies (ou encore simultanément fausses).	• ABC est un triangle rectangle en $A \Leftrightarrow BC^2 = AB^2 + AC^2$. • Les points A, B et C sont alignés $\Leftrightarrow$ les vecteurs $\overrightarrow{AB}$ et $\overrightarrow{AC}$ sont colinéaires.
« **et** » entre deux propositions, deux événements : les deux propositions doivent être simultanément vraies ; les événements réalisés tous deux.	• « $x \geqslant -5$ **et** $x \leqslant 1$ » signifie : « $x \in [-5\,;+\infty[\,\cap\,]-\infty\,;1]$ », soit « $-5 \leqslant x \leqslant 1$ ». • Lors du tirage d'une carte dans un jeu de 32, « obtenir un roi » **et** « obtenir un pique » signifie « obtenir le roi de pique ».
« **ou** » entre deux propositions, deux événements : au moins l'un(e) des propositions, des événements (et peut-être les deux) doit être vraie (réalisé).	• « $x \in [-1\,;2]$ **ou** $x \in]0\,;3]$ » signifie : « $x \in [-1\,;2] \,\cup\,]0\,;3]$ », soit « $x \in [-1\,;3]$ ». • Lors d'un lancer d'un dé, « obtenir un multiple de 3 » **ou** « obtenir un numéro supérieur à 4 » signifie « obtenir l'un des numéros suivants : 3, 4, 5, 6 ».

Corrigés

Partir d'un bon pied

1 1. 60 min.

2. Vol à altitude constante de 20 m.

3. 60 m.

2 $AB = 3x$; $CD = 3x + 4$; $EF = 3x + 12$;

$GH = x + 12$; $IJ = \dfrac{4 + x}{3}$; $KL = 4 - 3x$;

$MN = x + \dfrac{4}{3}$; $OP = \dfrac{x}{3} + 4$.

3 1. a. et D ;   b. et B ;   c. et A.

2. C : à x associe son triple ; E : à x associe son inverse ;

F : à x associe x diminué de 2.

Savoir faire

Décrire un ensemble en utilisant la notation sous forme d'intervalle (p. 17)

3 a. $x \in [-3 ; 7[$;

b. $x \in]-\infty ; -4] \cup]2 ; +\infty[$;

c. $x \in [2 ; 7[$;

d. $x \in]-\infty ; 0[$;

e. $x \in]2 ; 5]$.

Construire et utiliser un tableau de variation (p. 21)

8 Tableau de variation correspondant :

x	-3		1		5
$f(x)$	-1	↗	5	↘	1

Une courbe possible :

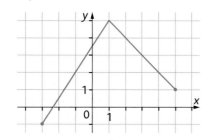

Faire le point

A 1. b. et d.   2. a. et c.   3. c. et d.   4. b. et d.   5. b. et d.

B 1. c.   2. a., c. et d.   3. b. et c.

C 1. Vrai.   2. Faux.   3. Faux.   4. Faux.   5. Faux.

6. Faux.

D 1. Faux.   2. Faux.   3. Vrai.   4. Vrai.   5. Faux.

Exercices

1. Mise au point sur les ensembles de nombres

17 1. c. $[3 ; +\infty[$;   2. c. $[-2 ; 7[$;

3. b. $]0 ; +\infty[$;   4. b. $]1 ; 5]$.

18 1. b. $[3 ; 4]$;   2. c. $[-0,6 ; 0]$.

19 a. Faux, car 3 n'appartient pas à l'ensemble indiqué.

b. Faux. $\{-4 ; 1\}$ ne contient que deux nombres.

c. Faux. Il se note $\{1 ; 2 ; 3 ; 4 ; 5\}$.

d. Vrai, car $\dfrac{7}{7} < \dfrac{12}{7} < \dfrac{14}{7}$.

22 1. Tous les nombres de l'intervalle $[9,5 ; 10,5[$.

2. Tous les nombres y tels que $y \in [4,345 ; 4,355[$.

2. Notion de fonction

27 a. Faux.

b. Faux. $f(-1) = -2$.

c. Vrai.

d. Vrai.

e. Faux, car 2 a deux antécédents : -4 et -2.

f. Vrai, car $f(-2) = 2$.

28 1. b.   2. d.   3. d.

29 a. Faux. L'image de -3 est 1.

b. Vrai.

c. Faux. C'est le point de coordonnées $(-5 ; 10)$.

d. Faux. Un nombre ne peut avoir qu'une image.

30 1. a. et b.   2. b.   3. c.   4. a. et b.   5. a. et c.

31 1. b.   2. c.   3. a.   4. b.

32 1. b.   2. a.   3. a. et c.   4. c.   5. b. et c.

37 1. x prend ses valeurs dans l'intervalle $[0 ; 20]$.

2. Si $x = 5$, le volume vaut $5 \times 10 \times 10 = 500$ cm³.

Si $x = 10$, le volume vaut $10 \times 10 \times 10 = 1000$ cm³.

Si $x = 15$, le volume vaut $1000 + 5 \times 5 \times 5 = 1125$ cm³.
Si $x = 20$, le volume vaut $1000 + 5 \times 5 \times 10 = 1250$ cm³.
3. Si $x \in [0 ; 10]$, alors $V(x) = 100x$.
Si $x \in [10 ; 20]$,
alors $V(x) = 1000 + 25(x - 10) = 25x + 750$.
4. La moitié de la contenance du récipient est 625 cm³. Donc la hauteur du liquide sera inférieure à 10 cm. Si x est cette hauteur, on a $100x = 625$, donc $x = 6,25$ cm.

51 1.

Nombres	Algorithmes	
	A	B
2	14	$-\dfrac{5}{2}$
-1	8	-4
0	6	
$\dfrac{1}{3}$	$\dfrac{56}{9}$	0
$-\dfrac{4}{5}$	$\dfrac{182}{25}$	$-\dfrac{17}{4}$

2. • A définit une fonction f sur $\mathbb{R}$ par :
$$f(x) = 2(x^2 + 3) = 2x^2 + 6.$$
• B définit une fonction sur $\mathbb{R}^*$ par $g(x) = \dfrac{1}{x} - 3$
3. • Les antécédents de 0 par f sont les solutions de l'équation $f(x) = 0$, soit $2x^2 + 6 = 0$ qui n'admet aucune solution. Donc 0 n'a pas d'antécédent par f.
• De même 4 n'a pas d'antécédent par f.
• De même 0 a pour antécédent $\dfrac{1}{3}$ par g et 4 a pour antécédent $\dfrac{1}{7}$ par g.

54 1. • 200 kg de dattes coûtent
$$2\,000 + 200 \times 10 = 4\,000 \text{ €}.$$
• 500 kg de dattes coûtent $2\,000 + 500 \times 8 = 6\,000$ €.
• 600 kg de dattes coûtent $2\,000 + 600 \times 8 = 6\,800$ €.
2. Pour $x \in [0 ; 500[$, $p(x) = 2\,000 + 10x$.
Pour $x \in [500, 1\,000[$, $p(x) = 2\,000 + 8x$.
3.

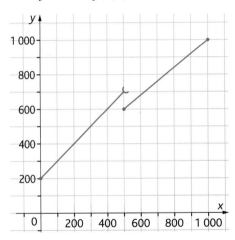

4. Il faut déterminer des antécédents.
a. L'antécédent de 5 000 est 300.
b. 6 000 a deux antécédents : 400 et 500.
c. 6 500 a pour antécédents (graphiquement) 450 et 550.
5. Pour la question 1. : $p(200) = 4\,000$; $p(500) = 6\,000$; $p(600) = 6\,800$.
Pour la question 4. : $p(x) = 5\,000$ admet pour solution 300. L'équation $p(x) = 6\,000$ a deux solutions : 400 et 500. L'équation $p(x) = 6\,500$ a deux solutions : 450 et 562,5.

3. Étude qualitative

58 Tableau d.

59 ⓑ

60 a., c., e.

2. Expressions algébriques et équations

Partir d'un bon pied

1 B, C, F, G et J.

2 a. et d.

3 1. b. $b^2 - 5^2$ d. $(b - 5)^2$ e. $(5b - 1)^2$
2. b. et e.

4 1. b.   2. a., b., c.   3. c.   4. c.

Savoir faire

Transformer une expression algébrique (p. 47)

3 1. $B(x) = C(x)$ et $A(x) = D(x)$ en réduisant au même dénominateur.
2. $D\left(\dfrac{3}{2}\right) = 0$.

Résoudre algébriquement ou graphiquement une équation (p. 49)

6 a. L'équation est équivalente à $2x + 6 = x + \dfrac{1}{2}$ qui admet pour solution : $-\dfrac{11}{2}$.
b. Pour $x \neq -1$, en réduisant au même dénominateur, l'équation est équivalente à $\dfrac{2 - 3(x + 1)}{x + 1} = 0$, soit à $-3x - 1 = 0$ qui admet pour solution : $-\dfrac{1}{3}$.
c. Pour $x \neq -2$ et $x \neq 1$, en réduisant au même dénominateur, l'équation est équivalente à $\dfrac{3(x - 1) - (x + 2)}{(x + 2)(x - 1)} = 0$, soit à $2x - 5 = 0$ qui admet pour solution : $\dfrac{5}{2}$.

d. Pour $x \neq 2$, en réduisant au même dénominateur, l'équation est équivalente à $\dfrac{2 - x}{2 - x} = 0$ qui n'admet pas de solution.

Faire le point

1. c.   **2. a.**   **3. c.**   **4. c.**   **5. c.**   **6. b.**   **7. a.**   **8. b.**

Vrai ou faux ?

1. Vrai. Il suffit de développer.
2. Faux. En utilisant la forme factorisée on obtient $\{-2\,;0\}$.
3. Vrai.
4. Vrai.
5. a. Vrai.
b. Faux. Si $k = -1$, on a deux solutions négatives.

Exercices

1. Écrire et transformer une expression

12 **1. b.**   **2. a. et c.**   **3. b. et c.**   **4. c.**

13 **1.** Faux, c'est la forme factorisée.
2. Faux :
$(x + 1)(2x + 4) + 2(x + 1)(x - 1) = (x + 1)(4x + 2)$.
3. Faux.
4. Vrai : $\dfrac{2}{x - 1} + 4 = \dfrac{2}{x - 1} + \dfrac{4(x - 1)}{x - 1} = \dfrac{4x - 2}{x - 1}$.

14 **1. b.**   **2. b.**   **3. c.**   **4. c.**

2. Résoudre l'équation $f(x) = k$

35 **1. c.**   **2. b.**   **3. a.**   **4. a. et b.**

36 **1.** Faux, l'ensemble des solutions est $\{-2\,;1\}$.
2. Vrai.
3. Faux, l'équation n'admet aucune solution.
4. Vrai.

37 **1.** 2 et $\dfrac{1}{2}$;   **2.** 4, $\sqrt{3}$ et $-\sqrt{3}$.

38 **1.** Vrai.   **2.** Vrai.   **3.** Faux.   **4.** Faux.   **5.** Faux.

39 **1. c.**   **2. b.**   **3. c.**   **4. c.**

45 **1.**

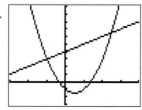

2. a. $S = \{-1\,;2\}$;   **b.** $S = \{-2\}$;
c. $S = \varnothing$;   **d.** $S = \{-1\,;2\,;5\}$.
3. On calcule les images :
a. $f(-1) = 3$ et $f(2) = 3$; **b.** $g(-2) = 2$;
d. $f(-1) = 3$ et $g(-1) = 3$; $f(2,5) = 6,5$ et $g(2,5) = 6,5$.

47 **1.** L'ensemble de définition de f est $[-3\,;5]$.
2. a. L'équation $f(x) = 0$ admet une solution.
b. L'équation $f(x) = -1$ admet deux solutions.
c. L'équation $f(x) = -2$ admet trois solutions.
3. a. Tout réel k dans $[-3\,;-2[\,\cup\,]-1\,;2]$ convient.
b. Tout réel k dans $]-\infty\,;-3[\,\cup\,]2\,;+\infty[$ convient.

63 **1. a.** $(1 - x)(x + 2)(5 - x)$
$= (1 - x)(5x - x^2 + 10 - 2x)$
$= (1 - x)(-x^2 + 3x + 10)$
$= -x^2 + 3x + 10 + x^3 - 3x^2 - 10x$
Donc $(1 - x)(x + 2)(5 - x) = x^3 - 4x^2 - 7x + 10$.
b.
$x^3 - 4x^2 - 7x + 10 = 0 \Leftrightarrow (1 - x)(x + 2)(5 - x) = 0$
$\Leftrightarrow 1 - x = 0$ ou $x + 2 = 0$ ou $5 - x = 0$
$\Leftrightarrow x = 1$ ou $x = -2$ ou $x = 5$. Donc $S = \{-2\,;1\,;5\}$
2. a. On résout $g(x) = 0 \Leftrightarrow x = 1$ ou $x = -2$ ou $x = 5$.
$\mathscr{C}_g$ coupe (OI) aux points d'abscisse -2, 1 et 5.
b. On calcule $g(0) = 10$. $\mathscr{C}_g$ coupe (OJ) au point de coordonnées $(0\,;10)$.

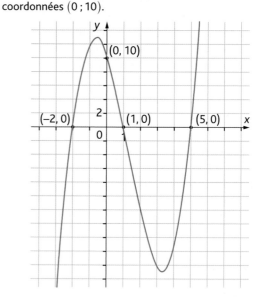

3. Fonctions de référence

Partir d'un bon pied

1 **1.** Les fonctions f et g sont des fonctions affines ; g est aussi linéaire.
2. pour f : réponse **c.** avec $b = 2,6$.
Pour g : réponse **b.** avec $a = \dfrac{2}{3}$.

2 1. c. 2. b. 3. b. 4. a. 5. c.

3 a. Vrai. b. Faux. c. Vrai. d. Faux.
e. Faux. f. Vrai. g. Vrai.

Savoir faire

Trouver l'expression d'une fonction affine et déterminer son sens de variation (p. 75)

4 $\dfrac{2}{\sqrt{2}} = \sqrt{2}$ et $\dfrac{\sqrt{6}}{\sqrt{3}} = \sqrt{2}$, donc il y a proportionnalité et la fonction f est linéaire $\left(f(x) = \sqrt{2}\,x\right)$.

Utiliser les variations de la fonction carré (p. 77)

10 Sur l'intervalle $[-2\,;0]$ la fonction carré est décroissante ; donc : si $-2 \leqslant x \leqslant 0$, alors $4 \geqslant x^2 \geqslant 0$. Sur l'intervalle $[0\,;5]$ la fonction carré est croissante ; donc : si $0 \leqslant x \leqslant 5$, alors $0 \leqslant x^2 \leqslant 25$.
Bilan : si $-2 \leqslant x \leqslant 5$, alors $0 \leqslant x^2 \leqslant 25$.

Utiliser les variations de la fonction inverse (p. 79)

15 x est l'inverse de $\dfrac{1}{x}$ et la fonction inverse est décroissante sur l'intervalle $[1\,;7]$, donc $\dfrac{1}{7} \leqslant x \leqslant 1$.

Faire le point

QCM

A 1. b. 2. a. et c. 3. a.

B 1. c. 2. b. 3. c. 4. a.

Vrai ou faux ?

C 1. Faux. 2. Vrai. 3. Vrai. 4. Faux. 5. Faux. 6. Vrai.

D 1. Faux. 2. Vrai. 3. Vrai. 4. Faux. 5. Faux. 6. Vrai.

E 1. Vrai. 2. Vrai. 3. Faux. 4. Vrai. 5. Faux. 6. Vrai.

Exercices

1. Fonctions affines

23 1. Vrai. 2. Faux. 3. Faux. 4. Vrai. 5. Vrai. 6. Faux.

24 1. Vrai. 2. Faux. 3. Vrai. 4. Vrai. 5. Vrai. 6. Vrai.

25 1. Vrai. 2. Faux. 3. Faux. 4. Faux. 5. Vrai. 6. Faux.

26 a.

x	$-\infty$		$\dfrac{5}{3}$		$+\infty$
$3x - 5$		$-$	0	$+$	

b.

x	$-\infty$		4		$+\infty$
$-x + 4$		$+$	0	$-$	

c.

x	$-\infty$		0		$+\infty$
$-4x$		$+$	0	$-$	

27 a. $f(x) = \dfrac{4}{3}x$.

b. $f(x) = -x + 6$.

c. $f(x) = -\dfrac{5}{3}x$.

d. $f(x) = 5x + 3$.

e. $f(x) = \dfrac{7}{3}x + 7$.

29 1. $f(x) = -\dfrac{2}{5}x + \dfrac{9}{5}$; $g(x) = x - 1$; $h(x) = -6x - 15$.

2. $H\left(0\,;\dfrac{9}{5}\right)$.

3. $K\left(-\dfrac{5}{2}\,;0\right)$.

32 $d_1 : \mathbf{g}$; $d_2 : \mathbf{d}$; $d_3 : \mathbf{c}$; $d_4 : \mathbf{h}$.

37 a. $f(x) = x - 3$; $f(x) = 2x - 6$; $f(x) = 3x - 9$.

b. $f(x) = -x - 1$; $f(x) = -2x - 2$; $f(x) = -3x - 3$.

c. $f(x) = 2x + 1$; $f(x) = 4x + 2$; $f(x) = 8x + 4$.

d. $f(x) = -x + \dfrac{2}{3}$; $f(x) = -3x + 2$; $f(x) = -6x + 4$.

2. Fonction carré

39 a. $-3 < 2$ et $(-3)^2 = 9 > 4$.

b. L'égalité n'est vraie que pour $x = 0$.

c. $x = -6$.

d. $x = 0,5$.

40 a. Faux. b. Vrai. c. Faux. d. Vrai.

41

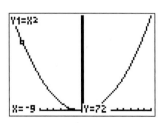

42 a. Faux. b. Vrai. c. Vrai. d. Faux. e. Vrai.

47

	a.	b.	c.	d.
Minimum	25	100	0	0
Maximum	400	900	9	29

51 1. Sur $]-\infty\,;0]$, $x^2 \geqslant 0$ et $x \leqslant 0$, donc $x^2 \geqslant x$.

2. Non, on ne voit pas ce qui se passe pour les valeurs proches de zéro.

3.

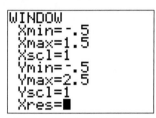

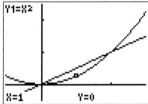

Conjectures : il semble que, sur l'intervalle $[0\,;1]$, $x^2 \leqslant x$, et que, sur l'intervalle $[1\,;\infty[$, $x^2 \geqslant x$.

4. a. $x^2 - x = x(x - 1)$.

b. Sur l'intervalle $[1\,;+\infty[$; $x \geqslant 0$ et $x - 1 \geqslant 0$, donc $x^2 - x \geqslant 0$.

Donc sur cet intervalle, $x^2 \geqslant x$.

c. Sur l'intervalle $[0\,;1]$; $x \geqslant 0$ et $x - 1 \leqslant 0$, donc $x^2 - x \leqslant 0$.

Donc sur cet intervalle, $x^2 \leqslant x$.

3. Fonction inverse

56 1. Faux.　　2. Vrai.　　3. Faux.　　4. Vrai.　　5. Vrai.

57 1. Faux.　　2. Vrai.　　3. Faux.

58 a. $\dfrac{1}{a} < \dfrac{1}{b}$;　　c. $\dfrac{1}{a} > \dfrac{1}{b}$.

Pour b. et d. on ne peut pas comparer $\dfrac{1}{a}$ et $\dfrac{1}{b}$.

59 a. $\dfrac{1}{a} < \dfrac{1}{b}$;　　b. $\dfrac{1}{a} < \dfrac{1}{b}$.

c. On ne peut pas comparer $\dfrac{1}{a}$ et $\dfrac{1}{b}$.

63

	a.	b.	c.	d.
Minimum	0,5	-1	10	-5
Maximum	1	$-\dfrac{1}{3}$	100	-4

69

Courbes	$\mathscr{C}_1$	$\mathscr{C}_2$	$\mathscr{C}_3$	$\mathscr{C}_4$
Valeurs de k	3	1	-1	-4

4. **Études de fonctions**

Partir d'un bon pied

1 1. b. $(x + 3)^2 = x^2 + 6x + 9$.

2. a. $(2 - x)^2 = x^2 - 4x + 4$.

3. d. $(3x - 5)^2 = 9x^2 - 30x + 25$.

2 1. Vrai.　　2. Vrai.　　3. Faux.　　4. Vrai.　　5. Faux.

3 1. Vrai.　　2. Faux.　　3. Faux.　　4. Vrai.　　5. Vrai.

4 a. et 3 ;　b. et 5 ;　c. et 4 ;　d. et 2 ;　e. et 1.

Savoir faire

Établir ou justifier le tableau de variation d'une fonction polynôme de degré 2 (p. 99)

3 Sur le tableau, on lit $\alpha = -10$ et $\beta = -100$.

On vérifie que $f(-10) = -100$.

De plus $(x + 10)^2 - 100 = x^2 + 20x + 100 - 100$
$$= x^2 + 20x.$$

Cette forme canonique permet d'affirmer que f est décroissante sur l'intervalle $]-\infty\,;-10]$, puis croissante sur l'intervalle $[-10\,;+\infty[$.

Utiliser l'axe de symétrie d'une parabole (p. 101)

7 a. Comme $f(0) = f(2)$ le sommet de la parabole a pour abscisse $\dfrac{0 + 2}{2} = 1$, donc $m = 1$.

b. Comme f est croissante, puis décroissante, le réel a est négatif.

c. On a $f(x) = -2(x - 1)^2 + 3$
$$= -2(x^2 - 2x + 1) + 3$$
$$= -2x^2 + 4x + 1 ;$$
$b = 4$, $c = 1$.

Faire le point

QCM

A 1. a.　　2. c.　　3. a.

B 1. c.　　2. b.　　3. b.

Vrai ou faux ?

C 1. Vrai.　2. Faux.　3. Faux.　4. Vrai.　5. Faux.　6. Vrai.

D 1. Vrai.　2. Faux.　3. Vrai.　4. Vrai.　5. Vrai.

Exercices

1. Fonctions polynômes de degré 2

15 1. Vrai.   2. Faux.   3. Vrai.

16 1. Faux.   2. Faux.   3. Vrai.

17 1. Vrai.   2. Vrai.   3. Faux.   4. Vrai.

22 a. Lorsque $k < \dfrac{1}{2}$, l'équation $f(x) = k$ n'a aucune solution.
b. Lorsque $k = \dfrac{1}{2}$, l'équation $f(x) = k$ admet une unique solution.
c. Lorsque $k > \dfrac{1}{2}$, l'équation $f(x) = k$ admet deux solutions.

33 Comme la parabole admet comme sommet le point $A(1\,;2)$, on a $f(x) = a(x - 1)^2 + 2$.
De plus, elle passe par $B(2\,;5)$; donc $f(2) = 5$, on remplace x par 2 dans l'expression de f.
$a(2 - 1)^2 + 2 = 5 \Leftrightarrow a + 2 = 5 \Leftrightarrow a = 3$.
On obtient :
$f(x) = 3(x - 1)^2 + 2 = 3(x^2 - 2x + 1) + 2$
$\quad\quad = 3x^2 - 6x + 5$.

x	$-\infty$		1		$+\infty$
$f(x)$		↘	2	↗	

37 1. Faux.   2. Vrai.   3. Vrai.   4. Vrai.

2. Fonctions homographiques

43 1. $f(x) = \dfrac{3x + 1}{x} = \dfrac{3x}{x} + \dfrac{1}{x} = 3 + \dfrac{1}{x}$.
2. On considère deux réels quelconques a et b, tels que $a < b < 0$.
Alors, par décroissance de la fonction inverse, on obtient $\dfrac{1}{a} > \dfrac{1}{b}$, puis $3 + \dfrac{1}{a} > 3 + \dfrac{1}{b}$;
donc $f(a) > f(b)$.
La fonction f est décroissante sur $]-\infty\,;0[$.
On raisonne de même avec $0 < a < b$, on obtient aussi $f(a) > f(b)$. La fonction f est aussi décroissante sur $]0\,;+\infty[$
3.

x	$-\infty$		0		$+\infty$
$f(x)$		↘		↘	

47 1. La valeur interdite est 1, donc $d = -1$.
2. $f(x) = \dfrac{ax + b}{x - 1}$ et $f(0) = -1$ donne $b = 1$, puis $f(2) = 5$ donne $a = 2$.

On obtient : $f(x) = \dfrac{2x + 1}{x - 1}$.

---

5. Résolution d'inéquations

Partir d'un bon pied

1

Le nombre a	Le signe de a est :		
	positif	négatif	On ne peut pas savoir
est égal à $1 - \sqrt{2}$		x	
est supérieur à 0	x		
est solution de l'inéquation $x < 0$		x	
est égal à $-b$			x
est égal à b^2	x		
est inférieur à 1			x

2 Parmi les réels proposés, les solutions sont $1{,}5\,;0\,;\sqrt{2}$.

3 1. Vrai.   2. Vrai.   3. Vrai.   4. Vrai.   5. Faux.   6. Vrai.

4 Le tableau **a** est associé à la courbe $\mathscr{C}_3$; la valeur manquante est 6.
Le tableau **b** est associé à la courbe $\mathscr{C}_1$; la valeur manquante est 1.
Le tableau **c** est associé à la courbe $\mathscr{C}_2$; la valeur manquante est 2.

Savoir faire

**Résoudre une inéquation
à l'aide d'un tableau de signes (p. 121)**

1 a. $3x - 5 < 2x + 3$ est équivalent à $x < 8$.
L'ensemble-solution est $]-\infty\,;8[$.
b. $2 - 5x > \dfrac{x}{3} + 2$ est équivalent à $-\dfrac{16}{3}x > 0$, c'est-à-dire $x < 0$.
L'ensemble-solution est $]-\infty\,;0[$.

Résoudre graphiquement une inéquation (p. 123)

5 1.

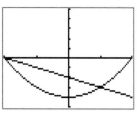

2. La courbe $\mathscr{C}_1$ est au-dessous de $\mathscr{C}_2$ sur $[-2\,;1]$. $\mathscr{C}_1$ et $\mathscr{C}_2$ se coupent aux points d'abscisses -2 et 1.
3. L'ensemble-solution est $]1\,;2[$.

Faire le point

QCM

A 1. b. 2. b. 3. c.

4. b. 5. c. 6. c. 7. b.

Vrai ou faux ?

B 1. Vrai. 2. Faux.

3. Vrai. 4. Vrai.

C 1. Faux, c'est $[-2\,;-1]\cup\{3\}$.

2. Vrai.

3. Vrai.

4. Vrai.

5. Vrai.

Exercices

1. Résoudre une inéquation

13 a. Si $x \leqslant 0$, $-x \geqslant 0$.

b. Si $x > 0$, $-\dfrac{2}{x} < 0$.

c. $x^2 + 1$ est toujours strictement positif.

14 d. Le segment $[AC]$ privé du point A.

15 a., c. et d.

2. Résolution algébrique d'inéquations

19 a. Faux. b. Vrai.

c. Vrai. d. Vrai.

20 1. b. 2. c.

21

Valeurs de x	$-\infty$		2		$+\infty$
Signe de $x - 2$		$-$	0	$+$	

Valeurs de x	$-\infty$		$\dfrac{7}{3}$		$+\infty$
Signe de $-3x + 7$		$+$	0	$-$	

Valeurs de x	$-\infty$		$\dfrac{3}{2}$		$+\infty$
Signe de $-3 + 2x$		$-$	0	$+$	

Valeurs de x	$-\infty$		0		$+\infty$
Signe de $3x$		$-$	0	$+$	

33 a.

x	$-\infty$		-3		3		$+\infty$
$x - 3$		$-$		$-$	0	$+$	
$x + 3$		$-$	0	$+$		$+$	
$(x+3)(x-3)$		$+$	0	$-$	0	$+$	

$x^2 - 9 \geqslant 0 \Leftrightarrow (x-3)(x+3) \geqslant 0$.

$x \in \,]-\infty\,;-3]\cup[3\,;+\infty[$.

b.

x	$-\infty$		$-\dfrac{3}{2}$		0		$+\infty$
x		$-$		$-$	0	$+$	
$2x + 3$		$-$	0	$+$		$+$	
$x(2x + 3)$		$+$	0	$-$	0	$+$	

$2x^2 + 3x < 0 \Leftrightarrow x(2x+3) < 0$.

$x \in \,\left]-\dfrac{3}{2}\,;0\right[$.

40 1. c.

2. b. et c.

43 a. $x \in \,]-3\,;2[$.

x	$-\infty$		-3		2		$+\infty$
$x + 3$		$-$	0	$+$		$+$	
$x - 2$		$-$		$-$	0	$+$	
$\dfrac{x+3}{x-2}$		$+$	0	$-$		$+$	

b. $x \in \,\left]-\infty\,;\dfrac{5}{2}\right[$.

48 1. Pour tout réel x,

$$f(x) = x^2 + 2x - 3 = (x-1)(x+3).$$

2. a. $f(x) > 0 \Leftrightarrow (x-1)(x+3) > 0$.

Solutions : $x \in \,]-\infty\,;-3[\cup]1\,;+\infty[$.

b. $f(x) < -3 \Leftrightarrow x^2 + 2x - 3 + 3 < 0$.

Donc $f(x) < -3 \Leftrightarrow x^2 + 2x < 0 \Leftrightarrow x(x+2) < 0$.

Solutions : $x \in \,]-2\,;0[$.

c. $f(x) > x - 3 \Leftrightarrow x^2 + 2x - 3 - (x-3) > 0$.

Donc $f(x) > x - 3 \Leftrightarrow x^2 + x > 0 \Leftrightarrow x(x+1) > 0$.

Solutions : $x \in \,]-\infty\,;-1[\cup]0\,;+\infty[$.

3. Résolution graphique de l'inéquation $f(x) > k$ (ou $f(x) < k$)

57 Courbe c.

58 La droite verte a pour équation $y = x + 6$ et la droite bleue a pour équation : $y = -x + 2$.

1. Vrai. 2. Vrai. 3. Vrai.

59 1. Vrai. 2. Faux.

67 1.

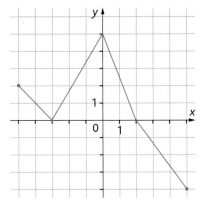

2. a. $f(x) \geqslant 0 \Leftrightarrow x \in [-5\,;2]$.
b. $f(x) < 0 \Leftrightarrow x \in \,]2\,;5]$.
c. $f(x) \geqslant 5 \Leftrightarrow x = 0$.

6 Trigonométrie

Partir d'un bon pied

1 1. b. c.   2. b.   3. a. et b.   4. b. et c.   5. a.

2 1. Dans le triangle rectangle OHM :
$$\cos \widehat{HOM} = \frac{OH}{OM} \Leftrightarrow \cos 52° = \frac{OH}{18}.$$
Donc $OH = 18 \times \cos 52° \approx 11\,\text{m}$.
2. $h \approx 11 + 18$, donc $h \approx 29\,\text{m}$.

3 $\cos\alpha = \dfrac{AB}{AC} = \dfrac{5}{6}$.
$\cos^{-1}\left(\dfrac{5}{6}\right) \approx 33{,}6°$, donc $a \approx 33{,}6°$.

Savoir faire

**Déterminer un réel associé à un point
du cercle trigonométrique (p. 145)**

4 1. $\dfrac{43\pi}{3} = \dfrac{42\pi + \pi}{3} = 14\pi + \dfrac{\pi}{3} = \dfrac{\pi}{3} + 7 \times 2\pi$.
Ces deux réels sont associés au même point sur le cercle trigonométrique.
2. $-\dfrac{39\pi}{2} = \dfrac{-40\pi + \pi}{4} = -10\pi + \dfrac{\pi}{4} = \dfrac{\pi}{4} - 5 \times 2\pi$.
Ces deux réels sont associés au même point sur le cercle trigonométrique.

5 Le réel est $x = \dfrac{54 \times \pi}{180} = \dfrac{3\pi}{10}$.

**Trouver les coordonnées d'un point
sur le cercle trigonométrique (p.147)**

11 **a.** On a $x \in [0\,;\pi]$ et $\cos x > 0$, donc on est dans le premier quadrant. $\cos^{-1}(0{,}1) \approx 1{,}47$.

b. On a $\sin x < 0$ et $x \in \left[-\dfrac{\pi}{2}\,;\dfrac{\pi}{2}\right]$, donc on est dans le quatrième quadrant.
$\sin^{-1}\left(-\dfrac{\sqrt{3}}{2}\right) \approx -0{,}62$.

Faire le point

QCM

A 1. b. et c.   2. b.   3. c.   4. a. et b.   5. a. et c.

B 1. c.   2. b.   3. b.   4. a.   5. b.

Vrai ou faux ?

1. Faux.   2. Vrai.   3. Faux.
4. Vrai.   5. Vrai.   6. Vrai.   7. Faux.

Exercices

1. Enroulement de la droite des réels

17 1. Vrai.   2. Faux.   3. Vrai.
     4. Faux.   5. Faux.

19 Les angles $\widehat{IOC}$, $\widehat{COD}$, $\widehat{DOI}$ mesurent chacun 120°.
$\left(\dfrac{360}{3}\right)$.
Chacun des arcs de cercle interceptés par ces angles a une longueur égale au tiers de la longueur du cercle.
Donc le point C est associé au réel $\dfrac{2\pi}{3}$.
Le point D est associé au réel $2 \times \dfrac{2\pi}{3} = \dfrac{4\pi}{3}$.

23 On cherche à écrire chaque réel sous la forme $k \times 2\pi + a$, où k est un entier relatif.

● $a = \dfrac{100\pi}{3} = \dfrac{102\pi - 2\pi}{3} = 34\pi - \dfrac{2\pi}{3}$
$\quad = 17 \times 2\pi - \dfrac{2\pi}{3}$.
Le réel cherché est $-\dfrac{2\pi}{3}$.

● $b = 2\,010\pi = 1\,005 \times 2\pi$. Le réel cherché est 0.

● $c = \dfrac{41\pi}{4} = \dfrac{40\pi + \pi}{4} = 10\pi + \dfrac{\pi}{4} = 5 \times 2\pi + \dfrac{\pi}{4}$.
Le réel cherché est $\dfrac{\pi}{4}$.

● $d = -\dfrac{41\pi}{4} = \dfrac{-40\pi - \pi}{4} = -10\pi - \dfrac{\pi}{4}$
$\quad = -5 \times 2\pi - \dfrac{\pi}{4}$.
Le réel cherché est $-\dfrac{\pi}{4}$.

● $e = 20{,}4\pi = 20\pi + 0{,}4\pi = 10 \times 2\pi + 0{,}4\pi$.
Le réel cherché est $0{,}4\pi$.

● $f = 29{,}2\pi = 30\pi - 0{,}8\pi = 15 \times 2\pi - 0{,}8\pi$.
Le réel cherché est $-0{,}8\pi$.

26 1. Vrai.   2. Vrai.   3. Vrai.   4. Faux.

28 Chacun des arcs de cercle de centres L, M, N, O, P, Q a une longueur égale à $\dfrac{2\pi}{6} = \dfrac{\pi}{3}$.

Le périmètre de la figure est donc $6 \times \dfrac{\pi}{3} = 2\pi$.

(C'est le périmètre du cercle de centre A)

2. Cosinus et sinus d'un réel

31 1. Vrai.   2. Vrai.   3. Vrai.   4. Vrai.   5. Faux.

32 1. Faux.   2. Faux.   3. Vrai.   4. Vrai.   5. Vrai.

40 1. $\cos\left(\dfrac{\pi}{3}\right) + \sin\left(\dfrac{\pi}{6}\right) = \dfrac{1}{2} + \dfrac{1}{2} = 1$.

2. $\sin\left(\dfrac{\pi}{4}\right) - \cos\left(-\dfrac{\pi}{4}\right) = \dfrac{\sqrt{2}}{2} - \dfrac{\sqrt{2}}{2} = 0$.

3. $\sin\left(\dfrac{\pi}{6}\right) + \sin\left(\dfrac{7\pi}{6}\right) + \cos\left(\dfrac{\pi}{6}\right) + \cos\left(\dfrac{7\pi}{6}\right)$
$= \dfrac{1}{2} + \left(-\dfrac{1}{2}\right) + \dfrac{\sqrt{3}}{2} + \left(-\dfrac{\sqrt{3}}{2}\right) = 0$.

4. $\sin\left(\dfrac{\pi}{4}\right) + \sin\left(\dfrac{3\pi}{4}\right) + \sin\left(\dfrac{5\pi}{4}\right) + \sin\left(\dfrac{7\pi}{4}\right)$
$= \dfrac{\sqrt{2}}{2} + \dfrac{\sqrt{2}}{2} - \dfrac{\sqrt{2}}{2} - \dfrac{\sqrt{2}}{2} = 0$.

41

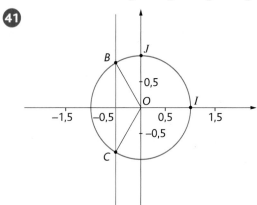

Il existe deux points B et C sur le cercle trigonométrique d'abscisse $-\dfrac{1}{2}$.

Ils correspondent respectivement aux réels $\dfrac{2\pi}{3}$ et $\dfrac{4\pi}{3}$.

46 1. $\dfrac{\pi}{2} < \pi$ or $\sin\dfrac{\pi}{2} = 1$ et $\sin\pi = 0$.

2. $\cos\pi = -1$ or $\sqrt{1 - \sin^2\pi} = 1$.

3. $\cos\dfrac{\pi}{2} = \cos\left(-\dfrac{\pi}{2}\right)$ or $\dfrac{\pi}{2} \neq -\dfrac{\pi}{2}$.

4. $x = -\dfrac{3\pi}{2}$, alors $\sin x = 1 > 0$.

47 $(\sin x + \cos x)^2 + (\sin x - \cos x)^2 =$
$(\sin x)^2 + (\cos x)^2 + 2\sin x\cos x + (\sin x)^2 +$
$(\cos x)^2 - 2\sin x\cos x = 1 + 1 = 2$.

Partir d'un bon pied

1 1. On a calculé le nombre moyen de mariages célébrés par mois à Paris entre Mai et Septembre 2006, arrondi à l'unité.

Pour la Haute-Garonne :
$$\dfrac{369 + 746 + 1027 + 677 + 601}{5} = 684.$$

2.

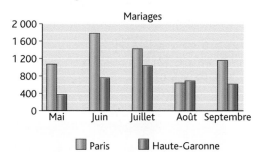

2 1. On peut remarquer que le nombre de mariages varie suivant les mois, que ce soit à Paris ou en Haute-Garonne. La comparaison n'est pas aisée, car le nombre total de mariages sur la période n'est pas le même à Paris et en Haute-Garonne.

2. a. On a calculé la fréquence de mariages à Paris en Mai, exprimée en pourcentage, arrondie au pour cent. Cette ligne est la ligne des fréquences.

b.

	Mai	Juin	Juillet	Août	Septembre
Nombre de mariages	1 069	1 777	1 424	640	1 156
Fréquence	18 %	29 %	23 %	11 %	19 %

3. b. Il apparaît clairement que le mois le plus choisi à Paris est le mois de juin, tandis que c'est le mois de juillet en Haute-Garonne. On peut avancer comme première explication possible la structure particulière de la population parisienne, dont une partie importante a des attaches en Province. Les mariages de juillet ont donc lieu dans la région d'origine de la mariée ou du marié.

Savoir faire

**Exploiter l'histogramme
d'un caractère quantitatif continu (p. 167)**

1

Valeur	A	B	C
Effectif	6	15	9
Fréquence	0,2	0,5	0,3
Fréquence en %	20	50	30

3 1. La fréquence totale est de 1. Donc la fréquence des garçons est 0,4.

2. Il y a 21 filles qui représentent une fréquence de 0,6. Le nombre de garçons est donc de $21 \times \dfrac{0,4}{0,6} = 14$.

3. On réalise le tableau de proportionnalité suivant :

	Filles	Garçons	Total
Fréquence	0,6	0,4	1
Angle	216	144	360

On obtient donc le graphique circulaire :

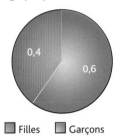

■ Filles   ■ Garçons

Déterminer médiane et quartiles dans une série statistique (p. 169)

7 1. $\dfrac{1 \times 3 + 2 \times 5 + \dots + 3 \times 14 + 2 \times 17}{26} \simeq 11$.

2.

Notes	3	5	7	8	10	11	13	14	17
Effectifs	1	2	1	5	4	1	7	3	2
E.C.C.	1	3	4	9	13	14	21	24	26

3. a. La treizième note est un 10, et la quatorzième un 11. Donc la note médiane est 10,5.

b. Pour le premier quartile, on doit regarder la note qui correspond à $\dfrac{26}{4} = 6,5$. On s'intéresse donc à la 7e note de la série ordonnée : c'est un 8 : le premier quartile est 8.

Pour le troisième quartile, on doit regarder la note qui correspond à $\dfrac{26}{4} \times 3 = 19,5$. On s'intéresse donc à la 20e note de la série ordonnée : c'est un 13 : le troisième quartile est 13.

Utiliser l'intervalle de fluctuation (p. 171)

8 On va tester l'hypothèse : « le dé est non truqué, la face 1 a une probabilité de sortie $p = \dfrac{1}{4}$ ».

On calcule l'intervalle de confiance I avec $n = 200$.

$I = \left[\dfrac{1}{4} - \dfrac{1}{\sqrt{200}} ; \dfrac{1}{4} + \dfrac{1}{\sqrt{200}}\right]$;

$I = [0,179 ; 0,321]$.

Or la fréquence observée est : $f = \dfrac{58}{200} = 0,29$.

Il n'y a donc a priori pas de raison de supposer que la fréquence de sortie du dé est normalement élevée.

Faire le point

QCM

A 1. c.   2. c.   3. b.

B 1. b.   2. c.   3. b.   4. c.

Vrai ou faux ?

C 1. a. Faux.   b. Faux.   c. Faux.
2. a. Pas nécessairement.   b. Vrai.   c. Vrai.
3. a. Vrai.   b. Faux.   c. Vrai.

D 1. Faux.   2. Vrai (un nombre réel).   3. Vrai.
4. Faux (le résultat est toujours pair).

Exercices

1. Effectifs et fréquence

15 1. d.   2. b.   3. d.

16 1. Faux : $1 + 1 + 4 + 3 + 4 + 2 = 15$.
2. Vrai : $\dfrac{3}{15} = 0,2$.
3. Faux : ECC $= 1 + 1 + 4 + 3 = 9$.
4. Faux : 6 est l'ECC.

19

Classe	Effectif	Fréquence	Fréquence cumulée
[0 ; 100[	9	0,112 5	0,112 5
[100 ; 200[	6	0,075	0,187 5
[200 ; 300[	12	0,15	0,337 5
[300 ; 400[	13	0,162 5	0,5
[400 ; 500[	16	0,2	0,7
[500 ; 600[	17	0,212 5	0,912 5
[600 ; 700[	7	0,087 5	1

2. Représentation d'une série statistique

21 Réponse c.

22 1. Vrai, si l'amplitude des pointures ne varie pas trop (du 37 au 44, c'est correct, mais du 33 au 46, le diagramme commence à être surchargé et un diagramme bâton sera plus pertinent).

2. Faux, un histogramme est sans doute mieux adapté, car on a regroupé les tailles en classes.

3. Vrai, car il s'agit d'une variable discrète.

4. Faux, car l'étendue est souvent trop grande pour pouvoir choisir des classes pertinentes. Un diagramme bâton sera plus pertinent en prenant des classes comme étiquettes.

26

Longueur	[0 ; 2[	[2 ; 4[	[4 ; 6[	[6 ; 8[	[8 ; 10]
Effectif	8	15	18	13	3

3. Moyenne, médiane, quartiles

28 1. a.　　2. c.　　3. c.

29 1. Faux, confusion avec la médiane.
2. Faux.　　　　　3. Vrai.
4. Vrai.　　　　　5. Vrai : $\dfrac{4,5}{36} = 0,125$.

30 a. Moyenne $= 2,4$.
b. Moyenne $= 104$.

32

$$\dfrac{136 \times 0 + 77 \times 1 + 64 \times 2 + 28 \times 3 + 12 \times 4 + 3 \times 5}{136 + 77 + 64 + 28 + 12 + 3}$$
$$= 1,1.$$

33

$$\dfrac{3 \times 110 + 7 \times 1300 + 2 \times 1500}{3 + 7 + 2} \cong 1283.$$

Probabilités

Partir d'un bon pied

1 1. a.　　2. d.　　3. c.　　4. d.

2 1. b.　　2. b.　　3. b.

3 1. C'est Aline dont la probabilité vaut 1.
2. Pour qu'Aline ait la même probabilité que Bernard de tirer une boule rouge, il faut que la fréquence des boules rouges dans le sac d'Aline soit 0,25. Le nombre total de boules doit être $5 \div 0,25$, soit 20. **Il faut ajouter 15 boules noires dans le sac d'Aline.**

Savoir faire

Décrire des événements en termes d'ensembles (p. 191)

2 1. A $= \{$7C ; 8C ; 9C ; 10C ; VC ; DC ; RC ; AC$\}$.
B $= \{$RK ; RC ; RP ; RT$\}$.
2. a. A $\cap$ B : « la carte est le roi de cœur » ; A $\cap$ B $= \{$RC$\}$.
b. A $\cup$ B : « la carte est un cœur ou un roi » ;
A $\cup$ B $= \{$7C ; 8C ; 9C ; 10C ; VC ; DC ; RC ; AC ; RK ; RP ; RT$\}$.
3. a. $\overline{\text{A}}$: « la carte n'est pas un cœur ».
b. Il y a 32 issues dans l'univers et 8 réalisent A. 24 issues réalisent $\overline{\text{A}}$.

Calculer une probabilité (p. 193)

5 La loi 1 qui donne sept probabilités égales ne convient pas, car les fréquences varient dans un rapport de 1 à 40. De même, la loi 3 ne convient pas pour les probabilités des valeurs 4, 5 et 6 données égales, ce que la simulation dément.
La loi 2 semble convenir, car les fréquences observées sont proches des probabilités de la loi.

Faire le point

QCM

A 1. a., c.　　2. b., c.　　3. a., c.

B 1. c.　　2. b., c.　　3. b., c., d.　　4. a.

Vrai ou faux ?

C 1. Faux.　　2. Vrai.　　3. Vrai.　　4. Faux.

D 1. Vrai.　　2. Vrai.　　3. Vrai.

Exercices

1. Vocabulaire des événements

16 1. Vrai.　　2. Vrai.　　3. Faux.　　4. Vrai.

17 1. Vrai.　　2. Vrai.　　3. Faux.　　4. Faux.

18 1. b.　　2. a.　　3. a.　　4. c.

19 1. Vrai.　　2. Faux.　　3. Vrai.　　4. Faux.

20 1. $\Omega = \{1 ; 2 ; 3 ; 4 ; 5 ; 6\}$.
2. $\Omega = \{1 ; 2 ; 3 ; 4 ; 5 ; 6\}$.
3. $\Omega = \{2 ; 3 ; 4 ; 5 ; 6 ; 7 ; 8 ; 9 ; 10 ; 11 ; 12\}$.
4. Ω est l'ensemble des 36 couples $(a ; b)$ où a et b décrivent l'ensemble $\{1 ; 2 ; 3 ; 4 ; 5 ; 6\}$.

24 1. $\Omega = \{hhdd ; hdhd ; hddh ; dhhd ; dhdh ; ddhh\}$.
2. a. $E_1 = \{hdhd ; hddh ; dhhd ; dhdh\}$;
b. $E_2 = \{hhdd ; hdhd ; dhhd\}$;
c. $E_3 = \{hhdd ; ddhh\}$;
d. $E_4 = \{ddhh\}$.

33 1. a. $\dfrac{30}{100} \times 300 = 90$.
b. $\dfrac{300}{2} = 150$ personnes possèdent un véhicule essence et recherchent un véhicule essence ;
$300 - (90 + 150) = 60$ personnes possèdent un véhicule essence et recherchent un véhicule électrique.

2. a.

Visiteurs possédant actuellement un véhicule...	... et recherchant un véhicule ...			Total
	diesel	essence	électrique	
essence	90	150	60	300
diesel	300	160	40	500
Total	390	210	100	800

b. L'ensemble des issues est l'ensemble des 800 visiteurs rencontrés.

3. a. $A \cap B$ « le visiteur possède un véhicule diesel et est intéressé par un véhicule diesel » ; il est réalisé par 300 issues.

b. $A \cup B$ « le visiteur possède un véhicule diesel ou est intéressé par un véhicule diesel » ; il est réalisé par $300 + 160 + 40 + 90 = 590$ issues.

c. $\bar{B}$ « le visiteur n'est pas intéressé par un véhicule diesel » ; il est réalisé par $800 - 390 = 410$ issues.

2. Probabilité d'un événement sur un ensemble fini

34 1. a. et c.   2. b.

35 Les lois impossibles sont **a.** et **d.**.

36 1. Faux.   2. Vrai.   3. Vrai.   4. Faux.

38 1. La probabilité de chaque couleur de feu est proportionnelle à sa durée pendant un cycle (durée totale : 70 s).
Alors $p(\text{feu vert}) = \dfrac{45}{70} = \dfrac{9}{14}$;
$p(\text{feu orange}) = \dfrac{5}{70} = \dfrac{1}{14}$; $p(\text{feu rouge}) = \dfrac{20}{70} = \dfrac{2}{7}$.
2. La probabilité que le conducteur s'arrête est :
$$p(\text{feu orange}) + p(\text{feu rouge}) = \dfrac{1}{14} + \dfrac{2}{7} = \dfrac{5}{14}.$$

42 $p(A) = 0{,}17$; $p(B) = 0{,}73$; $p(C) = 0{,}8$.

3. Calculs de probabilités

49 1. Faux.   2. Faux.   3. Vrai.   4. Vrai.

50 1. a. et c.   2. a., b. et c.   3. c.

59 1. Ω est l'ensemble
$\{PPP ; PPF ; PFP ; PFF ; FPP ; FPF ; FFP ; FFF\}$.

2. a. $p(P_1) = p(\text{« obtenir pile au } 1^{er} \text{ lancer »}) = \dfrac{4}{8} = \dfrac{1}{2}$;

$p(P_2) = p(\text{« obtenir face, puis pile »}) = \dfrac{2}{8} = \dfrac{1}{4}$;

$p(P_3) = p(\text{« obtenir face, face, puis pile »}) = \dfrac{1}{8}$.

b. $p(P_1) + p(P_2) + p(P_3) = \dfrac{7}{8} \neq 1$, car la réunion de P_1, P_2 et P_3 n'est pas l'univers.

61 1. $p(\text{« la flèche indique le secteur A »}) = \dfrac{1}{4}$;

$p(\text{« la flèche indique le secteur B »}) = \dfrac{1}{3}$;

$p(\text{« la flèche indique le secteur C »}) = \dfrac{5}{12}$.

2.

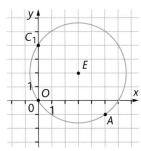

```
              1/6   6
        secteur A
   1/4         5/6   pas le 6
              1/2   pair
   1/3  secteur B
              1/2   impair
 5/12
        secteur C  1   n'importe
                       quel nombre
```

3. a. $p(\text{« gagner le gros lot »}) = \dfrac{1}{4} \times \dfrac{1}{6} = \dfrac{1}{24}$.

b. $p(\text{« gagner un lot »}) = p(\text{« gagner le gros lot »}) +$
$p(\text{« gagner le lot moyen »}) = \dfrac{1}{24} + \dfrac{1}{3} \times \dfrac{1}{2} = \dfrac{5}{24}$.

c. $p(\text{« perdre »}) = 1 - p(\text{« gagner un lot »}) = \dfrac{19}{24}$.

9.
Bases de la géométrie plane

Partir d'un bon pied

1 1. Faux.   2. Vrai.   3. Vrai.
     4. Faux.   5. Faux.   6. Vrai.

2 1. c.   2. c.

3 1. Vrai.   2. Vrai.   3. Vrai.

4 1. Faux (réciproque du théorème de Thalès).
2. Vrai.
3. Vrai.

Savoir faire

Utiliser des calculs de distances (p. 221)

5 1. $EA^2 = 13$, donc le rayon du cercle $\mathscr{C}$ est $\sqrt{13}$.
2. Si $M(0 ; y)$, alors $EM^2 = (0 - 3)^2 + (y - 2)^2$; donc $EM^2 = y^2 - 4y + 13$.
3. Pour que M soit sur le cercle $\mathscr{C}$, il faut et il suffit que $EM^2 = 13$; d'où : $y^2 - 4y + 13 = 13 \Leftrightarrow y^2 - 4y = 0$.
Donc $y = 0$ ou $y = 4$.
Le cercle coupe l'axe des ordonnées au point $C(0 ; 4)$ et à l'origine.

8 1. Le milieu E de $[BC]$ a pour coordonnées $\left(\dfrac{1}{2} ; \dfrac{5}{2}\right)$.

2. D est le milieu de $[AC]$, donc d'après le théorème de la droite des milieux, $(ED)//(AB)$.

Faire le point

QCM

A 1. a.   2. a.   3. b.   4. b.   5. c.   6. c.

Vrai ou faux ?

B 1. Faux.   2. Vrai.   3. Vrai.   4. Faux. $IJ = \sqrt{2}$.
5. Faux.   6. Vrai.   7. Faux.
8. Faux.   9. Faux.

C 1. Vrai.
2. Faux, car DO est égal à AD qui est le rayon.
3. Vrai, car le triangle DOC est rectangle en O.

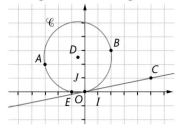

Exercices

1. Coordonnées dans le plan

15 1. b.   2. b.   3. b.

16 1. c.   2. b.   3. b.

17 1. Faux. Mêmes ordonnées.
2. Vrai.   3. Vrai.
4. Faux ; $1 \leqslant x \leqslant 3$ et $-2 \leqslant y \leqslant 2$.

2. Utiliser des coordonnées pour calculer des distances

22 Algorithme b.

23 1. Vrai.   2. Vrai.
3. Vrai, car $AB = AC$.
4. Faux, car $AB^2 + AC^2 = BC^2$; il est rectangle en A.

24 1. Vrai, car $AD = 10$.   2. Faux.   3. Faux.

25 1. Faux. $OB = 5$.
2. Faux, car $BD^2 + BC^2 \neq CD^2$.
3. Faux, car $OA = 6$ et $OD = 5$.
4. Faux.

26 1. c. Équilatéral, car les trois côtés ont pour longueur 10.
2. a. Le point de coordonnées $(6 ; 4)$, car sa distance à I est 5.

29 1. $AB = 7 \Leftrightarrow (2 + 5)^2 + (y - 2)^2 = 49$, soit $y = 2$.
2. $AB = 7\sqrt{2} \Leftrightarrow 49 + (y - 2)^2 = 98$, soit
$(y - 2)^2 - 7^2 = 0 \Leftrightarrow (y - 9)(y + 5) = 0$.
On a deux solutions : 9 et -5.
3. $OA = OB \Leftrightarrow 25 + 4 = 4 + y^2$.
On a deux solutions : -5 et 5.
4. $IB = JB \Leftrightarrow 1^2 + y^2 = 2^2 + (y - 1)^2$,
c'est-à-dire $y = 2$ en développant.

33 1. et 2. On pose $C(0 ; y)$ et comme le triangle ABC est rectangle en B, on a : $AB^2 + BC^2 = AC^2$, ce qui donne :
$$4 + y^2 = 4^2 + 2^2 + 2^2 + (2 - y)^2.$$
Soit $y = 6$ et $C(0 ; 6)$.

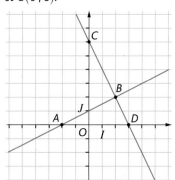

De la même façon, on obtient en posant $D(x ; 0)$, $x = 3$ et $D(3 ; 0)$.

3. Utiliser les coordonnées du milieu d'un segment

37 1. c.   2. b.

38 1. Faux, car $[AC]$ et $[BD]$ n'ont pas le même milieu.
2. Vrai, car $[AE]$ a pour milieu le point de coordonnées $(5 ; 1)$ c'est C.
3. Vrai.

4. Étudier les configurations du plan

44 1. Vrai. Droite des milieux dans le triangle BEI.
2. Faux. $IE = \dfrac{\sqrt{17}}{2}$.
3. Vrai. Pythagore dans DFJ.
4. Vrai.

45 1. Vrai.
2. Faux, car $\dfrac{AM}{AB} \neq \dfrac{AN}{AC}$.
3. Vrai. (IJ) parallèle à (AB), droite des milieux, est perpendiculaire à (AC) donc : (IJ) et (AD) sont des hauteurs du triangle CAI.
J est l'orthocentre de ce triangle. (CJ) est la troisième hauteur.

49 1. Le milieu K de $[AC]$ a pour coordonnées $(2\,;1)$. En écrivant que K est le milieu de $[BD]$, on obtient $D(2\,;-3)$.

2. $AB^2 = BC^2 = 17$, donc $AB = BC$ et $ABCD$ est un losange.

10. Géométrie dans l'espace

Partir d'un bon pied

1

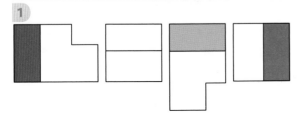

2 1. a.   2. a.   3. b.   4. c.   5. a.

3 1. Vrai.   2. Vrai.   3. Faux.   4. Faux.
5. Vrai.   6. Vrai.   7. Vrai.

Savoir faire

Étudier un solide de l'espace (p. 243)

1 Une pyramide régulière est composée de faces qui sont des **polygones réguliers**.

La base est carrée. Les 4 autres faces sont donc des triangles équilatéraux de côté 4 cm.

Déterminer des positions relatives de droites et plans (p. 245)

4 D'après le cours, montrer que deux plans parallèles revient à prouver que deux droites sécantes de l'un sont respectivement parallèles à deux droites sécantes de l'autre.

Le théorème des milieux dans le triangle ABC permet d'affirmer que (AB) et (IJ) sont parallèles.

Le théorème des milieux dans le triangle ACD permet d'affirmer que (AD) et (IK) sont parallèles.

Mais (AD) et (AB) sont deux droites du plan (ABD) sécantes en A. Par ailleurs (IK) et (IJ) sont deux droites du plan (IJK) sécantes en I.

Donc, d'après le cours, les plans (IJK) et (ABD) sont parallèles.

Faire le point

QCM

1. a. c. d.   2. a. c.   3. b. d.
4. b.   5. c.   6. a. d.

Vrai ou faux ?

1. Faux.
2. Vrai.
3. Vrai.
4. Faux (suivant la droite (JK)).
5. Faux (suivant une droite contenant L).
6. Vrai.

Exercices

1. Solides et perspective cavalière

10 a. et c.

11 ④ ou ⑥ peuvent être des patrons de ⓐ ;
⑤ peut être un patron de ⓑ ;
② peut être un patron de ⓒ (ⓒ n'est pas un cube).

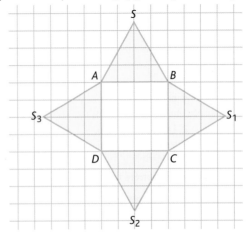

12 La figure a. convient.

13

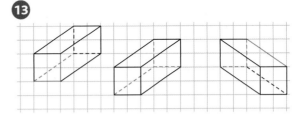

20 $IJKL$ est un losange, car ses côtés sont de même longueur. Mais par symétrie $IK = LJ$: les diagonales sont de même longueur, $IJKL$ est en fait un carré. Le plus simple pour le représenter est de s'appuyer sur un carré de côté 4.

22 La pyramide *OEFGH* a pour hauteur une demi-arête, et sa base est le carré *EFGH*.

Son volume est donc égal à :

$$\frac{1}{3} \times \frac{a}{2} \times a^2 = \frac{a^3}{6},$$

où *a* est la mesure de l'arête du cube.

Le volume est donc égal à $\frac{1}{6}$ du volume du cube.

2. Droites et plans de l'espace

25 1. a. c.　　2. b.
3. b. c.　　4. aucune des trois.

26 1. Faux.　　2. Vrai.　　3. Faux.
4. Faux.　　5. Vrai.

27 1. Vrai.　　2. Vrai.　　3. Vrai.
4. Faux.　　5. Faux.　　6. Vrai.

28 1. Vrai.　　2. Vrai.　　3. Faux.
4. Faux.　　5. Vrai.

29 1. a.　　2. d.
3. d.　　4. c.

30 1. Vrai.　　2. Faux.　　3. Vrai.　　4. Faux.
5. Vrai.　　6. Vrai.　　7. Vrai.　　8. Faux.

32 On va utiliser la propriété de Pythagore.

Dans le triangle *LIJ*, rectangle en *J*, on a :
$IL^2 = JL^2 + IJ^2 = (2a)^2 + a^2 = 5a^2$.

Dans le triangle *BCI*, rectangle en *B*, on a :
$BI^2 = BC^2 + CI^2 = a^2 + a^2 = 2a^2$.

Dans le triangle *BFL*, rectangle en *L*, on a :
$BL^2 = BF^2 + FL^2 = 2a^2 + a^2 = 3a^2$.
($BF = BI$, ce sont deux diagonales de carrés identiques.)

On a : $BL^2 + BI^2 = 3a^2 + 2a^2 = 5a^2 = IL^2$.
Donc, par la réciproque du théorème de Pythagore, le triangle *LBI* est rectangle en *B*.

37 1. Les points *C* et *D* sont communs aux plans (ADF) et (BEC).
Donc l'intersection des deux plans est la droite (CD).

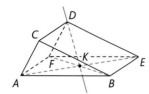

2. Les droites (AE) et (BF) se coupent en *K*.
Le point *D* est commun aux plans (ADE) et (BFD).
Donc l'intersection des deux plans est la droite (DK).

---

11. Droites dans le plan

Partir d'un bon pied

1 Seule la fonction *g* n'est pas affine.

2 1. La courbe représentant la fonction *f* est une droite, donc il suffit de placer deux points : $f(0) = 4$ et $f(1) = 1$. Donc les points de coordonnées $(0\,;4)$ et $(1\,;1)$ conviennent.
2. $f(11) = -29$ et $f\left(\frac{2}{3}\right) = 2$.
3. $f(x) = 0 \Leftrightarrow x = \frac{4}{3}$.
4. $a = f(-5) = 19$.
5. $f(b) = -1 \Leftrightarrow b = \frac{5}{3}$.

3 1. $f(x) = 0{,}5x + 1$.
2. $g(x) = -x + 1$.
3. (BC) n'est pas la représentation graphique d'une fonction, car 2 aurait plusieurs images.

4 1. $f(x) = x$ et $g(x) = -x + 1$.
2. $f\left(\frac{1}{2}\right) = \frac{1}{2}$ et $g\left(\frac{1}{2}\right) = \frac{1}{2}$ correspond au fait que les diagonales d'un parallélogramme se coupent en leur milieu.

Savoir faire

Démontrer que des points sont alignés ou non (p. 270)

8 (AB) et (AC) ont pour coefficients directeurs respectifs
$m = \frac{5-3}{3-2} = 2$ et $m' = \frac{8-3}{5-2} = \frac{5}{3}$.
On a $m \neq m'$ donc les droites (AB) et (AC) ne sont pas confondues ; les trois points ne sont donc pas alignés.

11 Une équation de (AB) est $y = -\frac{4}{3}x + \frac{11}{3}$.
$C \in (AB) \Leftrightarrow -\frac{4}{3}x + \frac{11}{3} = 6 \Leftrightarrow x = -\frac{7}{4}$.
$D \in (AB) \Leftrightarrow y = -\frac{4}{3} \times 6 + \frac{11}{3} = -\frac{13}{3}$.

Faire le point

QCM

A 1. c.　　2. b.　　3. b.

B 1. c.　　2. b.　　3. a.

Vrai ou faux ?

C 1. Vrai.　　2. Vrai.　　3. Faux.　　4. Vrai.

D 1. Faux.　　2. Vrai.　　3. Vrai.　　4. Vrai.

Exercices

1. Équations de droites

23

	Parallèle à (Oy)	Sécante à (Oy)	Coefficient directeur
a.	non	oui	2
b.	oui	non	n'existe pas
c.	non	oui	1
d.	non	oui	$\dfrac{3}{7}$
e.	non	oui	-8
f.	non	oui	$\dfrac{1}{2}$

24 1. Faux.   2. Vrai.   3. Faux.   4. Vrai.

25 a. 1 ;   b. n'existe pas ;   c. -1 ;   d. $\dfrac{1}{3}$.

26 1. $0{,}6 + 1{,}4 = 2$.
2. $0{,}6 \times 10 + 1{,}4 = 7{,}4 \neq 7{,}5$.
3. oui.

37 Pour $[BR]$, x est compris entre -3 et -1 et l'équation réduite de la droite (BR) est $y = -\dfrac{3}{4}x + \dfrac{5}{4}$.

Pour $[RI]$, x est compris entre -1 et 1 et l'équation réduite de la droite (RI) est $y = -2x$.

Pour $[IS]$, x est compris entre 1 et 2 et l'équation réduite de la droite (IJ) est $y = 3x - 5$.

Pour $[SE]$, x est compris entre 2 et 3 et une équation réduite de la droite (SE) est $y = 1$.

38 1. Faux.   2. Vrai.   3. Faux.   4. Faux.

39 1. a. et c.   2. b.   3. a.

46 a. d_1 : $y = \dfrac{1}{5}x - 2$; d_2 : $x = 30$;

d_3 : $y = -\dfrac{1}{5}x + 4$; d_4 : $y = -\dfrac{1}{15}x + 2$.

b. d_1 : $y = -\dfrac{100}{3}x + 100$; d_2 : $x = 3$;

d_3 : $y = -10x + 100$; d_4 : $y = 10x$.

2. Positions relatives de deux droites

47 1. Faux.   2. Vrai.   3. Faux.   4. Faux.

48 1. Faux.   2. Faux.   3. Vrai.   4. Vrai.

49 a. Faux.   b. Vrai.   c. Vrai.

50 1. b.   2. c.   3. d.

55 f et j ; g et h ; i et k.

56 a. $(0 ; 3)$;   b. $\left(\dfrac{1}{2} ; 5\right)$;
c. d_1 et d_2 sont strictement parallèles.

3. Points alignés

62 1. (OA) a pour coefficient directeur $\dfrac{3}{4}$ et (OB) a pour coefficient directeur $\dfrac{2}{3}$ donc O, A et B ne sont pas alignés.
2. La droite (AB) ne passe pas par O, donc la fonction f n'est pas linéaire.

4. Systèmes d'équations linéaires

64 a. $x = 8$ et $y = \dfrac{22}{3}$;
b. $x = 4$ et $y = -1$;
c. $x = 2$ et $y = -5$.

67 1. $a = 0{,}8$ et $b = 1{,}1$.
2. En notant a le prix d'un croissant et b celui d'un pain aux raisins, les hypothèses conduisent aux équations du système de la question précédente. Un croissant coûte donc 0,80 € et un pain aux raisins 1,10 €.

12. Les vecteurs

Partir d'un bon pied

1 a. Vrai.
b. Vrai, car $AB = DC = EF$.
c. Faux.
d. Vrai (situation des milieux dans le triangle BDE).
e. Vrai, car $AB = EF$ et $(AB)//(EF)$ et $ABEF$ est un quadrilatère non croisé.

2 1. $AB = \sqrt{(4-0)^2 + (2-4)^2} = \sqrt{16 + 4} = 2\sqrt{5}$;
$AC = 2\sqrt{5}$.
2. On a déjà $AB = AC$, donc le triangle ABC est isocèle.
$BC = \sqrt{36 + 4} = 2\sqrt{10}$;
on remarque que :
$$AB^2 + AC^2 = 20 + 20 = 40 = BC^2 ;$$
le triangle ABC est isocèle rectangle.
3. $I(1 ; 1)$
4. D a pour coordonnées $(2 ; -2)$. $ABDC$ est un parallélogramme puisque les diagonales $[AD]$ et $[BC]$ ont même milieu I.

3 1. A2 ; B3 ; D3 ; E2.
2. D5 ; D7 ; E4 ; E8 ; G4 ; G8 ; H5 ; H7.
3. B4 ; C1 ; C3 ; A1 ; A5 ; C5 ; D2 ; D4 ; B2 ; E1 ; E5 ; F2 ; F4 ; G1 ; G3.

Construire un vecteur somme (p. 291)

4 1. et 2. Figure.

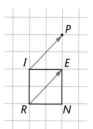

3. a. $\vec{RE} + \vec{EI} = \vec{RI}$.
b. $\vec{NR} + \vec{RI} = \vec{NI}$.
c. $\vec{NR} + \vec{IP} = \vec{NR} + \vec{RE} = \vec{NE}$.

**Déterminer les coordonnées
d'un point ou d'un vecteur (p. 293)**

6 1. $\vec{RS}\begin{pmatrix} 3 \\ 2 \\ -2 \end{pmatrix}$ et $\vec{UT}\begin{pmatrix} 3 \\ 2 \\ -2 \end{pmatrix}$, donc $RSTU$ est un parallélogramme.

2. $\vec{SF} = 2\vec{SU} \Leftrightarrow \begin{pmatrix} x \\ y+1 \end{pmatrix} = 2\begin{pmatrix} \frac{1}{2} \\ \frac{5}{2} \end{pmatrix} \Leftrightarrow \begin{cases} x = 1 \\ y+1 = 5 \end{cases}$

$\Leftrightarrow \begin{cases} x = 1 \\ y = 4 \end{cases}$.

3. $\dfrac{x_G + x_T}{2} = x_U \Rightarrow x_G = 2 \times \dfrac{1}{2} - 2 = -1$

et $\dfrac{y_G + y_T}{2} = y_U \Rightarrow y_G = 2 \times \dfrac{3}{2} + \dfrac{1}{2} = \dfrac{7}{2}$;

$G\left(-1 ; \dfrac{7}{2}\right)$.

4. U est le milieu du segment $[GT]$ d'après le résultat de
la question **3.** et U est le milieu du segment $[SF]$, puisque
$\vec{SF} = 2\vec{SU}$ s'écrit aussi $\vec{SF} - \vec{SU} = \vec{SU}$ donc $\vec{UF} = \vec{SU}$. (On
peut aussi appliquer les formules des coordonnées du milieu
de $[SF]$).
Le quadrilatère $STFG$ est donc un parallélogramme.

7 1. Soit $M(x ; y)$, on a :
$\begin{pmatrix} x \\ y \end{pmatrix} = \dfrac{1}{2}\begin{pmatrix} 4 \\ 2 \end{pmatrix} - 2\begin{pmatrix} -1 \\ 2 \end{pmatrix} \Leftrightarrow \begin{cases} x = 2 + 2 \\ y = 1 - 4 \end{cases} \Leftrightarrow \begin{cases} x = 4 \\ y = -3 \end{cases}$.
Donc $M(4 ; -3)$.
2. $OB = \sqrt{9 + 16} = 5$, $OM = 5$
et $BM = \sqrt{1^2 + (-7)^2} = 5\sqrt{2}$.
3. On constate que $OB = OM$ et que $OB^2 + OM^2 = BM^2$:
le triangle BOM est isocèle rectangle en O.

**Utiliser la colinéarité dans des problèmes de
géométrie (p. 295)**

9 1. $\vec{AB}\begin{pmatrix} 4 \\ -6 \end{pmatrix}$ et $\vec{AC}\begin{pmatrix} 1 \\ y-4 \end{pmatrix}$: $\vec{AB}$ et $\vec{AC}$ sont colinéaires
si, et seulement si, $4(y - 4) = 1 \times (-6)$.
On obtient $y = \dfrac{5}{2}$.

2. D est le point d'intersection de (AB) avec l'axe des
abscisses, donc $D(x ; 0)$ et $\vec{AD}\begin{pmatrix} x-2 \\ -4 \end{pmatrix}$.

$D \in (AB) \Leftrightarrow \vec{AB}$ et $\vec{AD}$ sont colinéaires
$\Leftrightarrow 4 \times (-4) = -6(x - 2) \Leftrightarrow x = \dfrac{14}{3}$,

donc $D\left(\dfrac{14}{3} ; 0\right)$.

12 On considère un repère (A, B, J) où J est un point
quelconque non situé sur (AB). On a alors : $x_A = y_A = 0$

et $\vec{AK} = \dfrac{1}{2}\vec{AB} \Leftrightarrow \begin{pmatrix} x_K \\ y_K \end{pmatrix} = \begin{pmatrix} \frac{x_B}{2} \\ \frac{y_B}{2} \end{pmatrix} \Leftrightarrow \begin{cases} x_K = \dfrac{x_A + x_B}{2} \\ y_K = \dfrac{y_A + y_B}{2} \end{cases}$

$\Leftrightarrow K$ est le milieu du segment $[AB]$.
On peut aussi écrire : $\vec{AK} = \dfrac{1}{2}\vec{AB} \Leftrightarrow 2\vec{AK} = \vec{AB}$
$\Leftrightarrow \vec{AK} = \vec{KB} \Leftrightarrow K$ est le milieu du segment $[AB]$.

QCM

A 1. c.   2. b.   3. b.

B 1. c.   2. b.   3. b.

Vrai ou faux ?

C 1. Faux. 2. Vrai. 3. Vrai. 4. Vrai. 5. Faux. 6. Vrai.

D 1. Vrai. 2. Faux. 3. Faux. 4. Vrai.

1. Translation et vecteur

19 a. Vrai.   b. Faux.   c. Vrai.   d. Vrai.

20 Réponse a.

21 a. Par la translation qui transforme E en H, l'image de A
est D.
b. L'image du triangle ABC est DEF par la translation qui
transforme C en F.
c. Le segment $[DE]$ est l'image du segment $[AB]$ par la
translation qui transforme F en I.
d. F est l'image de C par la translation qui transforme D en
G.
e. A a pour image F par la translation qui transforme D en I.

22 a. Faux.   b. Vrai.   c. Vrai.   d. Faux.

2. Somme de deux vecteurs

26 Réponse c.

27 a. Faux.   b. Faux.   c. Vrai.

28 Réponse d., car $\vec{BD} + \vec{HI} = \vec{BD} + \vec{DE} = \vec{BE} = \vec{FI}$.

29 a. Faux.   b. Vrai.   c. Faux.   d. Vrai.

30 1. *DOP*.   2. *COP*.   3. *OCN*.
4. a. $\vec{PO} + \vec{OC} = \vec{PC}$.
b. $\vec{AM} + \vec{OC} = \vec{AN} = \vec{LC}$.

3. Coordonnées d'un vecteur

39 1. Réponse c.
2. Réponse c.
3. Réponse b.
4. Réponse b.

40 a. Faux.   b. Vrai.   c. Vrai.   d. Faux.

41 a. $\begin{pmatrix} -8 \\ 3 \end{pmatrix}$;   b. $\begin{pmatrix} 71 \\ 26 \end{pmatrix}$;   c. $\begin{pmatrix} -13 \\ 36 \end{pmatrix}$.

42 a. $\begin{pmatrix} -\dfrac{7}{4} \\ \dfrac{14}{5} \end{pmatrix}$;   b. $\begin{pmatrix} \dfrac{13}{6} \\ -\dfrac{13}{6} \end{pmatrix}$.

43 a. Vrai.   b. Faux.   c. Vrai.

44 1. c.   2. c.   3. a.

4. Produit d'un vecteur par un réel

54 a. $\begin{pmatrix} 42 \\ -108 \end{pmatrix}$;   b. $\begin{pmatrix} 39 \\ -33 \end{pmatrix}$;   c. $\begin{pmatrix} 8 \\ -43 \end{pmatrix}$.

55 a. $\begin{pmatrix} 24 \\ -14 \end{pmatrix}$;   b. $\begin{pmatrix} -13 \\ 32 \end{pmatrix}$;   c. $\begin{pmatrix} 12 \\ -7 \end{pmatrix}$.

56 a. $\begin{pmatrix} -2 \\ 2 \end{pmatrix}$;   b. $\begin{pmatrix} 9 \\ 6 \end{pmatrix}$;   c. $\begin{pmatrix} 10 \\ -13 \end{pmatrix}$;   d. $\begin{pmatrix} 18 \\ -16{,}5 \end{pmatrix}$.

57 1. Dans le repère (A, I) le point S a pour abscisse 13 et B pour abscisse 6.
Comme $13 = \dfrac{13}{6} \times 6$ on a bien $\vec{AS} = \dfrac{13}{6} \vec{AB}$.

2. Exemple pour le point D : $\vec{DB} = \dfrac{1}{2} \vec{BA}$, donc $6 - x_D = \dfrac{1}{2}(-6)$; d'où $x_D = 9$.

On peut aussi écrire, comme $\vec{BA} = -6\vec{AI}$, que $\vec{DB} = \dfrac{1}{2}(-6\vec{AI}) = -3\vec{AI}$ donc $\vec{BD} = 3\vec{AI}$.

```
    C      A I   F    B    D  E   S
 ─┼─┼─┼─┼─┼─┼─┼─┼─┼─┼─┼─┼─┼─┼─┼─┼─┼─
```

58 1. b. et c.   2. a. et d.   3. a.   4. c. et d.

5. Colinéarité de deux vecteurs

62 1. c.   2. c.   3. b.   4. c.

63 1. Faux. 2. Vrai. 3. Faux. 4. Faux. 5. Vrai. 6. Vrai.

64 1. Faux.   2. Vrai.   3. Vrai.   4. Faux.

65 1. Faux.   2. Vrai.   3. Faux.   4. Faux.

66 1. $\vec{u}$ et $\vec{v}$ sont colinéaires $\Leftrightarrow 2 \times 9x = 3 \times 6$
$\Leftrightarrow 18x = 18$
$\Leftrightarrow x = 1$.
Dans ce cas $\vec{v}\begin{pmatrix} 6 \\ 9 \end{pmatrix}$ et $\vec{v} = 3\vec{u}$.
2. $\vec{u}$ et $\vec{v}$ sont colinéaires $\Leftrightarrow (2 - x) \times 9 = 3 \times 6$
$\Leftrightarrow 18 - 9x = 18$
$\Leftrightarrow x = 0$.
Dans ce cas $\vec{u}\begin{pmatrix} 2 \\ 3 \end{pmatrix}$ et $\vec{v} = 3\vec{u}$.
3. $\vec{u}$ et $\vec{v}$ sont colinéaires $\Leftrightarrow 2 \times 9x = 3 \times 6x$
$\Leftrightarrow 18x = 18x$
$\Leftrightarrow 18x = x \in \mathbb{R}$.
Les deux vecteurs sont colinéaires pour tout réel x et $\vec{v} = x\vec{u}$.
4. $\vec{u}$ et $\vec{v}$ sont colinéaires $\Leftrightarrow (2 - x) \times (2 + x) = 3 \times (-2)$
$\Leftrightarrow 4 - x^2 = -6$
$\Leftrightarrow 10 - x^2 = 0$
$\Leftrightarrow (\sqrt{10} - x)(\sqrt{10} + x) = 0$
$\Leftrightarrow x = \sqrt{10}$ ou $x = -\sqrt{10}$
Si $x = \sqrt{10}$ alors $\vec{u}\begin{pmatrix} 2 - \sqrt{10} \\ 3 \end{pmatrix}$, $\vec{v}\begin{pmatrix} -2 \\ 2 + \sqrt{10} \end{pmatrix}$
et $\vec{v} = \dfrac{2 + \sqrt{10}}{3}\vec{u}$.
Si $x = -\sqrt{10}$ alors $\vec{u}\begin{pmatrix} 2 + \sqrt{10} \\ 3 \end{pmatrix}$, $\vec{v}\begin{pmatrix} -2 \\ 2 - \sqrt{10} \end{pmatrix}$
et $\vec{v} = \dfrac{2 - \sqrt{10}}{3}\vec{u}$.

6. Applications de la colinéarité à la géométrie

71 1. Vrai.   2. Vrai.   3. Faux.   4. Faux.

72 1. Faux.   2. Vrai.   3. Vrai.   4. Faux.
5. Vrai.   6. Vrai.   7. Faux.   8. Vrai.

73 $\vec{MN}$ et $\vec{NP}$; $\vec{NM}$ et $\vec{NP}$; $\vec{PM}$ et $\vec{NM}$.

Outils pour l'algorithmique

● **Activité 2** Décomposer en instructions élémentaires

2. Les **Entrée/Sortie** sont codées en rouge, l'affectation de variables est codée en bleu, les **conditionnelles** sont codées en vert, et les **boucles** en gris.

● Activité 3 — Affecter une variable

1. Deux algorithmes en langage naturel

1.

> **Algorithme 1**
> Entrer un nombre réel $a = 9$
> Le mettre au carré. $a = 81$
> Retrancher 4. $a = 77$
> Multiplier par 2. $a = 154$
> Écrire le résultat final $a = 154$

2. On utilise **deux** variables, qui correspondent aux deux coordonnées. Elles sont toutes les deux de **type réel**.

2. Une écriture codifiée

1., 2. et **3.**

> **Algorithme 1a**
> $a = 4$
> $a \leftarrow a^2\ a = 16$
> $a \leftarrow a - 4\ a = 12$
> $a \leftarrow 2 \times a\ a = 24$

> **Algorithme 1b**
> $a = 4$
> $b \leftarrow a^2\ a = 4, b = 16$
> $c \leftarrow b - 4\ a = 4, b = 16, c = 12$
> $d \leftarrow 2 \times b$
> $a = 4, b = 16, c = 12, d = 24$

> **Algorithme 2**
> Variables :
> x, y : réels ;
> Début
>   Entrer(x, y) ;
> $x \leftarrow x$;
> $y \leftarrow -y$;
>   Afficher le point de coordonnées (x, y) ;
> Fin.

4. L'algorithme modélise la **symétrie d'axe** (Ox).

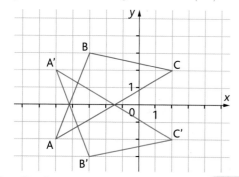

5. Il suffit de modifier les deux lignes d'affectation des variables, de la façon suivante :

> $x \leftarrow -x$
> $y \leftarrow y$

3. Applications directes

1. Les trois premiers algorithmes donnent le même résultat.

2.

ⓐ
> Variables :
> x, f : réels ;
> Début
>   Entrer(x) ;
> $f \leftarrow (x - 3)^2 + 4$;
>   Afficher(f) ;
> Fin.

ⓑ
> Variables :
> x, y : réels ;
> Début
>   Entrer(x, y) ;
> $x \leftarrow x + 4$;
> $y \leftarrow y + 2$;
>   Afficher le point de coordonnées (x, y) ;
> Fin.

ⓒ
> Variables :
> x, y, x', y', x'', y'' : réels ;
> Début
>   Entrer(x, y, x', y') ;
> $x'' \leftarrow \dfrac{x + x'}{2}$;
> $y'' \leftarrow \dfrac{y + y'}{2}$;
>   Afficher le point de coordonnées (x'', y'') ;
> Fin.

● Activité 4 — Exprimer une condition

1. Si...Alors, Si...Alors Sinon...

« Tu lances un dé et tu obtiens un nombre entre 1 et 6. S'il est égal à 6, **tu gagnes**, **sinon**, tu perds »

« **Si** un quadrilatère a quatre angles droits, **alors** c'est un rectangle »

« **Si** le nombre choisi est pair, on le divise par 2, **si** le nombre est impair, on le multiplie par 3 et on ajoute 1 ».

« **Si** votre demande concerne nos séjours à Venise tapez 1, Palerme, tapez 2, pour une autre destination, tapez 3 »

2. Écriture en pseudo-code

1. 3 donne $3 - 1 = 2$;
5 donne $2 \times 5 = 10$;
8 donne $2 \times 8 = 16$;

2.

> **Algorithme 2**
> Variables :
> a, b : entier ;
> Début
> $a \leftarrow$ Alea_Ent$(1 ;6)$;
>   Si $a = 6$ Alors
> $b \leftarrow$ Alea_Ent$(1 ;20)$
>   Écrire (« Vous avez gagné », b)
>   sinon Écrire (« Perdu ! ») ;
>   FinSi ;
> Fin.

3. Le langage logiciel

```
Variables :
    a : entier ;
Début
    a ← Alea_Ent(1 ;20) ;
    Si a est pair  Alors
            a ← a/2
        Afficher(« le résultat est »,a) ;
        sinon
            a ← a + 1
        Afficher(« le résultat est », a) ;
    FinSi ;
Fin.
```

4. Application directe

```
Variables :
    n : entier ;
    s : réel ;
Début
    Entrer(n) ;
    Si n < 3 Alors
            s ← 9,5 × n
        Afficher(« la somme payée est », s) ;
    Sinon
            Si n ⩾ 6 Alors
            Afficher(« la somme payée est », s) ;
            Sinon
            s ← 7,5 × n
            Afficher(« la somme payée est », s) ;
            FinSi ;
    FinSi ;
Fin.
```

● Activité 5 Répéter des instructions en boucle

2. Écriture en pseudo-code

1.

```
                Algorithme 1
    Variables :
        i : entiers ;
        f : réel ;
    Début
        Pour i allant de 3 à 8 faire
            f ← 4/i
        Afficher(f)
        FinPour ;
    Afficher(f) ;
    Fin.
```

2. La première instruction $k \leftarrow 0$ permet de mettre le compteur à 0.
La deuxième instruction $k \leftarrow k + 1$ permet d'augmenter ce compteur de 1.

3.

```
                Version 1
    Variables :
        n : entier ;
    Début
    Entrer(n) ;
            Jusqu'à ce que
            n ⩾ 30 faire
            n ← n + 2
            FinJusqu'à
    Afficher(n) ;
    Fin ;
    Fin.
```

4.

```
                Version 2
    Variables :
        n, k : entiers ;
    Début
    Entrer(n) ;
    k ← 0
            Jusqu'à ce que
            n ⩾ 30 faire
            n ← n × 2
            k ← k + 1
            FinJusqu'à ;
    Afficher(n) ;
    Afficher(« le nombre de
    boucles est », k) ;
    Fin ;
    Fin.
```

3. Applications directes

a.

```
Variables :
    k, a : entier ;
Début
    k ← 0 ;
    a ← 0 ;
        Jusqu'à ce que a = 6 faire
        a ← Alea_Ent(1 ;6)
        k ← k + 1
        FinJusqu'à ;
    Afficher(« le nombre de lancers est », k) ;
Fin.
```

b.

```
Variables :
    x : réel ;
    k : entier ;
Début
    k ← 0 ;
    Entrer(x) ;
        Jusqu'à ce que k = 30 faire
        x ← x + 1/x
        k ← k + 1
        FinJusqu'à ;
    Afficher(x) ;
Fin.
```

Index

12. Mauritius/Photononstop. 13. h : G. Rolle/Rea ; b : Collection Nordet/Kharbine-Tapabor. 14. P. Forget/Eyedea. 24. Fancy/Photononstop. 33. Tips/R. Forbes/Photononstop. 34. Baptiste Fenouil/Réa. 38. Alain Béguerie. 43. g : Dr. ; d : La Collection/Domingie&Rabatti. 57. SPL/Cosmos. 68. Leemage. 69. La Collection/Artothek. 71. hg : P. Bourseiller/ Hoa Qui/Eyedea ; hd : T. Bognar/Photononstop ; bg : G. Labriet/Photononstop ; bd : Mauritius/Photononstop. 73. Image Source/ Photononstop. 83. J.M. Brunet/Sunset. 88. h : H. Bergman Photography/Getty Images ; b : C. Sales/Sunset. 91. h : C.A. Benoit/Nokia Fese/Stance Magazine ; b : M. Hans. 95. h : L. Boegly/Artédia ; m : P. Mesner/Gamma ; b : Y. ArthusBertrand/Altitude. 97. Image Broker/Sunset. 111. S. Moreira/epa/Corbis. 113. A. Harlingue/Roger-Viollet. 114. g : Alain Béguerie ; d : D. Maillac/Rea. 117. h : Indigo Communication ; b : SHOM France. 140. Artédia, Adagp, Paris 2010. 141. h : Dinodia/AGE Fotostock/Hoa Qui. 142. Luisa Ricciarini/Leemage. 159. W.B. Meyers/Novapix. 163. hg : M. Cheylan/CEFE-CNRS ; m : Juniors Bilderchiv/Sunset ; d : AKG Images/SPL. 181. F. Strauss/MAP-Mise au Point. 184. h : Collection privée, courtesy Galerie Art Attitude Hervé Bize,Nancy-François Morellet-Adagp, Paris 2010 ; b : AISA/ Leemage. 186. b : Banque centrale européenne. 187. h : P. Carisson/Etsa/Corbis ; b : La Collection. 202. h : Banque centrale européenne. 205. Photo Josse/Leemage. 206. g : N. Vreesmarc/Pachacamac/Rea ; d : M. Grangne/AFP. 214. W. Kaehler/ Corbis. 217. Université d'Heidelberg/ESA. 227. A. Real/AGE Fotostock/Hoa Qui. 231. G. Mermet/La Collection. 233. Leemage. 234. g : Bianchetti/Leemage ; d : S. Sprague/Ciric. 236. E. Segre VisualArchives/American Institute of Physics/SPL/Cosmos. 237. J.P. Dumontier/La Collection. 239. hg : P. Escudero/Hoa Qui ; hd : C. Kober/J. Warburton-Lee/Photononstop ; bg : S. Couturier/Collection Artedia-Adagp, Paris 2010 ; bd : Witt/Sipa. 240. g : La Collection/ Domingie&Rabatti ; d : Bridgeman-Giraudon. 249. E.Lessing/AKG Images. 253. h : P. Giardino/Corbis ; m : Interfoto/La Collection ; b : Photo Josse/Leemage. 254. hg : Philippe Burlot ; bg : Alain Béguerie ; hd et bd : Collection Dagli Orti/G. Dagli Orti/Picture-desk. 259. Bridgeman-Giraudon. 263. h : D.R. Frazier/The Images Works/Ask Images ; b : S. Honda/AFP/ Getty Images. 285. g : R.W. Bonet/The Images Works/Ask Images ; md : Burnstein Collection/Corbis ; bd : M. Trezzini/ Corbis-Adagp, Paris 2010. 287. h : L. Granguillot/Rea ; b : Library of Congress/SPL/Cosmos. 299. W. Dieterich/Getty Images. 312. h : M.C. Escher's « Symmetry Drawing E2 » – 2009 The M.C. Escher Company – Holland. All rights reserved ; b : M.C. Escher's « Self Portrait » 2010 The M.C. Escher Company-Holland. All rights reserved. 313. J. Elk III/Lonely Planet/ Photononstop. 317. Jacques Boyer/Roger-Viollet.

Maquette de couverture : Johann Misset

Maquette intérieure : Véronique Lefebvre

Composition et mise en page : Desk

Dessins techniques : Lionel Buchet (SG Production)

Illustrations : Jean-Louis Gousset (SG Création)

Recherches iconographiques : Michèle Kerneïs

Photographies non référencées (chapitre 8) : Jean-Luc Maniouloux

Photogravure : APS Chromostyle

Relectures critiques : Jamel Dini, Sylvie Leroux, Frédéric Praud

Relectures : Régine Delay, Cécile Chavent, Annie Herschlikowitz

PAPIER À BASE DE
FIBRES CERTIFIÉES

hachette s'engage pour l'environnement en réduisant l'empreinte carbone de ses livres. Celle de cet exemplaire est de :

2300 g éq. CO$_2$

Rendez-vous sur www.hachette-durable.fr

Achever d'imprimé par Espagne par Macrolibros
Dépôt légal : 09/2013 - Edition 05 - Collection n° 64
13/5521/3

351

Instruction écrite en **bleu** : ce qui est à l'écran de la calculatrice, à sélectionner par les touches , etc.

Calculs

Menu **RUN** .

- **Élever à la puissance** : $\boxed{\wedge}$ puis l'exposant.
- **Mettre en fraction un résultat** : utiliser $\boxed{a+b/c}$ dans les calculs à la place de $\boxed{\div}$, puis si besoin $\boxed{SHIFT}$ $\boxed{a+b/c}$ pour transformer le résultat.
- **Partie entière d'un nombre** : $\boxed{OPTN}$ $\boxed{\triangleright}$ **NUM** **Int** .
- **Nombre aléatoire entre 0 et 1** : $\boxed{OPTN}$ $\boxed{\triangleright}$ **PROB** **Ran#** .
  Entier aléatoire entre 1 et 6 :
$$\texttt{Int (6×Ran\#)+1}$$

Particularités

- $\boxed{DEL}$ pour effacer le caractère sous le curseur.
- $\boxed{SHIFT}$ $\boxed{DEL}$ (**INS**) pour insérer des caractères.
- $\boxed{\quad}$ vers la gauche pour rappeler le dernier calcul et vers le haut pour remonter dans les calculs précédents.
- Lorsqu'un nombre est « petit » ou « grand », il peut être affiché avec un **E**, qui signifie « fois 10 puissance » :
  $\texttt{2E-09}$ signifie 2×10^{-9} ; $\texttt{3E+10}$ signifie 3×10^{10}

Conseil : Ne pas hésiter à rajouter des parenthèses pour respecter les priorités de calculs.
Ainsi $\dfrac{\sqrt{9-5}}{2 \times 5}$ s'écrit : $\texttt{√(9-5)÷(2×5)}$

Fonctions

Expression Menu **GRAPH** .
Dans la ligne **Y1=**, entrer l'expression de la fonction, puis la valider avec $\boxed{EXE}$.
La variable *x* est obtenue par la touche $\boxed{X,\theta,T}$.

Soit $f(x) = -\dfrac{1}{4}x^2 + x + 3$.

- **SEL** pour sélectionner ou désélectionner une expression : le signe = est sur fond noir lorsque l'expression est sélectionnée ($\texttt{Y1=-1÷4×X²+X+3}$), sur fond blanc sinon.
- ⚠️ Si l'expression est longue, elle apparaît incomplète à l'écran.

Courbe représentative Menu **GRAPH** .

- **DRAW** pour obtenir la courbe dans l'écran graphique.
- $\boxed{SHIFT}$ $\boxed{F3}$ (**V-Window**) pour changer la fenêtre : modifier les valeurs **Xmin**, **Xmax**, ... (valider chaque ligne avec $\boxed{EXE}$). Valider avec $\boxed{EXE}$.

– **INIT** donne la *fenêtre de base* :
$$-6,3 \leqslant x \leqslant 6,3 \text{ et } -3,1 \leqslant y \leqslant 3,1$$
– **STD** donne la *fenêtre standard* :
$$-10 \leqslant x \leqslant 10 \text{ et } -10 \leqslant y \leqslant 10$$

- $\boxed{SHIFT}$ $\boxed{F6}$ (**G→T**) pour passer de l'éditeur de fonctions à l'écran graphique, et inversement.
- $\boxed{SHIFT}$ $\boxed{F1}$ (**Trace**) et $\boxed{\quad}$ pour se déplacer sur la courbe. Le déplacement est de 0,1 en 0,1 dans la fenêtre de base.
- $\boxed{SHIFT}$ $\boxed{F2}$ (**Zoom**) pour zoomer.
  Pour $-3,5 \leqslant x \leqslant 7,5$ et $-3 \leqslant y \leqslant 6$ avec graduations (**scale**) en *x* tous les 0,5 :

```
View Window
 Xmin :-3.5
  max :7.5
  scale:0.5
 Ymin :-3
  max :6
  scale:1
INIT TRIG STD STO RCL
```

Calcul d'image Menu **RUN** . Faire :

– valeur $\boxed{\rightarrow}$ $\boxed{X,\theta,T}$ pour stocker dans **X** la valeur dont on veut calculer l'image ;
– puis $\boxed{VARS}$ **GRPH** **Y** **1** pour calculer **Y1**.

⚠️ Ne surtout pas utiliser $\boxed{ALPHA}$ $\boxed{-}$ (**Y**). **Y1(3)** donne le produit de **Y1** par 3, et non $f(3)$.
Ainsi pour calculer $f(3)$:

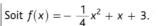

```
       3→X
 Y1             3
            3.75
```

Tableau de valeurs Menu **TABLE** .

- **RANG** pour définir ou modifier la tabulation.
- **TABL** pour obtenir le tableau de valeurs.
- $\boxed{\quad}$ pour se déplacer dans le tableau.

```
Table Setting
X
 Start:0
 End  :3
 Step :0.1
```

$$\texttt{Y1=-1÷4×X²+X+3}$$

```
    X      Y1
    0      3
   0.1    3.0975
   0.2    3.19
   0.3    3.2775
           3.19
FORM DEL ROW   G·CON G·PLT
```

Listes et statistiques

Menu 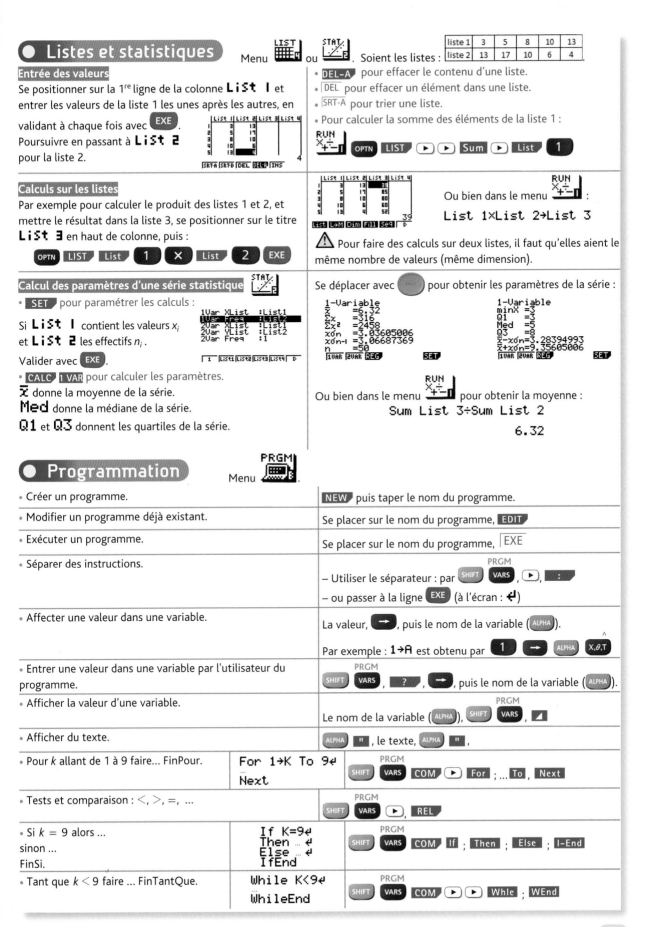 **LIST** ou **STAT**. Soient les listes :

liste 1	3	5	8	10	13
liste 2	13	17	10	6	4

Entrée des valeurs

Se positionner sur la 1ʳᵉ ligne de la colonne **List 1** et entrer les valeurs de la liste 1 les unes après les autres, en validant à chaque fois avec **EXE**. Poursuivre en passant à **List 2** pour la liste 2.

- **DEL-A** pour effacer le contenu d'une liste.
- **DEL** pour effacer un élément dans une liste.
- **SRT-A** pour trier une liste.
- Pour calculer la somme des éléments de la liste 1 :

RUN **OPTN** **LIST** ► ► **Sum** ► **List** **1**

Calculs sur les listes

Par exemple pour calculer le produit des listes 1 et 2, et mettre le résultat dans la liste 3, se positionner sur le titre **List 3** en haut de colonne, puis :

OPTN **LIST** **List** **1** **×** **List** **2** **EXE**

Ou bien dans le menu **RUN** :

List 1×List 2→List 3

⚠ Pour faire des calculs sur deux listes, il faut qu'elles aient le même nombre de valeurs (même dimension).

Calcul des paramètres d'une série statistique **STAT**

- **SET** pour paramétrer les calculs :

Si **List 1** contient les valeurs x_i et **List 2** les effectifs n_i.

Valider avec **EXE**.

- **CALC** **1VAR** pour calculer les paramètres.

$\overline{x}$ donne la moyenne de la série.
Med donne la médiane de la série.
Q1 et **Q3** donnent les quartiles de la série.

```
1Var XList  :List1
1Var Freq   :List2
2Var XList  :List1
2Var YList  :List2
2Var Freq   :1
```

Se déplacer avec ⊙ pour obtenir les paramètres de la série :

```
1-Variable
x̄      =6.32
Σx     =316
Σx²    =2458
xσn    =3.03605006
xσn-1  =3.06687369
n      =50
```

```
1-Variable
minX   =3
Q1     =3
Med    =5
Q3     =8
x̄-xσn=3.28394993
x̄+xσn=9.35605006
```

Ou bien dans le menu **RUN** pour obtenir la moyenne :

Sum List 3÷Sum List 2

6.32

Programmation

Menu **PRGM**.

• Créer un programme.	**NEW** puis taper le nom du programme.
• Modifier un programme déjà existant.	Se placer sur le nom du programme, **EDIT**
• Exécuter un programme.	Se placer sur le nom du programme, **EXE**
• Séparer des instructions.	– Utiliser le séparateur : par **SHIFT** **VARS** (PRGM), ►, **:**, – ou passer à la ligne **EXE** (à l'écran : ↵)
• Affecter une valeur dans une variable.	La valeur, **→**, puis le nom de la variable (**ALPHA**). Par exemple : **1→A** est obtenu par **1** **→** **ALPHA** **X,θ,T**
• Entrer une valeur dans une variable par l'utilisateur du programme.	**SHIFT** **VARS** (PRGM), **?**, **→**, puis le nom de la variable (**ALPHA**).
• Afficher la valeur d'une variable.	Le nom de la variable (**ALPHA**), **SHIFT** **VARS** (PRGM), **◢**
• Afficher du texte.	**ALPHA** **"**, le texte, **ALPHA** **"**,

• Pour *k* allant de 1 à 9 faire... FinPour.
 `For 1→K To 9↵`
 `Next`
	SHIFT **VARS** (PRGM) **COM** ► **For** ; ... **To** , **Next**

• Tests et comparaison : $<$, $>$, $=$, ...	**SHIFT** **VARS** (PRGM) ► , **REL**

• Si *k* = 9 alors ...
 sinon ...
 FinSi.
 `If K=9↵`
 `Then ... ↵`
 `Else ... ↵`
 `IfEnd`
	SHIFT **VARS** (PRGM) **COM** **If** ; **Then** ; **Else** ; **I-End**

• Tant que *k* < 9 faire ... FinTantQue.
 `While K<9↵`
 `WhileEnd`
	SHIFT **VARS** (PRGM) **COM** ► ► **Whle** ; **WEnd**

Calculatrice Texas 83 Plus.fr ou 84 Plus

Instruction écrite en bleu : ce qui est à l'écran de la calculatrice, à sélectionner par le numéro ou par le déplacement des flèches ▼ ▲ ▶ ◀.

● Calculs

- Élever à la puissance : **^** puis l'exposant.
- Mettre en fraction un résultat : utiliser **÷** dans les calculs, puis **math** **1:▶Frac**.
- Partie entière d'un nombre : **math** **NUM** **5:partEnt(**.
- Nombre aléatoire entre 0 et 1 : **math** **PRB** **1:NbrAléat**.

Entier aléatoire entre 1 et 6 : **math**
5:entAléat(**1** **,** **6** **)**.

Particularités

- **suppr** pour effacer le caractère sous le curseur.
- **2nde** **suppr** pour insérer des caractères.
- **2nde** **entrer** pour rappeler le dernier calcul.
- **annul** pour vider l'écran.
- Lorsqu'un nombre est « petit » ou « grand », il peut être affiché avec un **E**, qui signifie « fois 10 puissance » :

$$2\text{E}^{-}9 \text{ signifie } 2 \times 10^{-9} \text{ ; } 3\text{E}10 \text{ signifie } 3 \times 10^{10}$$

Conseil : Ne pas hésiter à rajouter des parenthèses pour respecter les priorités de calculs.

Ainsi $\dfrac{\sqrt{9-5}}{2 \times 5}$ s'écrit : **√(9-5)/(2*5)**

● Fonctions

Expression

- **f(x)** pour accéder à l'éditeur de fonctions.

Dans la ligne **Y1=**, entrer l'expression de la fonction, puis la valider avec **entrer**.

La variable x est obtenue par la touche **x,t,θ,n**.

Soit $f(x) = -\dfrac{1}{4}x^2 + x + 3$.

- Pour sélectionner ou désélectionner une expression : se placer sur = et utiliser **entrer**.

Une expression est sélectionnée lorsque le signe = est sur fond noir (**Y1█-1/4*X²+X+3**).

Courbe représentative

- **graphe** pour obtenir la courbe dans l'écran graphique.
- **fenêtre** pour changer la fenêtre : modifier les valeurs **Xmin**, **Xmax**, ... (valider chaque ligne avec **entrer**).
- **zoom** pour zoomer :
  - **4:ZDécimal** **entrer** donne la courbe dans la *fenêtre de base décimale* : $-4{,}7 \leqslant x \leqslant 4{,}7$ et $-3{,}1 \leqslant y \leqslant 3{,}1$
  - **6:ZStandard** **entrer** donne la courbe dans la *fenêtre standard* : $-10 \leqslant x \leqslant 10$ et $-10 \leqslant y \leqslant 10$

- **trace**, puis les flèches ▶ ◀ pour se déplacer sur la courbe.

Le déplacement est de 0,1 en 0,1 en zoom décimal.

Par exemple, pour $-3{,}5 \leqslant x \leqslant 7{,}5$ et $-3 \leqslant y \leqslant 6$ avec graduations (**Xgrad**) en x tous les 0,5 :

```
FENETRE
 Xmin=-3.5
 Xmax=7.5
 Xgrad=.5
 Ymin=-3
 Ymax=6
 Ygrad=1
 Xres=1
```

Calcul d'images

- Pour calculer **Y1(3)** :

var **Y-VARS** **1:Fonction...** **1:Y1** **entrer**
(**3** **)** **entrer**

```
Y1(3)
           3.75
```

- Pour calculer une liste d'images, utiliser les listes :

Entrer les valeurs de la variable X en **L1**, puis taper dans le titre de **L2** :

var **Y-VARS**
1:Fonction... **1:Y1** **entrer**
(**2nde** **1** **)** **entrer**

```
L1      L2      L3
-3.5    -3.563  ------
1       3.75
1.9     3.9975
2       4
2.1     3.9975
3       3.75
7.5     -3.563
L2 =Y1(L1)
```

Tableau de valeurs

- **2nde** **fenêtre** pour définir ou modifier la tabulation.
- **2nde** **graphe** pour obtenir le tableau.
- ▼ ▲ ▶ ◀ pour se déplacer dans le tableau, même avant la valeur de départ.

```
DEFINIR TABLE          X    Y1
 DébTbl=0              0     3
 Pas=.1               .1    3.0975
 Valeurs:Auto Dem     .2    3.19
 Calculs:Auto Dem     .3    3.2775
                      .4    3.36
                      .5    3.4375
                      .6    3.51
                      Y1█-1/4*X²+X+3
```